KB088245

성장기 부정교합의 인지와 수정

Recognizing and Correcting Developing Malocclusions

문제점 위주로 접근한 치과교정학 : A Problem-Oriented Approach to Orthodontics

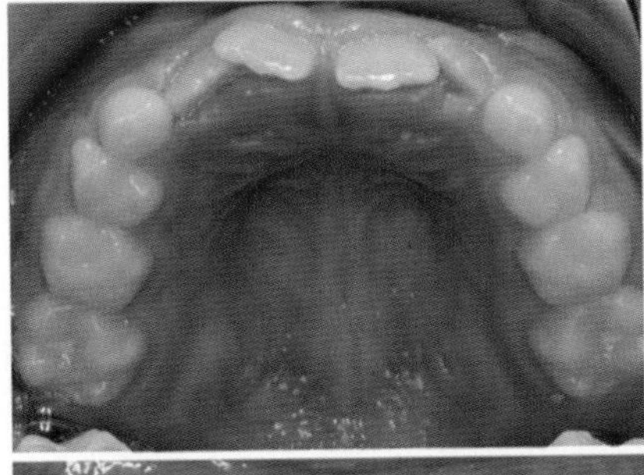

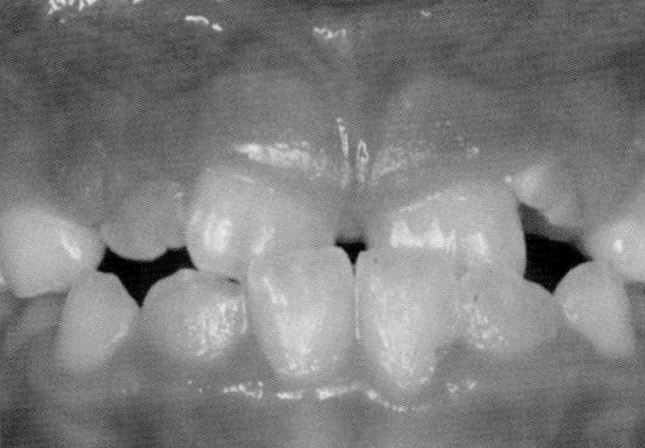

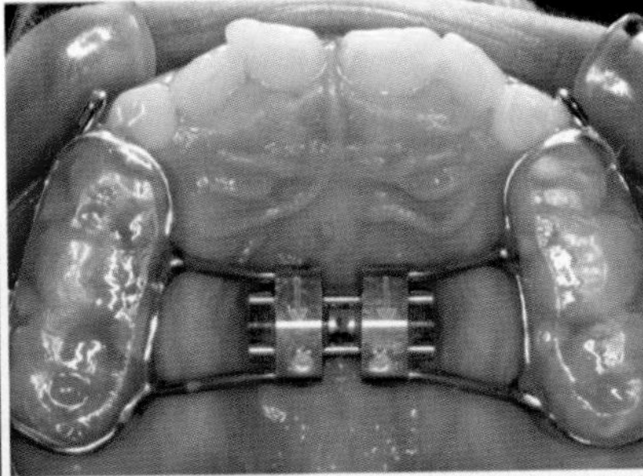

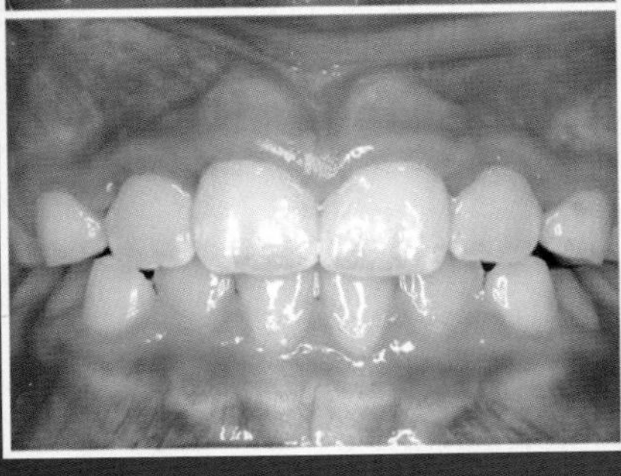

Edited by
Eustáquio A. Araújo
Peter H. Buschang

옮긴이
정규림, 박영국, 김기범,
정도민, 김성훈

군자출판사

WILEY Blackwell

성장기 부정교합의 인지와 수정

문제점 위주로 접근한 치과교정학

첫째판 1쇄 인쇄 | 2017년 2월 16일
첫째판 1쇄 발행 | 2017년 3월 3일

지 은 이 Eustáquio A. Araújo, Peter H. Buschang
옮 긴 이 정규림, 박영국, 김기범, 정도민, 김성훈
발 행 인 장주연
출 판 기 획 김도성
편집디자인 조원배
표지디자인 이상희
발 행 처 군자출판사
등록 제4-139호(1991. 6. 24)
본사 (10881) **파주출판단지** 경기도 파주시 회동길 338(서패동 474-1)
전화 (031) 943-1888 팩스 (031) 955-9545
홈페이지 | www.koonja.co.kr

ISBN 979-11-5955-145-1
정가 120,000원

편집

Eustaquio A. Araujo, DDS, MDS
미국 교정 전문의
브라질 교정 전문의
Pete Sotiropoulos 교정과 석좌교수
교정과 과장, 치과 교정학 대학원
고급 치의학 교육센터
Saint Louis 대학교
St. Louis, MO, USA

Peter H. Buschang, PhD
교정학 연구부장 및 정교수
치과 교정과
Texas A&M 대학교, Baylor 치과대학
Dallas, TX, USA

감사의 글

내 가족들, 특히 나의 아내 테레사에게, 그리고 아낌없는 지원과 끊임없는 영감을 불어넣어준 나의 교정과 의사인 딸 키카와 아들 치코에게 감사를 드립니다. 내 부모님들, 특히 치과의사로서 나에게 치의학의 길로 들어서게 해준 아버지에게 감사를 드립니다. 그리고 나의 멘토들, PUCMinas와 SLU의 동문들, 현재 수련의들, 동료들과 내가 보다 더 나은 임상의와 교수가 될 수 있도록 밑거름이 되어준 나의 모든 환자들에게 감사 드립니다. 또 Orlando Tanaka, Jose Mauricio와 Roberto Vieira에게 그들이 나에게 준 도움과 동료의식에 깊은 감사를 드립니다.

Eustaquio Araujo

내 가족들, 특히 아내인 Joyce에게 그녀의 지원과 현명함은 나를 버틸 수 있도록 하는 힘이 되어줬습니다. 그리고 교정과의 모든 교수님들, 동문들, 그리고 수련의 선생님들과 함께 일했던 경험은 제게 큰 축복이었고, 그들은 제가 올바른 길을 볼 수 있도록 도와주었습니다. 저와 함께 그들은 이 책이 가치가 있도록 만들어 주었습니다.

Peter Buschang

서문

한국 친구들에게 출판물을 소개하게 되어 큰 영광으로 생각합니다. RECOGNIZING AND CORRECTING DEVELOPING MALOCCLUSIONS이 한국어로 번역될 예정이라는 소식을 접하고 매우 설레었습니다. 대한민국은 제 가슴에 큰 부분을 차지하고 있습니다. 아름다운 이 나라의 친절한 초대를 받을 수 있다는 것은 제게 큰 행복이었습니다.

대한민국은 또한 세계 교정계에 큰 영향력을 발휘하고 있으며, 제가 "교정학계의 모든 새로운 것은 한국에서 시작되거나 발전된다." 라고 깊은 존경을 가지고 공식적으로 언급하였을 때를 저는 기억하고 있습니다.

RECOGNIZING AND CORRECTING DEVELOPING MALOCCLUSIONS – A PROBLEM ORIENTED APPROACH TO ORTHODONTICS는 소아환자에서 차단/수정교정(interceptive/corrective orthodontics)의 필요성에 대해 설명하고자 계획되었고 강력한 증거에 기반을 두고자 했습니다.

교정학은 역동적입니다! 교정치료 시기를 결정하는 추는 수년 동안 서로 다른 방향을 향해 흔들려 왔습니다. 그러나, 현재에 있어서, 교정치료 시기의 추가 서로 다른 수많은 이유로 인해 매우 앞당겨짐에 따라, 이 조화는 혼란에 빠진 것으로 보입니다.

교정치료의 가장 적절한 시기는 언제일까요? 이 주제에 대한 논란은 우리가 매일 하는 교정치료의 일부이자, 학계에서 열정적으로 토론이 되는 쟁점이기도 합니다. 언제, 어떠한 이유로, 어떻게 치료를 시작해야 할까요? 조기교정의 적응증으로 어떤 문제점들이 고려되어야 할까요? 왜 어떤 이들은 이 문제에 대해 극단적이고 근본적인 자세를 취할까요?

이 시대를 살고 조기교정치료의 장단점을 고려함으로써, 제가 우리의 사고에 진화를 선사할 수 있게 된다면 저는 너무나 행복합니다. 조기에 치료를 시작하는 것(Radicalism,급진주의)은 우리 환자들의 삶의 질과 각자가 성취하고자 하는 우수한 치료목표를 반영할 것입니다. 독단적인 태도를 삼가는 것은 주의깊은 임상가로 하여금 가장 좋은 결정을 내리게 합니다. 교정과 의사들은 장치 체계를 습득해야 할 뿐만 아니라, 혼합치열기 소아환자의 성장과 발달에 대해서도 숙지해야 합니다. 이 기간 동안, 적절한 진단과 사려깊은 치료과정에 연관되는 생물학적 반응들이 나타납니다. 초기의 심각한 문제들의 많은 부분이 개선되거나 제거될 수 있습니다!

모든 저자들을 대표하여 우리 분야에서 여전히 잘 알려져있지 않은 이 분야에 대해 규명할 기회를 가진데 대해 감사를 표합니다. 이 저서를 당신이 즐기길 바랍니다.

역자소개

정규림

경희대학교 치과대학 졸업
경희대학교 치의학 석사 및 박사
전) 경희대학교 치과대학 교정학교실 주임교수 및 치과병원 교정과 과장
전) 대한치과교정학회 회장
University of California Los Angeles(UCLA) 방문교수
일본 오사카치대 객원교수
전) 아주대학교 치과학교실 주임교수 및 임상치과학 대학원장
한국급속교정연구회 회장
한림대 강동성심병원 치과 교수

박영국

경희대학교 치과대학 졸업
경희대학교 치의학 석사 및 박사
경희대학교 경영학 석사
전) 경희대학교 치과대학 교정학교실 주임교수 및 치과병원 교정과 과장
전) 대한치과교정학회 회장
Harvard School of Dental medicine 객원 조교수
일본 오사카치대 객원교수
경희대학교 치과병원장
경희대학교 치의학전문대학원장

김기범

단국대학교 치과대학 졸업
단국대학교 구강내과 수련
미국 구강안면통증 전문의
미국 Vanderbilt University 교정과 수련
미국 교정전문의
Saint Louis University 교정과 부교수

정도민

경희대학교 치과대학 졸업
경희대학교 치의학 석사
전) 국립중앙의료원 치과 과장
Saint Louis University 교정과 방문 연구원
R. G. "Wick" Alexander,
The Alexander Discipline, Volume 3: Unusual and Difficult Cases 역자
국립중앙의료원 치과 Faculty.

김성훈

경희대학교 치과대학 졸업
경희대학교 치의학 석사
서울대학교 치의학 박사
경희대학교 치과대학 교정과 교수
University of California SanFrancisco(UCSF) 교정과, Saint Louis University 교정과 외래교수
National Hospital of Odontology and Stomatology in HCMC, Vietnam 교정과 외래교수
경희대학교 치과대학 교정학교실 주임교수 및 치과병원 교정과 과장

서언

치료 철학에 관한 함축적인 뜻이 담긴 간단해 보이지만 대답하기 어려운 질문을 교정과 교수들은 자주 받게 된다. 흔하게 받는 질문 중의 하나는 전공의들에게 조기치료(early treatment)에 관해서 교육을 하느냐 여부이다. 이런 질문에 어떤 방식으로든지 대답을 하게 되면 질문자의 조기치료에 대한 편견에 따라 나의 대답에 동의하거나 반대를 하는 내용에 대해 추가로 이야기를 나누게 된다. 그래서 나는 한 쪽으로 치우친 대답을 하지 않는 대신에 좀 더 생각을 유도하는 답변을 한다. 나의 대답은 "그렇습니다. 저희는 조기 치료(early treatment)에 대해서 교육할 뿐만 아니라 만기 치료(late treatment), very early treatment, 그리고 very late treatment도 한답니다. 그리고 1차 치료(1-phase treatment), 2차 치료(2-phase), 3차, 4차, 5차, 6차, 7차, 8차, 심지어는 필요한 경우에는 9차 치료도 한답니다" 이렇게 대답을 한다.

물론 이런 대답은 질문자를 당황스럽게 만들며 그것에 어떤 의미인지 다시 설명을 해주어야 한다. 이것을 설명하면서 몇가지 예를 들게 되는데 그 중의 한가지 예로 예전의 학생이었던 Greg Dyer와 같이 했던 연구를 언급하곤 한다. 교정치료를 받은 청소년기의 여자 환자와 성인 여자 환자를 비교하는 연구였다. 청소년군의 여자 환자들은 치료효과의 70%가 악골의 성장에 의해 나타났으며(하악의 성장이 상악보다 더 많이 일어난 것), 치료효과의 단지 30% 만이 치아이동에 의해 얻어졌다. 성인 여자환자군에서는 악골의 성장이 전혀 없거나 일부에서는 오히려 상악의 성장이 하악보다 더 많이 나타난 경우도 있었며 이러한 부정적인 성장까지 고려한 치아이동은 원래 필요한 양보다 더 많아야 하는 119% 정도 일어나야 환자의 부정교합을 치료할 수 있었다. 이 연구의 결과는 원하는 치료효과를 얻기위한 치아이동은 성장에 의하여 도움을 전혀 받지 못하고 때로는 원하지 않는 반대 방향으로 일어나는 성장까지 극복해야 하기 때문에 교정치료에 더 많은 노력을 기울어야 한다는 이야기이다. 이러한 단적인 예만 보더라도 청소년기에 하는 조기치료가 성인이 되어서 하는 만기치료보다 낫다는 것을 알 수 있다. 이것이 조기치료에 대해 교육을 하는지 여부에 대한 질문에 대해 내가 왜 그렇게 대답을 했는지 말해주는 한가지 이유이다. 그러나 조기치료만이 옳다고 믿거나 만기치료만이 옳다고 주장하는 한 쪽으로 치우친 대답을 할려는것이 아니라 상황에 따라 답변이 달라질 수 있다는 점을 이야기하고자 하는 것이다. 예를 들어서 II급 부정교합을 보이는 청소년기의 여자 환자를 보게 되는 경우에는 성인이 될 때까지 기다리지 말고 조기에 치료를 해야 한다는 것이 나의 답변이다.

여러 치료 단계를 거쳐야 하는 경우에는 환자의 상황에 따라 어떻게 대처해야 할지가 결정되어야 한다. 구개열 환자의 경우에는 조기에 치료를 시작해야 하며 수년에 걸친 여러 단계의 치료가 필요하다고 많은 연구들에서 보고되고 있다. 악교정 수술이 필요한 환자의 경우 몇번의 단계적 치료가 필요한지 논란이 되고 있다.

필자의 요지는 교정과 의사가 조기치료를 믿는지 믿지 않는지 여부는 크게 중요하지 않고 또한 한 단계의 치료(single-phase treatment)를 믿는지 아니면 1차 치료 후의 2차 치료같은 여러 단계의 치료를 선호하는지 여부는 크게 중요하지 않다라는 사실을 말하고자 하는 것이다. 가장 중요한 것은 교정과 의사가 환자가 가지고 있는 문제를 신중히 평가하고 난 후에 언제 어떻게 치료를 할 것인지를 과학적인 근거하에 결정을 해야 한다는 점이다. 환자를 진찰하지도 않은 상태에서 정형화된 어떤 치료가 필요하다고 이야기하는 것은 잘못된 것이다. 왜냐하면 모든 환자들은 맞춤형 치료가 필요하기 때문이다.

이 책은 유전학, 두개안면의 정상성장, 비정상 성장과 교합의 발육 등에 대한 새로운 과학적인 정보들을 제시하고 있다. 이러한 내용들은 올바른 치료시기를 이해하고 결정하는데 도움이 될 것이다. 또한 이 책은 전통적인 임상적 자료와 새로운 진단을 위한 자료를 이용하여 어떻게 진단을 하며 치료계획을 세우고 치료의 예후를 예측하는지에 대해서 소개하고 있다. 앵글의 세 가지 부정교합에 따른 각각의 부정교합의 발현, 원인, 치료에 대한 내용을 다루고 있다.

마지막으로 기존의 책들에서는 많이 다루어지지 않는 생역학이나 비정상적인 맹출, 기능, 심미, 선천적 결손치, 자가치아이식, 습관 등에 대한 내용도 이 책에서 소개하고 있다.

이 책이 조기치료나 예방교정치료를 다루는 기존의 책과 다른 점은 앞에서 언급했던 것처럼, 이 책은 조기치료에 대한 편견이나 단순한 경험 이나 맹신이 아닌 철저한 과학적인 근거에 의하여 쓰여졌다는 점이고 나아가서 환자의 문제에 대하여 검증된 치료법을 제시하고 있다는 점이다. 또한 이 책의 저자들 모두 이 분야에 있어서 오랫동안 연구와 학술 활동을 해온 전문가들이 썼다는 점 또한 기존의 책과 다른 점이다.

새로운 정보와 아이디어에 대하여 열려 있는 독자라면 이 책을 통해 새로운 치료방향에 대한 지식을 얻을 수 있으리라 생각된다. 또한 조기치료에 관한 편견이나 한 쪽으로 치우친 생각을 가지고 있는 독자역시 이 책을 통하여 기존의 생각을 바꿀 수 있는 긍정적인 계기가 될 것이라고 믿는다.

여러분의 환자들에게 도움을 줄 수 있는 새로운 정보와 긍정적인 생각을 이끌어 낼 수 있다는 점에서 꼭 이 책을 정독하기를 권하고 싶다.

Reference

1. Dyer, GS: Age effects of orthodontic treatment: adolescents contrasted with adults. MS Thesis, The University of Tennessee, 1989

미국 교정학회지 (American Journal of Orthodontics and Dentofacial Orthopedics) 편집장

Rolf G, Behrents

역자 서문

현대 치과교정학의 아버지인 Dr. Edwards Hartley Angle이 1900년 초에 처음으로 치과교정학을 소개한 이후로 지난 100여년간 눈부신 발전을 이루어 왔다. Cephalometrics 를 통하여 두개안면 성장에 대하여 이해할 수 있게 되었으며 환자의 부정교합이 단순한 치아의 문제인지 아니면 악골의 문제인지에 대해서도 알 수 있게 되었다. 그 후 prescription bracket의 소개와 straight wire technique 등을 통하여 교정치료는 좀더 쉽고 대중화가 되는 길이 열렸다. 많은 종류의 교정장치들이 개발되었으며 최근에는 골격고정원을 이용하여 과거에는 불가능해 보였던 문제들도 교정치료만으로 해결이 가능한 시대가 되었다. 하지만 이러한 눈부신 발전에도 불구하고 교정학계에는 완전히 해결되지 못한 여러가지 논란들이 아직 존재한다. 그 중 중요한 한 가지 논란이 조기치료에 관한 것이다.

혼합치열기에 있어서 조기치료의 필요성이나 중요성에 대한 논란은 교정학의 역사만큼 오래되었다라고 할 수 있다. 일부의 교정과 의사들은 조기치료의 필요성에 대하여 강조하면서 많은 환자들의 경우 조기치료를 통하여 문제를 일찍 해결할 수 있으며 더 큰 골격적인 문제로 발전하는 것을 막을 수 있다라고 주장하는 반면, 일부에서는 정반대로 조기치료가 결과적으로 보았을 때 너 나은 치료결과를 얻지 못한다라고 주장하고 있다.

특별히 조기치료와 관련되어서는 과학적인 근거가 없는 주장들이 많은 것이 사실이다. 특정한 치료방법이나 장치를 사용한 조기치료의 필요성을 주장하는 사람들이 많이 있다. 이와 관련하여 수 많은 연구들이 행해졌지만 아직까지 조기치료의 중요성이나 필요성에 대해서는 논란이 있다. 과거에는 경험에 근거한 주장에 많은 사람들이 동의하고 그것을 따르는 경우가 많았지만 최근에는 여러 논문을 통해서 우리가 과거에 맞다고 믿어왔던 것들이 사실이 아니라는 것이 밝혀지고 있는 예들이 많이 있다.

이 책은 경험이나 한 쪽으로 치우친 의견을 피력하기 보다는 철저하게 과학적인 근거에 바탕한 내용으로 각각의 주제에 대하여 설명을 하고 있으며 또한 그러한 과학적인 근거를 적용한 다양한 환자의 예를 통하여 좀더 알기 쉽게 이해할 수 있도록 쓰여져 있다.

이 책의 두 명의 편집자인 Saint Louis 대학의 Araujo 교수와 Baylor 대학의 Buschang 교수는 이 분야의 세계적인 전문가이며 관련된 수많은 연구를 발표한 저명한 학자들이다. 각 장의 공저자들 역시 세계각국의 전문가들이며 이 분야에서 두각을 나타내고 있는 유명한 학자들이 참여하였다. 특별히 Araujo 교수는 미국의 Saint Louis 대학에 강의차 방문을 하였을 때 알게 되어 수년 동안 학술적인 교류를 해오고 있는 개인적으로 친분이 있는 동료 교수이다. 조기치료에 남다른 열정이 있다는 사실을 알고 있었던 우리로써는 이와 관련된 책을 집필한다는 소식을 듣고 이 책을 꼭 한국의 독자들에게 전달하고 싶은 마음이 생겼다. 친한 친구이자 동료인 분의 책을 부족하나마 번역할 수 있는 기회를 얻은 것을 감사하게 생각한다.

다소 혼란스러웠던 조기치료에 대한 논란이 이 책을 통하여 좀더 명확하게 정리가 되리라 확신하며 과학적인 근거에 바탕한 치료로 많은 환자들에게 도움이 되었으면 하는 마음으로 역자의 서문을 마치고자 한다.

2016년 11월

역자 대표 정 규 림

목차

Chapter
01

교정치료의 시기에 대한 가이드

A guide for timing orthodontic treatment

Eustáquio Araújo, DDS, MDS[1] and Bernardo Q. Souki, DDS, MSD, PhD,[2]
[1]*Center for Advanced Dental Education, Saint Louis University, St. Louis, MO, USA*
[2]*Pontifical Catholic University of Minas Gerais, Belo Horizonte, Brazil*

이 책을 집필해야겠다고 결정할 당시에, 우리는 편견이나 급진적 견해 없이 이런 주제를 포괄해야 한다는 커다란 책임감을 가지고 있었다. 먼저 임상가들과 학자들에게 조기치료에 대한 우선순위 결정에 도움이 되는 질문을 제안해 달라고 요청하였다. 거기에는 일반적으로 생각할 수 있는 모든 종류의 질문이 포함되었고 그에 대한 응답도 즉시 제시되었으며, 성장기 부정교합의 인지와 수정은 이렇게 모아진 질문들과 테마에 대해 대답하기 위한 노력을 담게 되었다.

"조기치료(early treatment)"라는 용어는 오랜 기간 동안 사용되어 왔으나, 이런 용어는 이제 수정되어야 할 것으로 보인다. "조기"는 "너무 이르다"는 의미를 연상시키긴 하지만 실용적이기 때문에, 본 책에서도 이 단어를 사용할 것이다. 이 단어는 결국에는 시기 적절한(timely) 또는 차단(interceptive) 치료라는 뜻으로 받아들여지게 될 것이다.

성장 폭발기 동안 교정치료를 시작하는 것은 종종 치료 시기의 "황금기준"으로 여겨져 왔다. 수년 동안 교정치료의 시작을 조절하는 시계추(pendulum)는 다른 방향으로 선회하고 있다. 현재는 이런 시계추가 조기(후기 혼합치열기)에 치료를 시작하는 방향으로 움직이고 있는 것 같다. E-공간을 성공적으로 관리할 수 있는 지의 여부는 교정치료의 시기를 결정하는데 큰 영향을 미쳐왔다[1].

20세기 초, 조기 치료에 대한 몇몇 고찰이 있었다. 1912년 Lischer[2]는 다음과 같이 말하였다.

여러 교정의사들이 최근에 겪은 경험은 "치료의 황금기"에 대해 더 정확하게 이해해야 함을 일깨워 주는데, 이 시기는 개인의 삶 중 혼합치열기에서 영구치열기로 변화하는 때를 일컫는다. 이는 6세에서 14세까지의 기간을 아우른다.

얼마 지나지 않아, 1921년에 "조기치료와 관련한 부정교합의 진단"이라는 제목의 저서[3]에서 기능과 형태의 개념에 대해 논의하고, 진단에서 유전의 역할을 비중있게 고려하라고 제안하였다 – 따라서 이에 대한 논란과 관련된 주제는 진부한 것이라 하겠다.

Hamilton이 편집장으로 있는 "구강악안면 악정형학의 해방(emancipation)"은 조기치료를 지지한다. 요컨대, 그는 다음과 같이 설명한다:

a 의료직 전문가들은 조기치료를 포함하여, 환자에게 이로울 여지가 있는 모든 것을 해야만 한다;
b 재정적 이득과 술자의 효율성을 위해서 치료를 처방하는 것은 무책임하고 비윤리적이다;
c 교정의사가 어린 연령대의 환자를 치료하지 않으려 한다면, 다른과 전문의가 치료할 것이며, 전문가로서 교정의사가 이러한 환자를 치료하는 것이 환자에게는 가장 유리하다. 결국, 교정과의 가장 대표적인 저

널(American Journal of Orthodontics and Dentofacial Orthopedics, AJODO)도 제목에 "악안면 악정형(Dentofacial Orthopedics)"을 포함하고 있다;

d 치료 시 1순위로 예방을 포함하는 것은 의료 전문가에게 있어 가장 중요한 소명이며, 따라서 조기치료는 중요하다;

e 소아치과 의사들과 다른과 전문의들이 조기치료를 시행하는 경우가 있는데, 이는 교정의사들이 치료를 시작하기까지 너무 오래 기다리기 때문이다;

f 교정교육 프로그램은 교정의사에게 조기치료에 대해 교육할 의무가 있다.

반면, Johnston[5]은 "질문자를 찾는 대답들"에서 다음과 같이 지적한다:

a 2단계의 조기치료가 1단계 치료 및 E–공간 (Lee way space) 보존과 비교하여 전체 치료효과가 더 훌륭하다는 증거는 거의 없다;

b 하악을 목표로 하는 치료는 보통 상악에 영향을 미친다;

c 조기치료는 환자나 의사에게 효율적이지 않으며, 치료에 대한 부담을 증가시키게 된다;

d 기능성 장치(functional appliance)를 사용하여도, 골이 기질 사이사이로 성장할 수 없고 악궁둘레길이(arch perimeter)가 연장되지 않기 때문에, 소구치 발치의 필요성을 배제할 수 없다;

e 간혹 환자들이 치아 기형으로 인한 심리적 외상을 견뎌내지만, 이런 드문 예가 "어느 정도 교정 성장 산업을 지지"할 정도로 충분하지는 않다.

치료를 일찍 또는 늦게 시작하는 것에 대한 근거를 확립하기 위해, 다음 두 질문에 답을 찾도록 노력해야 한다:

1 발달성 문제점을 차단하고, 2단계로 치료해야만 할까?

2 어떤 부정교합이 조기치료의 고려대상이 되어야 할까?

의심의 여지없이, 어떤 부정교합을 치료할 지에 대해서는 이견이 별로 없으나, 언제 시작할 지에 대해서는 여전히 논란이 되고 있다.

조기치료에서 달성할 수 있는 목표는 무엇인가? 가장 적절한 목표로는 성장 잠재력을 적절히 이용하고, 혼합치열기를 기회로 이용하고, 골격적 부조화를 개선하고, 기능적 변이를 제거하고, 악궁 성장을 조절하고, 자존감(self-esteem)을 향상시키고, 외상을 최소화하며 치주문제를 예방하는 것 등이 있다.

조기치료의 장점으로는 높은 협조도, 정서적 만족, 성장 잠재력, 2차치료가 간소화될 가능성, 2차치료의 발치 가능성 감소뿐 아니라, 당연하게 치료 관리와 관련된 사항들을 들 수 있다. 단점으로는 비효율, 치료 기간의 연장, 미성숙, 비효율적인 구강위생, 부족한 장치 관리, 비용 등을 들 수 있다. 교정의사로서 치료결정 여부에 대해 명확한 근거와 확실한 이유를 제시하여, 이러한 각각의 장단점에 가중치를 부여하는 것이 중요하다. 이번 단원에서는 교정치료의 시기에 대한 가이드를 제시한다.

성장중인 환자에서 부정교합의 이상적인 치료 시기는 교정학 역사를 통해 논란이 되고 폭넓게 논의되고 있는 주제이다[1,6~10]. 가장 중요한 쟁점 중 하나는 조기치료를 통해 발생되는 문제를 차단해야 할지, 아니면 나중으로 치료를 연기할 지에 관한 것이다[1,9]. 이러한 논란은 임상적인 치료결정에 대한 과학적 근거가 부족하기 때문인 것으로 보인다[8]. 역사적으로, 치의학은 실증적인(empirical) 학문이었다. 오늘날까지도, 대부분의 치과의사는 그들이 치과대학에서 처음으로 배운 해법과 기술, 혹은 효과적이라고 생각하는 방법을 선택한다[1,9]. 이런 경우, 치료가 실패하거나 치료결과의 질이 낮아질 가능성이 높다.

교정학에서 우수성을 탐색하는 과정에서, 효과(effectiveness)와 효율(efficiency)에 대한 개념이 강조되어 왔다[1]. 교정적인 임상 판단은 과학에 근거해야만 한다. 따라서, 치료 시작에 관해 강력한 논란이 존재한다면 치료를 연기해야만 한다[9].

성장 및 교합 발달기 동안 정기적으로 환자를 재검사하는 추적조사(follow-up) 프로토콜을 통해 임상가는 조기치료의 비용/이득에 대한 정당성을 결정할 수 있다. 이 시기에, Souki[1]가 고안한 "예방적이고 차단적인 교정적 모니터링(preventive and interceptive orthodontic monitoring; PIOM)이라는 프로그램이 소개되었다.

개념적으로, PIOM은 "정상" 교합 발달의 모니터링을 목표로 하고, 교정치료의 양과 질이나 적절한 교합 구축을 약화시킬 수 있는 요소를 진단하기 위한 순차적인 관

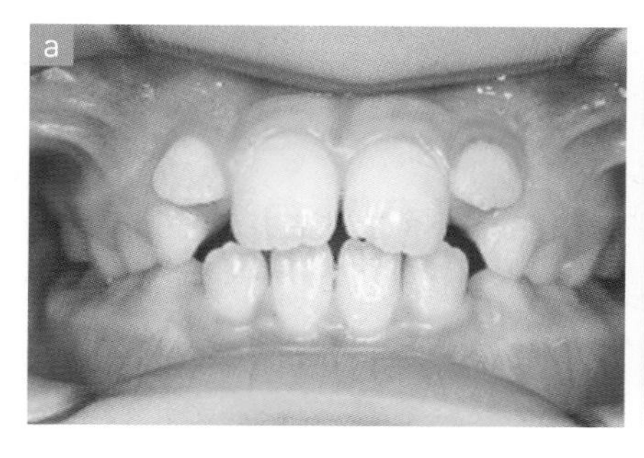
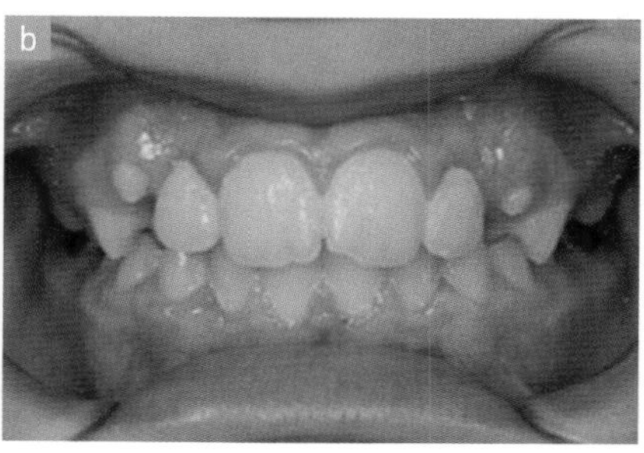

그림 1.1 a) 8세 남환으로, "미운 오리새끼" 시기에 상악 측절치의 순원심측 변위와 중절치 사이에 치간이개를 보이고 있다. b) 3년후 같은 환자로, 어떠한 교정치료도 시행하지 않았다. 절치의 배열과 레벨링이 자연적으로 이루어졌다.

리 프로그램이다. PIOM의 7가지 목표는 다음과 같다:

1 최소한의 개입이라는 철학으로 전향적인 모니터링을 제공;
2 기능적, 심미적으로 조화로운 성인 교합을 최종 목표로 하는 포괄적인 교정치료 제공;
3 교정의사가 치료시작을 서두르지 않고, 치료완료의 기한은 가질 수 있도록 파라미터 확립;
4 성숙의 각 단계에서 치료 시작에 대한 가이드라인으로서 과학적 파라미터를 확립;
5 교합 발달의 정상적 범위를 존중;
6 환자 협조도에 대한 의존도 감소;
7 가능하다면, 제2대구치가 최종교합에 포함되는 시기까지 2차 치료 보류.

처음으로 유치가 맹출하던 순간과 제2대구치의 완전 교두감합이 이루어지는 기간 동안에, 많은 형태형성적 영향력 및 환경 요소가 치열궁 및 교합 패턴의 성숙에 영향을 미친다. 그러므로, 인간의 교합은 동적인 입장에서 봐야 한다.

임상가들은 교합이 발달되는 동안 이상적인 교합은 하나의 개념만 있는 것이 아니라 넓은 범주의 정상적 교합이 있다는 것을 이해해야 한다. 혼합치열기에는, 유치열기나 영구치열기와 비교하여 훨씬 다양한 정상적 특징을 보인다. PIOM 내에서의 교정치료를 위해, 교합 성숙의 정상적인 특징에 대해 아는 것이 중요하다. 의학/치의학의 역사 동안, 정상으로부터의 변이에 대한 징후 및 증상을 인지하는 것은 차단 조치를 필요로 하는 상황으로 인지되었다. 일반적으로, 질병을 (치료 없이) 그냥 방치하면 질환이 더 치료하기 어려워지거나 심지어 치료 불가능하게 된다고 여겨져 왔다[7]. 이러한 믿음을 교정학에 적용하면, 정상의 범주 안에 있는 경우 차단치료는 불필요하

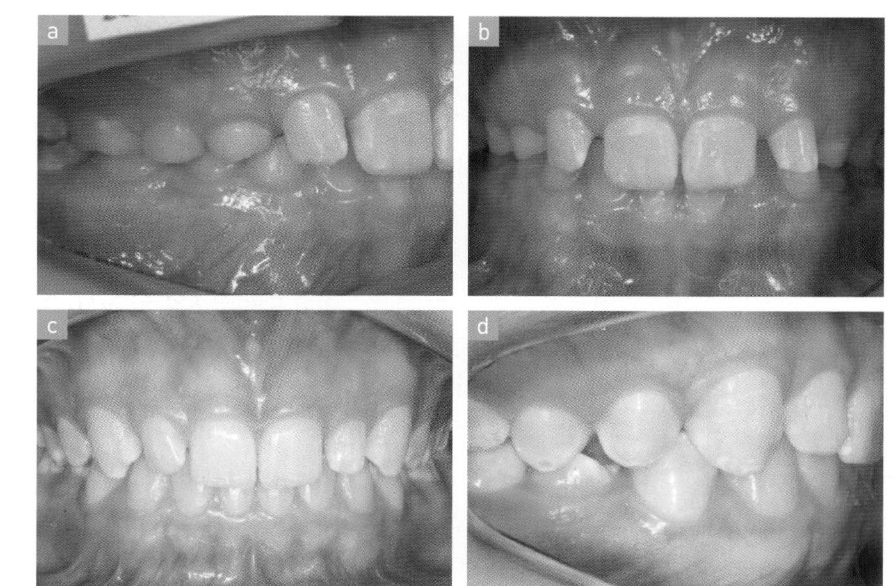

그림 1.2 a, b) 9세 여환으로, 과개교합과 치간공극이 보인다. 이러한 일시적인 변위(과개교합 및 치간공극)는 구개측 연조직이 압박받거나, 심미적으로 큰 문제가 없다면 차단 교정의 적응증이 되지 않는다. c, d) 5년 후, 1차치료 없이 과개교합과 공간 부조화가 자연적으로 상당히 개선되었다.

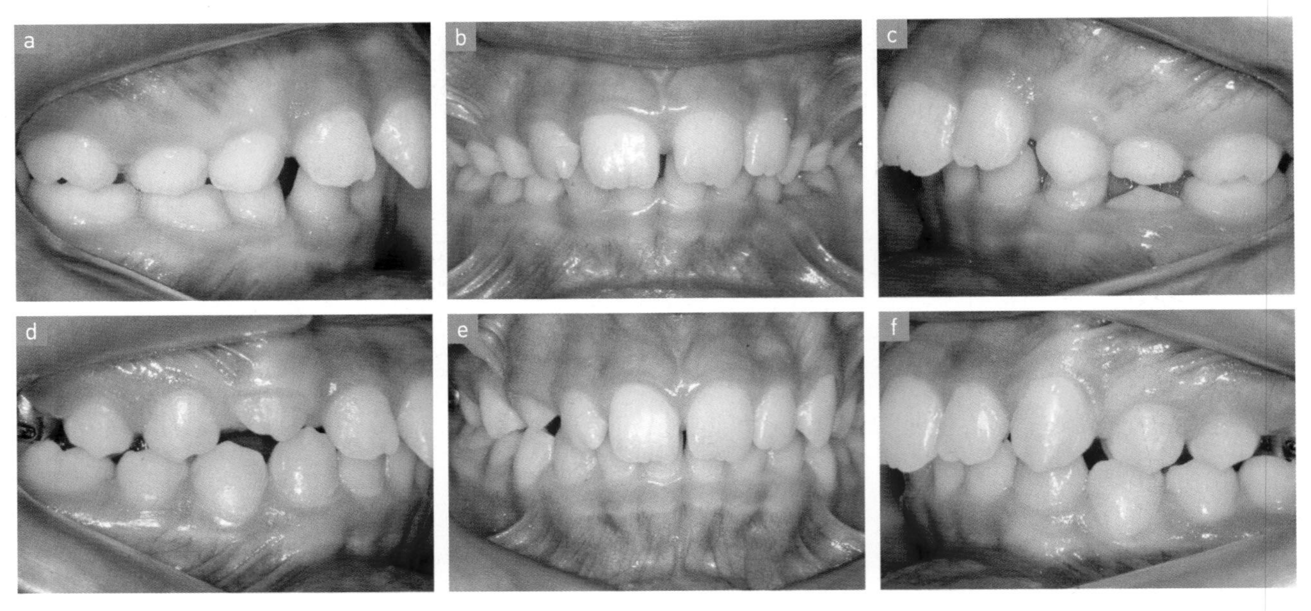

그림 1.3 a~c) 9세 Ⅱ/Ⅰ급 부정교합을 가진 혼합치열기 남환으로, 이로 인한 심리적 스트레스는 없었다. 상악 전치부의 외상성 상해에 대한 위험도가 낮게 평가되어 1단계 치료를 하는 것으로 치료를 연기하였다. d~f) 12세의 초기 영구치열기이다. 차단 교정치료는 시행되지 않았다. 헤드기어를 5개월 장착한 후, 12~18개월간의 고정식 포괄적 교정치료로 들어갔다. Ⅱ급 부정교합의 수정을 1단계 치료로 연기함으로써 효율성을 얻었다.

게 되고(**그림 1.1**), 과도기적 비정상에 대한 차단치료(1차 치료)도 불필요하며(**그림 1.2**), 적절한 시기 이전의 차단치료도 필요하지 않을 수 있다(**그림 1.3**).

앞서 언급한 대로, 교정의사는 두 가지 주요 질문에 집중해야 한다: 첫째, 차단 교정의 이상적인 시기에 관련된 것으로, 1차 또는 2차 치료 사이의 결정을 포함하며, 둘째, 조기 차단으로 이득을 얻을 수 있는 부정교합을 인지하는 것이다.

1.1 차단적 교정치료의 적응증이 되는 교합 변이

차단적 교정치료가 필요한 문제점에는, 성숙과정에서 중단되지 않는다면 최종적인 치료의 복잡성과 난이도가 높아져 증상이 심화되거나, 최종적 치료결과의 질이 낮아지거나, 최종 개선방안을 기다리는 동안 사회심리적 문제에 노출되는 경우들이 포함된다. 조기치료 적응증에 대한 학자들간의 논란은 여전히 존재한다. 미국 소아치과 학회(American Association of Pediatric Dentistry)에서 발표한 문제 리스트는 이러한 가이드라인의 출발점이 될 수 있다. 이 리스트에 의하면, 조기치료가 필요로 하다고 여겨지는 상태는 다음과 같다: 1) 구강악습관의 예방 및 차단; 2) 공간 관리; 3) 맹출 변위의 차단; 4) 전치부 반대교합; 5) 구치부 반대교합; 6) 과도한 수평피개; 7) 사회심리적 문제와 관련되거나, 외상성 상해 및 과발산(hyperdivergence) 위험성 증가와 연관된 Ⅱ급 부정교합; 8) Ⅲ급 부정교합.

1.2 조기치료의 이상적 시기

조기치료의 이상적인 시기를 결정하기 위해 여러 측면을 고려해야만 한다. 4가지 주된 고려사항은 다음과 같다: 1) 사회심리적 측면; 2) 부정교합의 중증도 및 역학; 3) 효과와 효율의 개념; 4) 환자의 발달 단계.

1.2.1 사회심리적 측면

교정의사는 종종 조기치료 결정하는 일반적인 과정에서 사회심리적 측면을 무시했었다[13,14].

따돌림이 광범위하게 논의되고[15] 심리교육학자(psychopedagogues)에 의해 폭넓게 연구되고 있는 현재,

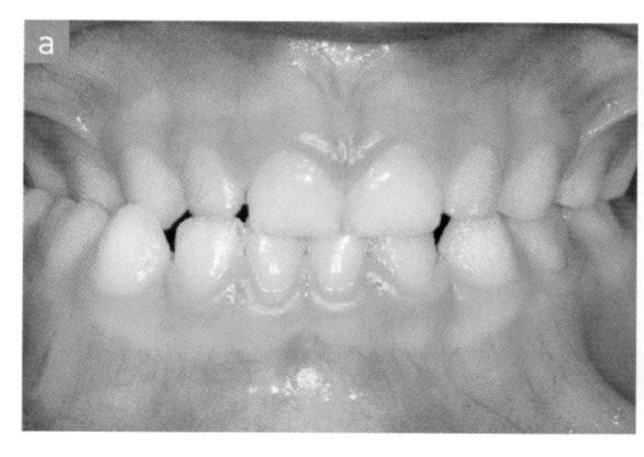

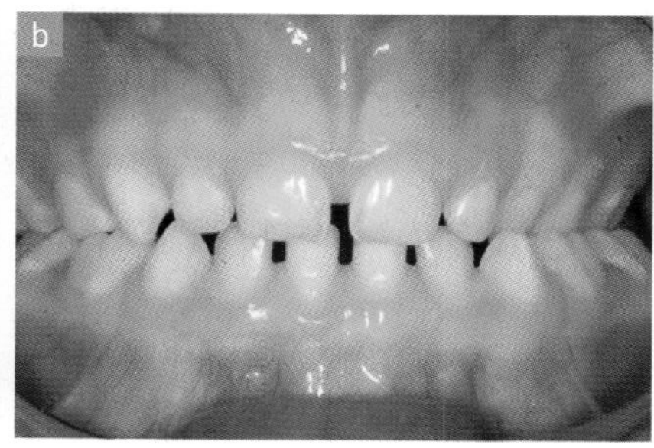

그림 1.4 a) 하악 측방변위를 동반한 구치부 반대교합, b) 하악 측방변위가 없는 구치부 측방교합

의료 제공자인 임상가는 많은 경우에서 환자들의 자존감과 삶의 질(quality of life; QoL)을 향상시킬 수 있음을 깨달아야 한다[16].

많은 사람들은 환자의 웰빙과 부정교합 및 이와 연관된 후유증 사이의 관계는 심각하지 않다고 생각한다[17]. 환자 개개의 QoL과 치료 보류나 회피로 발생하는 충격에 대해 고려해야 한다. 애매하고 추상적으로 보이지만, QoL의 개념은 현재의 흐름이고 교정학에서 강조되어야 한다[18].

문헌을 보면 QoL과 부정교합 사이에 관련성에 대한 근거를 찾을 수 있다. 그러나, QoL의 방법론은 균일하지 않았으며, 표본이 종종 편리에 따라 구성되어 있어, 신뢰성 있는 분석을 제공하기 어렵다. 무작위 표본의 부족은 근거를 해석하기 어렵게 만든다[18,19].

청소년들은 심미적 불만족[13], 다른 치과의사로부터 의뢰[20], 부모의 근심[13], 또래의 영향[21] 등에 의해 교정치료의 동기를 부여받게 된다. 교정치료는 QoL을 향상시키지만[19], 시간이 지남에 따라 증가된 QoL은 소실될 것이다. 부정교합이 사회심리적 불균형[20]을 유발할 잠재력이 있는 환자에게 불편감을 야기할 때, 효율적인 측면에서 역효과가 있다고 할지라도[1] 확실히 조기 치료의 적응증[13]이 된다.

1.2.2 부정교합의 중증도

부정교합은 환자에 따라 중증도가 다양하게 존재한다. 그러므로, 유아기와 청소년기의 경도의 부정교합은 중증에 비해 차단치료의 우선순위가 낮다고 생각하는 것이 합리적인 것처럼 보인다. 예를 들어, 하악의 변위를 동반하는 구치부 반대교합(**그림 1.4**)은 변위가 적거나 기능적인 변위와 연관되지 않은 경우보다 치료의 우선순위가 높아야 한다. 첫 번째 시나리오대로 라면, 변위는 비대칭적인 안면 성장을 유도하여 미래의 치료를 더 복잡하게 만들 것이다[22]. 현재 문헌 상의 근거는 부족하긴 하지만, 단일 측절치의 반대교합은 두 중절치의 반대교합에 비해 치료의 긴급도가 더 낮다(**그림 1.5**). 부정교합의 중증도가 차단치료를 결정하는 유일한 판단기준이 아니라는 것을 이해해야만 한다. 예를 들어, 소아기에 미래의 수술이 예상되는 심각한 골격성 Ⅲ급 부정교합이 있다면, 광범위한 차단 치료를 줄이기 위해 성장완료 시까지 치료를 연기하는 것이 바람직하다[23]. 다시 말해, 어떠한 경우에는 부정교합 수정을 1단계 교정–수술 치료가 시행될 할 때까지 연기하는 것이 바람직하다. 반면, 소아에서 많은 다른 종류의 Ⅲ급 부정교합은 차단 치료로 큰 이득을 얻을 수 있다[24,25].

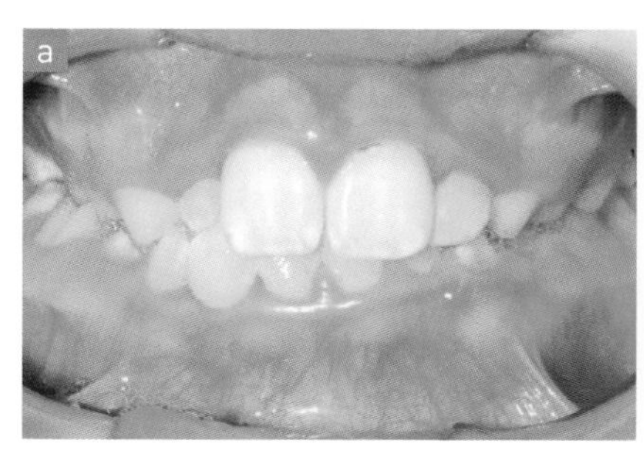

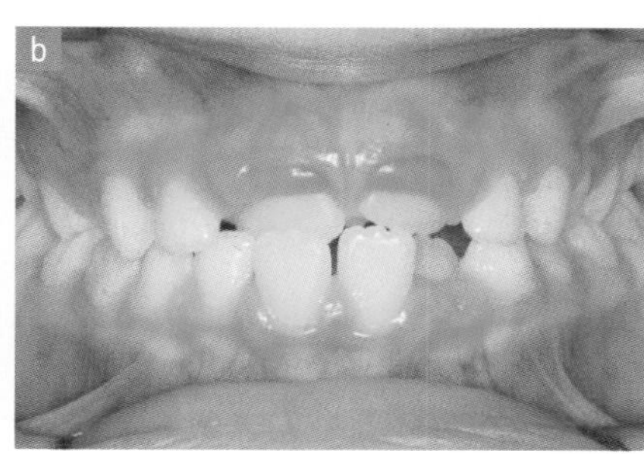

그림 1.5 a) 8세 남환으로, Ⅰ급 치성–골격 양상으로, 단일 측절치 반대교합이 보인다. b) 7세 여환으로 Ⅰ급 치성–골격 양상으로 두 중절치에 반대교합이 보인다. 치주적, 성장 장애는 "b"에서 발생할 가능성이 더 많기 때문에, 차단적 접근이 급하게 개입되어야 한다고 말하는 것이 합리적이다.

1.2.3 효과와 효율의 개념

교정치료의 최적 시기를 결정할 때 효과(effectiveness)와 효율(efficiency)의 개념 또한 고려해야만 한다[10]. 효과는 문제를 효과적으로 해결하는 능력을 표현하는 개념이다. 효과가 있을까? 얼마나 많은 개선이 나타날까? 이러한 개념은 교정의 우수성 탐색에서 중요하다. 교정적 차단술 시행은 조기치료에 의해 실제로 문제점이 치료될 것이라는 근거가 있을 때에 고려되어야 한다. 만약, 이 문제점을 차단하지 않는다면, 만족스럽지 못한 결과가 나타나거나 바람직한 결과를 얻는 과정이 더 힘들어지는가?

효율은 시간과 관련된 공식이다. 목표 달성에 얼마나 많은 시간이 소요될 것인가? 결과를 얻기위해 투자하는 재정적, 생물학적, 개인 간 부담이 가치가 있는가? 현대 사회에서, 효율의 개념은 행위나 서비스의 실행을 결정하는데 중요한 판단기준이 된다. 만약, 1차치료의 비용-효용이 바람직하지 않더라도, 조기치료의 이득을 고려해야 하는가?

요약하면, 소아에서 부정교합의 치료가 결과의 질을 향상시키고(효과), 적은 노력으로 획득가능하다(효율)는 근거가 있다면 적용가능한 옵션으로 고려해야 한다. 최단 시간으로 최선의 결과를 얻어야 한다.

1.2.4 발달의 성숙 시기

교정의사는 여러 성숙적인 측면을 고려해야 한다[26~28]. 최소한의 정서적 성숙은, 설령 부정교합의 복잡도가 낮은 환자에서조차, 교정치료 시작에 필수적이다[29]. 이러한 고려사항은 어린 환자에서 환자만족도[30]를 개선시키고, 사고 위험도를 감소시키는데 필수적이다. 따라서, 임상검사에서 소아의 협조는 조기치료 결정의 일차적인 변수가 된다. 소아의 행동 및 협조도에 의존하여, 교정 기록을 채득할 지 가부를 결정한다. 사회심리적 성숙도는 보통 실제연령(chronological age)과 관련있다. 미국교정학회(American Association of Orthodontists; AAO)에서 발행한 브로셔인 당신 아이의 첫 검진(Your Child's First Check-up)에서는 7세 이전에 교정의사에게 검진 받기를 권고하고 있다. 그러나, 조기치료의 결정은 개인적인 상황에 근거하여 판단해야 한다. 성숙도의 다른 파라미터도 고려해야 한다. 악궁 내 문제로 조기치료가 필요한 경우 치령(dental age)에 대한 평가를 시행해야 한다. 반면에, 시상 및 수직적 악궁간 문제를 차단하는 최적 시기를 판단하기 위해서는 골연령을 사용해야 한다.

참·고·문·헌

1 Proffit WR. The timing of early treatment: an overview. Am J Orthod Dentofac Orthop 2006;129(4 Suppl):S47–49.

2 Lischer BE. Principles and methods of orthodontics: An introductory study of the art for students and practitioners of dentistry. Philadelphia and New York: Lea & Febinger; 1912.

3 Johnson, LR. The diagnosis of malocclusion with reference to early treatment. J Dent Res 1921;3(1):v–xx.

4 Hamilton DC. The emancipation of dentofacial orthopedics. Am J Orthod Dentofac Orthop 1998;113(1):7–10.

5 Johnston Jr L. Answers in search of questioners. Am J Orthod Dentofac Orthop 2002;121(6):552–95.

6 Freeman JD. Preventive and interceptive orthodontics: a critical review and the results of a clinical study. J Prev Dent 1977;4(5):7–14, 20–3.

7 Ackerman JL, Proffit WR. Preventive and interceptive orthodontics: a strong theory proves weak in practice. Angle Orthod 1980;50(2):75–87.

8 Livieratos FA,. Johnston LE. A comparison of one-stage and two-stage non-extraction alternatives in matched Class II samples. Am J Orthod Dentofac Orthop 1995;108(2):118–31.

9 Bowman SJ. One-stage versus two-stage treatment: are two really necessary? Am J Orthod Dentofac Orthop 1998;113(1):111–6.

10 Arvystas MG. The rationale for early orthodontic treatment. Am J Orthod Dentofac Orthop 1998;113(1):15–8.

11 Souki BQ. Desenvolvimento da oclusão. In: Toledo OA (ed), Odontopediatria: fundamentos para a prática clínica. 4th edn. Rio de Janeiro: Medbook, 2012. p. 307–27.

12 American Academy on Pediatric Dentistry Clinical Affairs Committee – Developing Dentition Subcommittee, American Academy on Pediatric Dentistry Council on Clinical

Affairs. Guideline on management of the developing dentition and occlusion in pediatric dentistry. Pediatr Dent 2008 2009;30(7 Suppl):184–95.

13 Kiyak HA. Patients' and parents' expectations from early treatment. Am J Orthod Dentofac Orthop 2006;129(4 Suppl):S50–54.

14 Tung AW, Kiyak HA. Psychological influences on the timing of orthodontic treatment. Am J Orthod Dentofac Orthop 1998 Jan(1);113:29–39.

15 Takizawa R, Maughan B, Arseneault L. Adult health outcomes of childhood bullying victimization: evidence from a five-decade longitudi nal British birth cohort. Am J Psychiatry 2014;171(7):777–84.

16 Bogart LM, Elliott MN, Klein DJ, et al. Peer victimization in fifth grade and health in tenth grade. Pediatrics 2014;133 (3):440–7.

17 Carvalho AC, Paiva SM, Viegas CM, et al. Impact of malocclusion on oral health-related quality of life among Brazilian preschool children: a population-based study. Braz Dent J 2013;24(6):655–61.

18 Zhou Y, Wang Y, Wang X, et al. The impact of orthodontic treatment on the quality of life a systematic review. BMC Oral Health [Internet]. 2014 Jun [cited 2014 Jun 10]; 14:66. Available from PubMed: http://www.ncbi.nlm.nih.gov/ pmc/ articles/PMC4060859/

19 Perillo L, Esposito M, Caprioglio A, et al. Orthodontic treatment need for adolescents in the Campania region: the malocclusion impact on self-concept. Patient Prefer Adherence [Internet]. 2014 Mar [cited 2014 Mar 19]; 8:353–9. Available from PubMed: http://www.ncbi.nlm.nih.gov/ pmc/ articles/PMC3964173/ 6 Chapter 1 20 Miguel JAM, Sales HX, Quintão CC, et al. Factors associated with orthodontic treatment seeking by 12–15-year-old children at a state university-funded clinic. J Orthod 2010;37 (2):100–6.

21 Burden DJ. The influence of social class, gender, and peers on the uptake of orthodontic treatment. Eur J Orthod 1995;17 (3):199–203.

22 Lippold C, Stamm T, Meyer U, et al. Early treatment of posterior crossbite – a randomised clinical trial. Trials [Internet]. 2013 Jan 22]; 14:20. Available from PubMed: http:// www.ncbi.nlm.nih.gov/pmc/articles/PMC3560255/

23 Fudalej P, Dragan M, Wedrychowska-Szulc B. Prediction of the outcome of orthodontic treatment of Class III malocclusions – a systematic review. Eur J Orthod 2011;33(2):190–7.

24 Mandall N, DiBiase A, Littlewood S, et al. Is early Class III protraction facemask treatment effective? A multicentre, randomized, controlled trial: 15-month follow-up. J Orthod 2010;37(3):149–61.

25 Masucci C, Franchi L, Defraia E, et al. Stability of rapid maxillary expansion and facemask therapy: a long-term controlled study. Am J Orthod Dentofac Orthop 2011;140 (4):493–500.

26 Baccetti T, Franchi L,McNamara JA.Animproved version of the cervical vertebralmaturation (CVM) method for the assessment of mandibular growth. Angle Orthod 2002;72(4):316–23.

27 Gu Y, McNamara JA. Mandibular growth changes and cervical vertebral maturation. A cephalometric implant study. Angle Orthod 2007;77(6):947–53.

28 Mohlin B, Kurol J. To what extent do deviations from an ideal occlusion constitute a health risk? Swed Dent J 2003;27 (1):1–10.

29 DiBiase A. The timing of orthodontic treatment. Dent Update 2002;29(9):434–41.

30 Gecgelen M, Aksoy A, Kirdemir P, et al. Evaluation of stress and pain during rapid maxillary expansion treatments. J Oral Rehabil 2012;39(10):767–75

Chapter 02

교합의 발달: 무엇을 언제 할까?

Development of the occlusion: what to do and when to do it

Bernardo Q. Souki, DDS, MSD, PhD
Department of Orthodontics, Pontifical Catholic University of Minas Gerais, Belo Horizonte, Brazil

이 장에서는 7개의 교합 발달 단계와 관련된 예방적이고 차단적인 교정적 모니터링(PIOM)의 근거를 살펴본다. 유치열부터 영구 견치 및 제2대구치의 맹출 완료에 이르는 교합의 발달을 단계별로 정확히 분류하고 각 단계에서의 불규칙성(irregularities)을 잘 정의한다면, 시기 적절하게 합당한 치료를 결정할 수 있게 된다. 영구치열이 완성될 시점까지, 효율성과 유효성에 대한 최신 개념에 따라 변이를 적절히 관리하게 될 것이다. 이 단계들(**표 2.1**)을 잘 이해하고 확신한다면, 높은 수준의 교정 치료를 대체할 수 있을 것이다. 실제 연령(chronological age)과 발달 순서는 개인에 따라 다르므로, 해부학적 개체들이 교합 관리의 기준이 된다.

2.1 1단계 – 유치의 맹출

치아 맹출은 순서 및 연대 측면에서 매우 가변적인 생물학적 과정이다[1]. 구강내 유치의 맹출은 보통 생후 6개월에 하악 유중절치의 출현으로 시작한다(**표 2.1**). 생후 30개월 경, 70%의 어린이에서 모든 유치가 맹출하지만 매우 다양하게 나타난다. 생후 14개월, 유치가 하나도 맹출하지 않아도 또는 모든 유치가 맹출해도 모두 정상으로 간주된다[2]. 생후 16개월까지 유치가 맹출하지 않았다면 방사선 검사를 시행해야 한다.

유치열의 초기 맹출 양상은 유치열기에서 혼합치열기로의 조기 이행을 암시한다[3]. 맹출 순서의 다양성은 매우 일반적이지만, 유치열의 발달을 크게 방해하지 않고 이소맹출이거나 다른 치아의 맹출을 방해하지 않는다면 보통 중요하지 않다. 유치열에서 가장 일반적인 맹출 순서는 A, B, D, C, E 이다.

2.1.1 **유치열의 발육**(biogenesis) :

유치열의 발육은 4단계로 나눌 수 있다.

첫 번째 단계는 상하악 유절치 맹출(**그림 2.1a 및 2.1b**)이다. 후방 유치들의 부재로 과도한 수직피개를 보이고 하악 운동 범위(mandibular excursion)가 넓다. 미성숙한

표 2.1 교합 발달의 임상적 단계들

단계	설명
1	유치 맹출
2	유구치열 완성
3	제1대구치 맹출
4	영구 절치 맹출
5	하악 견치와 제1소구치 맹출
6	제2소구치 맹출
7	상악 견치와 제2대구치 맹출

측두하악관절(TMJ)에서 이런 종류의 움직임은 적절하다 [4]. 이 단계에서, 하악 과두는 발생 초기이며 관절 오목도 평평하다.

두 번째 단계는 제1유구치의 맹출과 교두감합(intercuspation)으로 시작한다(**그림 2.1c 및 2.1d**). 이 현상으로 최초의 수직적 교합고경을 얻게 된다. 교합이 증가하면서, 과도한 수직피개가 감소한다. 유구치 교합면 형태는 첫 교합 기준을 형성하고 TMJ의 형태적 성숙을 자극한다 [5].

세 번째 단계는 유견치의 맹출(**그림 2.1e**)로 시작한다. 이 단계는 영장류 공간(primate space)의 형성과 유지에 중요하다. 상악궁에서 영장류 공간은 유측절치와 유견치 사이에 위치하고 하악에서는 유견치와 제1유구치 사이에 존재한다[6]. 이 공간의 크기는 최소 1mm에서 5mm까지 다양하다.

네 번째 단계는 제2유구치의 맹출(**그림 2.1f**)로 시작된다. 이 단계는 유치교합 및 제1유구치의 맹출로 만들어진 수직고경이 다져지는 시기이다. 이 시기는 생후 30~36개월 경 모든 유치가 교두감합을 이루면서 종료된다.

2.1.2 치열궁 크기 변화:

생후 2년(즉, 유치의 맹출 기간) 동안 치궁 둘레(perimeter)가 유의성있게 증가한다[7].

2.1.3 교합 발달의 관리:

이 단계에 부정교합의 발생률은 매우 낮다; 그렇다해도 임상가는 부모에게 치아 맹출의 시기와 순서에 있어 정상 범주의 범위가 넓다는 점을 알려야 한다. 유치의 맹출 도중 차단 교정 치료는 추천되지 않는다. 만일 교합 발달 중 반대교합이나 공간문제 등이 조기 진단된다 해도 최적의 치료법을 결정할 수 있을 정도로 유치열이 성숙할 때까지 기다려야 한다. 엄지 빨기 습관을 막기 위한 근본

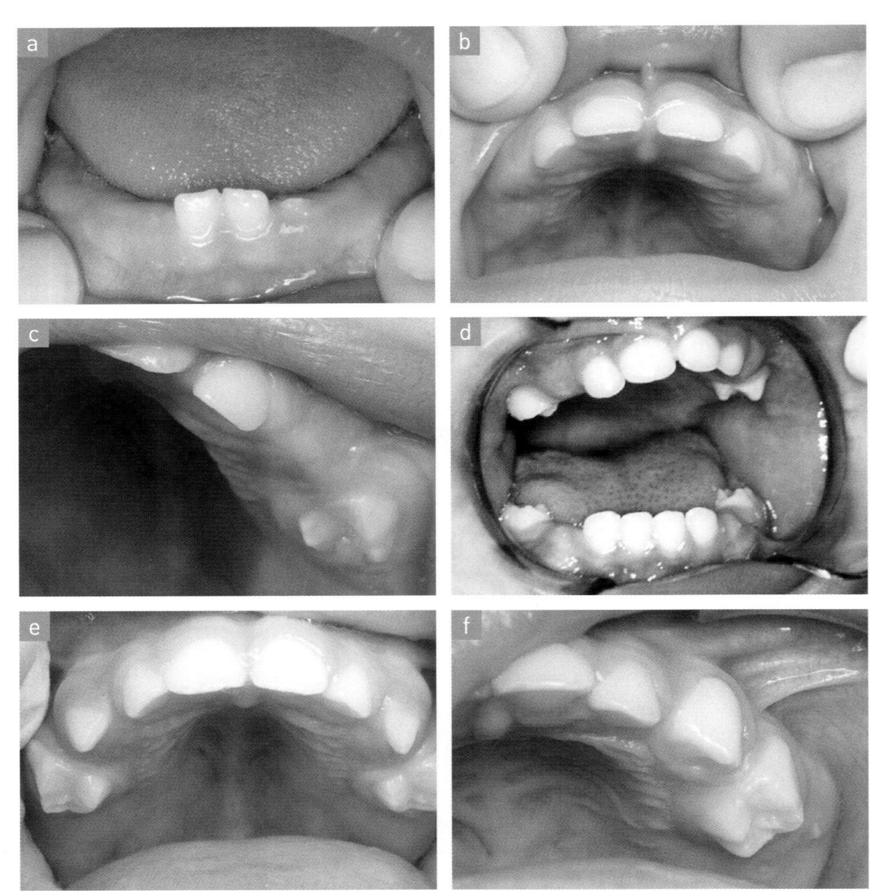

그림 2.1 1단계: 유치의 맹출.

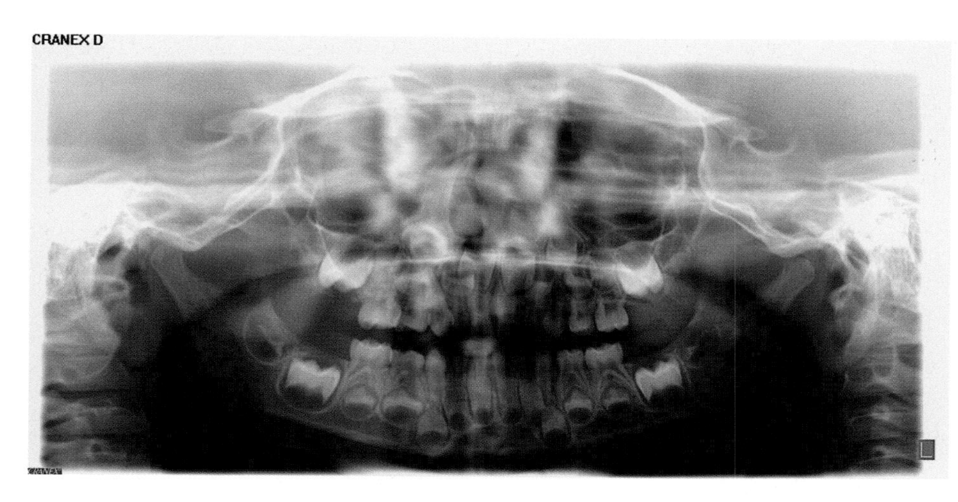

그림 2.2 3세 소아의 파노라마 사진.

적 시도는 아직 필요없다. 고무 젖꼭지(pacifier)는 교합에 영구적 손상을 입히지 않으므로 사용 가능하다[8]. 이 시기 말미(대략 2~3세)에 고무 젖꼭지 사용을 멈추면 치아와 치조골의 후유증을 자가 수정할 수 있다는 근거가 있다[9]. 늦게까지 고무 젖꼭지를 사용한 경우라면, 환자의 골격 패턴에 대한 면밀한 평가를 시행해야 한다. 고무 젖꼭지는 저발산형(hypodivergent) 환자보다 과발산형(hyperdivergent) 환자에게 더 해롭다[10].

1단계 동안, 구호흡 여부 또한 확인해야 한다. 이 나이의 그룹에서, 아데노이드구개편도 비대증(adenotonsillar hyperplasia)으로 인한 상기도 폐쇄는 안면 성장에 악영향을 미칠 수 있다. 안면 성장의 60%가 이루어지는 생후 4세에는, 호흡 패턴을 정상화 시켜줘야 한다는 근거가 있다.

2.2 2단계–유치열의 완성

유치만 존재하기에 간과되기 쉽지만, 이 단계에서의 정상 교합은 올바른 영구치열로의 발달에 유리하게 작용한다. 하지만 2단계에 속한 정상교합 유아라도 다음 발달 단계에서 부정교합을 유발할 여지는 충분히 있다. 이 단계의 정상교합 형태는 그림 2.2의 파노라마 사진과 그림 2.3의 구내 사진에서 볼 수 있다.

대부분, 3세에서 6세의 소아가 이 단계에 해당한다. 2단계의 초반인 제2유구치 맹출 직후에, 보통 제 1, 2유구치 사이에 공간이 존재한다(**그림 2.4a**). 하지만 몇 달 후 이 공간은 제1대구치의 발달에 따른 상하악 제2유구치의 자연적인 근심 이동으로 닫히게 된다(**그림 2.4b**). 유치열 후기(대략 6세경)에는 Baume Ⅰ급 교합상 절치부을 제외하고 유치 사이에 공간은 사라지게 된다(**그림 2.4c**). 치궁 둘레의 뚜렷한 감소가 보인다. 보통 유치열 후기에 총생은 없다[11]. 이 단계에서 전치부 치아공극은 근원심 길이가 큰 후속 영구 절치의 배열을 위해서 바람직하다[12]. 표 2.2에 북미 백인 남아를 대상으로 조사한 유절치와 영구 절치의 평균 크기, 각 치아와 절치부위의 전체 크기를 비교하여 목록화하였다. 영구치가 유치에 비해 더 크므로 마이너스 부호를 붙였다.

Baume에 따르면[14], 유치열은 일반적으로 치간 공간

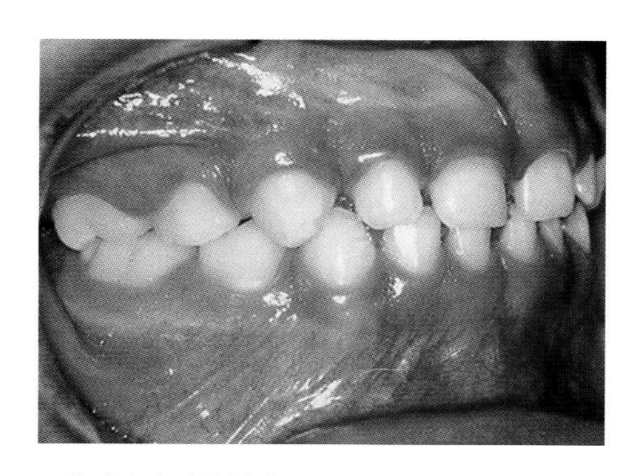

그림 2.3 유치열의 정상 형태.

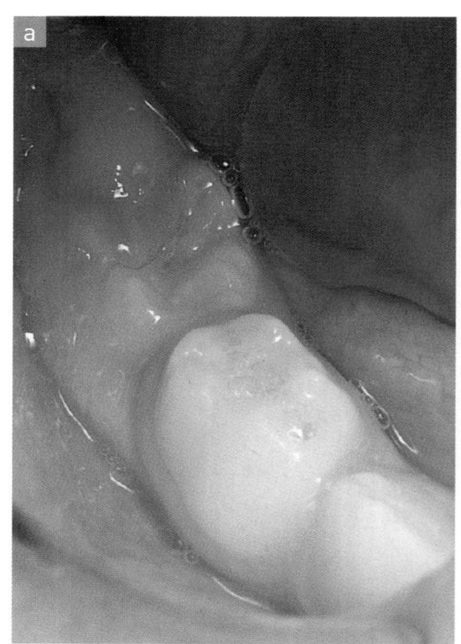
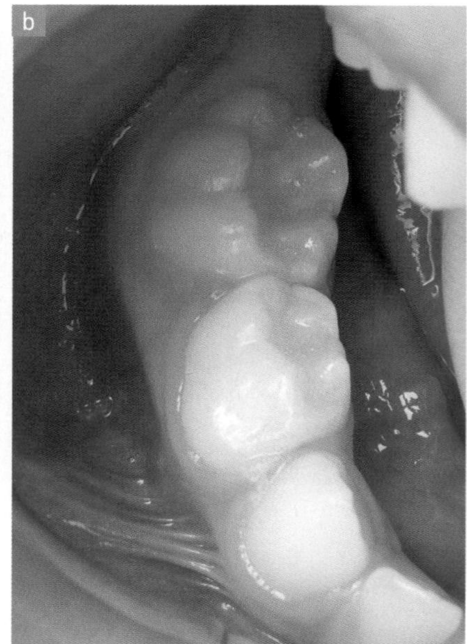
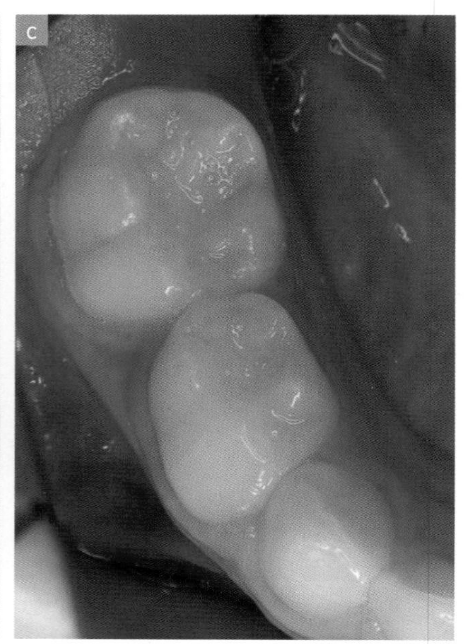

그림 2.4 유치열에서 치간 공극 폐쇄.

표 2.2 유절치와 영구절치의 근원심 거리 및 차이, 전방부위 부조화

악궁	절치	유치 평균 크기(mm)	영구치 평균 크기(mm)	유치 vs 영구치 치아 부조화(mm)	전방부 부조화(mm)
상악	중절치	6.41±.43	8.91±.59	−2.50	−8.24
	측절치	5.26±.37	6.88±.64	−1.62	
하악	중절치	4.06±.35	5.54±.32	−1.48	−5.36
	측절치	4.64±.43	6.04±.37	−1.40	

이 있을 수도 있고 없을 수도 있으며 두 가지 모두 정상으로 간주된다[6]. 하지만, 생리적 공간(physiological spacing) 혹은 발육 공간(developmental spacing)이 있는 I 급 치열의 경우 혼합치열로 전환 시 공간부족이 발생할 가능성이 적다[12].

유치 치근은 뼈에 거의 수직으로 묻혀있고 치관도 협설측 경사 없이 수직적으로 위치한다. 따라서, 유치열기에 절치간 각은 180°에 가깝다. 구치부에서, 윌슨 만곡은 존재하지 않고, Spee 만곡도 평평하거나 미약하다[11]. 경도에서 중등도의 절치 교모는 정상 범주에 속한다[15].

최근 이 발달 단계에서 시상면 분류의 주요 기준으로 유견치간 관계를 사용하고 있다[6,16]. 상악 유견치의 장축이 하악 제1유구치와 유견치 사이로 향하면 정상 교합으로 본다(**그림 2.3**). 이 교합 패턴은 Angle의 영구치열 교합 분류와 유사하며, 임상적으로 " I 급 견치 관계"로 알려져 있다. 유견치를 기준으로 한 정상적 시상 관계는 발생률이 대략 80% 정도이다[8]. 2단계에서 0~3mm의 수평피개는 정상으로 간주된다[6].

정상 횡측 관계는 상악 유구치 협측 교두가 하악 유구치 협측 교두와 양(+)의 수평피개를 가지는 것과 구개측 교두정이 하악 유구치 소와(pit)에 위치하는 것으로 판단할 수 있다. 상악 유견치의 구개측면은 하악 유견치 및 제1유구치의 협측면과 교합접촉을 유지해야 한다.

2단계에서 수직피개량의 정상 범주는 넓다. 0에서 절치 2/3까지를 정상으로 본다. 이 기간에 비수유성 빨기 습관(non-nutritive sucking habits)의 빈도가 높기 때문에, 전치부 개방 교합의 유병률이 높다[17].

표 2.3 7개의 교합 발달 단계별 교정적 차단 치료 과정 및 적응증

	교합 발달 단계						
절차	1	2	3	4	5	6	7
구강 습관 관리	Maybe	Yes	Yes	Yes	Maybe	Maybe	Maybe
공간 유지	NO	Yes	Yes	Yes	Maybe	Yes	Yes
공간 확보	NO	Maybe	Yes	Yes	Yes	Yes	Yes
공간 창출	NO	NO	NO	Maybe	Maybe	NO	NO
전치부 반대교합	NO	Yes	Yes	Yes	Maybe	Maybe	Maybe
구치부 반대교합	NO	Yes	Yes	Yes	Yes	Maybe	Maybe
II급 부정교합	NO	NO	NO	Maybe	Maybe	Yes	Yes
III급 부정교합	NO	Yes	Yes	Yes	Maybe	Maybe	Maybe

Yes Maybe NO

2.2.1 치열궁 크기 변화:

3세부터 6세사이 대부분의 소아에서 상, 하악궁 둘레와 길이가 약간 줄어든다는 연구결과가 있다[18]. 이와 반대로 몇몇 연구자들은 유치열궁 길이가 줄어들지 않는다고 하지만, Baume[14]은 상악의 89%, 하악의 83%에서 시상면 축소가 발생한다고 했다. 이 단계에서 치열궁 길이의 증가는 관찰되지 않았다.

견치간, 구치간 유치열의 폭은 2단계 동안 안정적[18,19]이지만, 다른 연구에서 4세에서 6세까지 횡적 변화가 보고되었다[13].

2.2.2 2단계에서 교합 발달의 관리:

이 시기에 소아는 몇 가지 요소들에 의해 비정상적인 교합에 노출되어 부정교합이 발생 할 수 있다. 표 2.3은 교합 발달 7단계별로 추천되는 예방, 차단 교정 치료 과정을 보여준다.

- **구강 습관:** 구호흡을 평가하여 이비인후과에 의뢰해야 한다. 그림 2.5는 아데노이드구개편도 절제술 직전과 수술 48시간 후 3세 여아의 기도 공간을 보여준다. 호흡 패턴의 정상화에 의해 안면 근육 균형의 현저한 개선이 보인다.

  다른 논쟁의 여지가 있는 주제들처럼, 빠는 습관에 대한 단정적인 판단은 옳지 않다[9,10]. 임상가는 빨기 습관의 개인별 편차를 인지하고, 심리적 안정과 안전을 위해 손가락 빨기를 하는 소아가 있고, 반면 심리적 외상 없이도 중단될 수 있는 무의미한 습관을 가진 소아도 있음을 알아야 한다[20].

  이 시기에 이갈이는 자주 보고되지만 과도한 치아 마

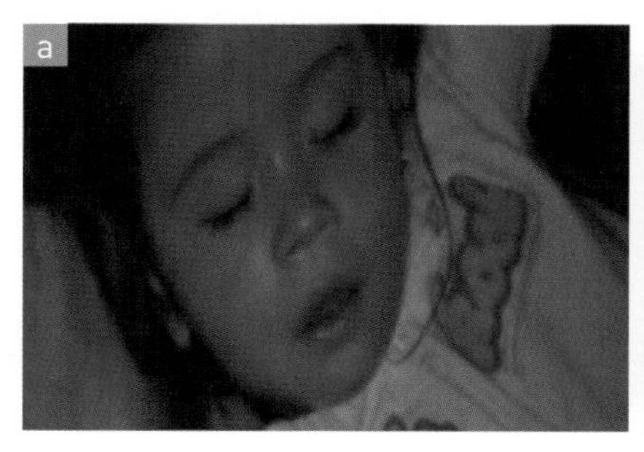

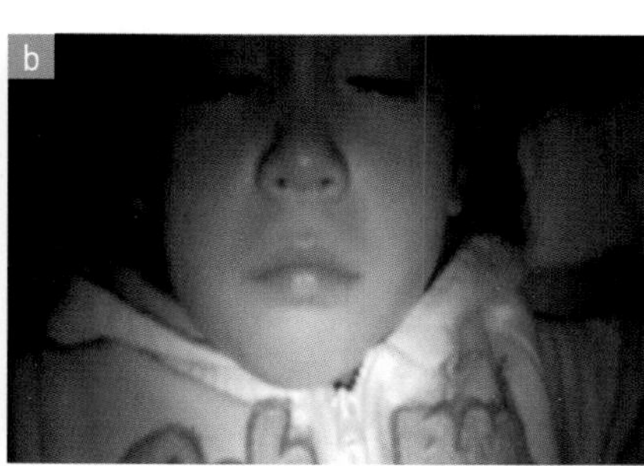

그림 2.5 3세 구호흡 여아. a) 아데노이드구개편도 절제술 시행 전 밤, b) 기도 정상화 48시간 후.

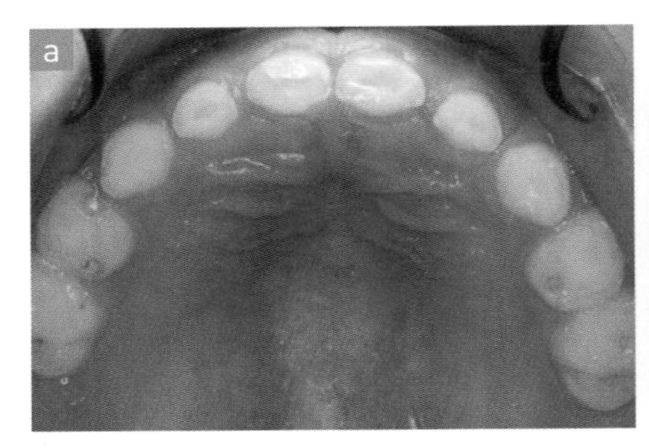
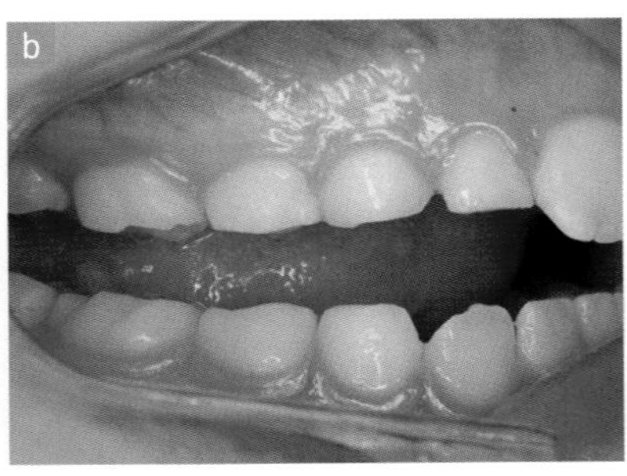

그림 2.6 유치열기 및 초기 혼합치열기 이갈이. a) 중증 마모, b) 중등도 마모.

모를 동반할 때만 문제로 인식해야 한다(**그림 2.6a**). 유치 교합면의 적은 양의 마모는 생리적 현상으로 간주해야 한다(**그림 2.6b**).

- **공간 관리:** 제1유구치의 상실의 경우에만, 간단한 고정식 혹은 가철식 장치로 공간 유지를 하게 된다. 하지만, 제1대구치 맹출 전 제2유구치가 조기 상실된 경우, 치료 옵션은 제한적이고 예후도 좋지 않다. 전치부의 공간 유지는, 유견치가 맹출된 후 유전치가 하나 이상 상실되었더라도 고정성 혹은 가철성 장치는 필요치 않다[22]. 이 시기 유견치의 조기 상실은 흔치 않다; 만약 상실되었다면, 차단 치료를 신중히 계획해야 한다.
- **공간 회복:** 제1유구치가 조기 상실되면 인접 제2유구치가 근심이동하여 치궁 둘레가 감소된다. 고정성 혹은 가철성 장치를 이용한 공간 회복을 고려해야 한다.
- **공간 창출:** 후속 영구절치는 더 큰 공간을 필요로 한다(**표 2.2**). 유절치 사이에 공간이 없을 경우, 치아 교체 시기에 전치부 총생을 피하기 위해 상당한 치열궁 발달(arch development)이 필요할 수 있다. 하지만, 교정적 혹은 악정형적 방법에 의한 유치열 발육의 효과에 대한 과학적 근거는 없다.
- **전치부 반대교합:** 전치부 반대교합은 치아 마모와 치은 퇴축을 야기하여 골격의 정상적 발육을 방해한다. 정상 발육을 구축하고 외상성 상해를 예방하기 위해 조기치료가 필요하다(**그림 2.7**)[21]. 환자의 성숙도와 협조도가 치료 시작 시점을 결정하는 중요한 요소이다.
- **구치부 반대교합:** 하악의 전방, 측방 이동을 일으키는 교합간섭(조기접촉)을 제거하는 것이 좋다(**그림 2.7**). 문헌에 따르면 구치부 반대교합의 경우, 가능하면 발견 즉시 정중구개봉합의 미성숙함을 이용하여 치료한다.
- **Ⅱ급 부정교합:** 일반적으로 이 시기에 Ⅱ급 부정교합의 차단 치료는 추천되지 않는다. 하지만, 심한 하악 왜소증 중 하악의 전방이동이 의학적으로 필요하다고 판단되는 일부에서, 특히 확실한 수면 무호흡증(OSA)이 있는 경우에 한하여, 차단 치료팀에 교정의사가 포함되기도 한다. 이 시기 골 성숙도에서 이런 차단 치료의 효과는 의문스럽다.
- **Ⅲ급 부정교합:** 환자의 정신적 성숙도에 따라 Ⅲ급 부정교합의 조기치료는 강력히 권고된다(**그림 2.8**). 7장

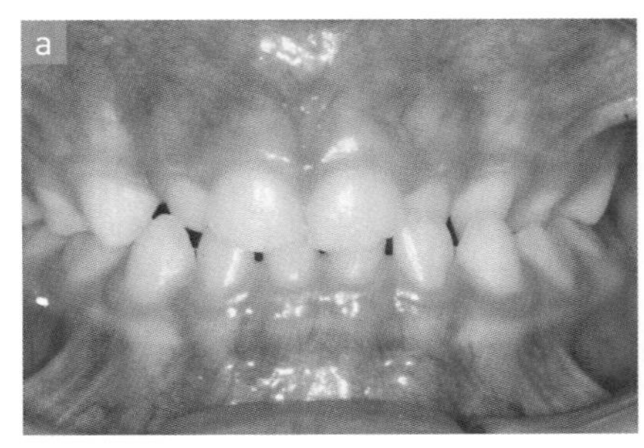
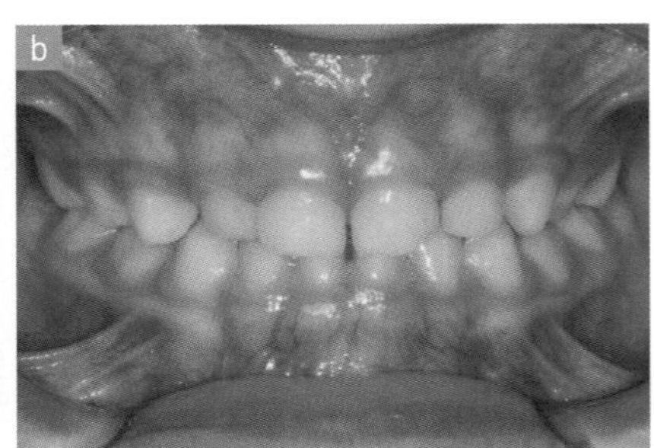

그림 2.7 유치열: 전방 및 구치부 반대교합. a) 치료 전, b) 치료 후.

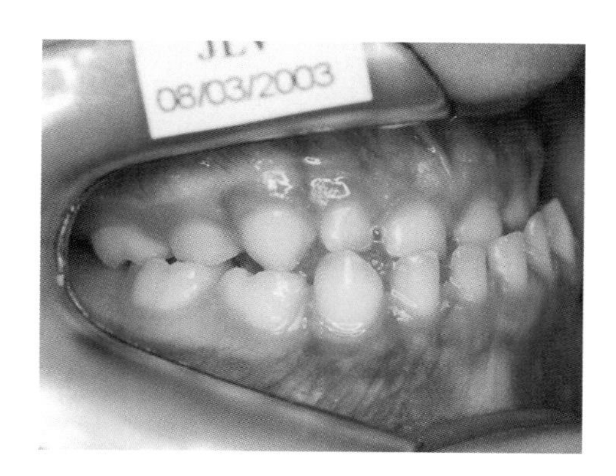

그림 2.8 유치열에서 골격성 Ⅲ급 부정교합.

에 자세한 치료 절차를 서술하였다.

2.3 3단계 – 첫 영구치의 맹출

일반적으로, 혼합치열기는 하악 중절치의 맹출과 함께 시작된다. 하악 제1대구치도 거의 같은 시기에 맹출하고 상악의 대합치가 뒤따라 맹출하는데, 보통 제1대구치가 하악 중절치보다 일찍 맹출한다. 이런 순서는 임상적으로 큰 차이가 없다. 영구 절치와 제1대구치의 맹출은 첫 번째 전이 시기로 알려져 있다. 편의상 이 장에서는 제1대구치가 가장 먼저 맹출하는 것으로 추정하겠다. 제1대구치의 맹출 시기는 6세지만, 정상 범주는 4세부터 8세까지이다.

첫 대구치는 제2유구치 원심부가 성장하면서 생기는 공간에서 유치열에 추가된다. 출생 시 하악 제1대구치는 하악골체부와 하악지가 만나는 부근에 치관이 근심경사되어 위치한다. 매우 어린 아이들에서, 상악 제1대구치는 상악결절에 위치하고 치관은 원심으로 경사져있다. 맹출 과정 동안 상악 제1대구치는 점점 근심으로 기울어지고, 제2유구치의 원심면에 의해 최종 교합위치로 안내된다.

따라서, 상하 제2유구치에 의한 말단 평면(terminal plane)이 제1대구치간의 조기 교두감합에 무엇보다 중요하다. 그러나, 2단계에서 언급했듯이, 유구치 말단 평면의 분석은 유견치간 관계와 함께 평가되어야 한다.

제1대구치의 맹출은 유년기 성장 폭발[23] 및 수직적 교합고경의 두 번째 생리적 증가와 동시에 일어난다.

3단계 동안 정상 교합은 종종 다음과 같은 특징을 보인다: 제1대구치간 Ⅰ급 관계 혹은 시상면에서 교두–대–교두 관계; 유견치간 Ⅰ급 관계; 0~3mm의 수평피개; 치관 0 ~ 3/4의 절치 수직피개; 정상의 횡적 악궁 관계.

2.3.1 교합 발달의 관리

- **구강 습관:** 2단계와 동일
- **공간 유지:** 첫 영구 대구치 맹출 후, 이 치아를 이용한 고정식 공간 유지 장치 적용이 용이하다.
- **공간 회복:** 상악 제1대구치의 이소 맹출은 매우 흔하다. 이에 대한 구체적 대응법은 8장에 기술한다.
- **공간 창출:** 이 시기에 적절치 않다.
- **전치부 반대교합:** 2단계와 동일
- **구치부 반대교합:** 2단계와 동일. 그러나, 영구 절치의 맹출 여부와 관계없이 제1대구치가 맹출되면, 구치부 반대교합을 명확한 평가하여 장치에 상악 제1대구치를 포함할 지를 판단한다(그림 2.9a). 만일 기능상 문제가 관찰되지 않고 횡측 성장에 제한이 없다면, 제1대구치에 국한된 반대교합 수정은 미뤄져야 한다(그림 2.9b).
- **Ⅱ급 부정교합:** 3단계 이후로 치료 시기를 늦추더라도 효과에 큰 차이가 없고 효율성은 이 시기가 더 낮으

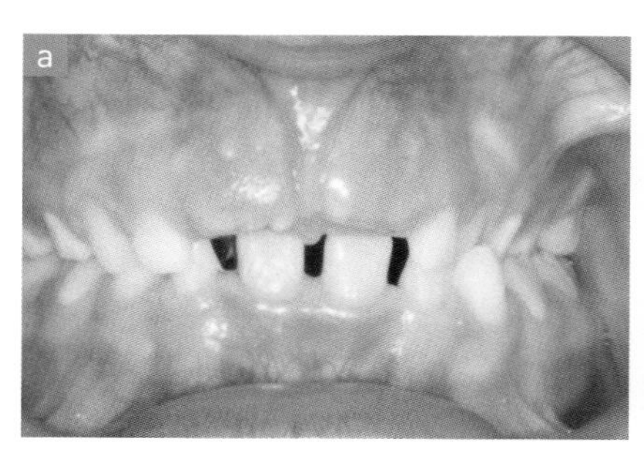

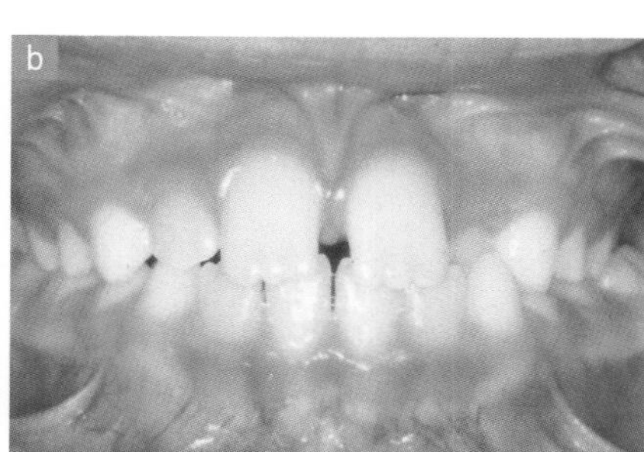

그림 2.9 제1대구치 맹출 후 구치부 반대교합. a) 상악 좌측 유치의 반대교합. 미약한 기능적 하악편이. b) 좌측 제1대구치만 반대교합. 기능적 편이 없음.

므로 치료할 필요가 없다. 치료는 심리적 문제와 연관되거나 절치 외상의 위험이 큰 경우만 시행한다.

- **Ⅲ급 부정교합:** 2단계와 동일

2.4 4단계 – 영구 절치의 맹출

첫 전이 시기동안, 유절치에서 영구절치로의 교환이 있다. 이 시기는 2년간 지속된다(6~8세). 그 후 중간 휴지기가 나타나고, 약 2년정도 지속된다. 일부 소아의 경우 좀 더 긴 중간 시기를 경험한다.

이전 3개의 단계에서는 "이상적" 위치에서 벗어난 변이가 드물었지만, 4단계에서는 "이상적"으로부터의 변이가 크게 늘어난다. 비록 "정상" 발달을 "자연적인 상태"로 정의하지만, 이 단계에서는 절치의 일부 비정상적 위치도 정상으로 간주하며, "이상적인" 교합은 찾기 힘들다. 치아의 이상적 위치에서 이러한 변이를 일으키는 메커니즘을 아는 것은 치료보다 관찰을 선호하는 적절한 임상 관리에 필수적이다.

하악 절치는 유절치의 설측에서 발달한다. 맹출 중 종종 설측에서 출현하기도 한다. 이로 인해 유치 치근이 자연적으로 흡수되지 않으면, 자연적으로 탈락(exfoliation)되지 않을 수도 있다.

상악 절치는 맹출하면서, 유절치의 치근을 흡수하며 적절한 배열로 구강 내로 출현한다. 하지만, 상악 측절치가 가끔 구개측으로 맹출하기도 하는데, 특히 공간 부족

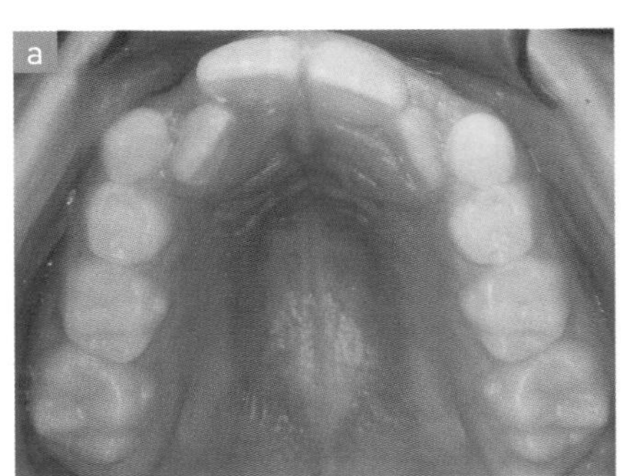
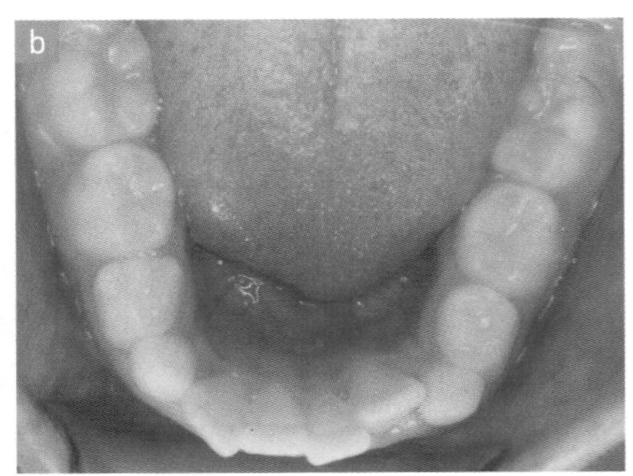

그림 2.10 치열궁 폭 감소와 관련된 절치 총생.

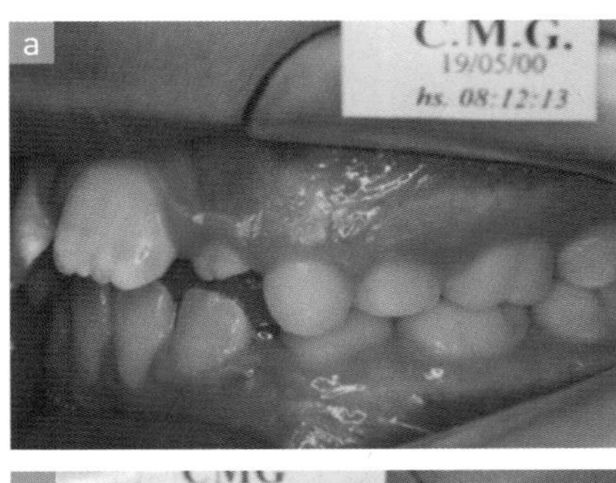

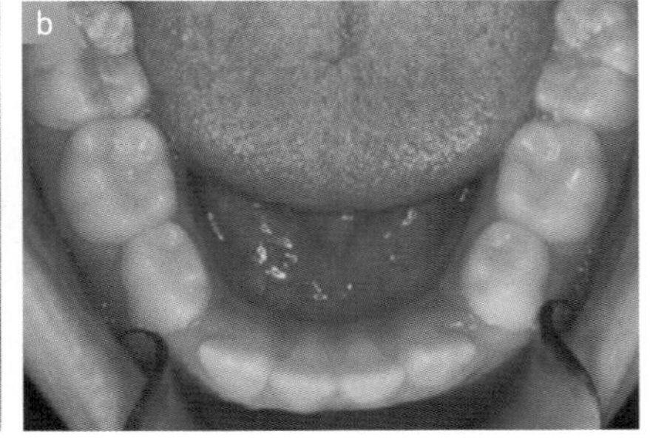
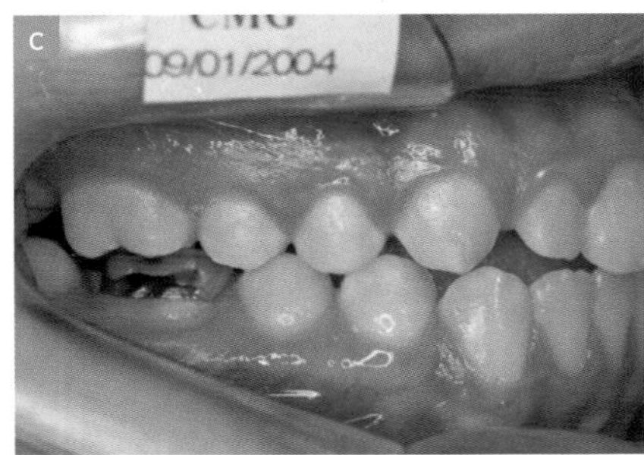

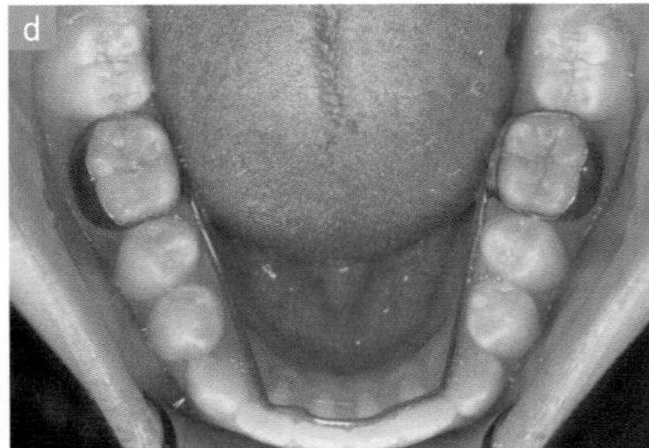

그림 2.11 a),b) 하악 유견치의 조기 상실로 공간이 부족한 8세 소아. 절치의 후방 경사에 의한 악궁 둘레의 소실. c),d) 상악 급속 확장(RPE), 립범퍼(lip bumper), lower lingual holding arch를 이용한 E-공간 유지로 구성된 조기 치료.

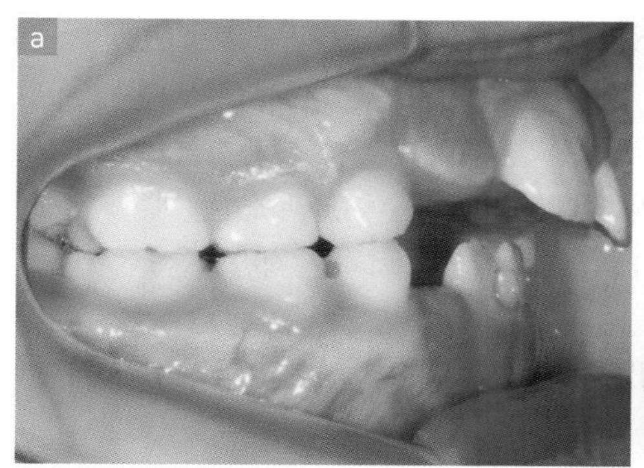
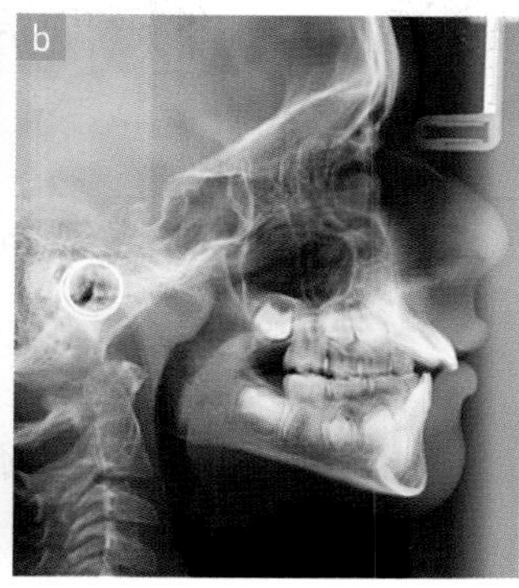

그림 2.12 증가된 수평피개, II급 치아 관계, 두드러진 상악 절치를 가진 8세 소아. 사춘기전(CS1) 단계의 골격 성숙도

이 있는 환자에서 더욱 그러하다.

이 단계에서 상악 절치는 원심 경사되고 특히 측절치에서 더 현저하다. 문헌에서는 이를 "미운 오리 새끼 단계"(1장 그림 1.1 참고)라 한다. 이 치성 보상은 영구 절치 치근이 인접하여 맹출 중인 견치 법랑질과 발생할 수 있는 외상적 접촉을 피하기 위한 보호 메커니즘이다. 영구 견치가 맹출(7단계)하면서 측절치 경사(inclination)의 변화뿐 아니라, 전치간 정중이개도 자연적으로 폐쇄된다.

하지만, 하악 전치들은 흔히 맹출 시부터 치간 접촉이 있다. 절치간 이개는 드물다. 일부 총생은 정상으로 간주되고, 이 부위에 치아 공극이 크면 구강 습관을 의심해봐야 한다.

2.4.1 치열궁 크기 변화

하악 제1대구치와 절치들이 맹출 후 큰 변화가 없고, 하악 치열궁의 길이는 안정적이다. 하지만, 영장류 공간으로 유견치가 원심 이동하면서 견치간 거리는 상당히 증가한다[13, 24].

상악 절치들이 순측으로 기울고 순설측으로 두꺼워져서 상악궁 길이는 약 1.5mm 증가한다. 견치간 거리는 유치열기에서 초기 혼합치열기로의 이행기에 대략 2mm 증가하는데[7], 대부분 이 부위의 부가성장에 의해 일어난다. 상악에서 횡적 길이의 가장 큰 증가는 중절치 맹출 시에 일어난다.

2.4.2 교합 발달의 관리

- **구강 습관:** 절치 맹출 시 치아치조 성장을 이용하기 위해, 전치부 개방교합의 생성이나 고착을 피하기 위한 차단적 접근이 시행되어야 한다.
- **공간 관리:** 영구 절치가 조기 상실되면 원래의 공간 유지를 위한 관리를 해야 한다.
- **공간 회복:** 절치의 총생, 잘못된 배열을 수반한 전치부의 공간 부족은, 치열을 횡적으로 축소시키는 구강 습관(**그림 2.10**) 혹은 악궁간 시상적 함몰(**그림 2.11**)과 관련된다. 이 시기에 절치의 설측 경사를 반전시키거나 횡적 폭을 회복하기 위한 차단 교정을 고려할 수 있으며, 이 단계의 전치부에서 자연적으로 발생하는 길이변화를 이용할 수 있다(**그림 2.11**).
- **공간 창출:** 요즘들어 공간 창출 술식이 널리 쓰이고는 있지만, 악궁 성장 치료에 대한 안정성이 낮으므로 피해야 한다.
- **전치부 반대교합:** 차단적 접근이 적극적으로 추천되며 고려되어야 한다. 반대교합의 원인이 단순 치성인지, 시상적 및/혹은 측방 III급 패턴의 기능적 변위(functional shift)인지에 대한 감별진단이 꼭 필요하다.
- **구치부 반대교합:** 3단계와 동일
- **II급 부정교합:** 수평피개가 5mm 이상이면 입술이 절치를 보호하지 못하므로, 새로 맹출되는 절치를 보호하기 위한 예방적 조치가 필요하다. 치료 시기를 늦추더라도 효과에 큰 차이가 없고 효율성은 이 시기가 더 낮으므로, 만약 외상의 위험성이 낮고 심미적이나 심리적 문제가 없으면 이 시기에는 치료를 하지 않는 것이 좋다. 그림 2.12의 8세 소아는 II급 부정교합과 관련된 큰 수평피개를 보인다. 비록 골격 성숙도가 사춘기 전 단계(CS1)이지만, 외상의 위험이 높으므로, 교정 치료가 권장된다.

- **Ⅲ급 부정교합:** 3단계와 동일. 하지만, 시간이 지남에 따라 예후는 악화된다 – 7장 참고.

2.5 5단계 – 하악 견치와 제1소구치의 맹출

이 단계에서 두 번째 전이 시기(transitional period)가 시작된다. 교합 발달의 관점에서, 하악 견치가 인접 제1소구치보다 먼저 맹출하는 것이 공간 관리나 전치의 배열에 바람직하다. 파노라마 사진상, 교합평면 기준으로 견치 치배가 제1소구치 치배보다 아래에 있는 것이 보통이다. 다행히, 대부분의 경우 하악 견치 맹출시 가속이 붙어, 맹출 시기가 빨라진다. 하악 제1소구치가 견치보다 먼저 맹출하는 것은 희귀한 일이 아니고 모니터링해야 한다. 견치가 맹출하기 전에 소구치 발거가 필요하다면, 연속발치술(serial extraction) 시행을 고려하는 것이 바람직할 것이다(5장 참조).

불행히도, 제1소구치는 맹출에 어려움을 겪는다. 반면 상악 제1소구치는 자주 협측으로 맹출하는데, 이는 원래의 유치 탈락에 어려움이 있기 때문이다. 일반적으로. 제1유구치를 발거하면 이소 맹출하는 상악 제1소구치의 방향을 찾아줄 수 있다.

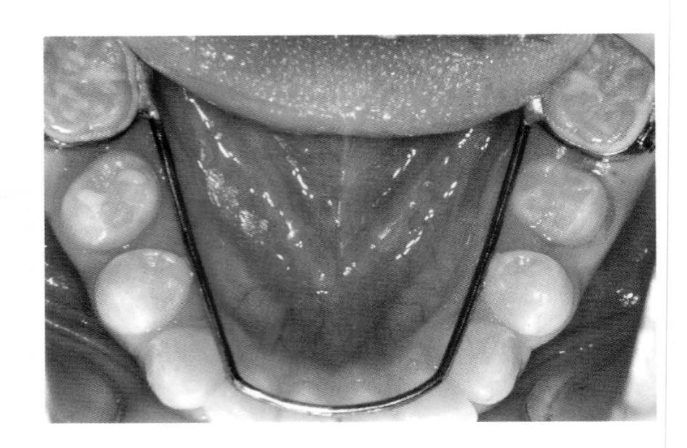

그림 2.13 lower lingual holding arch를 이용한 E–공간 유지

상악궁에서, 골내에 있는 제1소구치의 치관이 커서 종종 인접 견치의 맹출 패턴에 영향을 준다. 그러므로, 상악 제1소구치의 조기 맹출은 견치의 매복 예방에 중요하다.

2.5.1 교합 발달의 관리

- **구강 습관:** 이상적으로는, 이 단계에서 유해한 구강 습관은 이미 제거되었을 것이다.
- **공간 유지:** 이 단계에서의 공간을 유지하기 위해 하악 제1소구치보다 견치가 먼저 맹출하게 해야 한다. 하악 고정용 설측 호선(Lower holding lingual arch; LHLA)은 하악 절치의 자연적인 후방 경사뿐 아니라 후방 구

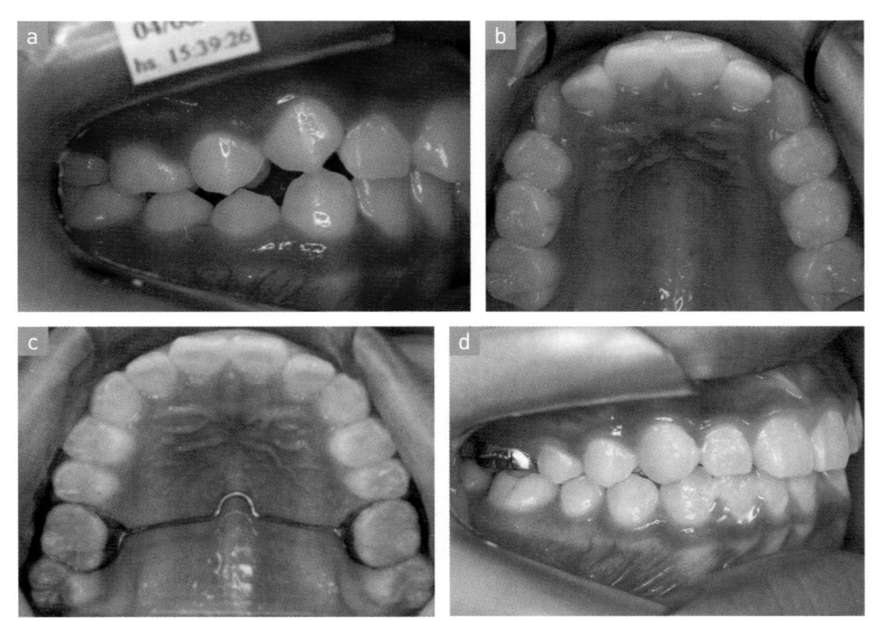

그림 2.14 Ⅱ급 부정교합 환자의 상악 E–공간 보존은 시상적 치성 관계의 개선에 도움이 된다.

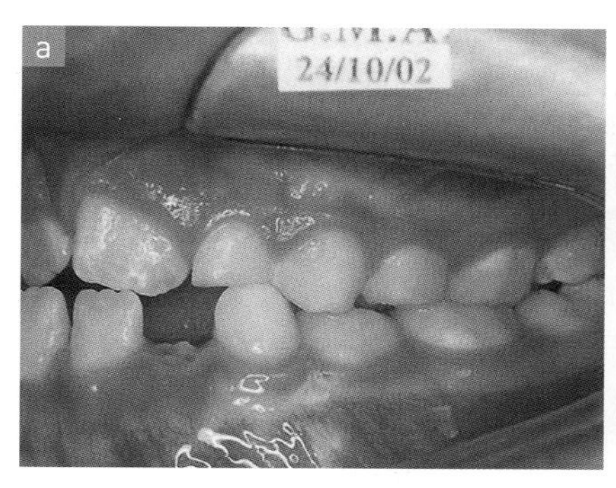

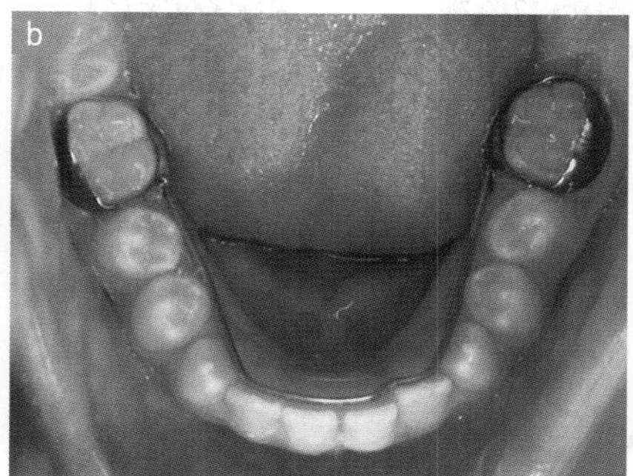

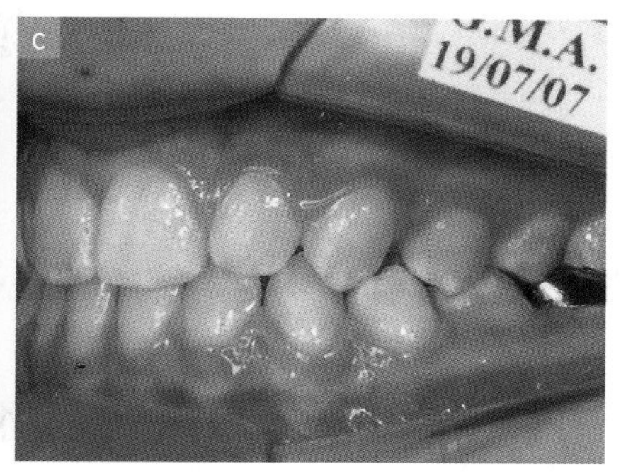

그림 2.15 Ⅲ급 부정교합 환자의 하악 E–공간 보존하면 절치의 후방이동으로 적절한 수평피개를 만드는데 사용되게 된다.

치의 근심 이동을 예방하기 위해 사용된다.

- **공간 회복:** 4단계와 동일
- **공간 창출:** 4단계와 동일
- **전치부 반대교합:** 아직 존재한다면, 신속히 차단해야 한다.
- **구치부 반대교합:** 4단계와 동일. 치근 흡수가 있는 유치는 악궁 확장 시 고정원으로 쓸 수 없다.
- **Ⅱ급 부정교합:** 몇몇 소아, 특히 골격 성숙이 이른 여아는 5단계에서 사춘기 성장의 정점에 이를 수 있다. 각 환자의 골격 평가로 사춘기 최대 성장기를 이용하는 것이 좋다.
- **Ⅲ급 부정교합:** 이 단계에서 골격성 Ⅲ급 부정교합을 차단하기 위한 페이스마스크 치료를 시도할 수는 있지만 제한적이다. 최근, 이런 타입의 부정교합을 차단하기 위해 골 고정 훅(hook)으로 지지되는(미니플레이트에 연결되는) 상하악간 고무줄을 이용한 치료법이 소개되었고[25], 안면 발달이 좀더 성숙한 Ⅲ급 부정교합에서 대안적 치료법으로 인식되고 있다.

2.6 6단계 – 제2소구치의 맹출

제2유구치에서 제2소구치로의 교환기인 11세까지는 E–공간(E–space)의 보존을 통한 예방적/차단적 작용를 위한 중요한 시간이다. 제2유구치와 제2소구치의 근원심 직경 차이로 인해 E–공간 혹은 Leeway space라 알려진 자유공간이 형성된다[26].

Leeway 공간의 개념은 Nance[27]가 처음 제안하였고 유견치 및 유구치와 그 계승치 간의 크기차이를 의미한다. 유견치는 계승치에 비해 작지만, 반면에 제1유구치가 계승치에 비해 큰 경우는 드물다. 이 사실에 착안하여 Gianelly[28]는 두 번째 전이 기간에서 Leeway 공간은 주로 제2유구치("E")와 제2소구치간의 크기 차이 때문이라는 연구 결과를 제안했다.

특히 하악에서, 후기 혼합치열기와 영구치열기 사이 전이 기간 동안 제1대구치의 근심이동과 이에 따른 E-공간의 잠식으로 치열궁 둘레는 줄어들게 된다. 임상가는 이 소중한 공간을 유지하기 위해 기회를 평가해야 한다 **(그림 2.13)**. E–공간은 악궁내 치아 배열을 위해 쓰일 수도 있지만 경증의 Ⅱ급, Ⅲ급 관계의 포괄적인 교정 치료를 위해 사용될 수 있다**(그림 2.14 및 2.15)**.

2.6.1 교합 발달의 관리

- **구강 습관:** 5단계와 동일
- **공간 관리:** 모든 어린이를 검사하여 제2유구치의 탈락 전 E–공간을 보존하도록 고려할 것을 적극 추천한다. E–공간을 보존하여 치열궁 둘레를 유지하면, 70% 정도의 공간 부족 증례에서 적절한 공간을 제공한다[28].
- **공간 회복:** 이 단계동안 환경적 요인에 의한 치열궁 둘레의 감소를 차단해야 한다. 만일 제2유구치가 조기 상실되었다면, 이 단계에서 둘레 회복이 필요하다. 절치의 설측경사도 이 단계에서 수정하여 다음 단계를 준비해야 한다.

- **공간 창출:** 추천되지 않음
- **전치부 반대교합:** 만약 여전히 존재한다면, 수정해야 한다.
- **구치부 반대교합:** 이 단계에서 구치부 반대교합은, 특히 (기능적) 하악 편이와 관련된, 더 이상 존재하지 않을 것이다.
- **Ⅱ급 부정교합:** 상악 제2유구치가 탈락하기 전에, Ⅱ급 부정교합이 있는 소아를 포괄적으로 평가하여 헤드기어나 구개 바/Nance 버튼을 사용할지 결정해야 한다[19]. 더욱이, 사춘기 성장에 가까운 몇몇 소아에게는 이 단계가 부정교합 치료의 이상적인 시기가 된다.
- **Ⅲ급 부정교합:** 5단계와 동일. 차단 치료의 예후는 시간이 지남에 따라 나빠진다. 만약 골격성 Ⅲ급 부정교합을 이 단계 전에 차단하지 않으면, 발치를 통한 위장 치료 혹은 수술적 교정치료가 필요할 수도 있다. 차단 치료술의 적용이 너무 늦었을 수 있지만 미니 플레이트와 골 고정원을 사용하면 문제의 심각성을 최소화할 수 있다. 7장 참고.

2.7 7단계–상악 견치와 제2대구치의 맹출

상악 견치 및 제2대구치의 맹출로 두 번째 전이 기간이 종료된다. 대다수의 소아에서, 이는 12세 전후에 발생한다. 그러나, 맹출 시기에는 큰 다양성이 존재하고 일반적으로 임상적 의미는 없다.

상악 견치의 맹출 경로가 복잡하여 이소맹출과 매복의 위험성이 크다. 그러므로, 이에 대한 예방적 접근으로 매년 파노라마 사진을 촬영해 모니터링한다.

일반적으로 제2대구치는 상악보다 하악에서 먼저 맹출한다. 최근 매복 제2대구치 발생률의 증가가 보고되고 있다[29]. 이 사실은 전치부 총생 치료를 위한 차단 교정술의 증가 및 중증 치아 우식증 유병률의 감소와 관련 있다. 환자의 교두감합이 완성될 때까지 제2대구치 맹출을 관찰해야 한다. 상악궁에서, 제2대구치는 이소 맹출하는 제3대구치에 의해 맹출로가 막힐 수 있다(8장, 그림 8.28 참고). 하악궁에서는, 제2대구치가 제1대구치의 원심면에 걸려 완전히 맹출되지 못한 경우를 흔히 볼 수 있다.

2.7.1 교합 발달의 관리

- **구강 습관:** 6단계와 동일.
- **공간 유지:** 이 단계에서 E-공간이 보존되었다면, 지속적으로 공간을 유지하여, 고정성 장치 치료동안 더 나은 치아 배열이 되도록 한다.
- **공간 회복:** 상악 견치의 적절한 맹출을 위해 공간을 개방해주는 것이 필요하다. 일반적으로 이런 조치는 치료 교정 단계에 포함되어야 한다.
- **공간 창출:** 공간 회복과 동일.
- **전치부 반대교합:** 6단계와 동일.
- **구치부 반대교합:** 6단계와 동일.
- **Ⅱ급 부정교합:** 이 단계는 골격성 Ⅱ급 부정교합의 교정에 이상적인 시기이다. 골격성 Ⅱ급 문제에 접근하기 위한 최적 시기를 결정하기 위해 골령 평가가 필수적이다.
- **Ⅲ급 부정교합:** 6단계와 동일.

2.8 결론

교정의사, 소아치과 전문의 및 일반 임상가는 성장하는 교합에 대한 적극적인 감독의 중요성을 인지해야 한다. 유치열기에서 영구치열기로 전환하는 동안, 어린이의 부정교합을 일으키는 환경 요인의 관리뿐 아니라 악궁내 및 악궁간 문제에 대해서도 전문가적 치아 관리가 필요하다.

균형 잡힌 안모, Ⅰ급 골격 관계, 이상적인 Ⅰ급 교합 관계는 차단 교정 치료 없이 자연적으로 존재하기 힘든 이론적인 목표이다. 환자가 이상적인 Ⅰ급 패턴으로 순응하게 될지 미리 예측하여 확신할 수 없는데, 이는 증거 바탕의 시대에서조차, 진단과 치료 계획 수립은 경험에 의존한다는 것을 의미한다. "확신이 안 서도, 일단 치료하라"라고 말하려는 것이 아니다. 이런 접근은 대부분 양면을 가질 수 있고, 좋은 만큼 나쁠 수도 있다. 일부 조기 치료는 악골과 치주조직에 좋은 영향을 미친다. 하지만, 소아에게 미약한 총생, 과개 교합, 상악 정중이개, 골격성 Ⅱ급 부정교합의 치료를 지속하는 것은 해를 유발할 수 있다.

어린 환자를 치료하는 교정의사와 모든 치과의사의 목

표는 교합 발달의 모든 단계에서 치아의 관계를 평가할 수 있는 진단학적으로 유용한 데이터를 얻는 것이어야 한다. 예방적이고 차단적인 교정적 모니터링(PIOM)을 사용하여 미래에 생길 변화를 성공적으로 예견하고, 효과(effectiveness)와 효율(efficiency)의 개념을 슬기롭게 이용하는 차단적 접근을 통해 필요한 조치를 취할 수 있다.

참 · 고 · 문 · 헌

1 Moorrees, CFA, Fanning, EA, Hunt E. Age variation of formation stages for ten permanent teeth. J Dent Res 1963;42:1490–502.

2 Nanda RT. Eruption of human teeth. Am J Orthod 1960;46: 363–78.

3 Gron AM. Prediction of tooth emergence. J Dent Res 1962;41: 573–85.

4 Nickel JC, McLachlan KR, Smith DM. Eminence development of the postnatal human temporo-mandibular joint. J Dent Res 1988;67(6):896–902.

5 Nickel JC, McLachlan KR, Smith DM. A theoretical model of loading and eminence development of the postnatal human temporo-mandibular joint. J Dent Res 1988;67(6):903–10.

6 Hegde S, Panwar S, Bolar DR, Sanghavi MB. Characteristics of occlusion in primary dentition of preschool children of Udaipur, India. Eur J Dent 2012 Jan; 6(1):51–5.

7 Bishara S, Ortho D, Jakobsen, J R; Treder, J; Nowak A. Arch width changes from 6 weeks to 45 years of age Maxillary Arch. Am J Orthod 1997;111(4):401–9.

8 Recommendations for the use of pacifiers. Paediatr Child Health 2003;8(8):515–28.

9 Warren JJ, Bishara SE. Duration of nutritive and non-nutritive sucking behaviors and their effects on the dental arches in the primary dentition. Am J Orthod Dentofac Orthop 2002;121(4):347–56.

10 Cozza P, Baccetti T, Franchi L, Mucedero M, Polimeni A. Sucking habits and facial hyperdivergency as risk factors for anterior open bite in the mixed dentition. Am J Orthod Dentofacial Orthop 2005 Oct; 128(4):517–9.

11 Kumar KPS, Tamizharasi S. Significance of curve of Spee: An orthodontic review. J Pharm Bioallied Sci. Medknow Publications and Media Pvt. Ltd.; 2012;4 (Suppl 2):S323–8.

12 Leighton BC. The early signs of malocclusion. Eur J Orthod 2007;29(Supplement 1):i89–i95.

13 Moyers R. Handbook of Orthodontics. 4th edn. Chicago: YearBook Medical Publishers, Inc. 1988.

14 Baume L, Baume LJ, 1950. Physiological Tooth Migration and Its Significance for the Development of Occlusion. Part III The biogenesis of the successional dentition. J Dent Res 1950;29:331–7. 20 Chapter 2

15 Warren JJ, Yonezu T, Bishara SE. Tooth wear patterns in the deciduous dentition. Am J Orthod Dentofacial Orthop 2002;122 (6):614–8.

16 Infante PF. An epidemiologic study of deciduous molar relations in preschool children. J Dent Res 1975;54(4):723–7.

17 Urzal V, Braga AC, Ferreira AP. The prevalence of anterior open bite in Portuguese children during deciduous and mixed dentition--correlations for a prevention strategy. Int Orthod 2013;11(1):93–103.

18 Moorrees CF, Gron a M, Lebret LM, Yen PK, Fröhlich FJ. Growth studies of the dentition: a review. Am J Orthod 1969;55(6):600–16.

19 Baume LJ. Physiological Tooth Migration and Its Significance for the Development of Occlusion. Part I The biogenetic course of the deciduous dentition. J Dent Res 1950; 29:123–32.

20 Vasconcelos FMN De, Massoni ACDLT, Heimer MV, Ferreira AMB, Katz CRT, Rosenblatt A. Non-nutritive sucking habits, anterior open bite and associated factors in Brazilian children aged 30–59 months. Braz Dent J 2011;22(2):140–5.

21 American Academy on Pediatric Dentistry Clinical Affairs Committee-Developing Dentition Subcommittee [Corporate Author]. Guideline on management of the developing dentition and occlusion in pediatric dentistry. Pediatr Dent 2009;30(7 Suppl):184–95.

22 Ghafari J. Early treatment of dental arch problems. I. Space maintenance, space gaining. Quintessence Int 1986;17(7):423–32.

23 Tanner JM. Human growth and constitution. In: Harrison GA, TannerGM, Pilbeam DR, Baker PT. Human biology: an introduction to human evolution, variation, growth, and adaptability. 3rd edn. Oxford; Oxford University Press, 1988. p. 337–435.

24 Moorrees CFA, Chadha J. Available space for the incisors during dental development – A growth study based on physiologic age. Angle Orthod 1965;35(1):12–22.

25 Heymann GC, Cevidanes L, Cornelis M, De Clerck HJ, Tulloch JFC. Three-dimensional analysis of maxillary protraction with intermaxillary elastics to miniplates. Am J Orthod Dentofacial Orthop 2010;137(2):274–84.

26 Gianelly A. Leeway space and the resolution of crowding in the mixed dentition. Semin Orthod 1995;1(3):188–94.

27 Nance H. The Limitations of Orthodontic Treatment. Part I. Mixed Dentition Diagnosis and Treatment. Am J Orthod & Oral Surg 1947;33:177.

28 Brennan MM, Gianelly AA. The use of the lingual arch in the mixed dentition to resolve incisor crowding. Am J Orthod Dentofacial Orthop 2000;117(1):81–5.

29 Rubin RL, Baccetti T, McNamara JA. Mandibular second molar eruption difficulties related to the maintenance of arch perimeter in the mixed dentition. Am J Orthod Dentofacial Orthop 2012;141(2):146–52.

Chapter
03

혼합치열기 진단: 발달성 부정교합의 심도 평가

Mixed dentition diagnosis: assessing the degree of severity of a developing malocclusion

Eustáquio Araújo, DDS, MDS
Center for Advanced Dental Education, Saint Louis University, St. Louis, MO, USA

조기 치료의 효능과 효율에 대한 의문은 아직 만족스럽게 해결되지 않았다. 효능(efficacy)이란 원하거나 의도한 결과를 낼 수 있는 능력으로 정의할 수 있으며, 효율(efficiency)이란 그러한 결과를 달성하기 위한 시간, 노력, 비용의 측정값이라 할 수 있다. 1차 치료에 관해서, 효능을 평가하기 힘든데, 이와 관련해 이용 가능한 문헌의 대부분은 질적인 것으로 주관적인 정보에 의존하기 때문이다. 효율에 대해서는 합의된 사항이 없긴 하지만, 의미 있는 데이터를 찾는 것이 가능하기는 하다. 많은 임상가와 연구가들은 조기 치료의 효용에 대해 여전히 회의적이다.

1차 치료는 흔히 조기치료로 통용된다. 그 목적은 특별한 교정적 문제나 문제들을 예방하고, 차단하거나 수정하는 것이다.

예방은 양호한 전체적인 치아 건강상태를 유지하는 것이다. 다른 한편으로는, 차단적 조기치료 방법은 조기의 수정적 중재를 통하여 발달성 문제의 진행을 차단하고자 하는 것이다. 차단 치료로 문제를 완전히 수정할 수도 있으며, 혹은 단순히 정상적 성장과 발달을 위해 더 나은 상태로 회복하려는 노력으로 문제를 최소화하려는 시도가 될 수도 있다.

비교적 어린 환자를 치료할 때 1차 치료에 대한 목표를 명확히 세워야 하는데, 여기에는 더 나은 교합 수립, 치열과 지지구조를 손상시킬 수 있는 문제의 예방, 전치부의 외상 위험도 감소, 치궁 발달 관리, 횡적 변이 수정, 성장과 발달에 대한 증거-바탕 이론의 확립 등이 포함된다[1~13].

또한 교정 치료를 원하게 만드는 강한 이유인, 환자와 가족에게 미치는 심리적 요소에 주의를 기울이는 것이 중요하다. 소아의 자신감 향상은 심리사회적 성장과 균형잡힌 성격의 발달에 주요한 요소다[14]. 환자의 웰빙은 모든 치료의 의사-결정 과정에서 우선순위가 된다. 이것은 교정치료를 포함한 모든 보건의료의 새로운 패러다임이기도 하다[15].

3.1 치료의 수요, 복잡성, 결과 평가

발달성 부정교합의 중증도가 감소될 수 있는가? 차단 교정 치료로 부정교합의 중증도를 얼마나 감소시킬 수 있는가? 1차 치료의 효용(그것이 있다면)을 어떻게 정량적으로 평가할 수 있는가?

치료의 필요성과 결과를 평가하는 것은 시간 소모적이고 어려울 수 있다.

교정치료를 시행하기 전 부정교합의 중증도 평가에 많은 관심이 기울여져 왔다. 그러나, 교정학에서 조기 중재에 대한 평가는 주로 주관적이었다.

최근 몇 년에 걸쳐 치료 수요, 복잡성, 결과를 평가하기 위해 많은 지수가 만들어졌다. 좋은 지수란 신뢰가능하고, 재현가능하며 정확해야 한다. 치료 필요를 결정하기 위해 여러 교정과적 지수가 시도되어 왔다: 썸머의 교합 지수(Summers' Occlusal Index), 치아 심미 지수(Dental Aesthetic Index), PAR 지수(Peer Assessment Rating), 교정 치료 필요 지수(Index of Orthodontic Treatment Need), 복잡성, 결과, 필요 지수(Index of Complexity, Outcome and Need).

3.1.1 썸머의 교합 지수(Summers' occlusal index)

1966년, Chester Summers는 부정교합의 중증도를 평가하기 위해 교합 지수(Occlusal index)를 개발하였다. 교합 지수는 환자의 치령(dental age)을 결정하는 것에서 시작한다. 이후 각 환자의 구치부 관계, 수직피개, 수평피개, 구치부 반대교합, 구치부 개방교합, 치아 대체(displacement, 실제 그리고 잠재적), 정중선 관계, 영구치 결손 등의 교합 카테고리를 평가한다. 각 카테고리에 점수를 매겨 예상 치아 나이에 기반하여 적합한 가중식에 적용한다[16].

3.1.2 치아 심미 지수(Dental Aesthetic Index; DAI)

썸머의 교합 지수(Summers' Occlusal Index)와 달리, 치아 심미 지수(DAI)는 치료–필요 점수를 산출하기 위해 교합의 미적, 신체적 요소를 모두 고려한다. DAI는 Jenny와 Cons에 의해 1986년 개발되었다[17]. DAI는 200여장의 서로 다른 교합 사진에 대한 대중의 심미적 감각을 이용해 만들어졌다. 사진은 안면 전체 사진과 구내 사진을 모두 이용하였다. 그 결과 심미적, 치성 부정교합을 결합한 수학적 회귀식을 만들었다.

3.1.3 PAR 지수(Peer Assessment Rating; PAR)

초기 부정교합 중증도와 치료결과를 모두 측정할 수 있는 지수가 없었던 1987년, 영국 교정 표준 전문위원회(British Orthodontic Standards Working Party)라고 불리는 10명의 교정과 의사가 모여 Peer Assessment Rating (PAR)을 만들고자 착수하였다.

연구자들은 200개의 치료 전, 치료 후 치아모형을 평가하여, 평가해야 할 특징들을 확인하였다. PAR 지수의 11개 구성요소는 상악 우측 분절, 상악 전치부 분절, 상악 좌측 분절, 하악 우측 분절, 하악 전치부 분절, 하악 좌측 분절, 우측 협측 교합, 수평피개, 수직피개, 중앙선, 좌측 협측 교합이다.

PAR 지수는 정상으로부터의 편차를 계산한다. 신뢰도와 타당성은 높지만, 부정교합의 몇 가지 요소가 배제되어 있다. PAR 0점은 정상 교합과 배열을 나타내며, 점수가 높아질수록 부정교합의 정도도 더 심해지는 것을 의미한다. 치료 전, 후의 PAR 점수를 비교하여 치료 성공을 평가할 수 있다[18, 19].

3.1.4. 교정 치료 필요 지수(Index of Orthodontic Treatment Need; IOTN)

1989년 Brook과 Shaw는 교정 치료 필요 지수(Index of Orthodontic Treatment Need; IOTN)를 개발하였다. PAR 지수와 유사하게, IOTN은 심미적 요소와 치아건강 요소를 모두 포함한다. IOTN은 주로 영국에서 쓰인다[17, 20]. IOTN의 심미적 요소는 사진을 관찰하여 점수로 환산한다. 치아적 요소는 5등급으로 평가한다. 1등급은 경미한 치과적 문제들을 포함하며 5등급은 교정적 치료의 필요성이 높은 복잡한 치과적 문제로 구성된다. 의사는 부정교합을 적절한 등급으로 평가해야 한다. 치료의 필요 결정에 IOTN을 사용하려면, 치과적 요소를 초기에 적용한 후 필요한 경우에 한하여, 심미적 점수를 응용한다.

3.1.5 복잡성, 결과, 필요 지수(Index of Complexity, Outcome, and Need; ICON)

복잡성, 결과, 필요 지수(Index of Complexity, Outcome, and Need; ICON)는 IOTN과 PAR의 구성요소로부터 개발되었다. 1998년 Richmond와 Daniels가 ICON을 개발했는데, PAR와 유사하게, 치료 전 난이도와 치료 후 성공을 평가하는데 사용할 수 있다[21]. ICON은 다섯 가지 교합적 특성을 각각 가중된 수학공식에 대입하여 총점을 산출한다. 사용되는 카테고리는 다음과 같다: Brook과 Shaw의 IOTN 심미적 요소 (Brook and Shaw's aesthetic component of the IOTN), 반대교합, 상악궁 총생/공극, 협측 분절의 전후방 관계, 전치부 수직 관계. 임상적 성과를 평가하기 위해 치료 전 점수와 치료 후 점수를 비교할 수 있다[21].

설명된 바와 같이, 교정 치료의 필요성을 파악하고, 치료 결과를 평가하기 위해 치료 전과 후의 점수를 비교하는 객관적 도구를 만드는 시도들이 시행되어 왔다.

3.1.6 미국 교정 전문의 위원회 복잡성 지수와 결과 평가 (The American Board of Orthodontics complexity index and outcome assessment)

미국 교정 전문의 위원회(American Board of Orthodontics; ABO)는 기존의 지수들이 임상증례의 복잡성보다는 임상증례의 난이도를 결정한다고 결론지었다. 임상증례 난이도는 주관적일 수 있는 만큼, 위원회는 임상증례 복잡성의 평가가 더 정량화되어야 한다고 판단하였다. 임상증례의 복잡성은 "증후군을 형성하는 질병이나 장애의 요인, 증상, 혹은 징후의 조합"으로 정의한다[21, 22]. 대다수가 PAR 지수를 정량적이라고 인정하지만, ABO는 그것이 경미한 변이들을 감지하지 못한다고 여겼다. ABO는 불일치 지수(Discrepancy Index; DI)와 객관적 등급 체계(Objective Grading System; OGS)라는 두 지표를 개발하여 초기 중증도를 정량적으로 평가하고 교정적 치료의 결과를 정량화하기로 하였다. 1998년, 14명의 ABO 임원이 이 지표를 개발하기 위해 모였다[23, 24].

불일치 지수(Discrepancy Index; DI)를 결정하기 위해서, 모형, 측모두부방사선, 파노라마방사선 형태의 교정적 기록이 필요하다. DI에 포함된 변수로는 수평피개, 수직피개, 전치부 개방교합, 측방 개방교합, 총생, 교합, 설측 구치부 반대교합, 협측 구치부 반대교합, ANB 각, IMPA, SN–GoGn 각이 있다. 부가적으로 다른 카테고리에서는, 결손치나 과잉치, 정중선 부조화, 전위, 치아 크기와 형태 이상 같은 요소에 대한 점수를 산출한다. DI는 2000년에서 2002년 동안 상당한 영역의 시험을 거쳤다. 이듬해 DI가 완전히 수립되어, 현재는 검증 절차의 일부로써 ABO 3단계 검사에서 임상증례 복잡성을 판정하는 데 사용되고 있다.

DI는 폭넓게 시험되고 유효화되었으므로, 1차 치료 이전에 불일치 지수(DI)를 계산하고 치료 후 다시 계산해 보면 차단적 중재에 의해 변화된 부정교합의 복잡성을 정량적으로 평가할 수 있을 것이다. 많은 경우에서, 이것을 1차 치료 전부터 2차 치료 전까지의 향상 지표(improvement index)로 간주할 수도 있을 것이다.

이런 생각으로 광범위한 연구 노력과 유의한 결과들을 얻게 되었다. Vasilakou[25]는 300건에 달하는 1차 치료의 전후 기록을 검사하였다.

이 조사에서는 1차 중재로 인한 변화를 정량화해 2차 치료를 시작하기 전에 얼마나 많은 개선이 있었는지 판단할 수 있었다. DI 점수를 구성하는 모든 변수는 개별적으로 측정하여서 어떠한 구성요소가 가장 많이 변화했는지 측정할 수 있었다. 최종적으로, 세 가지 Angle 분류군을 비교하여, 이 분류군 중 어떤 것이 조기치료를 통해 더 많은 이익을 얻었는지 평가하였다.

결과는 흥미로웠고 많은 성과가 있었지만, 아직 조사할 것이 많음을 시사했다. DI 점수는 여성 164명, 남성 136명의 총 300명을 표본으로 계산하였는데, 이들은 평균 연령 9년 3개월에 1차 치료를 시작하여 평균 14.5개월간 치료를 받았다. 측정은 1차 치료 전에 이뤄졌으며, 동일한 평가를 2차 치료 전에 실시하였다.

모든 1차 치료 전(T1)과 상당수의 2차 전(T2) 모형이 혼합치열기였으므로, Tanaka–Johnston 예측을 이용해 치아 총생의 양을 계산하였다[26]. 또 하나 특별한 고려 사항은 전방과 측방의 개방교합에 대한 평가였다. 여러 치아가 맹출 중이었으므로, 완전히 맹출되지 않은 치아에 대해서는 점 변위(point deviation)를 계산하지 않았다.

T1과 T2의 전수에 대한 평균점수를 계산하였으며 초기 그리고 최종 점수 간 평균의 차이를 구하였다. 총 DI 점수가 T2에서 감소하였다면, 임상증례 복잡성이 감소하였음을 나타낸다. 만약 T2에서 총 DI 점수가 증가하였다면 분석 표본에서 복잡성이 증가한 것이다. 표 3.1은 총 점수와 각 DI 구성요소 점수의 초기 그리고 최종 평균값과 더불어 이 점수들의 평균차를 보여준다. 또한, paired t-test로 T1과 T2 평균을 비교하여 p-value는 점수 차이가 통계적으로 유의한지 보여준다. 모든 유의한 값은 별표로 표시하였다.

T1 총점 평균은 17.26점, T2 총점 평균은 9.98점이었다. DI 점수는 평균 7.28점 감소하여, 통계적으로 유의성 있는 변화가 있었음을 보였다. 이것은 DI가 42.2% 감소

표 3.1 전체 DI score 차이

	T1 평균값	T2 평균값	평균차이	표준편차(SD)	P value
수평피개	3.06	0.87	2.19	2.64	〈0.001*
수직피개	0.94	0.77	0.17	1.13	0.008
전치부 개방교합	1.32	0.41	0.9	3.00	〈0.001*
측방 개방교합	0.21	0.21	0	1.59	0.971
총생	1.92	1.25	0.67	1.76	〈0.00 1*
교합관계	3.49	1.96	1.54	2.73	〈0.001*
구치부 설측 반대교합	0.91	0.083	0.83	1.37	〈0.001*
구치부 협측 반대교합	0.02	0.11	−0.09	0.62	0.16
ANB	1.32	0.75	0.57	2.04	〈0.001*
SN−MP	2.15	2.27	−0.12	2.59	0.410
IMPA	0.66	0.85	− 0.19	2.26	0.146
기타	1.26	0.46	0.80	1.29	〈0.001*
Total	17.26	9.98	7.28	7.06	〈0.001*

* Statistically significant difference at p〈0.004

표 3.2 변화의 백분율(%)

	Class I	Class II	Class III	Overall
Total	49.3*	34.5*	58.5*	42.2*

*Statistically significant differences as shown by the t−tests at p〈0.004

한 것으로, 총 표본의 복잡성이 감소한 것을 뜻한다.

DI의 각 변수는 동일한 방식으로 개별 평가하였으며, 통계적으로 유의한 부문은 수평피개, 전치부 개방교합, 총생, 교합관계, 구치부 설측 반대교합, ANB 각, 그리고 "기타" 카테고리였다. 유의성 없는 변화의 변수에는 수직피개, 측방 개방교합, 구치부 협측 반대교합, SN-MP와 IMPA 각도였다.

다음으로 표본을 Angle 분류법(I 급, II 급, III 급)에 따라 세 개의 군으로 분류하였으며, DI로 측정한 복잡도의 감소 비율은 표 3.2에 나타내었다.

3.2 차단적 치료 결과의 평가

부정교합의 각 유형은 어떻게 차단 치료에 반응하는가? 어떤 변수가 치료에 가장 크게 반응하는가?

3.2.1 I 급

I 급 그룹은 81명의 대상을 포함하였다. T1에서 평균 DI 총점은 11.74점이었으며, T2는 5.94점으로 평균 5.79점 감소하여 통계적으로 유의한 것이 입증됐다. 이 숫자들은 DI가 49.3% 감소했음을 시사하며, 이는 그 표본의 복잡도가 감소했음을 의미한다. 지표의 모든 변수를 같은 방법으로 분석하니, 통계적으로 유의한 변수는 수평피개, 전치부 개방교합, 총생, 교합관계, 구치부 설측 반대교합, "기타" 카테고리가 포함되었다. 모든 유의한 변화는 T2에서 DI점수의 감소를 의미했다. 유의성 없는 변화는 수직피개, 측방 개방교합, 구치부 협측 반대교합, 모든 두부방사선 계측치(cephalometric measurements; ANB, SN–MP, IMPA)였다(**표 3.3 참조**).

3.2.2 II 급

II 급 그룹의 대상은 165명이었다. T1에서 평균 DI 총점은 19.13이었으며, T2에서는 12.53으로 평균 6.60점 감소하여, 역시 통계적으로 유의한 것으로 입증됐다. 이 숫자들은 DI가 34.5% 감소했음을 시사하며 이는 그 표본의 복잡도가 감소했다는 뜻이다. DI의 모든 요소를 분석한 결과 유의한 점수 감소가 나타난 부문은 수평피개, 전치부 개방교합, 총생, 교합관계, 구치부 설측 반대교합, ANB, "기타" 카테고리였다. 이 그룹에서 IMPA 각은 점

표 3.3 Ⅰ급 집단의 불일치 지수 점수(Discrepancy Index Score) 차이

	T1 평균값	T2 평균값	평균차이	표준편차(SD)	P value
수평피개	2.27	0.57	1.7	1.6	<0.001*
수직피개	0.53	0.39	0.14	0.89	0.174
전치부 개방교합	2.04	0.42	1.62	3.49	<0.001*
측방 개방교합	0.32	0.07	0.25	1.53	0.150
총생	1.49	0.87	0.62	1.76	0.001*
교합관계	0	0.35	−0.35	1.58	0.002*
구치부 설측 반대교합	0.89	0.10	0.79	1.31	<0.001*
구치부 협측 반대교합	0	0.02	−0.02	0.22	0.320
ANB	0.57	0.58	−0.01	1.57	0.944
SN–MP	1.96	2.08	−0.12	2.44	0.650
IMPA	0.55	0.33	0.22	1.73	0.252
기타	1.11	0.15	0.96	1.52	<0.001*
Total	11.74	5.95	5.79	5.30	<0.001*

* Statistically significant difference at p<0.004

표 3.4 Ⅱ급 집단의 불일치 지수 점수(Discrepancy Index Score) 차이

	T1 평균값	T2 평균값	평균차이	표준편차(SD)	P value
수평피개	2.62	1.08	1.54	1.76	<0.001*
수직피개	1.41	1.15	0.26	1.32	0.01
전치부 개방교합	0.91	0.24	0.67	2.43	<0.001*
측방 개방교합	0.17	0.27	−0.10	1.63	0.418
총생	2.33	1.68	0.65	1.88	<0.001*
교합관계	5.13	2.80	2.33	2.87	<0.001*
구치부 설측 반대교합	0.62	0.07	0.55	1.12	<0.001*
구치부 협측 반대교합	0.04	0.18	−0.14	0.81	0.023
ANB	1.57	0.82	0.75	2.03	<0.001*
SN–MP	2.31	2.42	−0.11	2.31	0.523
IMPA	0.78	1.37	−0.59	2.58	0.004*
기타	1.25	0.44	0.81	1.25	<0.001*
Total	19.13	12.53	6.60	6.60	<0.001*

* Statistically significant difference at p<0.004

수가 유의하게 증가하여, 치료 후 하악 절치 위치가 덜 우호적이었음을 시사했다. 유의성 없는 부문은 수직피개, 측방 개방교합, 구치부 협측 반대교합, SN–MP 각이었다 **(표 3.4 참조)**.

3.2.3 Ⅲ급

Ⅲ급 그룹은 54명의 대상으로 이뤄졌다. T1에서 총점 평균은 19.85이었고, T2에서 8.24로 감소하였다. 평균 차이는 11.6점으로 통계적으로 유의하였다. 이 숫자는 DI의 58.5% 감소를 시사하며 이는 표본에서 상당한 복잡도의 감소가 일어났음을 나타낸다. 통계적으로 유의한 변화는 수평피개, 총생, 교합관계, 구치부 설측 반대교합, "기타" 카테고리였다. 유의성 없는 변화는 수직피개, 전치부 개방교합, 측방 개방교합, 그리고 모든 두부방사선 사진 계측치(ANB, SN–MP, IMPA)였다. T1 또는 T2에서 편차를 보인 환자가 없었기 때문에, 구치부 협측 반대교합의 t-test는 불가능했다**(표 3.5 참조)**.

표 3.5 Ⅲ급 집단의 불일치 지수 점수(Discrepancy Index Score) 차이

	T1 평균값	T2 평균값	평균차이	표준편차(SD)	P value
수평피개	5.61	0.68	4.93	4.05	<0.001*
수직피개	0.13	0.18	−0.05	0.73	0.582
전치부 개방교합	1.48	0.92	0.56	3.64	0.267
측방 개방교합	0.148	0.18	−0.03	1.58	0.864
총생	1.33	0.48	0.85	1.64	<0.001*
교합관계	3.74	1.78	1.96	2.73	<0.001*
구치부 설측 반대교합	1.83	0.11	1.72	1.76	<0.001*
구치부 협측 반대교합	0	0	0	0	−
ANB	1.67	0.74	0.92	2.5	0.009
SN−MP	1.94	2.09	−0.15	3.50	0.757
IMPA	0.46	0.05	0.41	1.61	0.068
기타	1.5	1	0.50	0.95	<0.001*
Total	19.85	8.24	11.6	8.96	<0.001*

* Statistically significant difference at p<0.004

이러한 관찰은 차단 치료의 효과에 대한 논란을 축소할 수 있으나, 일부는 해답을 수반하더라도 또 다른 문제들을 남긴다. Ⅰ급 편차의 숫자는 분명히 총생과 수평피개 및 수평적, 수직적 치아 위치의 개선에 대한 결과로 나타나는 것이다. Ⅰ급은 제5장에서 철저하게 다루어진다.

Ⅱ급 부정교합의 조기 중재는 분명 교정학에서 가장 논쟁적인 술식 중 하나다. Ⅱ급 교정은 성장에 의해 크게 영향받는다. 이런 결과를 기반으로 관찰한 결과, 흥미롭게도 Ⅱ급 부정교합은 조기 중재에서 가장 적게 이익을 얻는다. 또한 관찰되는 수정의 상당부분은 하악 절치의 전방경사(proclination) 덕분임이 분명하다. 이는 확실히 조기 중재의 효용에 대한 깊은 성찰을 요구한다. 제 6장에서 논의되듯, Ⅱ급에서 상악 절치의 외상, 심리적 문제와 환자의 웰빙, 발달성 과발산(hyperdivergence) 등이 있는 경우는 조기 중재가 추천된다.

이 결과는 또한 조기 중재로부터 가장 이익을 얻는 그룹이 Ⅲ급임을 확실시해준다. 그러나, 이는 가장 불안정한 그룹일 수 있다. 그들은 불리한 성장이란 역경 때문에 장기적으로는 더 많은 걸 잃을 수 있다. Ⅲ급의 이론과 중재는 제 7장에서 논의된다.

참·고·문·헌

1. Pancherz H. Treatment timing and outcome. Am J Orthod Dentofac Orthop Off Publ Am Assoc Orthod Its Const Soc Am Board Orthod. 2002 June;121(6):559.
2. Ngan P. Biomechanics of maxillary expansion and protraction in Class III patients. Am J Orthod Dentofac Orthop 2002 June;121(6):582–3.
3. Mitani H. Early application of chincap therapy to skeletal Class III malocclusion. Am J Orthod Dentofac Orthop 2002 June;121(6):584–5.
4. McNamara JA Jr. Early intervention in the transverse dimension: is it worth the effort? Am J Orthod Dentofac Orthop 2002 June;121(6):572–4.
5. Little RM. Stability and relapse: early treatment of arch length deficiency. Am J Orthod Dentofac Orthop 2002 June;121(6):578–81.
6. Lindsten R. Early orthodontic treatment and interceptive treatment strategies. Eur J Orthod. 2013 Apr;35(2):190.
7. Kurol J. Early treatment of tooth-eruption disturbances. Am J Orthod Dentofac Orthop Off Publ Am Assoc Orthod Its Const Soc Am Board Orthod. 2002 June;121(6):588–91.
8. Kokich VO Jr. Congenitally missing teeth: orthodontic management in the adolescent patient. Am J Orthod Dentofac

Orthop 2002 June;121(6):594–5.
9. Keski-Nisula K, Hernesniemi R, Heiskanen M, et al. Orthodontic intervention in the early mixed dentition: a prospective, controlled study on the effects of the eruption guidance appliance. Am J Orthod Dentofac Orthop 2008 Feb;133 (2):254–260; quiz 328.e2.
10. Gianelly AA. Treatment of crowding in the mixed dentition. Am J Orthod Dentofac Orthop 2002 June;121(6):569–71.
11. English JD. Early treatment of skeletal open bite malocclusions. Am J Orthod Dentofac Orthop 2002 June;121(6):563–5.
12. Boley JC. Serial extraction revisited: 30 years in retrospect. Am J Orthod Dentofac Orthop 2002 June;121(6):575–7.
13. Chongthanavanit N. Effect of early headgear and lower arch treatment on the development of occlusion [Master's Thesis]. [St. Louis]: Saint Louis University.
14. Proffit WR, Tulloch JFC. Preadolescent Class II problems: treat now or wait? Am J Orthod Dentofac Orthop 2002 June;121 (6):560–2.
15. Sarver D, Yanosky M. Special considerations in diagnosis and treatment planning. Orthodontics Current Principles and Techniques. 5th edn. St. Louis: Mosby, Inc.; 2012. p. 59–98.
16. Summers CJ. The occlusal index: a system for identifying and scoring occlusal disorders. Am J Orthod. 1971 June;59 (6):552–67.
17. Jenny J, Cons NC. Comparing and contrasting two orthodontic indices, the Index of Orthodontic Treatment need and the Dental Aesthetic Index. Am J Orthod Dentofac Orthop 1996 Oct;110(4):410–6.
18. Richmond S, Shaw WC, O'Brien KD, et al. The development of the PAR Index (Peer Assessment Rating): reliability and validity. Eur J Orthod. 1992 Apr;14(2):125–39.
19. Richmond S, Shaw WC, Roberts CT, Andrews M. The PAR Index (Peer Assessment Rating): methods to determine outcome of orthodontic treatment in terms of improvement and standards. Eur J Orthod. 1992 June;14(3):180–7.
20. McGuinness NJ, Stephens CD. An introduction to indices of malocclusion. Dent Update 1994 May;21(4):140–4.
21. Daniels C, Richmond S. The development of the index of complexity, outcome and need (ICON). J Orthod 2000 June; 27(2):149–62.
22. angialosi TJ, RioloML,Owens SE Jr, et al. TheAmerican Board of Orthodontics and specialty certification: thefirst 50 years.AmJ Orthod Dentofac Orthop 2004 July;126(1):3–6.
23. Cangialosi TJ, Riolo ML, Owens SE Jr, et al. The ABO discrepancy index: a measure of case complexity. Am J Orthod Dentofac Orthop 2004 Mar;125(3):270–8.
24. Casko JS, Vaden JL, Kokich VG, et al. Objective grading system for dental casts and panoramic radiographs. American Board of Orthodontics. Am J Orthod Dentofac Orthop 1998 Nov;114(5):589–99.
25. Vasilakou, N. Quantitative assessment of the effectiveness of phase 1 orthodontic treatment utilizing the ABO discrepancy index [Master's Thesis]. [St. Louis]: Saint Louis University; 2013.
26. Tanaka MM, Johnston LE. The prediction of the size of unerupted canines and premolars in a contemporary orthodontic population. J Am Dent Assoc 1939. 1974 Apr;88(4):798–801.

Chapter
04

치아 교합과 부정교합의 유전학

The genetics of the dental occlusion and malocclusion

Robyn Silberstein, DDS, PhD
Department of Orthodontics, University of Illinois College of Dentistry, Chicago, IL, USA

4.1 서론

선천적 결함은 환경적 요인과 유전적 요인의 결합으로 일어난다. 염색체 이상, 단일 유전자 결함, 기형 발생 물질 노출 등의 알려진 원인과 연관이 있을 수도 있지만, 마찬가지로 알려지지 않은 병인에 의한 것일 수 있다 [1]. 이 장에서는 몇몇 흔한 두개안면 및 치아 이상과 더불어 치과의사 및 교정의사가 특별히 고려해야 할 사례를 제시할 것이다. 인간 유전자, 형질, 유전장애에 관한 온라인 데이터베이스인 Online Mendelian Inheritance in Man(OMIM)이나 리뷰 논문들에서 유전자 이상 및 연관된 두개안면 특징에 대한 포괄적인 고찰을 위한 훌륭한 자료를 찾을 수 있다 [2-4].

4.1.1 맞춤의학

게놈과 환경이 표현형질의 변이에 미치는 영향을 조사하는 일은 고성능 분석도구, 대가족 연구에 따른 연관 분석(linkage analysis), 전장 유전체 연관 분석(genome-wide association study; GWAS) 덕에 엄청난 속도로 진보하고 있다. 인간 DNA 염기서열 결정법은 점차 쉽고, 빠르고, 적당한 가격으로, 세련되어지고 있다. 2000년 처음으로 인간 유전체 염기서열을 결정할 때는 10년이라는 세월과 1억 달러가 필요했다. 현재, 유전체 염기서열 결정은 하루안에 가능하다[5]. 오늘날의 연구실에서는 우편으로 배달된 타액 샘플에서 DNA를 얻을 수 있다. National Center for Biotechnology Information(NCBI) 유전자 검사 등기소에는 치과 질환을 위한 유전자 검사가 가능한 전세계 연구실이 등록되어있다. 또한 환자중심 임상연구(patient-centered clinical research; PCORnet)가 강조되면서 유전적 배경과 적합한 연구 설계가 결합되어, 견고한 과학에 기반한 권고와 더 나은 환자 결과를 지지할 잠재력이 있다[6].

4.1.2 임상 검사

환자가 확고하게 유전적 진단을 제시할 수도 있지만, 종종 주의 깊은 임상 검사가 중요한 유전적 요인을 찾기 위한 초기 단서가 된다. 환자가 입을 벌리기 전에, 주의깊은 관찰로 많은 양의 정보를 얻을 수 있다. 심미적 또는 기능적으로 영향력이 적은 소기형(minor anomaly)의 65%가 두경부에서 발생하며, 피부와 손을 포함하면 그 확률은 거의 85%에 달한다. 세 개 이상의 소기형을 보이는 신생아는 주기형(major malformation)을 가질 위험성이 높으므로 간과해서는 안된다. 소기형 감지는 증후군이나 주기형을 인지하는 데 도움이 될 수 있다(**그림 4.1**) [7,8]. 머리 형태, 전두골 골성돌출, 안와 기형, 하악 형태 및 크기, 귀 기형, 신경 관여, 연조직 관여, 수부 기형, 조형성 장애

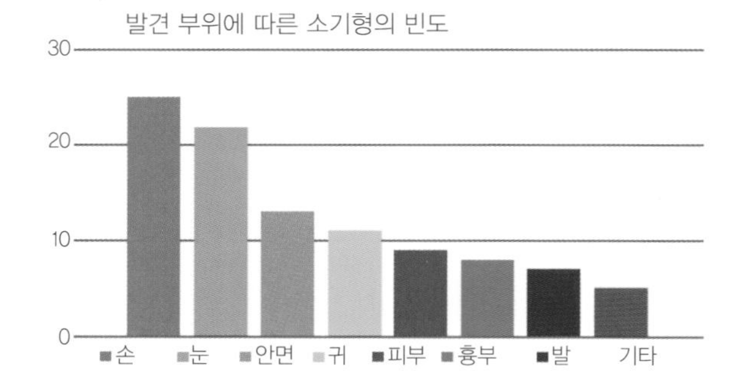

그림 4.1 발견 부위에 따른 소기형(minor anomaly)

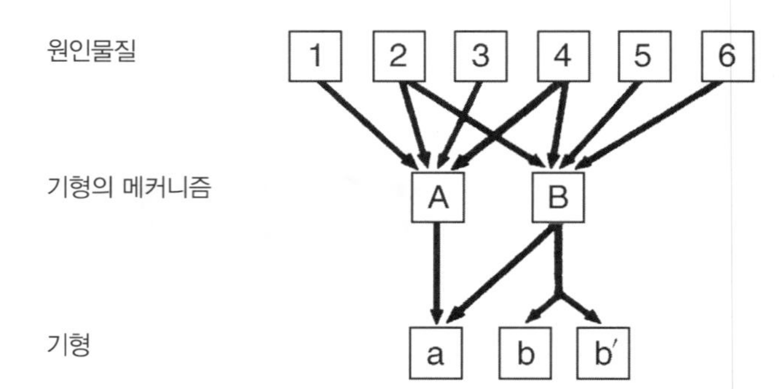

그림 4.3 기형형성(이상형태증형성; dysmorphogenesis)의 연속도(continuum). 기형의 원리에 관한 문헌 참고: 변동성, 표현도, 병인성 이질성.

(nail dysplasia), 비대칭 등은 초기 환자 대면에서 평가할 수 있는 특징들의 예시다. 추가적으로 어린 나이에 교정적 수술이 일어나고 흉터 또한 기록이기 때문에, 사진이 진단과 치료계획에 도움이 될 수 있다(**그림 4.2**).

4.1.3 기형학의 원칙: 가변성 표현도와 병인론적 이형성

모든 병원성 요인의 결과는 각각의 태아 환경마다 다르다. Meinick이 말했듯 "말하자면, 발달 중인 태아는 그 특별한 유전적 배경과 이 배경이 작동할 수밖에 없는 환경 양측 모두의 산물이다" [9]. 심지어 연골형성 부전이나 쇄골두개 이형성처럼 병인이 유전자와 강하게 연관된 경우조차도 표현형에는 변이가 있다. 단일 염기 다형성(single nucleotide polymorphisms; SNPs)에 기인한 유전적 변이나 non–coding 유전자 부위 돌연변이에 대한 근거가 있다[10]. 나아가, DNA 메틸화 같은 후생적 변형은 발달 과정 동안 혹은 일생동안 언제, 어디서 유전자가 발현될지를 결정한다. 이것은 표현형 변이뿐만 아니라 치료에 대한 개인의 반응까지 잠재적으로 영향을 미칠 수 있다[11, 12].

병인론적 이형성은 많은 두개안면 및 치아 기형 평가에서 기본적 주제가 된다. 발달 중의 태아는 반응이 제한되어 있으며 이러한 반응을 개시할 수 있는 요인은 다양하다(**그림 4.3**)[7]. 치아의 경우, 법랑질 불투명성을 보인다. 강한 유전적 연관성이 있는 법랑질형성부전(Amelogenesis Imperfecta)은 강한 환경적 연관성이 있는 반상치와 비슷한 표현형을 나타낸다(**그림 4.4**).

4.2 염색체 이상

3염색체성21, 즉 다운증후군(Down syndrome)은 모든

▷ 소기형: 심미적 혹은 기능적 중요성은 제한적

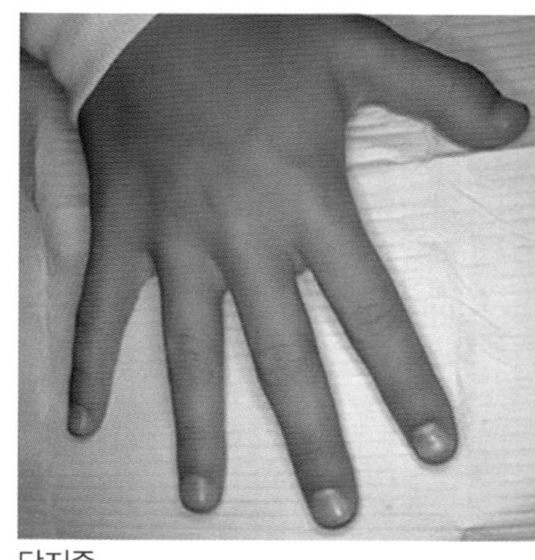
단지증

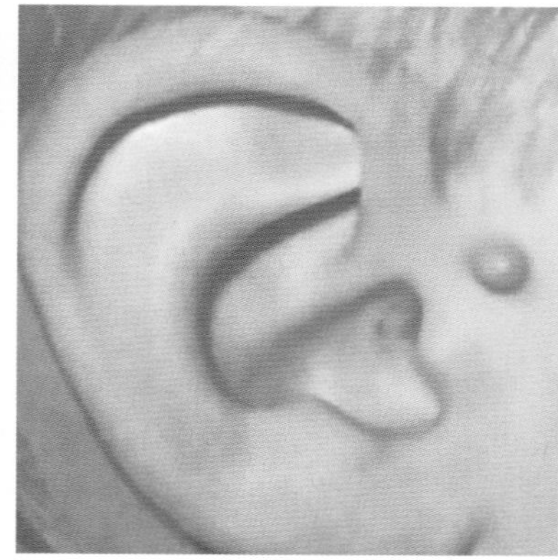
이전부 부속물(귀젖)

그림 4.2 미국내 신생아의 약 15~20%에서 최소 1개의 소기형이 있는 것으로 보고되었다. 3개 이상의 소기형이 있는 경우 주기형(major malformation) 발생의 증가와 관계가 있다.

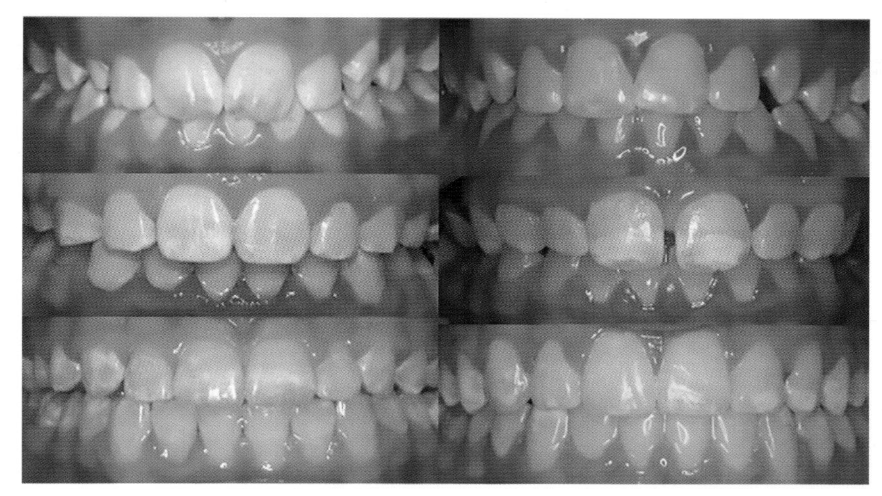

그림 4.4 법랑질 결손 표현형의 이질성

상염색체(비–성염색체) 이상 중 가장 흔하다. 다운증후군은 21번 염색체와 연관된 추가적 유전물질의 양에 따라 증상의 정도가 다르게 나타난다. 인체의 모든 세포가 영향을 받는다. 이 증후군은 모든 인종에 걸쳐 자연적으로 흔하게 나타나며 약 800명 중 한명 꼴로 발생한다[3]. 무수한 정신적, 신체적, 발달적 특징이 이 증후군과 연관된다. 안면부 특징으로는 중안부 결손, 근긴장도 저하, 이완된 입술 긴장도, 내민 혀, 아몬드형 눈과 돌출된 눈구석주름, 양안격리 및 편평두개저(nasion–sella–basion 둔각) 등이 있다. 다운증후군 환자를 교정 치료할 때는 변형된 접근이 필요하다. 각 개인에게 나타나는 상당히 지연된 치아 발달, 지연된 신체적 성숙 및 "두려움 요인", 구호흡, 만성 치주염, 구강건조증, 소치증, 치아 발육부전, 전체적 건강상태 등에 대한 고려가 필요할 것이다[13,14].

4.3 단일 유전자 이상

두개안면기형과 연관된 단일 유전자 변이의 숫자는 광범위하다. "단일 유전자 변이는 그 자체로는 메커니즘이 아니지만 세포이하(subcellular) 수준, 세포 수준, 조직 수준에서 기형 또는 질병의 메커니즘을 개시하는 요인일 수

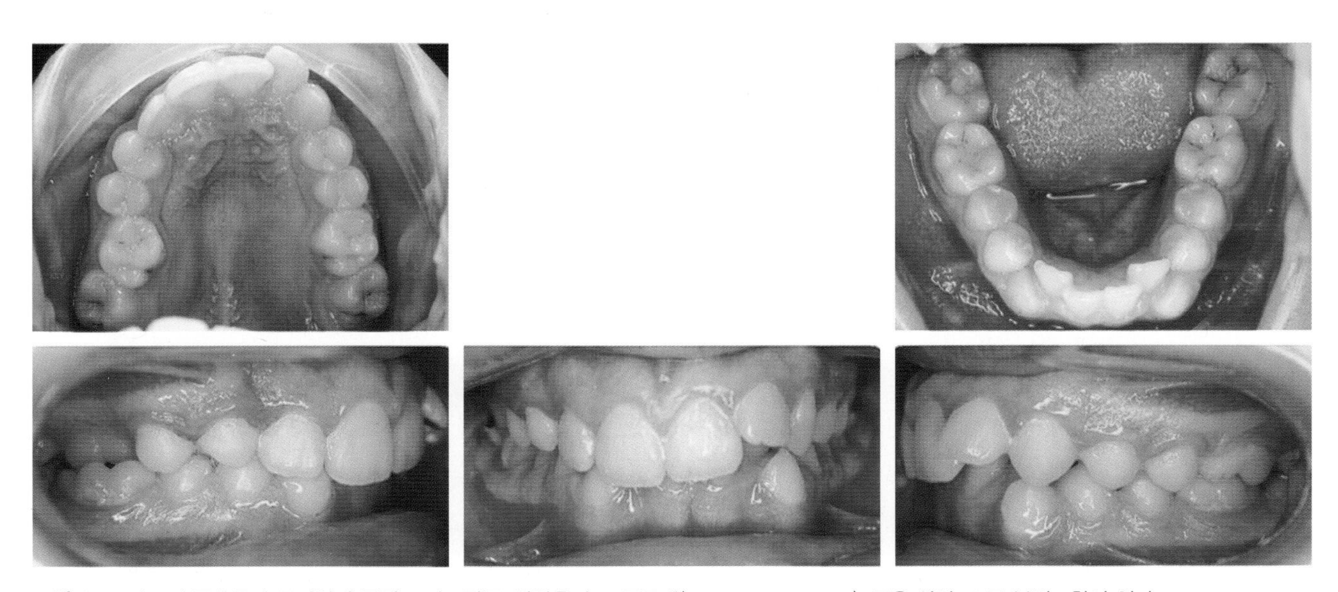

그림 4.5 마르팡 증후군의 구강안면 특징으로는 장두, 하악후퇴, 고궁구개(high arched palate), 좁은 상악, II급 부정교합이 있다.

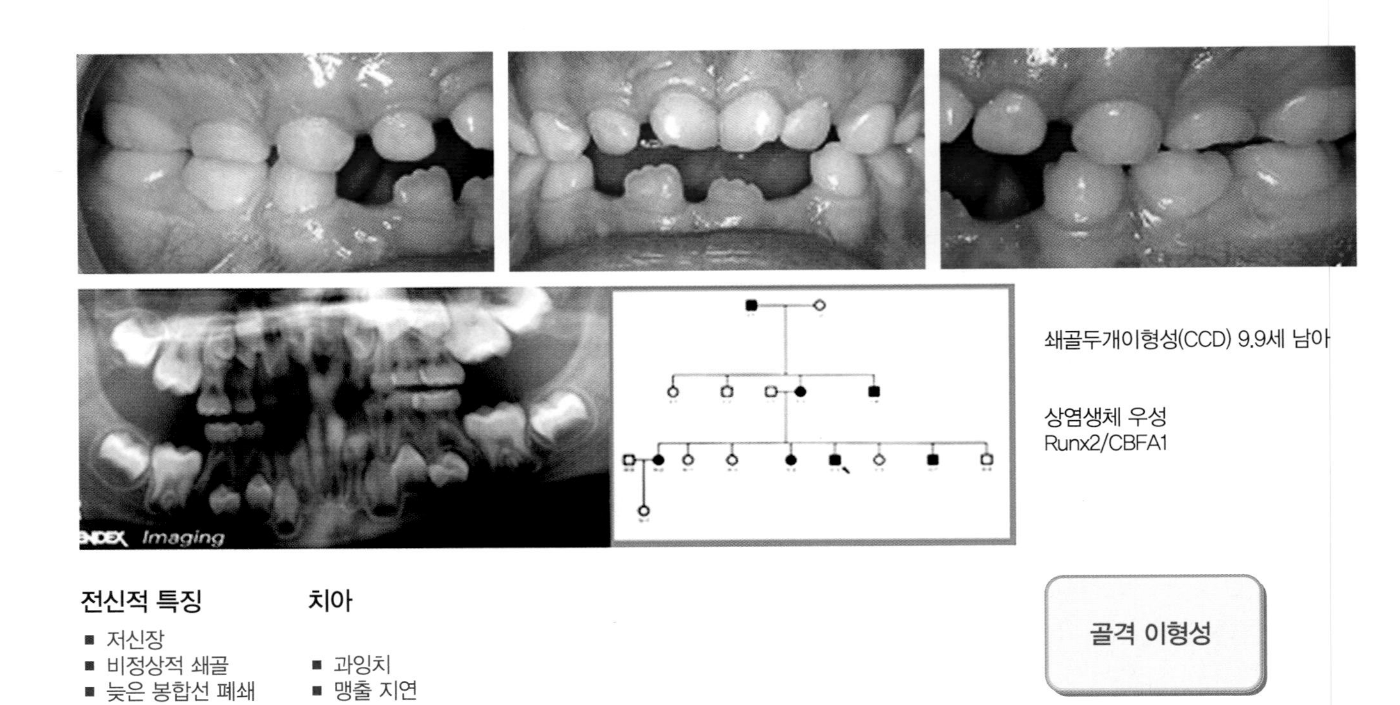

그림 4.6 쇄골두개이형성(Cleidocranial dysplasia; CCD) 환자는 확대된 두개관, 양안격리증(hypertelorism), 낮은 콧등, 과잉치, 뚜렷한 맹출 지연, 그리고 상염색체 우성 유전 패턴을 나타낸다.

있다"[15].

마르팡 증후군(Marfan Syndrome; MFS)은 상염색체 우성 결합조직 결함이다. Fibrillin-1 gene(FBN1)의 변이가 골격, 안구 및 심혈관계에 영향을 미친다. 많은 FBN1 돌연변이는 높은 다양성의 표현형로 보고되었으며 마르팡 증후군 또는 fibrillinopathy로 진단될 수 있다[16]. 마르팡 증후군 유병률은 10만명당 1.5명이다. 구강 안면 발현에는 장두, 하악후퇴, 고궁구개(high arched palate), 좁은 상악, Ⅱ급 부정교합**(그림 4.5)** 등이 있다. 교정 치료 전 중요한 이슈는 심혈관계 문제로, 담당 심장전문의의 승인이 중요하다. 균혈증(bacteremia)에 대한 우려가 있으므로 치은 건강이 매우 중요하다[17]. 일반적인 교정적 목표는 동일하다.

쇄골두개이형성(Cleidocranial dysplasia; CCD)은 상염색체 우성 골격 이형성으로, 현재 RUNX2로 알려진 작은 전사인자 집단의 일원인 CBFA 1 유전자의 변이로 맵핑(mapping)되어 있다. CCD의 임상적 특징은 조골세포 분화의 결함을 반영하는데, 저신장, 비정상적 쇄골, 잠복 또는 늦은 봉합선 종결, 전두골 돌출, 양안격리증(hypertelorism), 과잉치**(그림 4.6)** 등이 있다[18]. RUNX2는 연

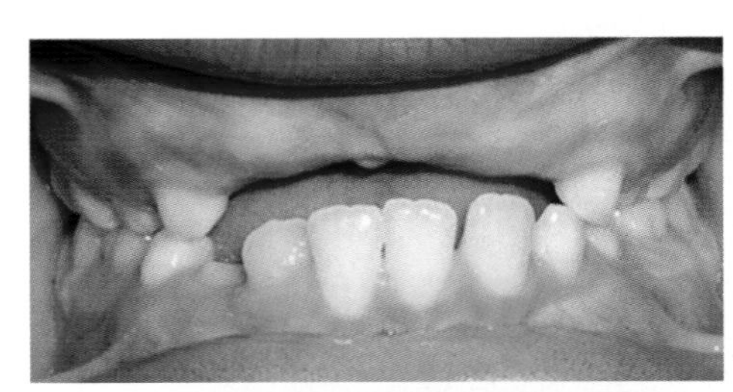

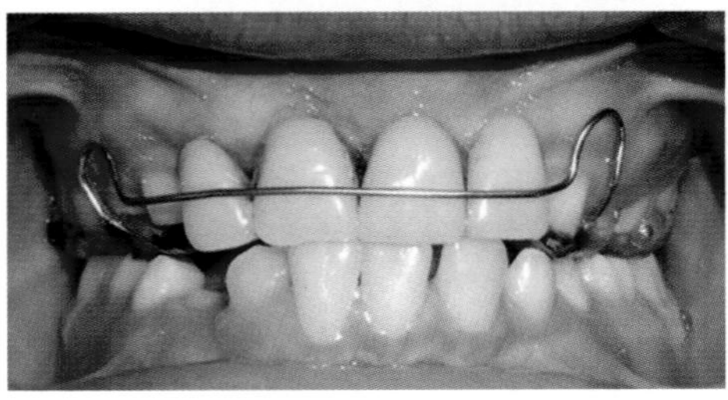

그림 4.7 쇄골두개이형성에서 지연된 두개안면 발육은 교정 치료계획을 복잡하게 만든다. 치아의 맹출 또는 적절한 외과적 노출이나 정출 시기를 기다리는 청소년기에, 인공치를 장착한 유지장치를 사용하는 것이 심미적인 안모를 위한 옵션이 될 수 있다.

골내(endochondral) 및 막성(membranous) 골형성에 필수적이다. 교정 치료 계획 수립에서, 근본적인 골격이형성(skeletal dysplasia)으로 인해 뚜렷한 치아 맹출 지연이 유발될 수 있다는 것을 이해해야 한다; 단순히 과잉치 문제가 아니라, 실제의 느리고 지연된 치아 맹출을 말하는 것이다. 과잉치를 제거한다 해도 기대하는 것처럼 영구치가 즉시 맹출되지 않을 수 있다. 치아 맹출은 여러 해 동안 지연되는 것이 보통이다(**그림 4.7**). RUNX2 혹은 RUNX2 유전자 삭제의 이종 코딩 변이가 중증에서 경미한 정도의 다양한 무진단 표현형과 연관된 것으로 확인되었다 [19~22].

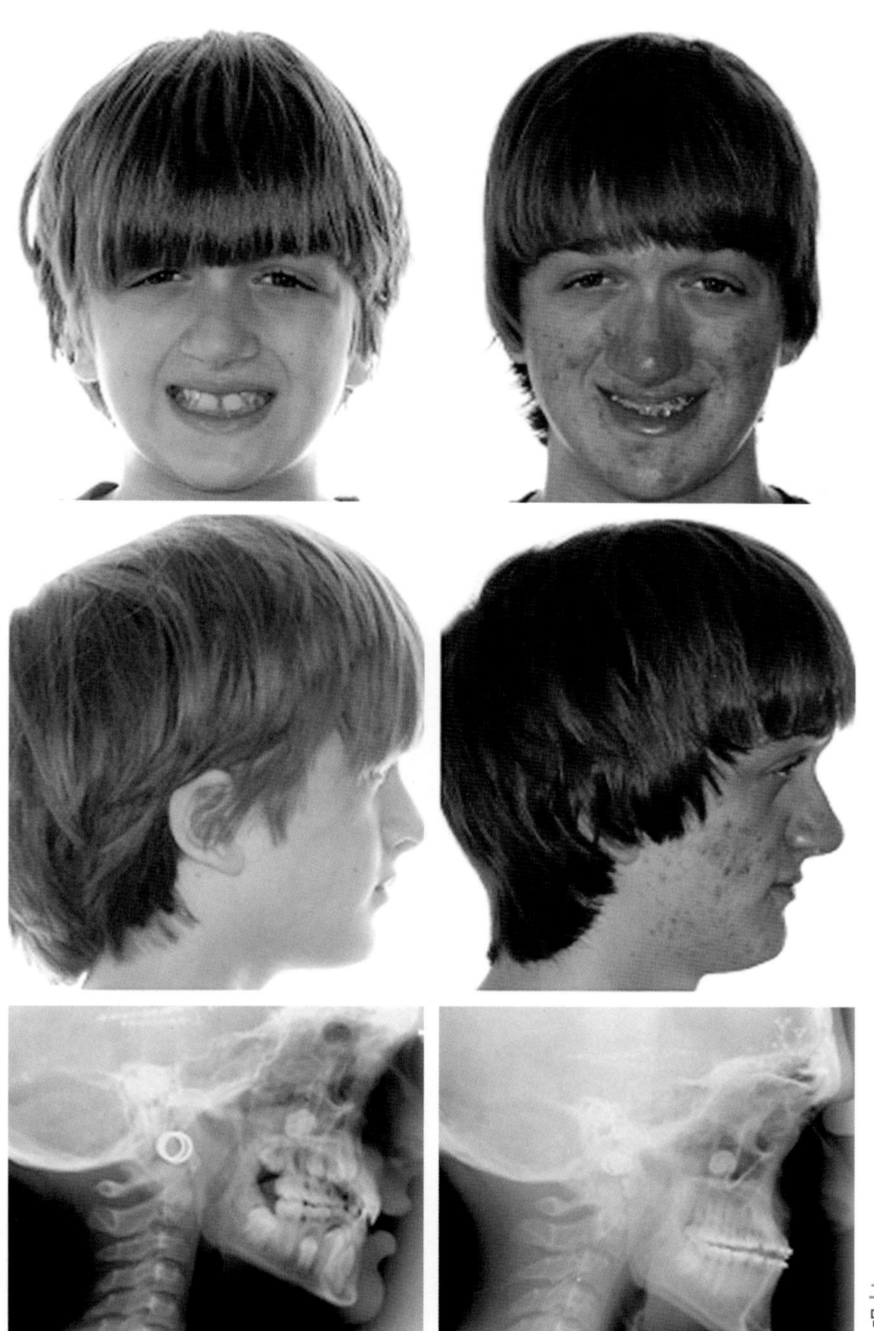

그림 4.8 두개유합증(Craniosynostosis)을 진단 받은 교정 환자와 매우 불균형한 안모 성장

4.4 다인자 유전

많은 두개안면 특성과 특징은 여러 유전적, 환경적 요소의 조합이다. 유전자와 환경 위험요소에 의한 다인자 모델에 따라 복잡한 유전 패턴이 형성된다. 다음의 증상들은 두개안면기형, 병인론적 이형성, 복잡성, 결함 이해의 수수께끼적 본질과 연관되는 유병률을 보인다[23].

두개유합증(Craniosynostosis)은 하나 이상의 두개봉합의 조기 유합으로, 약 2천명 중 1명에서 발생하며 130개 이상의 증후군과 연관되어 있으나, 증후군과의 연관 없이도 발견될 수 있다. 담당 교정의사로써, 환자의 담당 두개안면 팀과의 의사소통이 중요하다. 조기 두개 수정 수술이 있었을 수 있고, 미래의 성장이 중요하게 예후에 영향을 미칠 수 있다. 성장이라는 것은 예측할 수 없기에, 단계별 관찰과 중재를 통해 연장된 치료기간을 단축할 수 있다**(그림 4.8)** [24].

구개열을 동반하거나 그렇지 않은 구순열(CL±P)과 독립된 구개열(CP)는 신생아에서 가장 흔한 구강안면기형으로, 미국에서 약 575명 중 1명에서 발생하며 세계적으로 500-1000명마다 1명씩 발생한다. Cleft는 몇백 개의 증후군에서 발견되는 주요 특징이지만, 대부분은 비증후군성(non–syndromic)으로 분류된다. 또한 지역별로 유병률에 차이가 있는데, 미원주민과 아시아인에서 가장 발생률이 높고 그 다음은 코카시언이고, 아프리카계 미국인에서 가장 발병률이 낮다. 또한 페니토인(phenytoin)이나 비타민 A, 사회경제적 및 생활방식의 위험 요소와 같은 환경적 위험요인도 명백히 있다. 산모의 임신 1기 흡연은 특정 유전형에서 cleft의 위험성을 높이는 것으로 나타났다. Cleft는 또한 태아 알콜 증후군의 일부로 종종 나타난다 [25-27].

교정치료의 어려움으로는 상악의 횡적 수축, 구치부 반대교합 등이 있다. 정중구개봉합이 존재하지 않지만 구개 확장장치로 문제를 해결할 수 있는데, 봉합을 분리한다기 보다는 구개 반흔조직을 신장시키는 것이다. 특히 치조골을 이식하기 전에 치조열(alv. Cleft)에 인접한 절치를 배열할 경우, 치근각을 조절하여 cleft 부위의 천공을 방지해야 한다. 부분적무치증(hypodontia)과 Ⅲ급 치아 및 골성 부정교합에서 cleft 유병률이 높다. Cleft의 유무와 관계없이 Ⅲ급 부정교합 환자에게 확장의 같은 전략을 적용하고, 구개 반흔으로 인한 추가적인 치료 저항과 불안정성 및 정상적 치료후 성장에 대한 예후불량까지 고려하도록 한다. 교정의사는 출생부터 청소년기(성년 초기)까지 관여하는 많은 전문의 중 하나로, 장기적 성장과 치료부담을 염두에 두어야 한다. 치료에 있어서 두개안면 팀 및 다른 전문의들과의 소통이 중요하다[28,29].

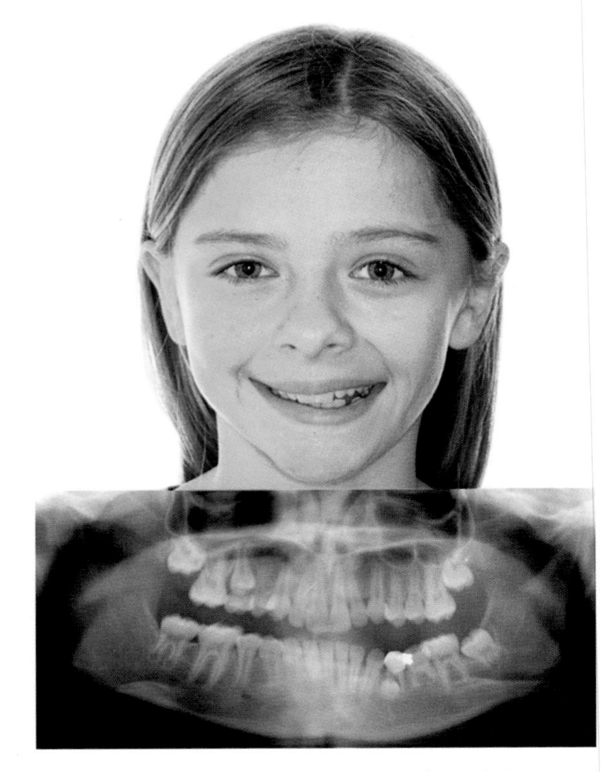

그림 4.9 반안면왜소증(Hemifacial macrosomia; HFM) 혹은 두개안면왜소증(craniofacial macrosomia; CFM)의 원인은 알려져 있지 않고 중증에서 경증에 걸쳐 존재한다. 안와, 하악, 귀, 신경, 연조직에 걸쳐 나타난다. 부분적무치증과 좌측 과두 기형, 좌측 왜소증, 안와, 연조직 그리고 근육 변이가 나타났다. 이 환자는 최종적으로 경도의 반안면왜소증으로 진단되었다.

반안면왜소증(Hemifacial microsomia)은 두번째로 흔한 선천적 두개안면 기형이다(4,000-5,600명 중 한 명에서 발생). 반안면왜소증(HFM) 또는 두개안면왜소증(CFM)은 산발적이나, 일부 가족 전이가 보고되었으며 병인론은 알려지지 않았다. 첫째, 둘째 새궁(branchial arch)의 구조는 다른 두개 구성요소뿐만 아니라 반안면왜소증에도 연관되어 있다. 전형적으로 안와, 하악, 귀, 신경, 연조직(orbit, mandible, ear, nerve, soft tissue-OMENS)을 포함하며 눈귓바퀴척추 증후군(oculo-auriculo-vertebral syndrome)이라 명명할 수 있겠다. 부분적무치증은 반안면왜소증에서 더 흔하게 나타난다[30]. 흔히 두개안면 팀이 이런 환자를 관리하지만, 발현이 심하지 않은 경우 진단되지 않을 수도 있고, 일반적인 교정 환자 안에도 있을 수 있다. 하악왜소증과의 감별진단에는 다수의 유전체 변형, Treacher Collins 같은 단일유전자결함, methotrexate 같은 환경적 노출, Pierre Robin 변이, 가족적 왜소증 등이 있다. 반안면왜소증에서 골격 비대칭 정도는 다양하게 나타나기 때문에, 교정치료만으로는 한계가 있음을 인식하는 것이 환자 기대와 치료목표에 있어 유리할 수 있다. 나아가 악교정수술, 턱성형술, 연조직 증대술이 필요할 수 있다 (그림 4.9).

4.5 비증후군성 부정교합의 유전학

Ⅱ급이나 Ⅲ급 부정교합의 복잡한 유전 특성에 대한 다원적 유전, 환경, 성장 상호작용의 기여도를 결정하는 것은 어렵다. 특정 형질에 대해 일정 정도의 유전적 영향을 나타내는 데이터는 임시적일 뿐이다[31, 32]. Ⅱ급 2류(Class Ⅱ/2)와 Ⅲ급 부정교합의 유전적 연관성을 보여주는 초기 자료가 있다. Ⅱ급 2류 부정교합 환자는 일반인구에 비해 일촌 가족력의 위험이 높다(16% 대 3%)[33, 34]. Ⅲ급은 골격 이질성(heterogeneity)이 유의하게 높다: 하악 전돌, 상악 후퇴, 혹는 그 둘의 조합. Ⅲ급 부정교합에 대한 유전자 기여의 가능성에 관한 자료는 인구기반 연관연구와 가족기반 연관연구 문헌 중 세계적인 유병률 자료, 해부학적, 민족적 보고에 기반한다. Ⅲ급 부정교합 유병률이 가장 높은 집단은 아시아인, 이누이트, 아프리칸이고, 낮은 집단은 인디안, 미국계 인디안, 유럽인이다. 향후 조사되어야 할 비증후군성 Ⅲ급 부정교합에 관여한다고 생각되는 다수의 유전자 자리가 있다[33].

4.6 치아 개수 변이

치아의 개수, 크기, 형태의 변화는 비교적 흔한 두개안면기형인 반면, 구조와 맹출 문제는 덜 흔하다. 다른 기형과 마찬가지로, 치배의 무형성, 이형성, 발육부전을 유발하는 변형은 때로 유전적이지만, 때로는 명확하게 유전적이지 않고 환경적인 연관성이 있을 수도 있다. 돌연변이뿐만 아니라 외배엽성 이형성 같은 인간의 증후군과 형질전환 쥐 양측에서 모두 입증되었듯이, 치아 발육부전, 소치증과 기형적 치아 형태 사이에는 밀접한 상관관계가 있다[35].

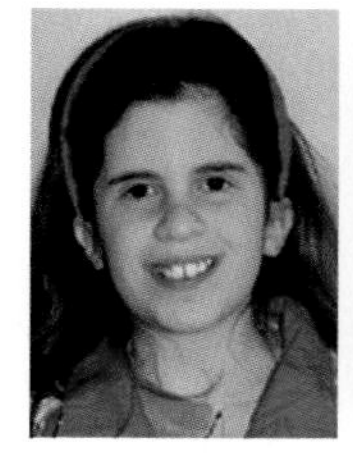

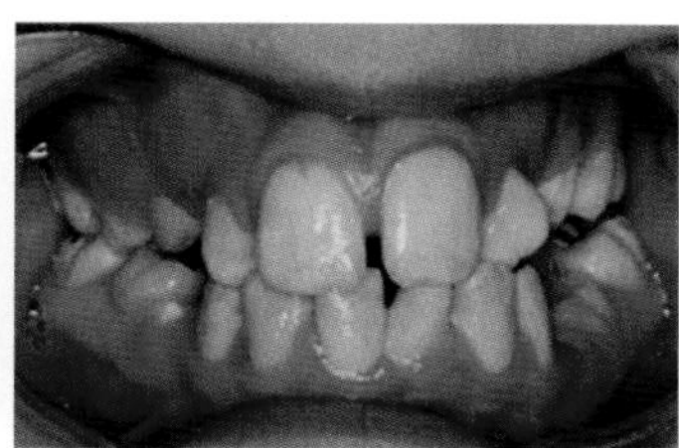

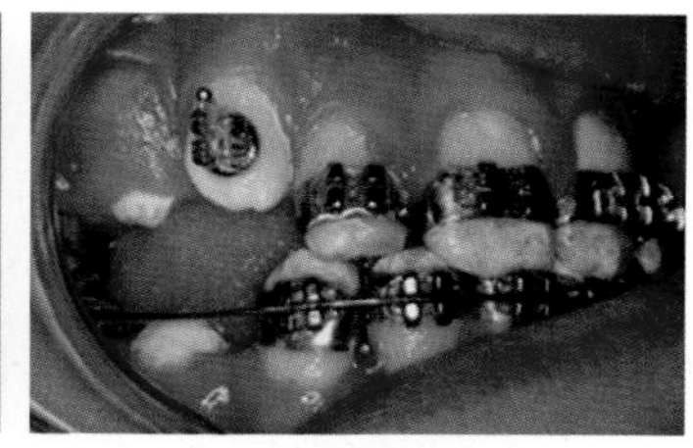

양안과소격리증(hypotelorism),
대두증
법랑질 조각, 구멍
변색된 법랑질
저형성증, 저광화
치근 흡수
맹출 문제

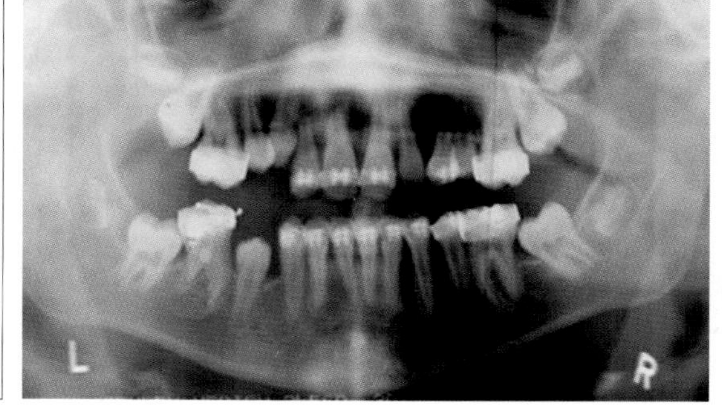

그림 4.10 법랑질형성부전증(Amelogenesis imperfect; AI)과 확인된 증후군과 연관없는 몇 가지 소기형을 가진 교정환자. 합착강도가 약하여 밴딩이 필요하다. 치료기간동안 치근 기형, 맹출 문제, 치근 흡수가 관찰되었다.

과잉치(Supernumerary), 혹은 치아과다증(hyperdontia)은 백인 코카시안 인구의 1~3%(일본 인구보다 약간 높음)의 영구치에서 나타난다. 과잉치와 연관된 증후군은 앞서 말했듯 쇄골두개이형성증(CCD)이 있고, Gardner 증후군도 있으나 더 많은 참고목록이 있다[4].

치아 발육부전(tooth agenesis)은 47개 이상의 증후군과 연관되어 발생하나(Online Mendelian Inheritance in Man, www.ncbi.nlm.nih.gov/omim에서 포괄적 보고를 찾을 수 있다), 더 흔히는 비증후군성 단일 유전자 상염색체 우성 유전 패턴의 일환으로 나타난다. 결손치와 연관된 유전자에는 전사인자 MSX1과 PAX9, Wnt 신호인자인 AXIN2 또는 EDA, EDAR, EDARADD를 포함한 EDA 신호경로의 여러 유전자가 있다(http://bite-it.helsinki.fi/).

유치열이나 영구치열에서 치아의 완전한 결핍(무치증)은 매우 희귀하며 흔히 저한성 외배엽 이형성증(hypohidrotic ectodermal dysplasia; HED)과 연관된다[36]. 외배엽성 이형성(ectodermal dysplasia; ED)은 최소 둘 이상의 외배엽 기원 결함, 즉 비정상적 머리카락, 치아, 손톱 또는 한선(sweat gland)을 보이는 모든 증후군으로 정의한다. 표현형의 변이도가 높아서 100개 이상의 ED 증후군이 있

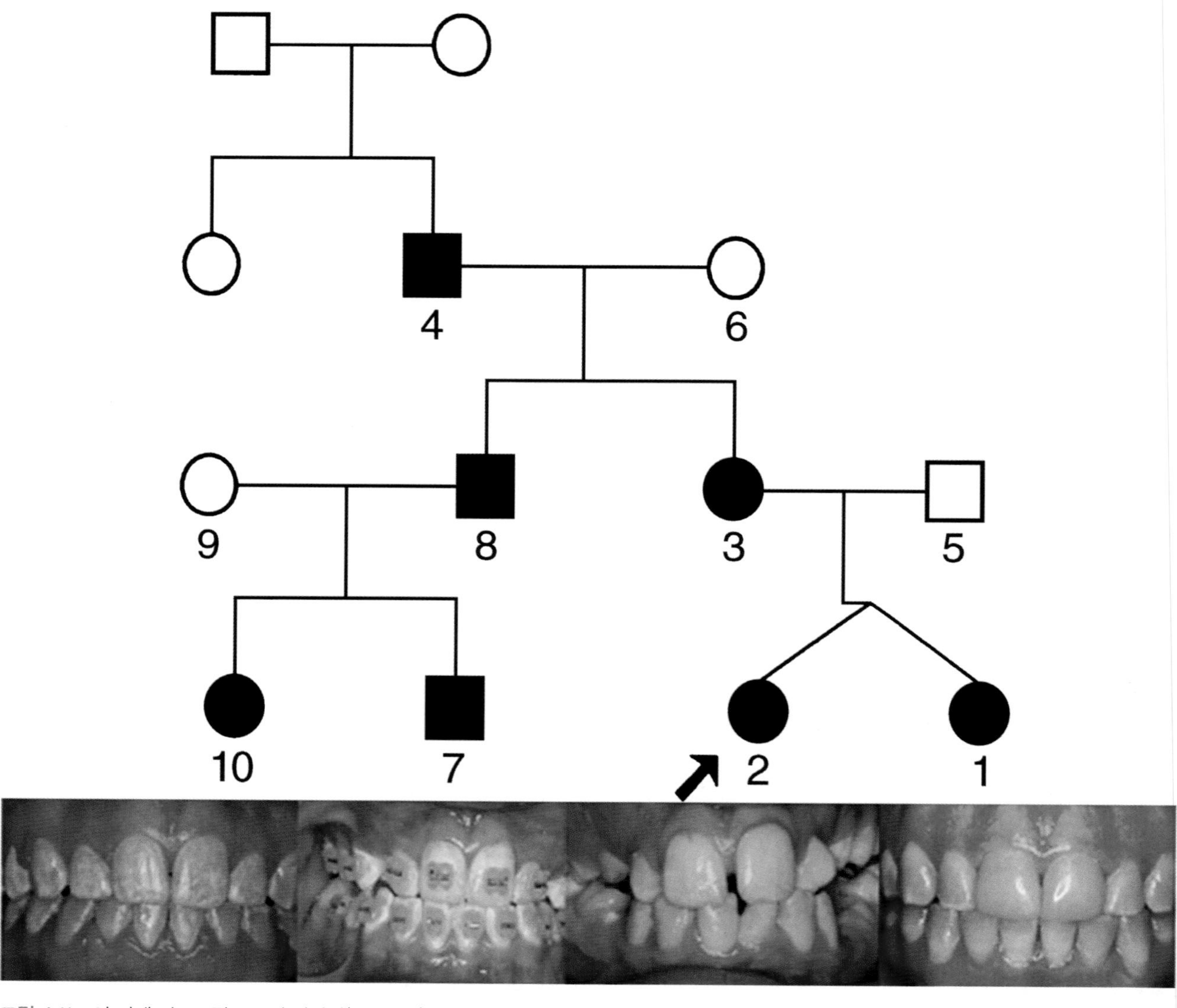

그림 4.11 이 가계도는 그림 4.10의 발단자(proband)와 법랑질 결손을 덮기 위해 중절치에 bonding한 쌍둥이 자매, 법랑질 불투명성을 지닌 사촌을 보여준다. 표현형 변이가 미약한 표현형-유전형 연관과 함께 가계도에 존재한다.

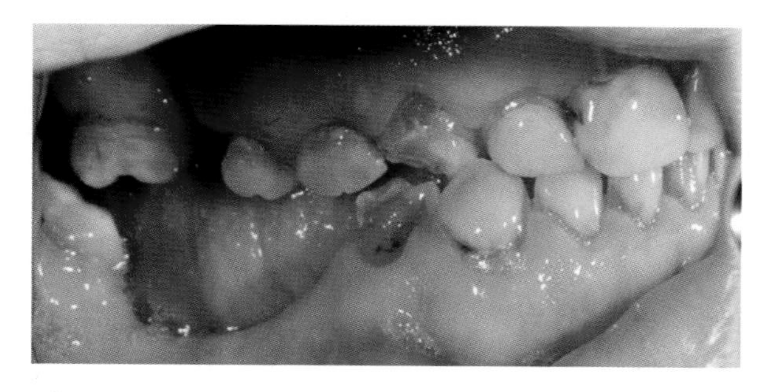

그림 4.12 상아질 형성부전증(dentinogenesis imperfect; DGI)에서의 교정적 우려는 치관 파절의 위험과 변색에 의한 심미적인 문제를 포함한다.

다(**그림 4.10**)[37,38].

선택적 치아 발육부전(selective tooth agenesis; STHAG), 부분적무치증(hypodontia; 제3대구치를 제외한 6개 미만 치아 결손)은 제2소구치와 상악 측절치(약 3~5%)에서 가장 빈번하게 나타난다. 치아부족증(oligodontia; 제3대구치를 제외한 6개 이상 치아 결손)은 인구의 1% 미만에서 나타난다[4, 39]. 제3대구치의 결손은 인구의 약 20%에서 나타난다.

흔치 않은 가족적 치아 발육부전과 동반된 AXIN2 변이가 직장암과 상관이 있다는 근거가 있다. 치아부족증과 연관된 유전자가 다수 알려져 있으나(AXIN2, MSX1, PAX9, EDA, EDAR, EDARADD), AXIN2 변이가 동반된 발육부전의 발현은 침투력이 깊어 직장암에 대한 소질(predisposition)을 보이므로, 특히 직장암의 가족력이 있을 때는 의뢰하여 AXIN2 변이를 검사하는 것이 현명하다[40,41].

4.7 치아 구조 변형

치아 구조의 이형은 세가지 특수하게 석회화된 경조직과 연관된다: 법랑질, 상아질, 백악질. 이러한 이형은 유전적이거나 국소 혹은 전신적 환경 요인으로 유발될 수 있다.

법랑질형성부전(Amelogenesis imperfecta; AI)은 상염색체 우성, 상염색체 열성, 성-연관, 또는 산발적 형질로 유전될 수 있다. 유병률은 1:1000에서 1:14,000로, 법랑질형성부전과 증후군성, 비증후군성 형태와 연관된 몇몇 유전자가 확인되었다[42]. 교정적 문제로는 합착 강도가 낮아서 브라켓을 부착하기 어렵다는 것이다. 이 경우 banding이 필요하거나 심한 경우에는 SS crown에 브라켓이나

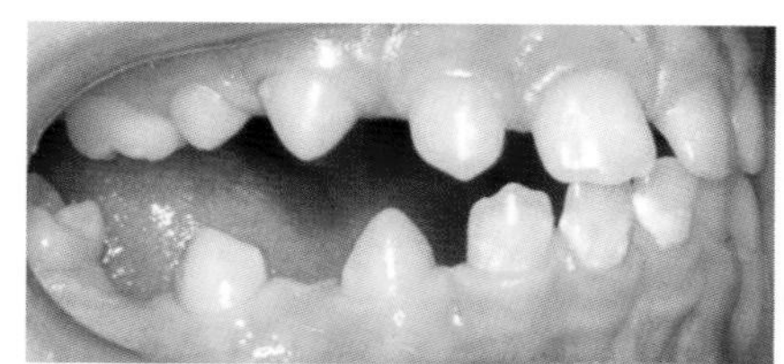

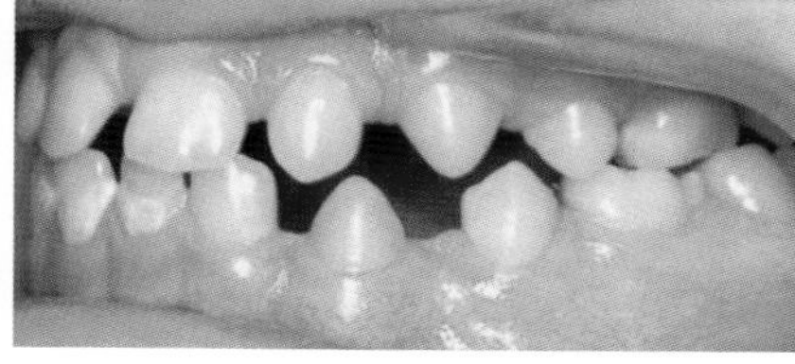

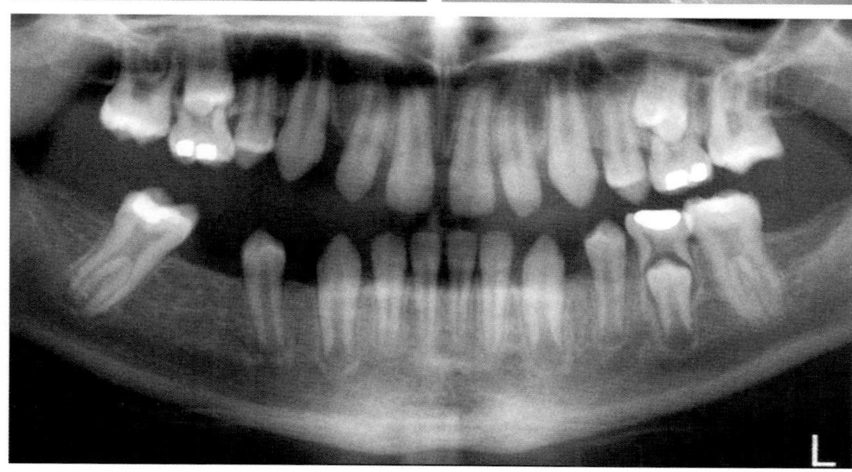

그림 4.13 선천성 맹출 실패(Primary failure of eruption; PFE)는 매복치나 다른 기계적인 간섭이 없는 상태에서의 부분적인 맹출 실패를 동반한 가장 흔한 독립적 상태이다.

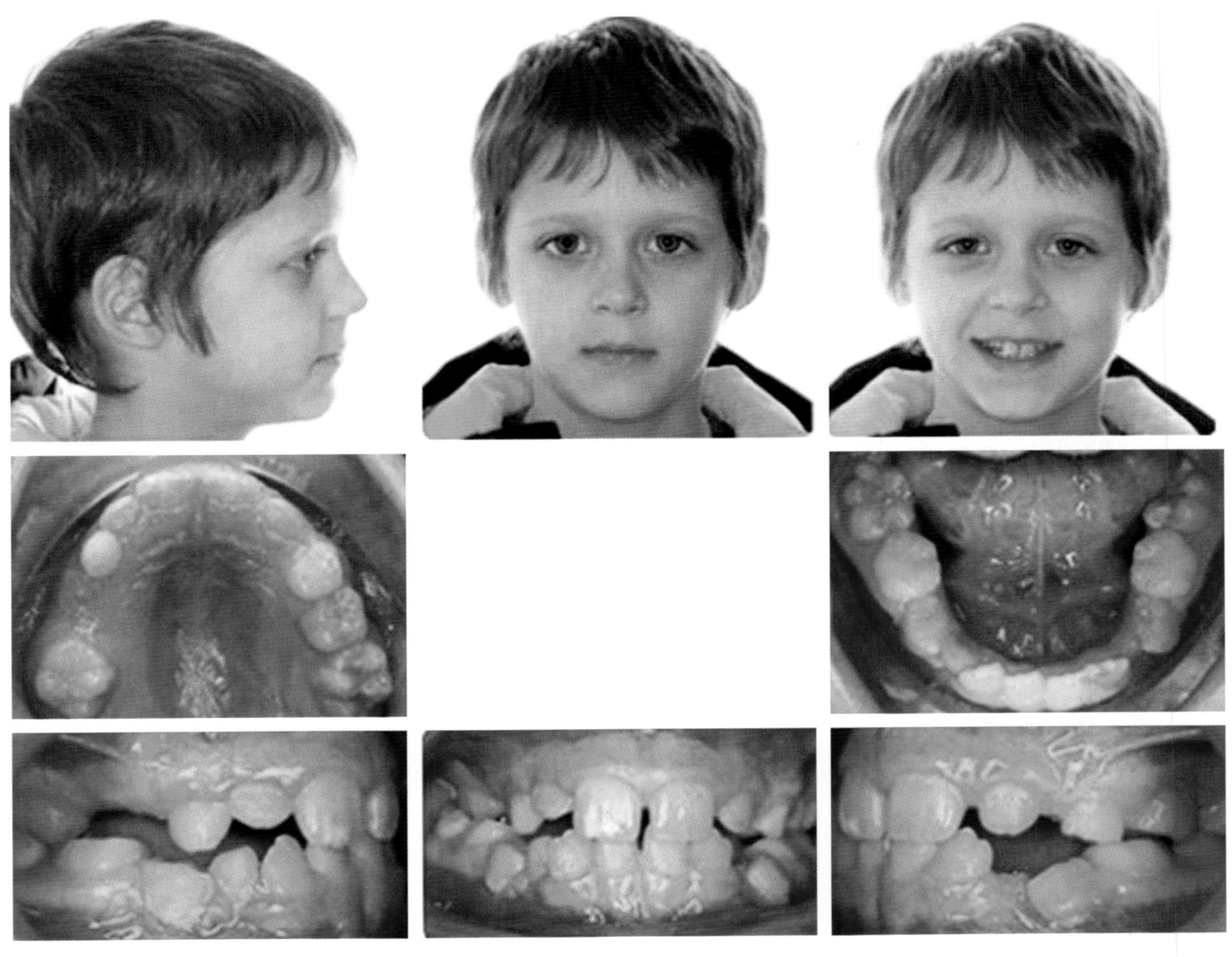

그림 4.14 7세 환자로 대구치와 절치에 법랑질 결손을 보인다. 어머니의 진술에 의하면 2세때부터 외상 없이 유치가 조기 탈락했다고 한다. 조기 유치 탈락은 저인산증, 콜라겐과 면역 질환과 같은 유전적 또는 전신 질환을 암시하므로 소아과에 의뢰하여야 한다.

튜브를 사용해야 할 수도 있다. 환자에게 치료기간이 길어진다는 것과, 치료 시 가해지는 힘과 장치 제거로 인해 약화된 법랑질이 파절될 수 있다는 것을 설명해야 한다. 치근 기형이 있을 수 있으며, 치근 재흡수를 철저하게 모니터링해야 한다(**그림 4.10**). 법랑질형성부전은 같은 가계 내에서도 서로 다른 표현형을 보이고 표현형–유전형 상관관계가 낮기 때문에 AI를 분류하는 것은 매우 어렵다(**그림 4.11**)[43].

상아질형성부전증(Dentinogenesis imperfecta; DGI)은 역사적으로 Shields type, Ⅰ-Ⅲ를 이용해 분류되어 왔다. 크게 보면 type Ⅰ은 골형성부전(osteogenesis imperfecta), type Ⅱ는 "유백색" 상아질, type Ⅲ는 Bradywine isolate 또는 남부 메릴랜드의 3인종 인구에서 발견되는 "shell teeth"이다. 치아는 푸른빛의 유백색 변색, 교모(attrition), 파절 및 조각화(chipping), 치수강 폐쇄에 의해 뚜렷이 구분된다. 분자유전학의 발전으로 dentin sialophosphoprotein(DSPP) 유전자의 결함이 상아질형성부전증 type Ⅱ, Ⅲ 및 type Ⅱ 상아질이형성과 연관됨을 보였다[44]. 상아질형성부전증과 상아질이형성에서의 교정적 문제는 치관 파절의 위험성으로, 조심성이 필요하고 심한 경우 제한되어야 한다. 또한 변색으로 인한 심미적 문제가 있다(**그림 4.12**).

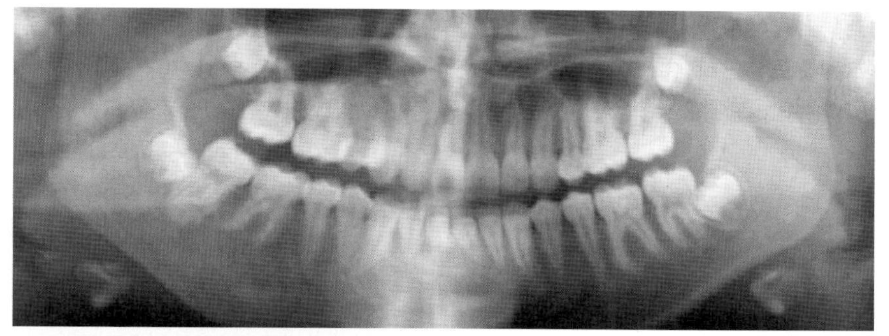

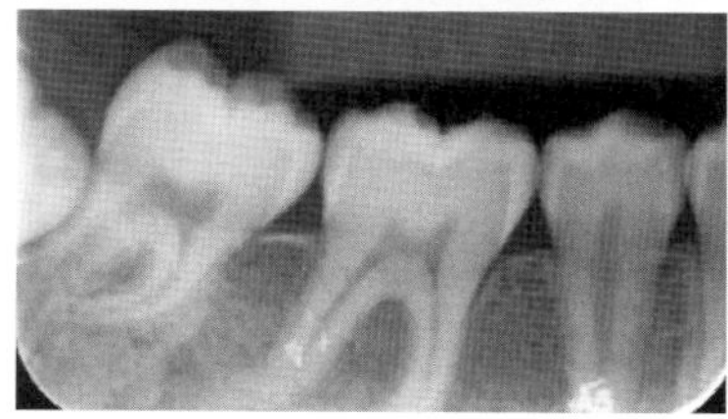

최종진단:
골, 우측 하악, 생검:
• 섬유성골이형성증(Fibrous dysplasia).
• 주석 참조 요망.
주석: 이 증례는 Rochester Minnesota의 Mayo Clinic 병리과에 의해서도 검토됨.
임상 소견: 확장성 골병변, 섬유성골이형성.
검체 부위: 하악 우측

그림 4.15 하악 우측 제2대구치 치근단의 방사선학적 병변에 대한 평가를 위해 의뢰한 후 섬유성골이형성(Fibrous dysplasia; FD)이라는 진단이 내려졌다. 종종 교정의사는 안면 비대칭 및/혹은 섬유성골이형성에 대한 방사선학적 증거를 인지하는 첫번째 임상가가 되기도 한다.

4.8 맹출 변형

일차적 맹출 장애(Primary failure of eruption; PFE)는 매복이나 다른 기계적 방해가 없는 상태에서 맹출의 국소적 실패가 있는 독립적 질환이다. PFE는 흔히 후방치에, 그리고 거의 항상 대구치에 작용한다. 이전의 PFE 진단은 기계적, 병리적, 환경적 요인이 없이 맹출이 결핍될 때 내려졌다. 보통 영향받은 치아가 골유착되어 인접치가 부정적으로 반응한 후에 진단을 내린다. 최근에, 진단받은 상당수에서 부갑상선 수용기 1(parathyroid receptor 1; PTHR1)이 가족적 비증후군 PFE와 연관성을 나타냈다. 이제 장기간 성과없고 해롭기까지 한 교정치료를 시작하기 전에 이 유전자의 변이를 검사할 수 있다[45-48]. 만약 PFE가 의심된다면, 보철적 혹은 수술적 치료를 위한 치아 배열을 위해 혹은 2차적인 손상을 최소화하기 위해 부분화하는 것이 이로울 수 있고, 어떤 경우는 영향받은 치아의 발치가 필요할 수도 있다(**그림 4.13**).

유치 조기 탈락(Premature exfoliation of primary teeth)은 유전적이거나 환경적인 전신적 문제의 징후일 수 있다. 5세 미만의 아동에서 외상없이 유치가 탈락할 경우 유전적 혹은 전신적 질병을 의심할 수 있다. 유소년 치주염이나 근성 상아질이형성(radicular dentin dysplasia)과 같은 치과적 요인이 나타나지 않는다면, 저인산증, 면역결핍, 콜라겐 장애일 수 있으므로 소아과 전문의에게 의뢰해야 한다(**그림 4.14**)[49].

4,9 유전적 상태와 연관된 방사선학적 편차

치과 및 교정 기록의 일부인 방사선사진을 관찰함으로써 보통의 검사에서 드러나지 않는 전체 진단과 예후에 대한 단서를 얻을 수 있다. 일반적인 패턴과 다르게 인식될만한 특이한 표시들이 있다.

섬유성골이형성(Fibrous dysplasia; FD)은 양성질환으로, GNAS 유전자 변이에 의해 정상 골과 골수가 섬유조직과 무층골(woven bone)로 대체된다. 표현형은 다양하고 단일 부위나 여러 부위에 나타날 수 있다. 많은 환자는 무증상이며 두개안면 비대칭 혹은 치과 X-선 사진상 이상을 통해 진단된다. 병변은 전형적으로 "간유리(ground glass)" 외형을 보이나, 상악이나 하악에서 더 미묘한 변이도 관찰된다(**그림 4.15**). 병변이 공격적으로 성장하는 예도 있으나, 보통 골성숙을 방해하는 보존적 성장 패턴을 보이는 것이 일반적이다[50]. 교정 치료에서, 주사나 발치 같이 병변을 악화시킬 수 있는 외상성 치료계획을 주의해야 한다. 그러나, 많은 경우에서, 교정치료는 금기가 아니다[51].

우상치증(Taurodontism)의 특징은 대구치 기형으로 치아의 치관치근 비율이 정상보다 크다는 것이다. 코카시언 성인의 약 2.5%에서 독립성(비증후군성) 형질로 나타난다[52]. 비증후군성 부분적무치증을 가진 경우, 제1대구치에서 우상치를 보일 확률이 더 높다[53]. 우상치는 여러 증후군에서도 찾아볼 수 있는데, 모발–치아–골 증후군(tricho-dento-osseous syndrome; TDO), 귀–치아 이형성(otodental dysplasia), 클라인펠터 증후군이나 다운증후군 같은 염색체이상에서 나타난다[54]. TDO는 DLX3유전자 변이로 유발된다[55, 56]. 이 질병은 우상치증 수반 법랑질형성부전(amelogenesis imperfecta with taurodontism; AIHT)과 대립형질이다. 우상치의 구조적 발견은 보통 조치를 요하지는 않으나 때로 증후군과의 연관성을 시사한다.

4.10 결론

교정의사는 골격, 치아, 방사선 검사에서 비정상적 패턴을 발견하고 적절한 유전자 검사나 전문의에게 의뢰할 수 있는 다행스러운 위치에 있다. 주의깊은 관찰과 유전적 상태에 대한 지식이 예후와 교정치료 계획수립에 직접적인 영향을 미치는 경우들이 있다. 마르팡 증후군에서 심장의의 동의, 쇄골두개이형성과 관해 치료시기 결정, 반안면왜소증과 두개유합증에서 교정치료 목표의 평가, 일차 맹출 장애와 치아부족증에서의 주의와 유전자 검사가 그 예이다. 신중한 임상 검사와 더불어 유전자 변이에 대한 지식, 의뢰 및 유전자 검사를 통해 개개인의 맞춤 교정치료계획이라는 이득을 얻을 수 있다.

참·고·문·헌

1 Christianson A, Howson CP, Modell B. March of dimes: global report on birth defects, the hidden toll of dying and disabled children. 2005.

2 Hartsfield Jr JK. The benefits of obtaining the opinion of a clinical geneticist regarding orthodontic patients. Integrated Clinical Orthodontics 2011:109–131.

3 Goodman RM, Gorlin RJ, Meyer D. The malformed infant and child: an illustrated guide. Oxford University Press New York, 1983.

4 Cobourne MT, Sharpe PT. Diseases of the tooth: the genetic and molecular basis of inherited anomalies affecting the dentition. Wiley Interdisciplinary Reviews: Developmental Biology 2013;2(2):183–212.

5 Slavkin HC, Santa Fe Group. Revising the scope of practice for oral health professionals: enter genomics. J Am Dent Assoc 2014 Mar; 145(3):228–230.

6 Collins FS, Hudson KL, Briggs JP, Lauer MS. PCORnet: turning a dream into reality. J Am Med Inform Assoc 2014 July; 21(4):576–577.

7 Shields ED, Burzynski NJ. Clinical dysmorphology of oral-facial structures. J. Wright, PSG Inc. 1982.

8 Stevenson AC, Johnston HA, Stewart MI, Golding DR. Congenital malformations. A report of a study of series of consecutive births in 24 centres. Bull World Health Organ 1966; 34 Suppl:9–127.

9 Melnick, M. The doctrine of multifactorial association: geneenvironment interaction. In: Clinical Dysmorphology of Oral-Facial Structures (eds ED Shields & NJ Burzynski) p. 28, John Wright, PSG Inc., Massachusetts, USA 1982.

10 Altshuler D, Pollara VJ, Cowles CR, et al. An SNP map of the human genome generated by reduced representation shotgun sequencing. Nature 2000;407(6803):513–516.

11 Hughes T, Bockmann M, Mihailidis S, et al. Genetic, epigenetic, and environmental influences on dentofacial structures and oral health: ongoing studies of Australian twins and their families. Twin Research and Human Genetics 2013; 16(01):43–51.

12 Williams S, Hughes T, Adler C, et al. Epigenetics: a new frontier in dentistry. Aust Dent J 2014;59(s1):23–33.

13 Korayem MA, Alkofide EA. Characteristics of Down syndrome subjects in a Saudi sample. Angle Orthod 2013; 84(1):30–37.

14 Desai SS, Flanagan TJ. Orthodontic considerations in individuals with Down syndrome: A case report. Angle Orthod

1999;69(1):85–88.
15 Poswillo D. Mechanisms and pathogenesis of malformation. Br Med Bull 1976;32(1):59–64.
16 Robinson PN, Booms P, Katzke S, Ladewig M, Neumann L, Palz M, et al. Mutations of FBN1 and genotype–phenotype correlations in Marfan syndrome and related fibrillinopathies. Hum Mutat 2002;20(3):153–161.
17 Utreja A, Evans CA. Marfan syndrome-an orthodontic perspective. Angle Orthod 2009;79(2):394–400.
18 Mundlos S. Cleidocranial dysplasia: clinical and molecular genetics. J Med Genet 1999 Mar; 36(3):177–182.
19 Otto F, Kanegane H, Mundlos S. Mutations in the RUNX2 gene in patients with cleidocranial dysplasia. Hum Mutat 2002;19(3):209–216.
20 Silberstein R, Dong J, Chary-Reddy S, et al. CBFA1 (RUNX2) Exon 1 Mutation Associated with CCD. 2006.
21 Zhou G, Chen Y, Zhou L, et al. CBFA1 mutation analysis and functional correlation with phenotypic variability in cleidocranial dysplasia. Hum Mol Genet 1999 Nov; 8(12):2311–2316.
22 Lee KE, Seymen F, Ko J, et al. RUNX2 mutations in cleidocranial dysplasia. Genet Mol Res 2013 Oct 15; 12(4): 4567–4574.
23 Dixon MJ, Marazita ML, Beaty TH, Murray JC. Cleft lip and palate: understanding genetic and environmental influences. Nature Reviews Genetics 2011;12(3):167–178.
24 Vargervik K, Rubin MS, Grayson BH, et al. Parameters of care for craniosynostosis: Dental and orthodontic perspectives. Am J Orthod and Dent Orthop 2012;141(4):S68–S73.
25 Genetics of cleft lip and cleft palate. American Journal of Medical Genetics Part C: Seminars in Medical Genetics: Wiley Online Library, 2013.
26 Marazita ML. The evolution of human genetic studies of cleft lip and cleft palate. Annu Rev Genomics Hum Genet 2012;13:263–283.
27 Murray J. Gene/environment causes of cleft lip and/or palate. Clin Genet 2002;61(4):248–256.
28 Kernahan DA, Rosenstein SW. Cleft lip and palate: a system of management. Williams & Wilkins; 1990.
29 Long RE, Semb G, Shaw WC. Orthodontic treatment of the patient with complete clefts of lip, alveolus, and palate: lessons of the past 60 years. Cleft Palate-craniofacial Journal 2000;37(6):533–533.
30 Ohtani J, Hoffman WY, Vargervik K, Oberoi S. Team management and treatment outcomes for patients with hemifacial microsomia. Am J Orthod and Dent Orthop 2012;141(4): S74–S81.
31 LaBuda MC, Gottesman I, Pauls DL. Usefulness of twin studies for exploring the etiology of childhood and adolescent psychiatric disorders. Am J Med Genet 1993;48(1):47–59.
32 Personalized orthodontics, the future of genetics in practice. Seminars in Orthodontics: Elsevier, 2008.
33 Hartsfield JK,Morford LA,Otero LM, Fardo DW. Genetics and non-syndromic facial growth. J Ped Genet 2013; 2(1):9–20.
34 Harris JE, Kowalski CJ, Walker SJ. Intrafamilial dentofacial associations for Class II, Division 1 probands. Am J Orthod 1975;67(5):563–570.
35 Kangas AT, Evans AR, Thesleff I, Jernvall J. Nonindependence of mammalian dental characters. Nature 2004;432 (7014):211–214.
36 Nakata M, Koshiba H, Eto K, Nance WE. A genetic study of anodontia in X-linked hypohidrotic ectodermal dysplasia. Am J Hum Genet 1980 Nov;32(6):908–919.
37 Wynbrandt J, Ludman MD. The encyclopedia of genetic disorders and birth defects. Infobase Publishing, 2009.
38 Pinheiro M, Freire-Maia N. Ectodermal dysplasias: a clinical classification and a causal review. Am J Med Genet 1994; 53(2):153–162.
39 Larmour CJ, Mossey PA, Thind BS, et al. Hypodontia—a retrospective review of prevalence and etiology. Part I. Quintessence Int 2005;36(4):263–270.
40 Lammi L, Arte S, Somer M, et al. Mutations in AXIN2 cause familial tooth agenesis and predispose to colorectal cancer. Am J Hum Genet 2004;74(5):1043–1050.

41 Bergendal B, Klar J, Stecksén-Blicks C, et al. Isolated oligodontia associated with mutations in EDARADD, AXIN2, MSX1, and PAX9 genes. Am Journal Med Genet Part A 2011;155(7):1616–1622.

42 Wright JT, Torain M, Long K, et al. Amelogenesis imperfecta: genotype-phenotype studies in 71 families. Cells Tissues Organs 2011;194 (2–4):279–283.

43 Arkutu N, Gadhia K,McDonald S, et al. Amelogenesis imperfecta: the orthodontic perspective. Br Dent J 2012;212(10): 485–489.

44 de La Dure-Molla M, Fournier BP, Berdal A. Isolated dentinogenesis imperfecta and dentin dysplasia: revision of the classification. Eur Jo Hum Genet 2014.

45 Frazier-Bowers SA, Koehler KE, Ackerman JL, Proffit WR. Primary failure of eruption: further characterization of a rare eruption disorder. Am J Orthod Dent Orthop 2007;131(5):578. e1–578. e11.

46 Proffit WR, Vig KW. Primary failure of eruption: a possible cause of posterior open bite. Am J Orthod 1981;80(2): 173–190.

47 Frazier-Bowers SA, Simmons D, Wright JT, et al. Primary failure of eruption and PTH1R: The importance of a genetic diagnosis for orthodontic treatment planning. Am J Orthod Dento Orthop 2010;137(2):160. e1–160. e7.

48 Frazier-Bowers SA, Hendricks HM, Wright JT, et al. Novel mutations in PTH1R associated with primary failure of eruption and osteoarthritis. J Dent Res 2014 Feb;93(2):134–139.

49 Hartsfield Jr JK. Premature Exfoliation of Teeth in Childhood and Adolescence. Adv Pediatr 1994;41:453.

50 Lee J, FitzGibbon E, Chen Y, et al. Clinical guidelines for the management of craniofacial fibrous dysplasia. Orphanet J Rare Dis 2012;7(Suppl 1):S2.

51 Akintoye SO, Lee JS, Feimster T, et al. Dental characteristics of fibrousdysplasiaandMcCune-Albright syndrome. OralSurg,Oral Med, Oral Pathol, Oral Radiol, and Endodont 2003;96(3):275–282.

52 Jaspers MT, Witkop CJ, Jr. Taurodontism, an isolated trait associated with syndromes and X-chromosomal aneuploidy. Am J Hum Genet 1980 May; 32(3):396–413.

53 Stenvik A, Zachrisson B, Svatun B. Taurodontism and concomitant hypodontia in siblings. Oral Surg, Oral Med, Oral Pathol 1972;33(5):841–845.

54 Schulman GS, Redford-Badwal D, Poole A, et al. Taurodontism and learning disabilities in patients with Klinefelter syndrome. Pediatr Dent 2005;27(5):389–394.

55 Price JA, Bowden DW, Wright JT, et al. Identification of a mutation in DLX3 associated with tricho-dento-osseous(TDO) syndrome. Hum Mol Genet 1998 Mar;7(3):563–569.

56 Bloch-Zupan A, Goodman JR. Otodental syndrome. Orphanet J Rare Dis 2006;1(5).

Chapter

05

I 급 부정교합: 악궁 내 변이 인지와 수정

Class I: Recognizing and correcting intra-arch deviations

SECTION Ⅰ: I 급 부정교합의 발달과 역학

Section I: The development and etiology of a Class I malocclusion

Peter H. Buschang, PhD
Department of Orthodontics, Texas A&M University Baylor College of Dentistry, Dallas, Texas, USA

5.1 개요

I 급 부정교합은 가장 흔한 형태의 부정교합으로, 심지어 정상교합보다 더 빈도가 높다. I 급 부정교합을 가진 사람은 정상 구치부 관계를 가지나, 치아의 전위, 회전, 수직피개, 개방교합, 구치부 반대교합, 전치부 반대교합 등으로 인해 치아들이 교합 선상에 올바르게 위치되지 못하는 것이다.

I 급 부정교합의 비정상적 정렬을 수치화하기 위해 2개의 기본적인 계측치를 개발하였다: 치아크기 및 악궁길이 부조화(tooth size arch length discrepancy; TSALD), 불규칙 지수(irregularity index). 중요한 것은, 이 두 계측치가 같은 기준에서 측정한 것이 아니라는 것이다. 절치부 불규칙 지수의 25~36%만이 TSALD 변이를 반영한다[1,2]. 하악 절치들은 근원심, 순설측 폭경이 유사하므로[3], 절치 회전은 TSALD에는 영향을 미치지 않고 절치부 불규칙 지수에만 큰 영향을 미친다. 이와 유사하게, 수정을 위한 공간이 유지된 치아의 전위는 불규칙 지수에는 영향을 미치고 TSALD에는 영향을 주지 않는다. 이러한 차이점으로 인해, 절치부 불규칙 지수와 시간에 따른 불규칙 지수의 변화는 보통 TSALD와 TSALD의 변화보다 더 크다. TSALD는 절치부의 불규칙보다 치아총생을 측정하는데 더 적합하다.

절치부 불규칙 지수와 TSALD 사이의 차이는 특히 혼합치열기에서 더 중요한데, 일반적으로 구강 내 치아의 크기가 남아있는 공간보다 더 크기 때문이다. 영구치열기에 공간적인 문제가 있을 것인지를 판단하기 위해서, 미맹출 치아의 정확한 크기를 측정하는 것이 필요하다. 미맹출 치아의 근원심 폭경을 정확히 측정하는 것이 혼합치열기 분석에서 필수적이다.

미맹출 치아의 크기 측정에는 여러 가지 방법이 있다. 일부 학자들은 단순히 맹출된 치아의 측정치를 이용하며, 또 다른 학자들은 방사선학적 측정치만을 사용하고, 나머지 학자들은 맹출 치아와 미맹출 치아를 모두 측정한다. 맹출 및 미맹출 치아를 모두 이용하는 방법이 좀 더 정확할 것이다[4,5]. Gardner[6]는 가장 많이 사용되는 방법 4가지를 평가하였는데, Hixon과 Oldfather[7]의 방법이 가장 정확하다고 밝혔다. 이 방법은 맹출한 영구절치와 치근단 방사선 사진으로 측정한 미맹출 소구치의 근원심 폭경에 근거하는 방법이다. 원래의 방법이 미맹출된 견치와 소구치의 크기를 과소평가하였기 때문에, 이를 보완하여 좀더 정확한 Hixon과 Oldfather 방법이 개발되었다[8].

5.2 Ⅰ급 부정교합과 악궁의 변화

NCHS 전미국 조사에 의하면 6~11세 백인의 약 50%, 미국흑인의 약 70%가 Ⅰ급 구치부 관계를 갖고 있다[9]. 1988~1991년 사이에 시행된 제3차 전미 보건 및 영양 조사(Third National Health and Nutrition Examination Survey; NHANES Ⅲ)에 따르면, 8~11세 소아의 45.5%에서 하악 절치가 불규칙하다[10]. 상악 절치에서, 약 22%가 임상적으로 유의한 정도(≥4mm), 8.7%가 중증(≥7mm)의 불규칙을 보이며, 하악에서의 유병률은 각각 20.6%와 4.7%였다. 상하악 절치의 불규칙은 연령에 따라 모두 증가하였다. 임상적으로 유의한 정도(즉, ≥4mm)의 상악 불규칙은 12~17세에서 31%까지 증가하였으며, 18~50세에서는 30.4%로 약간 감소하였다. 임상적으로 유의한 정도의 하악 불규칙은 청소년기에 31%까지 증가하다가 성인에서는 39%에 이르렀다.

유치열기에서 전반적인 치간공극이 발생한다고 알려져 있으나[11], 실제적으로 상악의 치간공극과 하악의 약간의 총생은 정상인 것으로 보인다. 1965년에 북미 백인 소아 184명에 대한 대규모 표본 조사에 따르면, 상악에 2~3mm의 치간공극과 하악에 1~1.5mm의 치간공극이 존재한다[12]. 2003년에 아이오와주 4~6세 소아를 대상으로 한 조사에 의하면, 유치열기에서, 상악에는 남아에서 2.7mm, 여아에서 1.9mm의 치간공극이 있으며, 하악에서는 각각 0.1mm, 1.4mm의 총생이 있다[13]. 남아의 약 58%와 여아의 76% 정도는 하악에서 약간의 TSALD가 있으며**(그림 5.1)**, 남아의 32%와 여아의 42%는 TSALD>2.0mm로 나타났다. 50년 전에 수집된 자료인 아이오와주 성장연구에서, 역사적 소아 집단(cohort)의 당시 표본은 현재 대응군에 비해 2배의 상악 치아공극이 있었으며, 하악에서는 4~4.7mm 더 많은 치간공극이 있었다. 따라서, 예전에 비해 양악에서 모두 공간부족이 심화되는 경향이 있는 것으로 보인다.

유치열기의 총생은 중요한 의미는 가지는데, 이것이 종종 혼합치열기의 총생을 유발하기 때문이다[14]. 하지만, 유치열기에서 치간공극이 없는 모든 소아에서 전치부 총생이 발생하는 것은 아니다. Baume[15]은 유치열기에 치간공극이 없는 소아의 상당수(57%)에서 전치부 총생이 나타나지 않음을 밝혔다. 이와 유사하게, Moorrees와 Chadha[12]는, 유치열기에서 치간공극이 없거나 미약한 총생을 가진 소아의 대부분이 혼합치열기에서 정상적으로 배열되거나 단지 약간의 총생이 나타난다고 하였다.

유치열기에서 초기 혼합치열기로 전이되는 동안 전치부 총생이 증가할 것이라 예상할 수 있으며[16], 전세계 데이터는 혼합치열기가 대략 6세에 시작함을 보여준다**(그림 5.2)**. 이 전이기 동안, 유치열기에서 흔히 관찰되는 치간공극은 영구절치의 출현과 함께 소실되며, 총생이 흔히 발생하는데, 최종적으로는 수용할 만한 전치부 배열

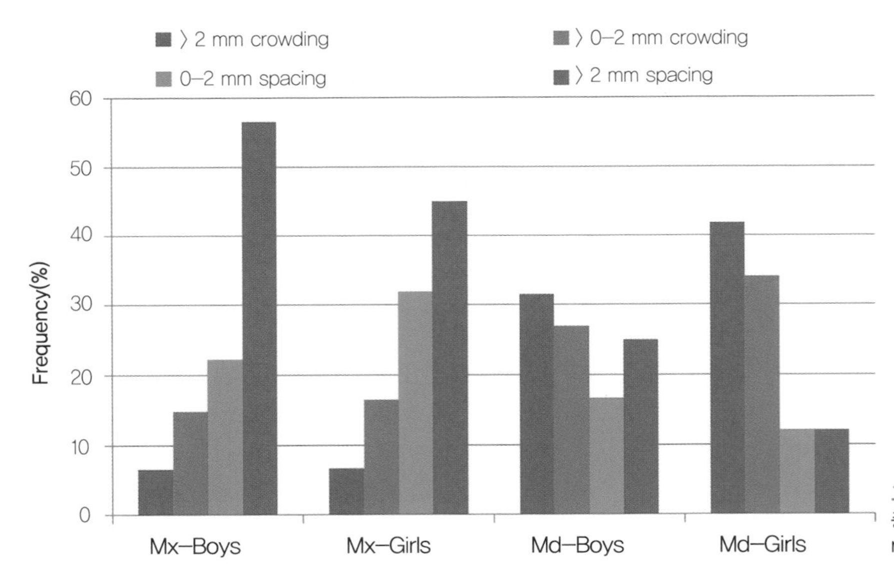

그림 5.1 상악(Mx)과 하악(Md)의 치간공극과 총생에 대한 4~6세 남아와 여아의 비율. Warren 등 데이터 제공[13].

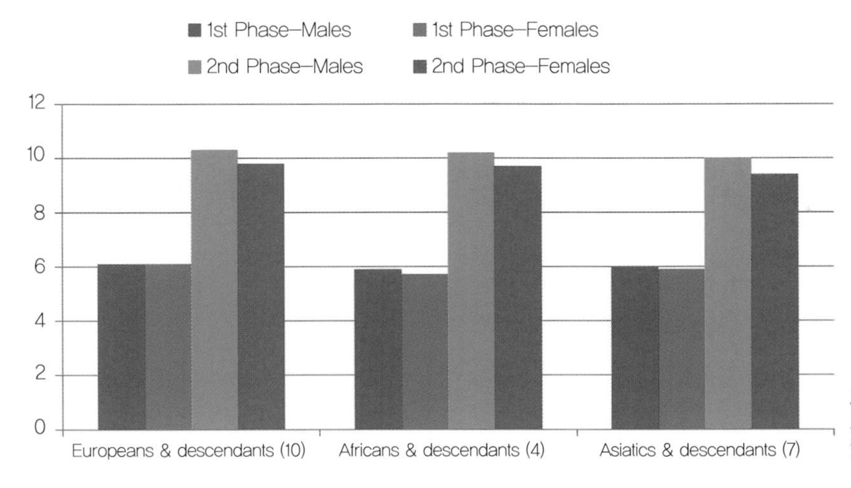

그림 5.2 영구치 맹출이 시작되는 1, 2차 단계의 평균 연령(각 그룹에서 브라켓을 적용할 수 있는 표본 수)(Eveleth와 Tanner의 데이터[17])

을 갖게 되는 소아에게도 이러한 현상이 발생한다[12]. 총생은 유전치가 영구 계승 전치보다 현저하게 작기 때문에 발생한다. 흔히 incisor liability라고 일컬어지는 치아크기의 차이는, 상악에서 약 7~8mm, 하악에서 5~6mm 정도이다.

중요한 것은, 발생한 총생의 양이 incisor liability에 근거한 양보다 상당히 적다는 것이다. 평균적으로, 영구절치의 완전 맹출 후 상악과 하악의 절치부 TSALD는 각각 2~3mm, 1~1.5mm이다[18]. 영구절치의 완전 맹출이 상대적으로 느리게 일어나는 과정이라는 것을 짚고 넘어갈 필요가 있다(**그림 5.3**). 절치부 최대 구내 높이의 70%, 90%에 이를 때까지 각각 6~7개월, 19개월이 소요된다[19]. 이렇게 하여 치아치조성 보상이 일어날 시간을 제공하게 된다(즉, 맹출하고 있는 큰 절치에 대한 적응).

전이기 동안 악궁의 형태가 변하기 때문에, 총생은 incisor liability보다 상당히 적다. 악궁의 전방부는 영구전치의 맹출과 함께 상당히 넓어진다(**그림 5.4**). 견치간 폭경은 상악에서 대략 3mm, 하악에서 2mm 확장된다[20]. 또한, 가용공간의 부족으로 상악 영구 전치의 순측경사가 증가한다. 이로 인해 상악 악궁의 깊이(depth)가 깊어진다. 이와 더불어, 특히 상악에서 전방 악궁 둘레(perimeter)가 증가하게 된다. 전치부가 기능적 교합까지 맹출하는 동안, 상악궁의 둘레는 4~5mm, 하악궁의 둘레는 2mm 증가한다(**그림 5.5**). Incisor liability 와 악궁둘레의 차이 덕분에 혼합치열기로 전이 후 총생의 양이 예상보다 적어지게 된다.

초기 전이기에 발생하는 총생은 대부분의 소아에서 일시적이다. 후기 혼합치열기 동안 유구치가 상대적으

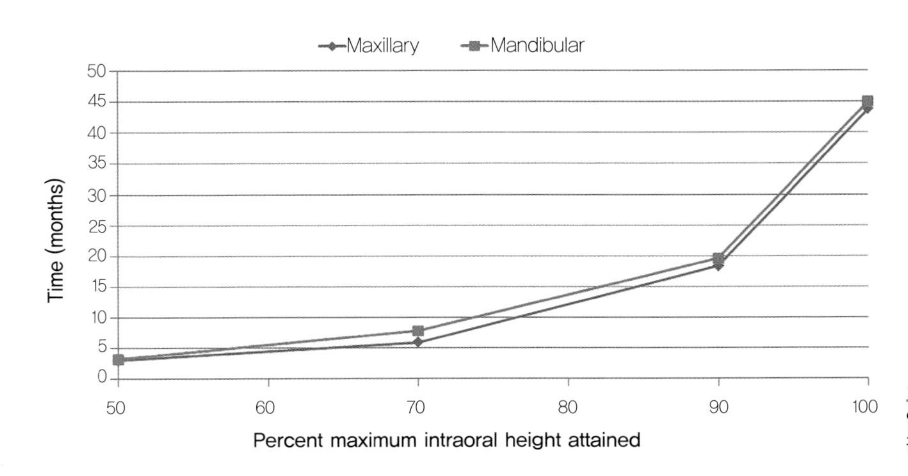

그림 5.3 상악 좌측 영구 중절치와 하악 좌측 영구 중절치가 맹출하여 가장 높은 높이 도달에 필요한 시간(Giles 등의 데이터[19])

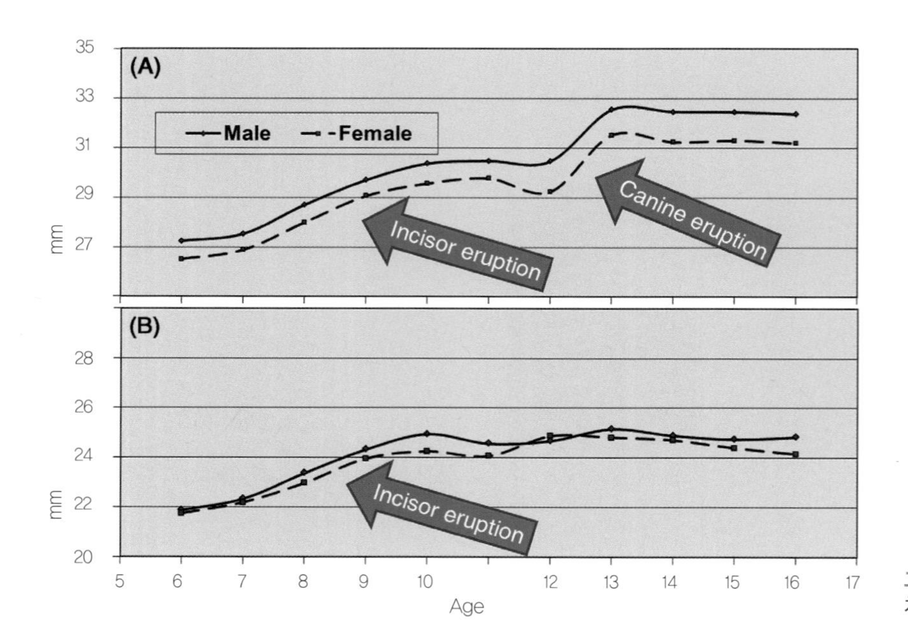

그림 5.4 6~16세에서 상악(A)과 하악(B)의 견치간 폭경 변화. Moyers 등의 데이터[20].

로 작은 영구 소구치로 대체되면서 총생이 감소하게 된다[12,16,21,22]. 이 시기는 보통 남아(10세 직후)에서 여아(10세 직전)보다 약간 더 늦다**(그림 5.2)**. 발생한 총생의 감소량은 0.2mm[21]에서 1~1.5mm[12]로 보고된다. 하악의 총생 감소량은 상악보다 더 크다. 이 차이는 상악에서 약 2mm, 하악에서 5mm정도를 제공해주는 Leeway 공간과 관련이 있다[18,20]. 많은 소아에서, Leeway 공간은 전치부 총생을 해결하기에 충분하다.

초기 영구치에 총생이 다시 증가한다. 통시적(longitudinal) 데이터에 근거하면, 10대에 총생이 최대치에 이르고 20대 초기에는 감소한다고 한다**(그림 5.6)**. Bishara 등[23,24]은 가장 훌륭한 장기간의 데이터를 제시하였는데, 이에 의하면 14~25세에 전치부 TSALD는 2.4mm 증가하며, 25~46세에 0.7mm 더 증가한다고 한다. Bondevik[25]은 치료받지 않은 23~34세 피험자에서 전치부 TSALD가 2.0mm 증가하였다고 보고한 반면, Richardson[26]은

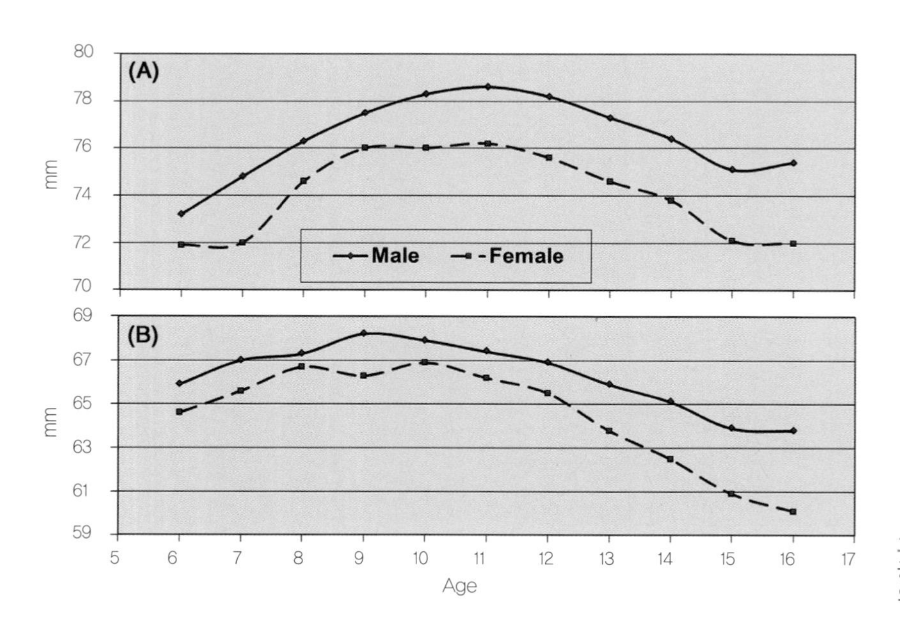

그림 5.5 6~16세에서 상악(A)과 하악(B)의 악궁둘레(제1대구치-제1대구치) 변화. Moyers 등의 데이터[20].

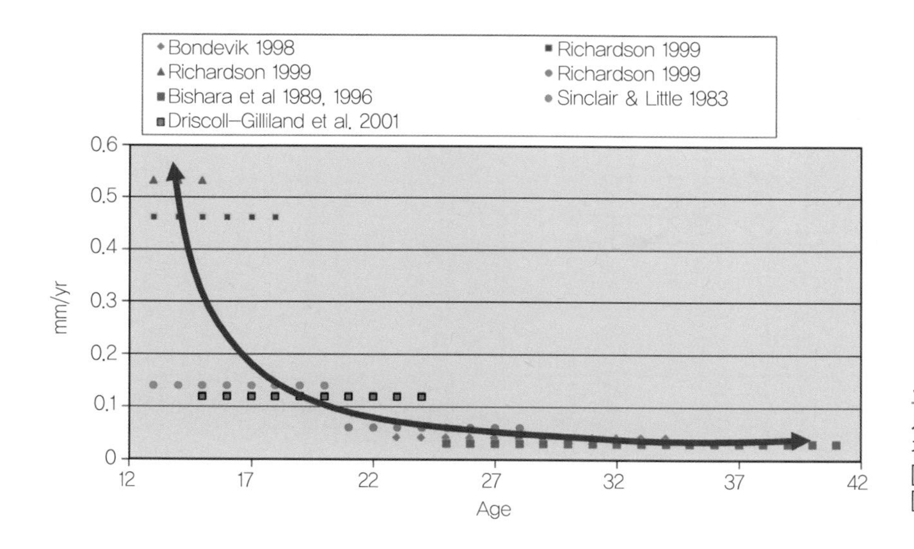

그림 5.6 13~41세에서 치료받지 않은 표본에서 불규칙 배열의 해에 따른 비율(총 변화/총 기간). Bondevik[25], Richardson[26], Bishara 등[23,24], Sinclair와 Little[21], Driscoll-Gilliland 등[27]의 데이터.

13~18세에 전치부와 구치부 TSALD가 2.3mm 증가하였다고 하였다.

중요한 것은, 치료받지 않은 피험자에서 TSALD와 전치부 불규칙의 증가는 일관적으로 견치간 폭경의 감소 및 악궁 깊이 감소와 연관이 있다는 것이다. Sinclair와 Little[21]은 영구치열기에서 불규칙도 0.7mm 증가가 악궁길이 2mm 감소 및 견치간 폭경 1.5mm 감소와 관련이 있다고 하였다. Bishara 등[23,24]은 총생이 증가할수록, 악궁의 길이가 감소함을 밝혀냈다(**그림 5.7**). 이러한 관련성은 구치부가 악궁의 좁은 부위인 전방부로 이동하면서 전치부 총생이 증가하였기 때문이라 예상할 수 있다[25,26].

각 치아쌍끼리의 실제적인 부조화가 상당히 다르다는 것을 이해하는 것도 중요하다. NHANES Ⅲ에 참여한 9044명의 성인에 대한 조사에 따르면, 상악 견치와 측절치 사이에서 접촉 전위(즉, 접촉점 간의 거리; contact displacement)는 상악 측절치와 중절치 사이의 접촉 차이보다 단지 약간 더 컸으며(**그림 5.8**), 이는 중절치 간 접촉 차이보다 상당히 더 컸다. 하악에서는 견치와 측절치 사이의 접촉이 가장 크게 차이가 났으며, 측절치와 중절치 사이의 접촉은 중절치 간 접촉에 비해 약간 더 컸다. 총생의 경중과 무관하게 동일한 경향이 항상 관찰되었다. 더구나, 치료 후 총생이 나타난 환자에서도 같은 경향이 나타났다[28]. 이는 전치부 배열의 변화가 치료와 무관하게

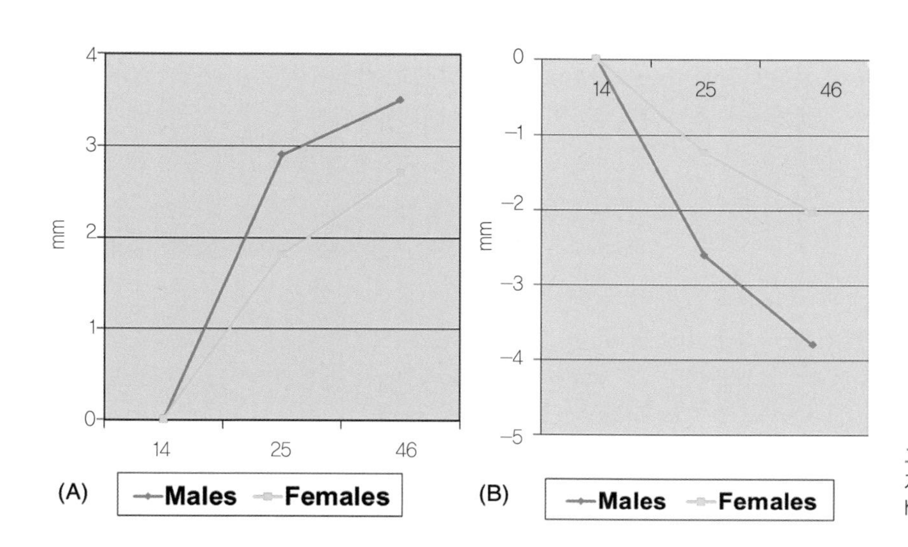

그림 5.7 14~46세 사이에 치료받지 않은 피험자의 A) 전치부 TSALD, B) 악궁길이 변화. Bishara 등의 데이터[23,24].

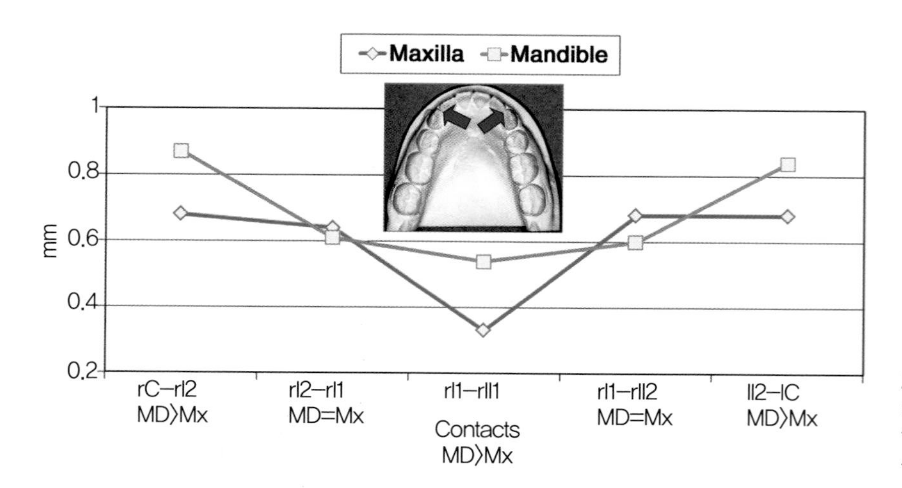

그림 5.8 NHANES Ⅲ에서 측정된 치료받거나 치료 받지 않은 미국 성인에 대한 전치부 접촉 불규칙도(접촉점 간 거리). 하악 견치와 측절치 사이 접촉의 불규칙이 가장 큼을 주목.

동일한 패턴을 따름을 보여준다.

5.3 Ⅰ급 부정교합과 치아 보상 메커니즘

불규칙한 배열은 치아치조성 보상이 발생하기 가장 좋은 조건으로 여겨진다. 대부분의 시간 동안 치아는 설측, 순측, 전정측 근육 사이에서 균형을 이루는 위치에서 유지된다[29]. 치아치조성 보상은 이러한 균형이 이루어지는 동안 일어나는 치아위치의 변화이다. 보상은 종종 다양한 골격 관계 하에서 정상적인 악궁간 관계를 유지하려는 긍정적인 적응변화를 나타낸다[30]. 그러나 이로 인해 부정적이고 부적합한 변화가 야기되어, 현대인에게 많이 나타나는 Ⅰ급 부정교합이 발생될 수도 있다. 치아치조성 보상을 일으키는 요인에는 다음이 해당된다: 1) 정상 맹출 시스템; 2) 치아에 가해지는 연조직의 힘; 3) 인접치에 대한 영향[30]. 이런 요인 중 하나 이상에 문제가 생기면 부정교합이 발생한다. 예를 들어, 맹출 시스템에 방해를 주는 전신적 질환이 있는 환자에서 치아치조성 보상 메커니즘은 효율이 떨어진다.

치아는 맹출하여 기능적 교합에 이르기까지 끊임없이 이동한다. 끊임없는 맹출과 이동의 임상적인 중요성은 종종 무시되어 왔으나, 치아 이동은 불규칙한 배열의 발생에 중요한 역할을 한다. Björk와 Skieller[31]는 작은 금속 임플란트를 중첩을 위한 안정적인 구조물로 이용하여, 상악 제1대구치는 10~14세 여아에서 매년 1.1~2.2mm 맹출/이동하며 같은 기간 동안 전치부의 맹출/이동량은 더 적다고 보고하였다. 자연적으로 안정적인 구조물을 참고 기준으로 중첩한 결과, 10~15세 동안 상악 제1대구치는 매년 약 1.2~1.5mm의 수직 맹출과 0.4~0.6mm의 전방이동을 하였고, 하악 제1대구치는 동일 기간에 매년 0.6~0.8mm의 수직 맹출, 0.6~0.7mm의 전방이동을 하였다[32]. 6~12세에 치아의 전방 이동은 상악에서 하악보다 많이 일어났으나, 하악 치아는 전방 성장 변위량이 더 컸다[33]. 수직적으로, 상악 절치와 대구치는 매년 1mm정도 맹출하였으며(**그림 5.9**), 매년 약 0.8~1.0mm 하방으로 변위되었다. 하악 치아는 매년 2.0~2.3mm의 하방 변위와 0.5~0.6mm의 맹출을 보였다.

치아가 교합접촉을 완성한 후에 발생하는 맹출량은 주로 악골의 수직적 성장 변위에 의해 생긴 공간에 의해 결정된다. 하악 대구치 맹출 변화의 54%는 하악 후방부의 하방 성장에 의해 발생한다[34]. 하악의 하방 변위량이 더 클수록, 대구치의 상방 맹출량은 더 컸다. 이는 하악의 하방 변위 및 대구치의 수직적 맹출이 거의 같은 시기에 일어나는 성장폭발기를 시사하는 이유를 설명해주는데, 변위와 맹출의 최대치가 일어나는 시기는 각각 11세8개월과 12세1개월이다. 맹출은 성장 변위를 보상하거나 적응한다.

치아는 성장, 교합 마모, 인접면 마모, 치아소실 등에 의해 발생된 공간을 채우기 위해 이동한다. 과맹출은 교합 마모를 상쇄하여 효과적인 저작을 유지하는 정상적인 보상반응이다[35,36]. Rhesus 원숭이의 구치부에 교합 스

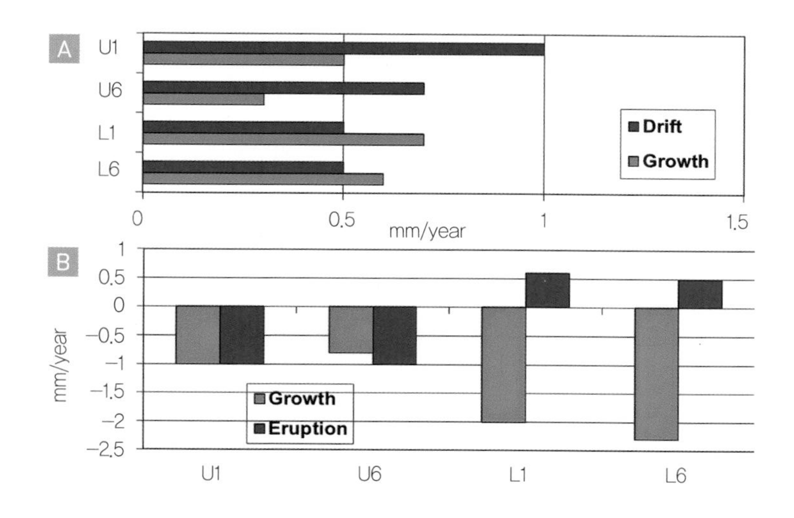

그림 5.9 6~12세 성인에서 A) 수평적 성장 변위와 이동, B) 수직적 성장 변위와 중절치와 제1대구치 맹출. Craig의 데이터[33].

플린트를 합착한 연구에서, 성장기 및 성장완료기 모두에서, 대조군보다 절치가 더 많이 과맹출하였다[37]. 이와 유사하게 인접면 마모는 치아간 접촉면적을 증가시켜 치열의 전방이동을 유발한다. 또한 광범위한 치아우식이 있거나 치아가 조기상실되었을 때에도 전방이동이 발생한다[38]. 치아의 이동은 생성된 공간에 대한 보상작용이다.

공간이 발생하였을 때, 불규칙하게 배열된 치아가 부분적이고 자발적으로 총생을 해소하며 보상된다. 제1소구치를 혼합치열기(10세4개월)와 영구치열기(14세 2개월)에 발거한 경우(그 외 다른 치료는 하지 않고), 전치부 보상에는 뚜렷한 차이가 있었다. 보상작용은 초기 총생의 양에 따라 크게 달랐다[39]. 두 그룹 모두에서 견치는 발치공간내로 측후방으로 이동하였다. 혼합치열기의 불규칙도는 5.5mm에서 3.3mm로 감소하였고, 영구치열기에서는 보상작용이 더 크게 나타나 전치부 불규칙도가 8.3mm에서 4.2mm로 감소하였다. 이와 유사하게 립범퍼로 치료받은 환자에서 일어난 악궁크기의 변화는 총생을 부분적으로 해소한다. 립범퍼만으로 치료받은 환자에서 평균 3.5mm 정도의 총생이 자발적으로 해소되었다(**그림 5.10**).

5.4 하악 전치부 불규칙배열과 연관된 것

가장 기본적으로, 하악 전치부의 불규칙 배열의 원인은 다음과 같다: 1) 공간 소실로 야기된 비정상적인 위치

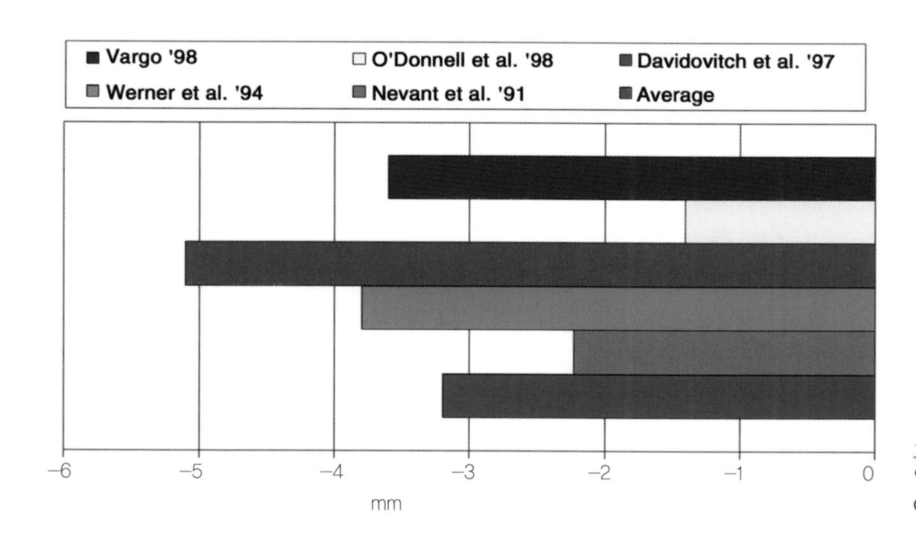

그림 5.10 립범퍼만을 사용한 경우 전치부 배열의 향상. Vargo[40], O'Donnell 등[41], Davidovitch 등[42], Werner 등[43], Nevant 등[4].

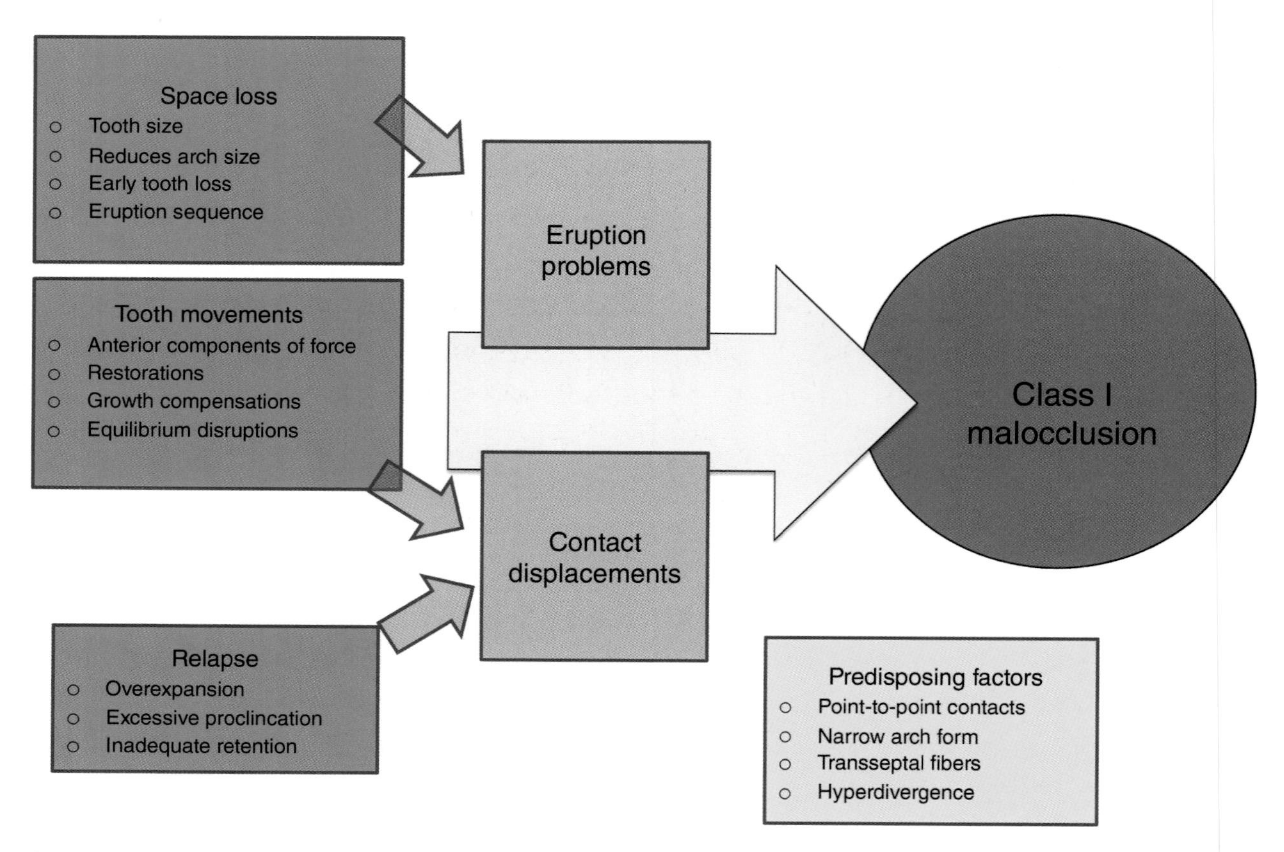

그림 5.11 전치부 배열 문제를 유발하는 요소들.

로의 치아 맹출, 2) 재발과 원치 않은 치아 이동에 의한 접촉의 변화(contact displacement)(**그림 5.11**). 접촉점이 무너졌을 때 전치가 배열을 벗어나게 이동하고, 일반적으로 구치부와 마찬가지로 전치도 새로운 평형을 구축할 때까지 전방으로 이동한다.

5.4.1 소인

왜 그리고 어떻게 불규칙한 배열이 일어나는 지를 이해하기 위해서는 여러가지 소인을 염두해야 한다(**그림 5.11**). 전치부 불규칙 배열의 가장 중요한 요소 중 하나는 전치부 치아간 점–점 접촉이다. 점–점 접촉에 비해 보다 넓은 면접촉이 더 안정적이다. 오목/볼록한 접촉면을 가지는 치아로 구성된 악궁의 시뮬레이션 결과, 점–점 접촉을 가지는 악궁보다 훨씬 더 안정적임이 밝혀졌다[45]. 중요한 것은, 전치부에 위치한 치아가 곡선적일수록 안정도가 낮아졌다. 현대인의 대구치와 소구치는 원심면에 비해 근심면의 법랑질이 더 얇고[46], 근심면이 더 오목한 경향이 있다. 이렇게 접촉이 넓고 악궁 만곡이 제한적이라는 사실은, 구치부 배열이 전치부보다 더 안정적인 이유 중 하나가 된다. 전치부의 접촉이 넓어지면, 총생과 불규칙이 감소된다. 치료 후의 불규칙도 변화는, 유지 후기에 전치부 인접면 삭제를 시행한 환자에서 인접면 삭제를 하지 않은 환자에 비해 유의성있게 작게 발생했다(≒1.4mm)[47].

앞서 말한 대로, 적어도 부분적으로는, 점–점 접촉의 안정성은 악궁의 형태에 의존한다. 유지후(post-retention) 총생 발생의 위험도는 악궁이 넓은 환자에서 더 크다[2]. 하악궁 형태의 차이는 비발치군 환자에 비해 발치군 환자에서 유지후 불규칙도가 미미하지만 유의하게 더 큰(0.8mm) 이유를 설명해준다[2]. 이런 차이는 발치가 필요한 환자의 악궁이 더 좁기 때문에 발생한다. 또한, 치아간 각도가 작은 인접치가 치아간 각도가 큰 경우에 비해 치료 후 총생이 발생할 위험성이 더 크다. 견치와 측절치는 이전에 설명한 대로 치료 후 접촉점 차이가 가장 크며, 치아간 각도가 가장 작다.

중격간 섬유(transseptal fiber)는 치아를 이동시키는 능력 때문에, 아마 총생의 발달에도 중요한 역할을 할 것이다. 이 섬유는 한 치아의 백악질에서부터 치간골을 넘어서 인접치의 백악질까지 연장된다. 중격간 섬유는 모든 치아 사이를 연결하여 치아간 접촉을 유지한다[48]. 이 섬유는 치아를 함께 모아두는 역할을 하여, 생물학적인 스플린트로서 자연적인 유지장치의 역할을 한다. Moss와 Picton[49]은 중격간 섬유가 공간 발생 후 치아가 근심측으로 이동하게 되는 원인이 된다고 하였다. 교합면 마모로 교합이 되지 않거나 인접면 마모로 치아간 공간이 만들어지면, 치아는 접촉을 재구축하기 위해 근심으로 이동한다. 치아의 근심이동은 중격간 섬유의 수축 메커니즘에 의한 것이다[50].

마지막으로, 골격의 과발산형(hyperdivergence) 또한 큰 총생량의 소인이다. Goldberg 등[51]은 치료 전 하악각이 크고, 전방–후방부 안면고경비가 크고, 전안면 고경이 큰 환자의 경우 치료 후 전치부 불규칙도와 TSALD의 증가가 크게 나타난다고 하였다. 다른 학자들은 총생과 안모의 divergence 사이에 양(+)의 관련성이 있음을 밝혀내기도 하였다[52,53]. Divergence의 증가는 다음에 의해 불규칙 배열의 위험도를 증가시키는 것으로 예상된다: 1) 하악 전치 맹출의 증가[27,51], 2) 하악전치의 후방경사.

5.4.2 공간 소실과 관련된 맹출 문제

비록 일부가 믿고 있는 것처럼 중요한 요소는 아니지만, 치아 크기는 분명히 총생과 연관이 있다. 전치의 근원심 크기는 총생과 연관성이 있다[54]. 정상교합자에 비해 Ⅰ급 부정교합자에서 전치부 크기가 더 크다[55,56]. Agenter 등[57]은 최근 부정교합자의 치관 크기(근원심 및 협설측)가 정상교합자보다 더 크다는 것을 보여주었다. 중요한 것은 이러한 연구에서 나타난 통계적으로 유의한 관련성이 일관되게 낮다는 것인데, 보통 변이의 10%보다 더 적다.

악궁크기와 총생의 관련성에 관한 여러 연구가 존재하는데, 악궁의 폭경과 악궁의 깊이 사이에는 반비례 관계가 성립하여[58,59], 악궁의 크기가 작을수록 총생량이 더 커진다. 이러한 관련성은 주의 깊게 해석되어야 하는데, 왜냐하면 이전에 강조하였듯이 총생을 보이는 환자의 치아는 악궁의 더 좁은 부위로 근심이동하여, 필연적으로 악궁의 폭경과 깊이를 감소시키기 때문이다. 다시 말하면, 악궁의 크기와 총생 사이의 관계는 치궁의 크기에 근거하지 말아야 한다. 그렇다고 해서, 악궁 크기와 총생에 관련성이 없다는 것은 아니다. 기저 악궁의 형태가 치아를 다 담기에 너무 작은 경우에는 총생과 불규칙을 예상할 수 있기 때문이다. 예를 들어, Apert 증후군이나 Crouzon 증후군 환자와 같이 상악 골유합증(synostosis)을 보이는 환자는 악궁의 크기가 작아 상당한 총생과 이소맹출을 유발한다.

조기 공간 소실과 이에 의한 치아의 근심이동은 총생의 또 다른 원인이 된다. 영구 소구치 맹출 전 leeway 공간의 조기 소실은 총생의 위험도를 증가시킨다. 제2유구치가 조기 상실된 경우에 다른 유치가 조기 상실된 경우보다 공간소실이 더 많다[60]. 6~12세 소아에 대한 장기간 관찰연구에 따르면, 유구치에 중증 치아우식증이나 조기상실이 발생하면 시간이 흐름에 따라 상당한 공간소실을 유발함을 보여주었다[38]. 하악에서, 제1,2유구치의 조기 상실은 각각 2.2, 4.2mm의 공간 소실을, 제1,2유구치를 모두 상실한 경우 3.5mm의 공간이 소실된다. 6세에서 12세가 되는 동안 공간 소실은 거의 알맞게 증가한다. 상악에서, 제2유구치 혹은 모든 유구치의 소실은 12세때 각각 2.9mm, 3.9mm의 공간 소실을 일으킨다. 공간 소실의 대부분은 구치부의 근심이동에 의해 채워진다.

뿐만 아니라, 맹출순서와 총생 사이에도 연관성이 있는 것으로 보인다. 구치부 맹출의 순서에 따라 부분적으로 leeway 공간이 사용되는 양상이 다르기 때문이다[61]. 하악에서 견치는 보통 제1소구치보다 먼저 맹출하는데, 이것이 바람직한 맹출순서이다. 하악에서 가장 좋지 않은 맹출순서는 소구치가 견치보다 먼저 맹출하거나 견치와 소구치가 맹출하기 전에 제2대구치가 맹출하는 경우이다[62]. 최근, Lange[63]는 양측 345 맹출 순서를 갖는 치료 받지 않은 피험자가 양측 435 맹출 순서를 갖는 피험자에 비해 총생량(≒2.5mm)이 확연히 더 적음을 보고하였다[63].

5.4.3 재발과 관련된 접촉 변위와 치아 이동

치아가 평형이 깨진 위치에 놓여지면, 이동하여 종종

총생이 발생한다. 이 때문에 혼합치열기에 악궁 길이가 증가하여, 불리한 재발을 야기하는 총생을 완화하기 위한 필요 공간을 얻게 된다[64]. 치료 후 절치 불규칙도의 증가는 견치간 폭경 증가와 관련이 있으며, 치료 중 견치간 폭경이 가장 크게 증가된 환자에서 치료 후 총생이 가장 크게 증가한다[51,65].

치아에 전방으로 향하는 힘을 가하면 접촉점이 미끄러지면서 배열이 불규칙해진다. 축상면의 경사에 의해 구치부는 교합력이 가해지는 동안 전방으로 이동하여 교합력의 전방부분을 담당한다. 구치부에 교합력이 가해지면 교합력의 전방부분은 점차적으로 감소하여 더욱 전방부 치아로 이동하여 악궁의 반대편으로 이동한다[66]. 교합력의 전방부분은 전치부 불규칙 양이 큰 환자에서 더 크게 나타나는데, 이는 치료 받지 않은 피험자[67]와 치료 후 3년 5개월 추적조사를 한 환자[68]에서 모두 나타난다.

악궁의 공간을 차지하는 모든 것은 치아를 이동시킬 수 있는 잠재력이 있으며, 접촉점을 미끄러지게 할 수 있다. 예를 들어, 치과의사는 수복물을 "빡빡히" 맞추도록 교육받았고, 치아는 수복물에 의해서 전방으로 가해지는 힘을 받을 수 있다. 15년 6개월간의 추적조사 결과, 치료 후 인접면 수복치료를 받은 교정환자에서 전치부 불규칙도(0.9mm)와 총생(0.4mm)이 수복치료를 받지 않은 환자에서 보다 더 크게 나타났다[2].

성장은 일반적으로 교정의사를 도와주지만, 총생 발달의 가장 중요한 위험요소이기도 하다. 수직 성장, 보상적 맹출, 불규칙한 배열 사이의 관계는 40명의 안정적인(전치부 불규칙도 변화량 <1mm) I 급 발치 환자와 33명의 불안정한(전치부 불규칙도 변화량 >2mm) I 급 발치 환자를 비교한 장기간 추적조사 연구에서 처음으로 명확히 입증되었다[47]. 하악의 전치부 변위와 근심 치아이동은 두 그룹 간에 차이가 없었으나, 하악의 하방 변위와 하악전치의 과맹출은 불안정한 그룹에서 유의하게 더 컸다. 치료 후 13년 7개월이 경과한 환자들과 14년 3개월-23년 2개월의 치료 받지 않은 피험자의 추적조사에서 안면고경 증가와 하악절치 맹출은 모두 유의하게 불규칙한 치아배열과 연관이 있었다[27]. 이를 통해 왜 성장중인 청소년기 환자가 성인에 비해 치료 후 총생의 위험도가 유의하게 큰지를 알수 있다[69]. 최근, Goldberg 등[51]은 수직 성장과 절치 맹출이 더 클 때 모두에서 치료 후 더 큰 하악 총생과 관련이 있다는 것을 다시 한번 확인하였다. 성장량이 더 많다는 것은 생성된 수직적 공간을 보상하기 위해 더 많은 맹출이 필요하다는 것이고, 맹출로 인해 절치간 접촉이 유지될 가능성이 감소되어 총생의 위험도가 증가된다.

마지막으로, 치아를 이동시키는 치아치조성 평형을 파괴하고, 반대로 접촉 변화를 일으키는 요소는 불규칙 배열을 발생시킬 것이다. 반대하는 힘이 치아를 변화시키려 할 때 치아는 보상하는 방향으로 이동한다. 소구치부에 2mm 작게 합착된 온레이는 치아평형을 깨뜨려, 교정장치와 마찬가지로 치아를 이동시킨다[29]. 아무리 작더라도 차등적인 힘이 장기간 적용되면 치아가 이동하게 된다. 중요한 것은 치아가 더 평형적인 위치로 이동한다는 것이다. 치아위치 변화를 이해하기 위해서 연조직의 내인성 힘과 외인성 힘(예, 습관, 교정장치 등), 교합력, 치주인대에 의한 힘을 모두 고려해야 한다[70]. 치아는 유전적으로 이동할 수 있게 적응되어 있다. Buschang은 치료받거나 받지않은 경우에서 치아치조성 보상과 불규칙배열에 관해 광범위한 리뷰를 시행하였다[71].

참·고·문·헌

1 Harris EF, Vaden JL, Williams RA. Lower incisor space analysis: A contrast of methods. Am J Orthod Dentofac Orthop 1987;92(5):375–80.

2 Myser SA, Campbell PM, Boley J, Buschang PH. Long-term stability: Post-retention changes of the mandibular anterior teeth. Am J Orthod Dentofac Orthop 2013;144(3):420–429.

3 Peck H, Peck S. An index for assessing tooth shape deviations as applied to the mandibular incisors. Am J Orthod 1972; 61(4):384–401.

4 Staley RN, Shelly TH, Martin JF. Prediction of lower canine and premolar widths in the mixed dentition. Am J Orthod 76(3):300–309, 1979.

5 Staley RN, Hu P, Hoag JF, Shelly TF. Prediction of the combined right and left canine and premolar widths in both arch-

es of the mixed dentition. Pediatr Dent 5(1):57–60, 1983.

6 Gardner RB: A comparison of four methods of predicting arch length. Am J Orthod 1979;75(4):387–398.

7 Hixon EH, Oldfather RE. Estimation of the sizes of unerupted cuspid and bicuspid teeth. Angle Orthod 1958;28(4):236–240.

8 Staley RN, Kerber PE. A revision of the Hixon and Oldfather mixed prediction method. Am J Orthod 1980;78(3):296–302.

9 Kelly JE, Sanchez M, Van Kirk LE. An assessment of occlusion of teeth of children. DHEW publication no 74–1612. Washington, CD. National Center for Health Statistics, 1973.

10 Proffit WR, Fields HW Jr, Moray LJ. Prevalence of malocclusion and orthodontic treatment need in the United States: estimates from the NHANES III survey. Int J Adult Orthodon Orthognath Surg 1998;13(2):97–106.

11 Foster TD, Hamilton MC, Lavelle CLB. A study of dental arch crowding in four age groups. Dent Pract 1972;21(1):9–12.

12 Moorrees CFA, Chadha JM. Available space for the incisors during dental development – A growth study based on physiologic age. Angle Orthod 1965;35(1):12–22.

13 Warren JJ, Bishara SE, Yonezu T. Tooth size-arch length relationships in the deciduous dentition: A comparison between contemporary and historical samples. Am J Orthod Dentofacial Orthop 2003;123(6):614–9.

14 Leighton BC. The early signs of malocclusion. Eur J Orthod 2007;29: i89–i95.

15 Baume L, Physiological tooth migration and its significance for the development of occlusion, III. The biogenesis of the successional dentition. J Dent Res 1950;29(3):338–348.

16 Moorrees CFA. The dentition of the growing child. Cambridge, Mass, Harvard University Press, 1959.

17 Eveleth PB, Tanner JM. Tanner, Worldwide variation in Human Growth, 2nd edn. Cambridge University Press, Cambridge, 1990.

18 Thilander B. Dentoalveolar development in subjects with normal occlusion. A longitudinal study between the ages of 5 and 31 years. Eur J Orthod 2009;31(2):109–120.

19 Giles NB, Knott VB, Meredith HV. Increase in intraoral height of selected permanent teeth during the quadrennium following gingival emergence. Angle Orthod 1963;33(2):195–06.

20 Moyers RE, Van Der Linden FPGM, Riolo ML, McNamara JA. Standards of human Occlusal Development. Monograph #5. Craniofacial Growth Series, Center for Human Growth and Development. The University of Michigan, Ann Arbor, 1976.

21 Sinclair PM, Little RM. Maturation of untreated normal occlusions. Am J Orthod 1983;83(2):114–123.

22 Lundy HJ, Richardson ME. Developmental changes in alignment of the lower labial segment. Br J Ortho 1995;22(4):339–345.

23 Bishara SE, Jakobsen JR, Treder JE, Stasi MJ. Changes in the maxillary and mandibular tooth size-arch length relationship from early adolescence to early adulthood. A longitudinal study. Am J Orthod Dentofacial Orthop 1989;95(1):46–59.

24 Bishara SE, Treder JE, Damon P, Olsen M. Changes in the dental arches and dentition between 25 and 45 years of age. Angle Orthod 1996;66(6):417–22.

25 Bondevik O. Changes in occlusion between 23 and 34 years. Angle Orthod 1998;68(1):75–80.

26 Richardson ME. A review of changes in lower arch alignment from seven to fifty years. Semin Orthod 1999;5(3):151–9.

27 Driscoll-Gilliland J, Buschang PH, Behrents RG. An evaluation of growth and stability in untreated and treated subjects. Am J Orthod Dentofac Orthop 2001;120(6):588–597.

28 Vaden JL, Harris EF, Gardner RI. Relapse revisited. Am J Orthod Dentofacial Orthop 1997;111(5):543–553.

29 Weinstein S, Haack DC, Morris LY, et al. On an equilibrium theory of tooth position. Angle Orthod 1963;33(1):1–26.

30 Solow, B. The dentoalveolar compensatory mechanism: background and clinical implications. Brit J Orthod 1980 7(3): 145–61.

31 Björk A, Skieller V. Growth of the maxillary in three dimen-

sions as revealed radiographically by the implant methods. Brit J Orthod 1977;4(2):53–64.

32 McWhorter K. A longitudinal study of horizontal and vertical tooth movements during adolescence (ages 10 to 15). Master's Thesis, Baylor University, 1992.

33 Craig R. Posteruptive tooth movement during childhood. Master's Thesis, Baylor University, 1995.

34 Liu SS, Buschang PH. How does tooth eruption relate to vertical mandibular growth displacement? Am J Orthod Dentofac Orthop 2011;139(6):745–51.

35 Sicher H. The biology of attrition. Oral Surg Oral Med Oral Pathol. 1953;6(3):406–12.

36 Weinmann J. P. and Sicher H. Bone and Bones, 2nd edn. Mosby, St Louis, MO, 1955.

37 Schneiderman ED. A longitudinal cephalometric study of incisor supra-eruption in young and adult rhesus monkeys(Macaca mulatta). Arch Oral Biol 1989;34(2):137–41.

38 Northway W, Wainright RL, Demirjian A. Effects of premature loss of deciduous molars. Angle Orthod 1984;54(4): 295–329.

39 Papandreas SG, Buschang PH, Alexander RG, et al. Physiological drift of the mandibular dentition following first premolar extractions. Angle Orthod 1993;63(2):127–134.

40 Vargo, J, Buschang PH, Boley J, et al. Treatment effects and short-term relapse of maxillomandibular expansion during the early to mid mixed dentition. Am J Orthod Dentofacial Orthop 2007;131(4):456–63.

41 O'Donnell S, Nanda RS, Ghosh J. Perioral forces and dental changes resulting from mandibular lip bumper treatment. Am J Orthod Dentofacial Orthop 1998;113(3):247–55.

42 Davidovitch M, McInnis D, Lindauer SJ. The effects of lip bumper therapy in the mixed dentition. Am J Orthod Dentofacial Orthop 1997;111(1):52–8.

43 Werner SP, Shivapuja PK, Harris EF. Skeletodental changes in the adolescent accruing from use of the lip bumper. Angle Orthod 1994;64(1):13–22.

44 Nevant CT, Buschang PH, Alexander RG, Steffen JM. Lip bumper therapy for gaining arch length. Am J Orthod Dentofacial Orthop 1991;100(4):30–6.

45 Ihlow D, Kubein-Meesenburg D, Fanghänel J, et al. Biomechanics of the dental arch and incisal crowding. J Orofac Orthop 2004;65(1):5–12.

46 Stroud JL, English J, Buschang PH. Enamel thickness of the posterior dentition: its implications for nonextraction treatment. Angle Orthod 1998;68(2):141–6.

47 Alexander JM. A comparative study of orthodontic stability in Class I extraction cases. Master's Thesis, Baylor University, 1996.

48 Stubley R. The influence of transseptal fibers on incisor position and diastema formation. Am J Orthod 1976;70(6): 645–62.

49 Moss JP, Picton DC. Short-term changes in the mesiodistal position of teeth following removal of approximal contacts in the monkey Macaca fascicularis. Arch Oral Biol 1982;27(3): 273–8.

50 Nanci A. Ten Cate's Oral Histology: Development, Structure and Function, 7th ed, St Louis, Elsevier, Mosby. 2007; 275. 2008.

51 Goldberg AI, Behrents RG, Oliver DR, Buschang PH. Facial divergence and mandibular crowding in treated subjects. Angle Orthod 2013;83(3):381–8.

52 Leighton BC, Hunter WS. Relationship between lower arch spacing/crowding and facial height and depth. Am J Orthod 1982;82(5):418–425.

53 Richardson ME. Late lower arch crowding. The role of facial morphology. Angle Orthod 1986;56(3):244–254.

54 Fastlicht J. Crowding of mandibular incisors. Am J Orthod 1970;58(2):156–63.

55 Norderval K, Wisth PJ, Böe OE. Mandibular anterior crowding in relation to tooth size and craniofacial morphology. Scand J Dent Res. 1975;83(5):267–73.

56 Doris JM, Bernard BW, Kuftinec MM, Stom D. A biometric study of tooth size and dentalcrowding.AmJOrthod 1981;79(3):326–36.

57 Agenter MK, Harris EF Blair RN. Influence of tooth crown

size on malocclusion. Am J Orthodont Dentofacial Orthop 2009;136(6):795–804.

58 Sampson WJ, Richards LC. Prediction of mandibular incisor and canine crowding changes in the mixed dentition. Am J Orthod 1985;88(1):47–63.

59 Howe RP, McNamara JA JR, O'Connor KA. An examination of dental crowding and its relationship to tooth size and arch dimension. Am J Orthod 1983;83(5):363–73.

60 Hinrichsen CFL. Space maintenance in pedodontics. Aust Dent 1962;7(6):451–456.

61 Moorrees CF, Gron AM, Lebret LM, et al. Growth studies of the dentition: a review. Am J Orthod 1969;55(6):600–616.

62 Lo R, Moyers RE. Studies in the etiology and prevention of malocclusion: I. The sequence of eruption of the permanent dentition. Am J Orthod 1953;39(6):460–467.

63 Lange GM. Correlations of sequence of eruption and crowding. Saint Louis University Master's Thesis, St. Louis, MO. 2011.

64 Little RM, Riedel RA, Stein A. Mandibular arch length increase during the mixed dentition: postretention evaluation of stability and relapse. Am J Orthod Dentofac Orthop 1990;97(5):393–404.

65 Årtun J, Garol JD, Little RM. Long-term stability of mandibular incisors following successful treatment of Class II, Division1, malocclusion. Angle Orthod 1996;66(3):229–38.

66 Southard TE, Behrents RG, Tolley EA. The anterior component of occlusal force. Part 1. Measurement and distribution. Am J Orthod Dentofacial Orthop. 1989;96(6):493–500.

67 Southard TE, Behrents RG, Tolley EA. The anterior component of occlusal force. Part 2. Relationship with dental malalignment. Am J Orthod Dentofacial Orthop. 1990;97(1):41–4.

68 Acar A, Alcan T, Erverdi N. Evaluation of the relationship between the anterior component of occlusal force and postretention crowding.AmJOrthodDentofacial Orthop. 2002;122(4):366–70.

69 Park H, Boley JC, Alexander RA, Buschang PH. Age-related lon-term post-treatment occlusal and arch changes. Angle Orthod 2010;80(2):247–253.

70 Proffit WR. Equilibrium theory revisited: factors influencing position of the teeth. Angle Orthod 1978;48(3):175–86.

71 Buschang PH, Class I malocclusion – The development and etiology ofmandibular malalignments. Semin Orthod 2014;20(1):3–15.

SECTION II: 발육중인 I급 부정교합 문제에 대한 개입

Section II: Intercepting developing Class I problems

Eustáquio Araújo, DDS, MDS
Center for Advanced Dental Education, Saint Louis University, St. Louis, MO, USA

5장 1절에서 Peter Buschang은 I급 부정교합의 발달과 병인에 대해 전반적으로 설명하였다. 2장에서도 부정교합의 발생에 대해 체계적으로 검토하였다.

I급 부정교합이 있는 환자는 정상적인 대구치 관계를 가지지만 다른 많은 비정상적인 문제들이 발견된다. 이 문제들을 교육 목적으로 악궁 내(intra-arch) 문제와 악궁 간(interarch)의 문제로 분류하여, 악궁 내 문제와 악궁 간 문제를 각각 설명할 것이다.

악궁 내 변이중에서도 공간에 대한 문제(공극과 총생), 회전, 전위된 치아, 치아 형성 장애, 치아의 수, 매복치, 스피만곡의 변화가 강조된다. 8장에서, 발생 가능한 악궁 내 맹출 이상에 대해 설명할 것이다.

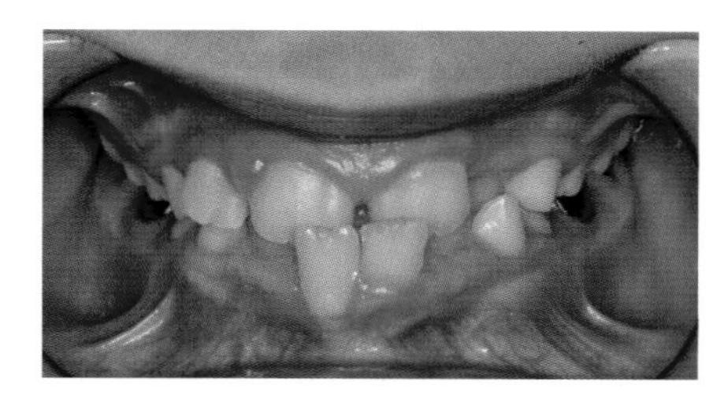

그림 5.12 전치부 반대교합은 하악 전방부 악궁과 치주 건강에 영향을 끼친다.

악궁 간 변이를 3가지 관점의 하위 분류로 세분화하였다: 전후방, 횡적, 수직적인 문제. I급 부정교합의 전후방적 변이는 전치부 반대교합을 포함한다(**그림 5.12**).

I급 부정교합에서 가장 흔한 악궁 간 문제는 종종 발견되는 편측성 혹은 양측성 구치부 반대교합과 같은 횡적인 측면과 연관된다(**그림 5.13**).

수직적 측면에서는 보통 혀내밀기나 다른 유해한 습관과 연관된 개방교합이 흔하다(8장 참고). 흔하지는 않지만 과개교합 또한 가능한 문제이다. 그림 5.14는 수직적 변이의 실례를 보여준다.

5.5 치아 크기 및 악궁 길이 부조화

(Tooth size arch length discrepancy; TSALD)

주요한 임상적 관심사는 치아의 불규칙한 배열인데,

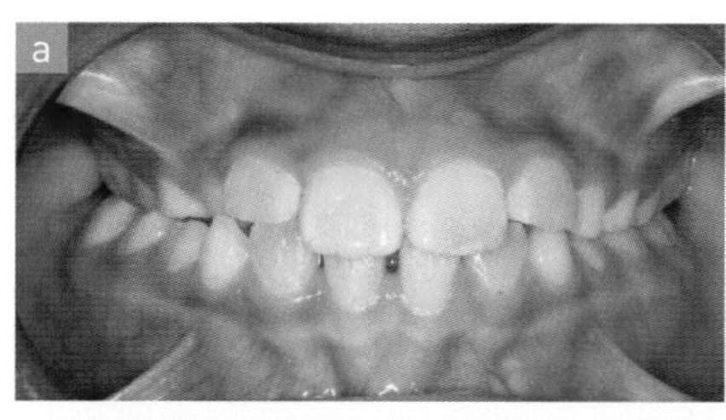

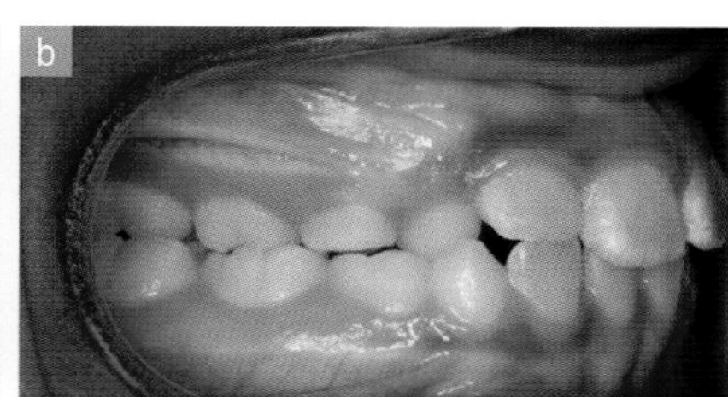

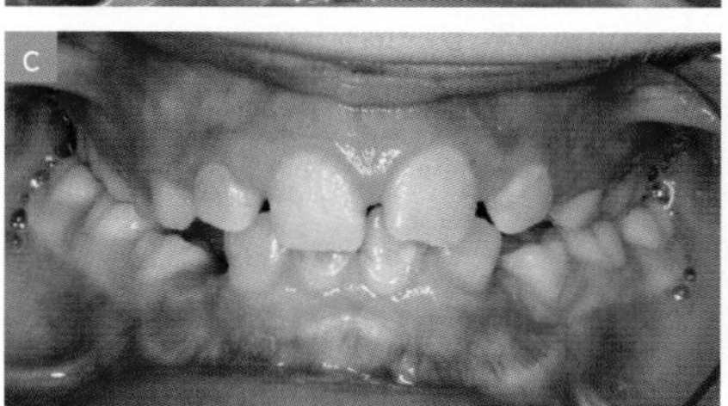

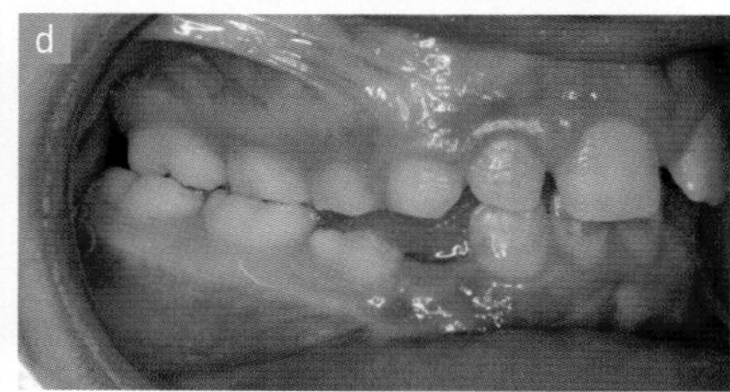

그림 5.13 (a, b) 혼합 치열기에서 편측성 반대교합. 하악의 정중선이 약간 우측으로 편위되어 있어서, 기능적 전위 가능성을 시사한다. (c, d) 양측성 구치부 반대교합.

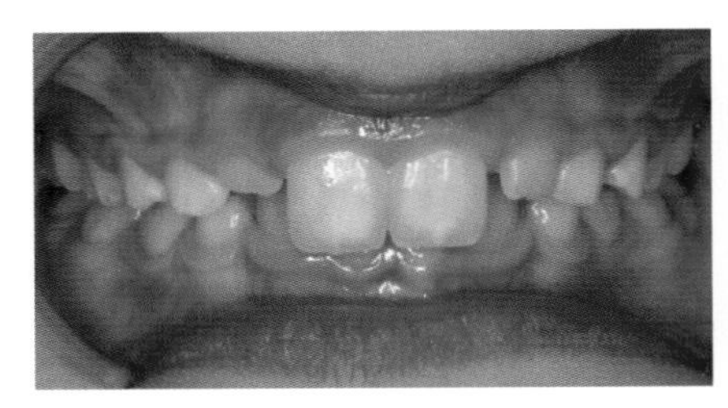

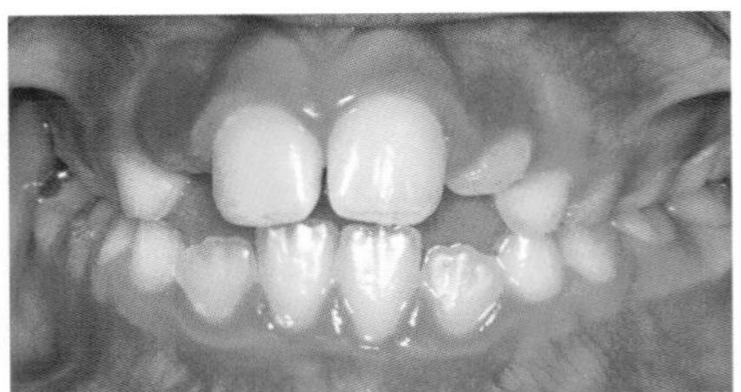

그림 5.14 좌측 사진의 심한 치성 과개교합, 우측 사진의 발달 중인 치성 개방교합.

특히 전치부와 관련되어 있을 때는 더 그러하다. 이 장은 악궁 발달의 조절에 대해 집중하게 될것이다.

이전 절에서 Peter Buschang가 언급하였던 변수 외에도, 다른 사항들을 기억해야 한다: 성장이 악궁 둘레를 크게 증가시킬 수는 없다[1,2]; leeway 공간이 유지되지 않는다면, 악궁 둘레는 자연스럽게 감소할 것이다[3,4]; 절치의 교환 이후 악궁이 횡적으로 증가하지만 이 또한 주된 자연적 증가의 원인은 아니다[5-7]; 상악과 하악의 차등 성장으로 인해 하악 전치는 청소년기 동안 직립하는 경향이 있다[8]; 치아의 지속적인 근심 이동은 평생에 걸쳐 나타난다[9,10]. 자연적인 I급 관계에의 적응은 조기 근심 이동, 후기 근심 이동, 성장의 조합에 의해 발생한다[11].

5.6 혼합 치열에서의 총생 평가

혼합 치열은 영구치와 유치가 치열궁에 동시에 혼합된 구성요소로 존재하여, 예측 방정식 및/혹은 방사선학적 공식을 통한 TSALD 평가가 복잡해진다. 가장 흔한 분석법은 Nance[4], Tanaka–Johnston[12], Moyers[13], 그리고 Hixon–Oldfather[14]이다. 4가지의 분석법을 비교한 결과 Hixon–Oldfather 방법이 가장 정확하였다[13]. 하지만 Tanaka–Johnston 분석이 사용하기 간단하기 때문에 가장 흔히 사용된다. 상악궁과 하악궁에 적응하는 식은 각각 다음과 같다:

$$\Sigma\ \frac{\overline{2,1|1,2}}{2} + 11 = \emptyset\ \underline{3,4,5}$$

$$\Sigma\ \frac{\overline{2,1|1,2}}{2} + 10.5 = \emptyset\ \overline{3,4,5}$$

이 원리를 이용해 이 책에서는 TSALD를 세 가지로 분류하고 살펴보게 될 것이다: 경도, 중등도, 고도.

5.6.1 경도(zero to minor)의 TSALD

불규칙성이 거의 0에 가깝다고 하더라도 교합의 발달을 모니터링하는 것이 좋다. 일부 소량의 불규칙성은 유치열기에서 혼합치열기, 영구치열기로 전환되는 과정동안은 정상으로 간주된다. 이러한 전환 과정을 면밀히 관찰하다가 의심스러운 공간 상실이 발견되면 교정의사가 개입해야 한다.

유구치의 조기 상실 및/혹은 심한 우식 등으로 원하지 않는 근심이동이 발생할 수 있다. 악궁 길이나 둘레의 감

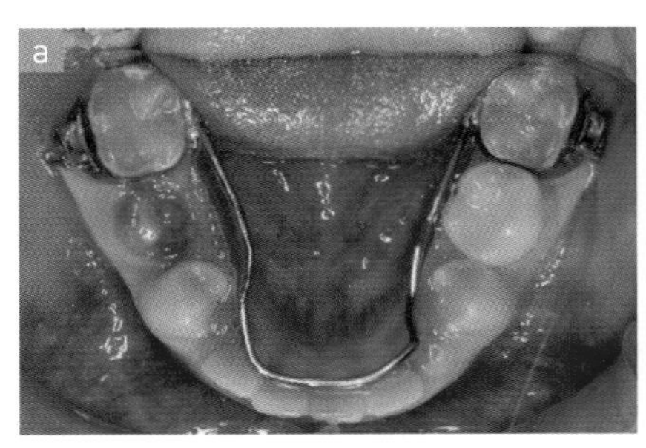

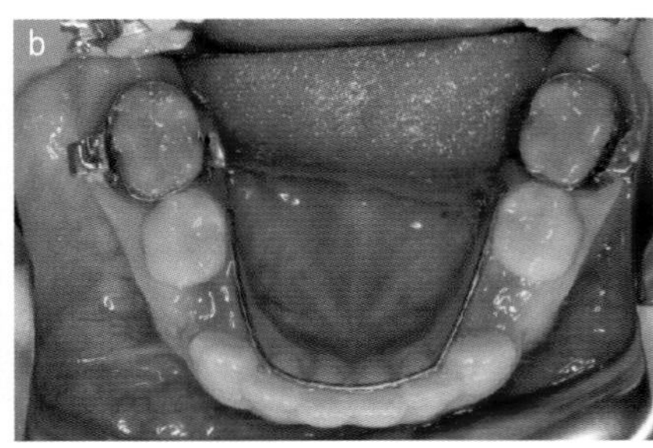

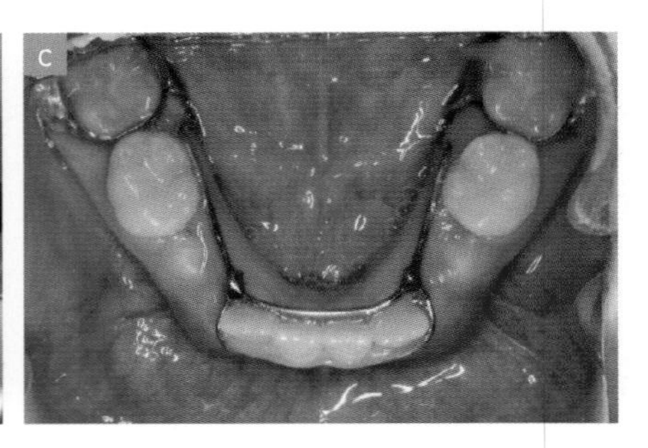

그림 5.15 좌측(a) 직선형의 하악 설측 호선 유지 장치(Lower Lingual Holding arch; LLHA), 중앙(b) 조절을 위한 loop가 포함된 LLHA, 우측(c) 절치부를 같이 유지하기 위해 납착한 spur를 적용.

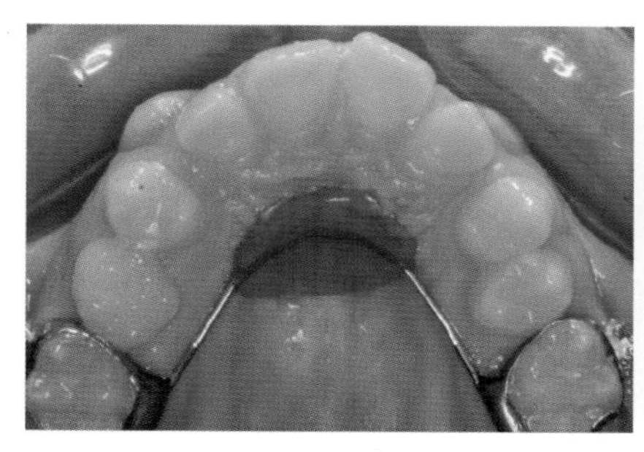
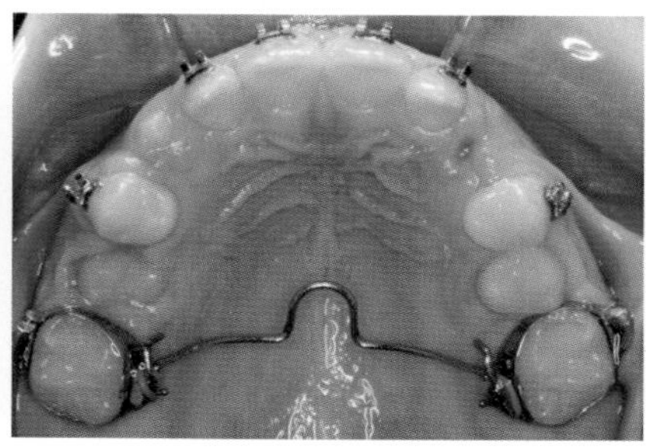

그림 5.16 좌측의 Nance 버튼과 우측의 가철성 횡구개호선(TPA).

소를 유발하는 다른 가능성은 하악 유견치의 조기 상실과 관련이 있다. 이전에 보고된 것처럼, 하악 절치가 후방 경사되거나 직립할 수 있다[14-16].

그림 5.15에서 볼 수 있듯이, 하악 설측 호선 유지 장치(Lower Lingual Holding Appliance; LLHA) 사용이 하악의 공간을 보존하고 조절하는 가장 안전한 방법이다[17-20].

그림 5.16처럼, 상악의 Nance 버튼이나 횡구개호선(TPA)은 유구치의 조기 상실 및/혹은 광범위한 우식에 의한 공간을 유지하는 것뿐만 아니라 leeway 공간으로부터 발생한 공간을 보존하기 위해 종종 추천된다[17,21].

5.6.2 중등도(small to moderate)의 TSALD

치열 이행기의 장점을 이용

유치열기에서 영구치열기로 이행되는 동안, 치열궁에는 많은 변화가 발생한다. 치열궁 내의 변화량이 Baume[22,23]이 분류한 유치열 유형의 분류와 Tsourakis[11]가 제시한 골격 성장과도 연관되어 있음에 주목하는 것이 중요하다.

유치열기부터 영구치열기까지, 본질적인 교합 적응은 조기 근심 이동, 후기 근심 이동 그리고 약간의 골격 성장으로 설명할 수 있다.

Baume은 유치열을 치간 공극이 있는 Ⅰ형과, 치간 공극이 없는 Ⅱ형으로 분류하였다. 이는 각각 "개방(open)" 치열과 "폐쇄(closed)" 치열로 언급되기도 한다. Baume의 Ⅰ형, Ⅱ형은 그림 5.17에 나타냈다.

Ⅰ형의 공극이 있는 유치열, 일직선의 말단 평면(terminal plane)을 가진 환자에서, 약 6세에 하악 제1대구치가 맹출하면, 유구치가 근심으로 이동하여, 공극이 유견

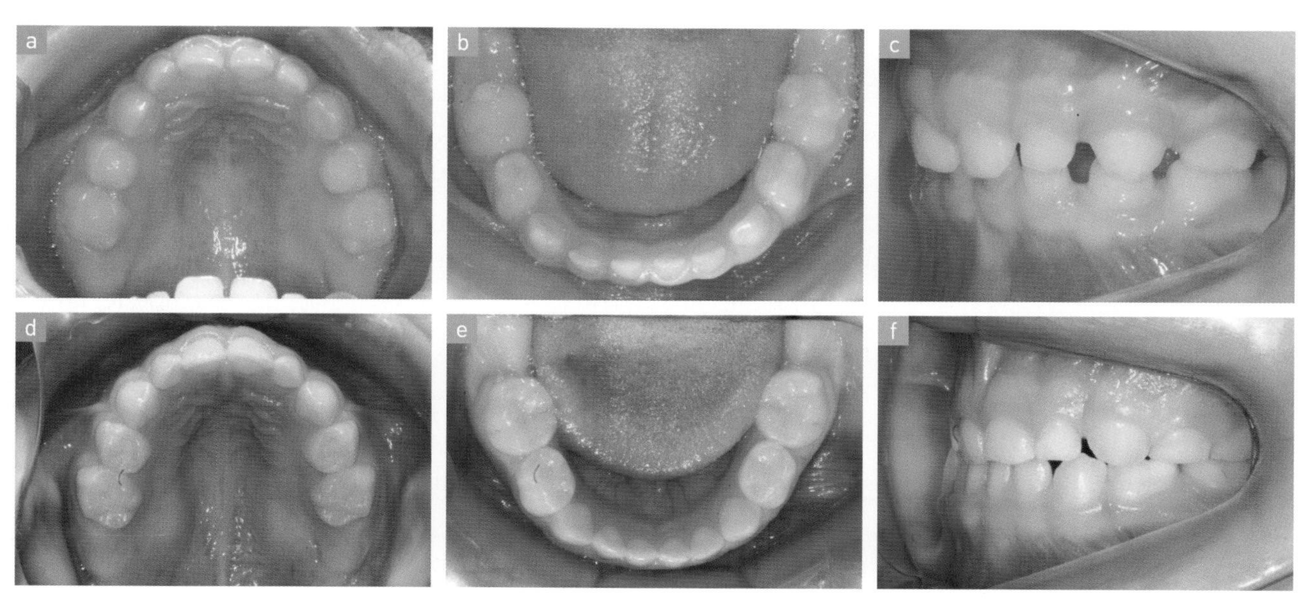

그림 5.17 상단(a, b, c): Ⅰ형, 개방 치열. 하단 (d, e, f): Ⅱ형, 폐쇄 치열.

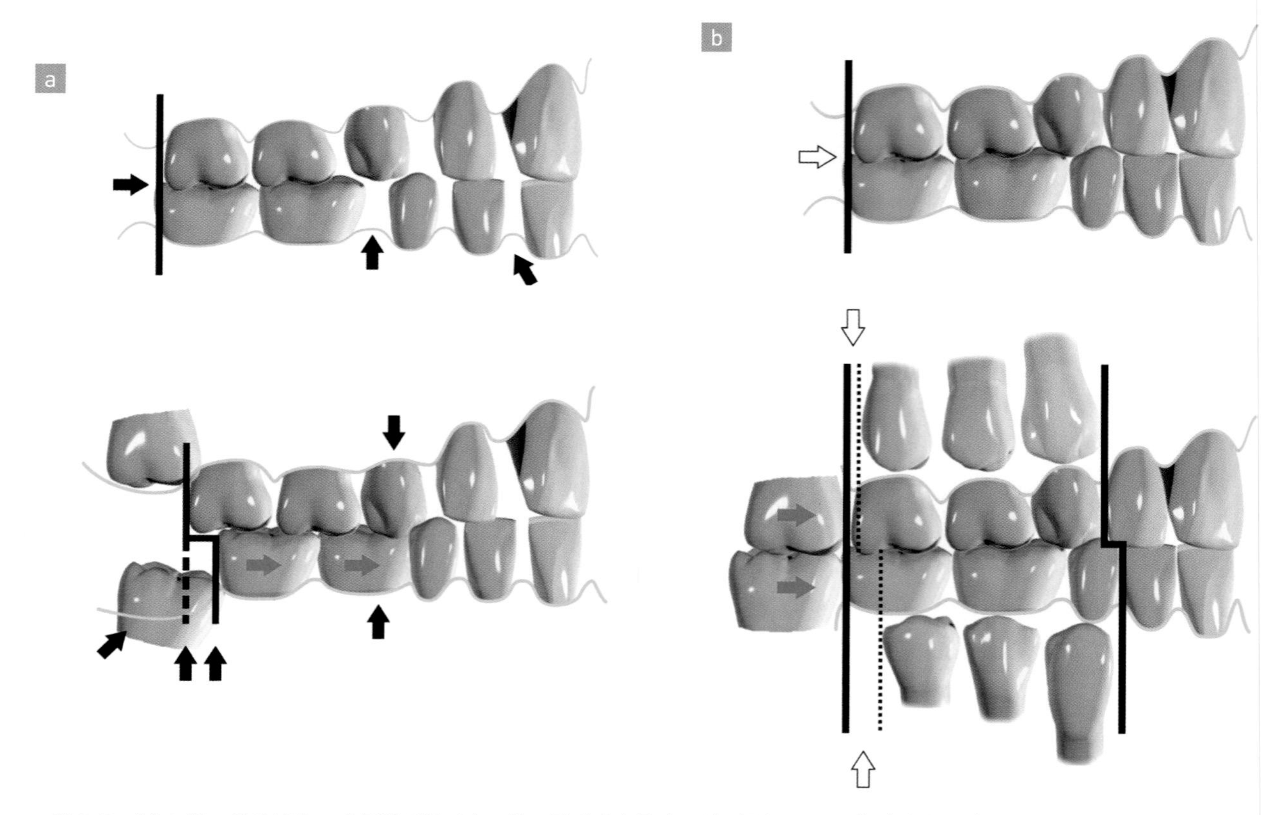

그림 5.18 (a) I 형 교합에서의 조기 근심 이동, (b) II 형 교합에서의 후기 근심 이동(Jack Dale[88]에서 인용).

치 원심면쪽으로 닫히고, 일직선의 말단 평면은 근심 계단(mesial step) 관계가 되어, 하악궁의 길이가 감소하면서 I급 구치 관계를 이루게 된다. 이를 "조기 근심 이동"이라 한다**(그림 5.18)** [22,23].

Ⅱ 형의 공극이 없는 유치열, 일직선의 말단 평면을 가진 환자에서, 폐쇄될 공간이 없기 때문에 상악과 하악의 제1대구치가 교두–대–교두 관계로 맹출되기 쉽다. leeway 공간 또는 E–공간이라 불리는 제2유구치와 제2소구치의 근원심 폭경 차이로 발생되는 공간을 이용하여, 제2유구치가 탈락한 뒤 하악 제1대구치가 근심 이동하여 I 급 구치 관계를 확보하게 된다. 이렇게, 다시, 악궁 길이가 감소하고, 일직선의 말단 평면이 근심 계단으로 전향되면서, 제1대구치에서의 I 급 구치 관계가 형성된다. 이것을 "후기 근심 이동"이라고 한다[22,23] **(그림 5.18)**.

상하악 제2유구치의 원심면 간의 관계로 결정되는 말단 평면을 통해서, 경향(tendency)을 판단하고 영구치열에서의 구치 관계의 가능성을 짐작하게 된다. Arya 등[24]이 서술했던 유치열기에서 영구치열기까지 가능한 교합 적응으로, 그림 5.19에 도해된 것처럼, 관찰할 수 있는 말단 평면에는 수평(flush), 원심, 근심이 있다.

5.6.3 치열궁에서의 공간 확보

Leeway 공간의 중요성

이 시점에서, leeway 공간의 중요성에 대해 짚고 넘어갈 필요가 있다. Gianelly에 의하면, 성장 변화에 따라 공간 조절이 잘되면 적정한 공극에 의해 상당수의 I 급 총생 증례들이 해결될 수 있다[18].

역사를 되돌아보면, 18세기, 1771년 스코틀랜드의 해부학자 John Hunter는 '인간 치아의 타고난 역사'란 저서에서 치열의 변화에 대한 관점을 제안하였다[25]. 'leeway 공간'과 같은 대용물과 유구치부 사이의 크기 변화에 대한 언급 없이도, 저자는 삽화를 통해 생생하게 묘사하였다**(그림 5.20)**.

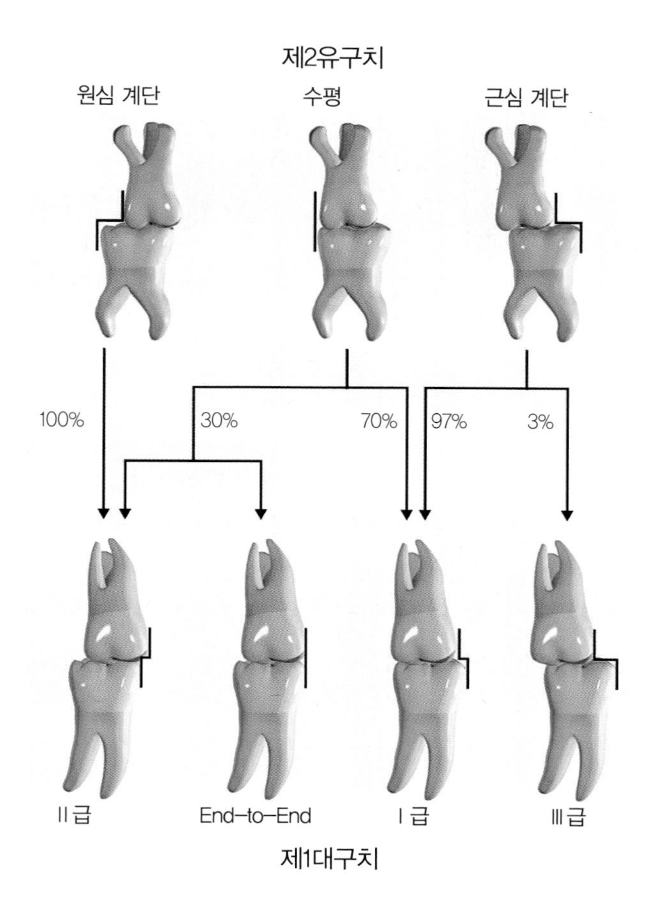

그림 5.19 Arya 등[24]에서 인용한 유치열에서 혼합치열기로 이행시 가능한 교합의 적응.

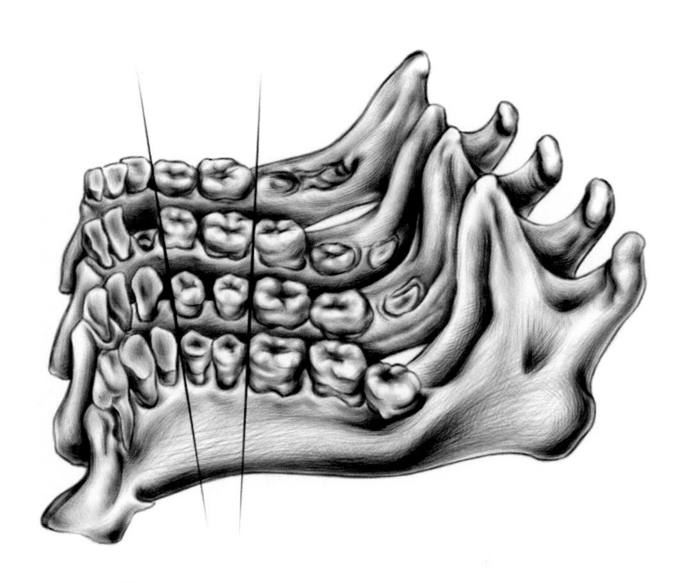

그림 5.20 현재는 leeway 공간이나 E-공간으로 알려진, 유치열기에서 영구치열기로 이행시 발생하는 변화에 대한 묘사. Hunter[25]에서 인용.

상악 횡적 부족의 원인

상악의 협착은 유전적, 발육과정, 환경적 그리고 의원성 요인으로부터 기인될 수 있다[26,27]. 기능이 약화된 기도가 원인일 수 있는 구호흡이나 손가락 빨기와 같은 발육과정의 문제로 인해 상악궁의 모양이 정상적 기대와 다른 형태로 될 수 있다. 그림 5.21과 같이, 상악의 횡적 변화로 높은 구개 천정 및/혹은 전치부 개방교합과 같은 일련의 사건이 시작될수 있다.

정상 교합에서, 상악 치열이 하악 치열을 덮는다. 일부의 증례에서, 상악궁이 다소 수축되어 있다고 필연적으로 반대교합이 되는 것이 아니라는 점을 간과해서는 안된다. 설측 반대교합 이라는 표현은 하악 치아가 교합 시 상악 치아의 바깥 쪽에 있을 때 쓰인다. 편측성 반대교합이 양측성 반대교합보다 빈발한다[28]. 편측이든 양측성으로든, 하악 치아의 협측 부분이 상악궁의 안쪽으로 들어가 있는 경우, 협측 반대교합으로 정의하는데, Brodie 증후군으로도 알려져 있다. 그림 5.21에서 설측, 협측 반대교합의 실례를 보여주고 있다.

구치부 반대교합은 상악궁의 폭경이 좁거나 보통 유견치에서 폐구 시의 조기 접촉이 있는 경우, 하악이 편측으로 혹은 전방으로 전위되면서 발달할 수 있다. 보통 전위되는 쪽에 설측 반대교합이, 반대쪽에는 명백한 정상 교합이 형성된다. Proffit은 과두(condyle)가 “정상 교합 쪽”에 안착되지 않음을 언급했다[29]. 이런 경우, 상악의 치성 및/혹은 골격성 확장이 필요하고, 이를 수정하지 않으면 악골이 전위된 방향으로 적응하는 쪽으로 자라게 될 것이다. 감별진단을 통해 반대교합의 원인이 골격성인지, 치성인지, 기능성인지에 대해 확인하는 것이 필요하다.

환경적인 요소 또한 상악의 수축을 유발할 수 있다. 동물실험에 따르면 호흡 양상의 변화는 구치부의 반대교합을 일으킬 수 있다[30]. 심한 알러지나 호흡적인 문제를 가진 환자 또한 수축되거나 V-모양의 상악궁으로 발달될 수 있다[31]. 하지만 상악의 횡적 결핍의 원인에 대해서는 골격성, 치아치조성, 환경적, 기능적 측면이 각각의 역할을 하는 다인성이라는 것이 보편적인 설명이다[24,27,30].

상악 확장과 헤드기어

반대교합의 유무에 관계없이 상악의 횡적 고경 감소

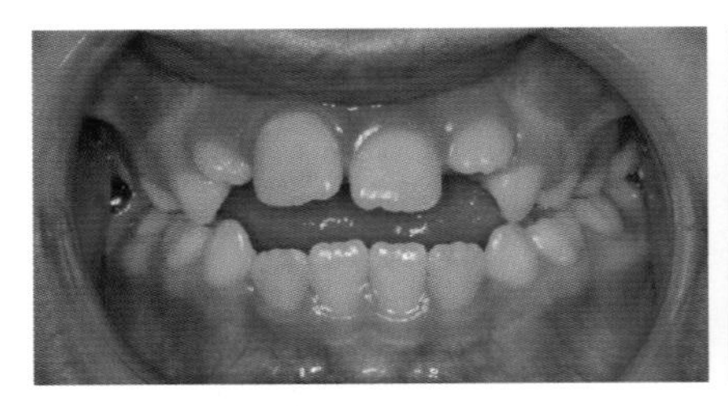
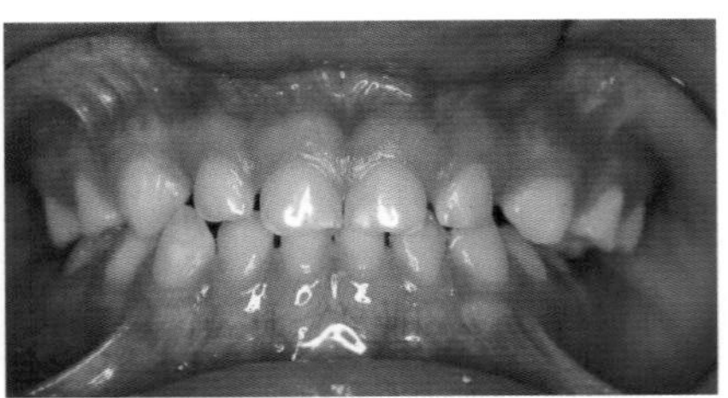

그림 5.21 설측 반대교합(좌측), 협측 반대교합(우측).

가 관찰되면, 일반적으로 상악을 확장하여 부조화를 개선한다. 여기에 고정성 혹은 가철성 장치를 사용할 수 있다. 2장에서 언급하였듯이, 어린 환자의 성숙도, 협조도, 행동 양상을 평가하여 문제해결을 위한 적절한 방법을 선택해야 한다. 필요하다면, 헤드기어를 사용하여 전후방적인 관계를 조정하는 동시에 횡적으로도 중요한 영향을 줄 수 있다.

수 년간 상악 확장에 대해 많은 연구가 이루어졌다. 1961년 Hass는 확장에 대한 획기적인 논문에서, 교정 치료를 다시 소개하였다. 1900년대 초기부터 중반까지 상악 확장의 효과에 대한 의혹이 많았다. Hass는 상악이 확장되면 치성 및 골격성 효과가 발생하여 코가 넓어지고 하악이 후하방으로 회전하여 교합이 열린다고 하였다[32,33]. 확장 치료에 대한 여러 논문을 정리하여 급속 구개 확장의 즉각적인 효과에 대해 메타-분석을 실시하였다. 이에 따르면 횡적인 변화는 골격성 진성(true) 확장 보다는 대부분 치아의 경사와 확대에 의한 것이었고, 확장과 관련된 수직적, 전후방적 변화는 대부분 일시적이었다[34~36]. 골격성 확장은 더 이른 나이에 시행될수록 더 안정적이었다. 완속(slow) 확장법과 급속(rapid) 확장법에 대해서는, 각 방법에 대한 장단점에 대한 증거가 부족했다. 증거에 근거하여 완속 확장법과 급속 확장법을 비교한 문헌은 거의 없었다[29,34].

1960년대, 교정의사는 봉합부의 급속 분리가 더 큰 골격적 변화를 야기할 것이라 생각하였기 때문에, 급속 확장법을 권고하였다. 그러나 시간이 지날수록, 골격성 변화기 재발하면서 치아의 이동이 횡적 변화의 50%를 차지하였다. 완속 확장법에서는, 변화가 서서히 일어났다. 치성 및 골격성 변화는 비슷한 비율로 이루어졌다. 완속 확장법을 사용하면, 처음에 골격성 변화는 천천히 나타났으나, 10주 후 완속 확장법과 급속 확장법에서 비슷한 정도의 치성 및 골격성 효과를 보였다[29,32,33].

결론적으로, 치료 결과를 가속화해야 할 중대한 필요성이 없다면, 후기 유치열기나 혼합치열기 동안에 완속에서 중간 속도 정도의 상악궁 확장이 추천된다. 하루에 1/4 mm 확장이 안정적이고 일정한 결과를 얻기 위해 적당하다. 유치열기의 어린 환자에게는 이틀에 한번 확장을 시행하기를 권한다. 확장보다 중요한 것은 교정의사가 안전한 유지를 위하여 확장 장치를 안정화하는 기간이다. 우리의 프로토콜은 적어도 16 주간의 유지기간을 요청한다. 가능하다면 6개월까지의 안정화를 권장한다.

환자 1

이 증례는 중등도의 총생을 지닌 발달중인 I 급 부정교합에 대한 교정적 접근을 보여주는 것으로 환자의 안모는 우수한 균형을 보이고 있다. 일반 치과 의사로부터 10세 남아의 총생에 대한 치료를 권유 받고 평가를 받기위해 내원하였다. 모든 기록을 채득하고 평가한 후에 상악에는 Nance 버튼을, 하악에는 설측 호선 유지 장치(Lower Lingual Holding Arch; LLHA)를 적용하기로 하였다. 이후 환자를 관찰하였고, 2년 뒤 정상적인 I 급 교합 관계를 보였으며 최소한의 치료 개입 정도만이 필요하였다**(그림 5.22~5.24)**.

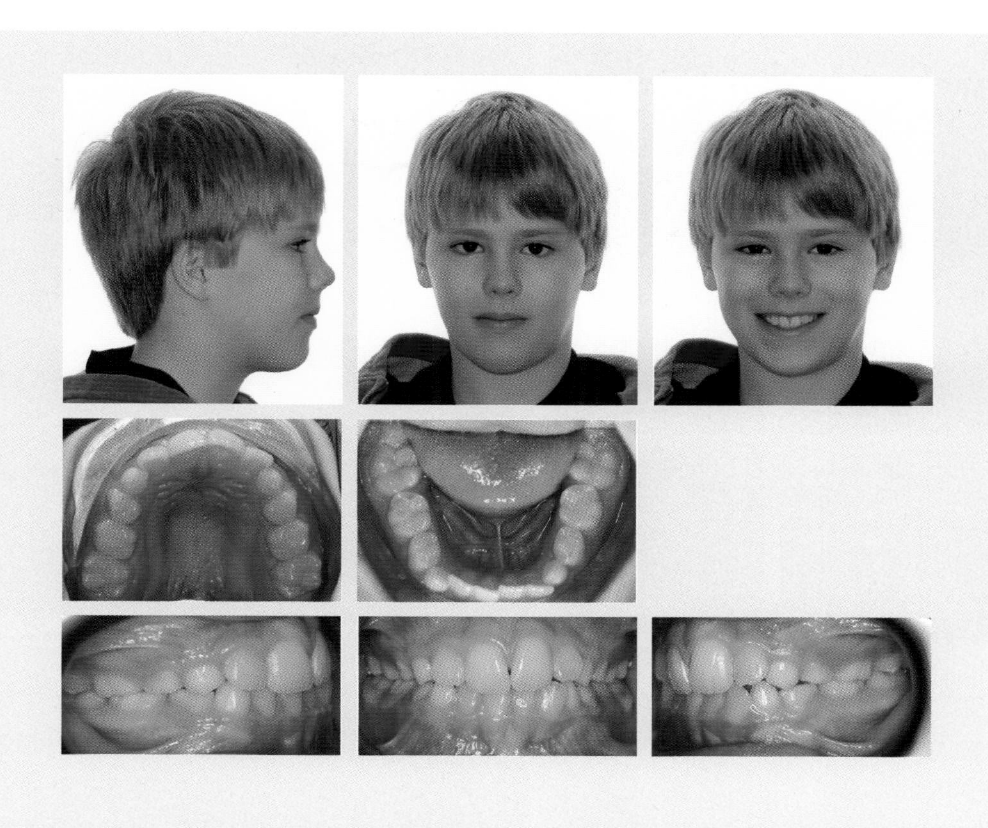
그림 5.22

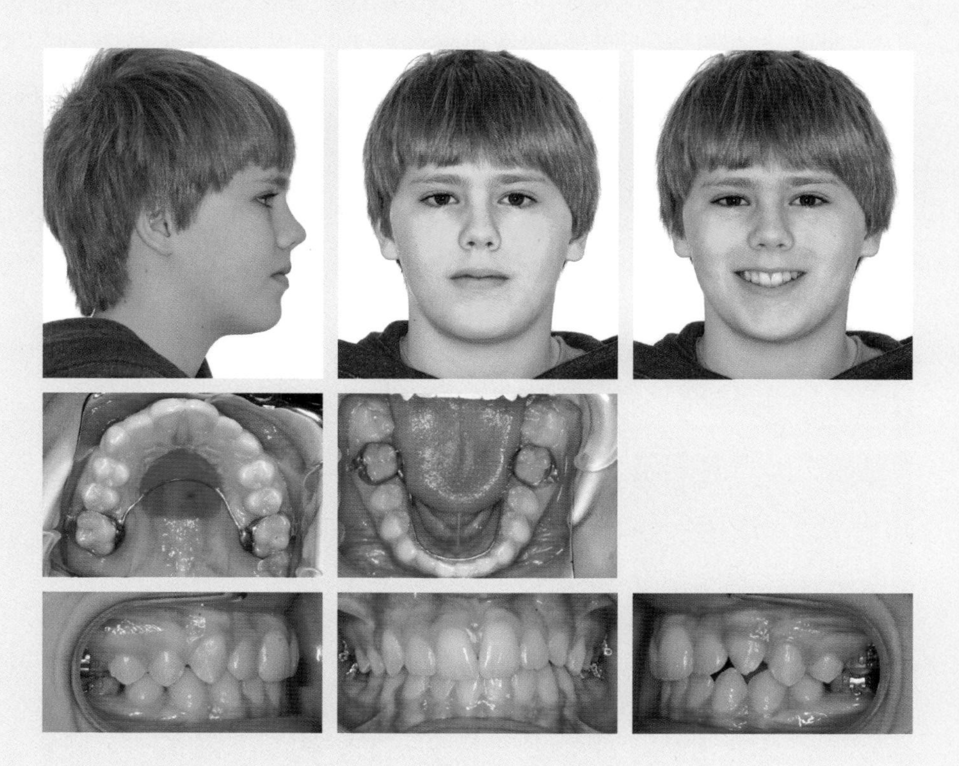
그림 5.23

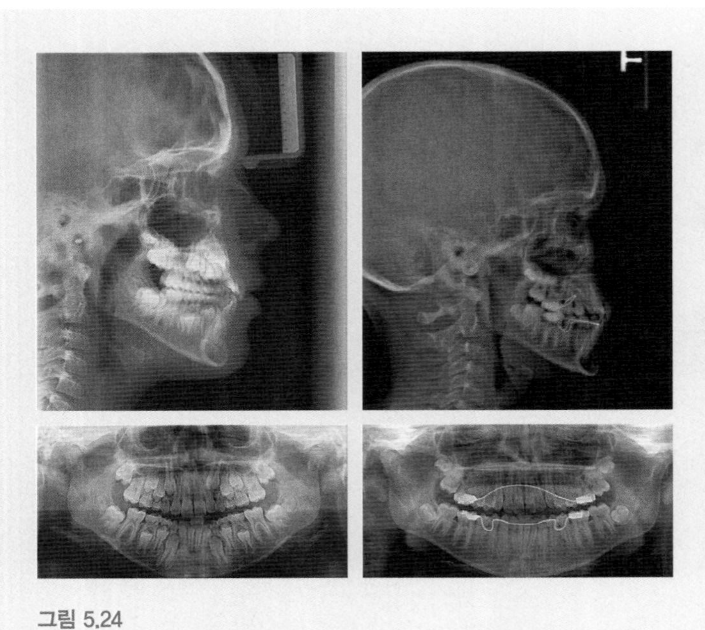

	Norms	Pre	Post
SNA	82	82.9	84.0
SNB	80	80.4	81.5
ANB	2	2.5	2.5
WITS	−1.0	−2.1	−4.9
FMA	25	29.9	28.3
SN−GoGn	32	35.1	29.5
U1−SN	105	106.0	100.7
IMPA	95	84.8	83.6

그림 5.24

환자 2

9세 여환으로 상악궁의 좌우측 차이를 주소로 내원하였다**(그림 5.25)**. 휭거 스프링(Finger spring)과 확장 스크류(expansion screw)가 포함된 간단한 Hawley 장치를 적용하여 상악 좌측 중절치의 반대교합을 개선하고자 하였다.

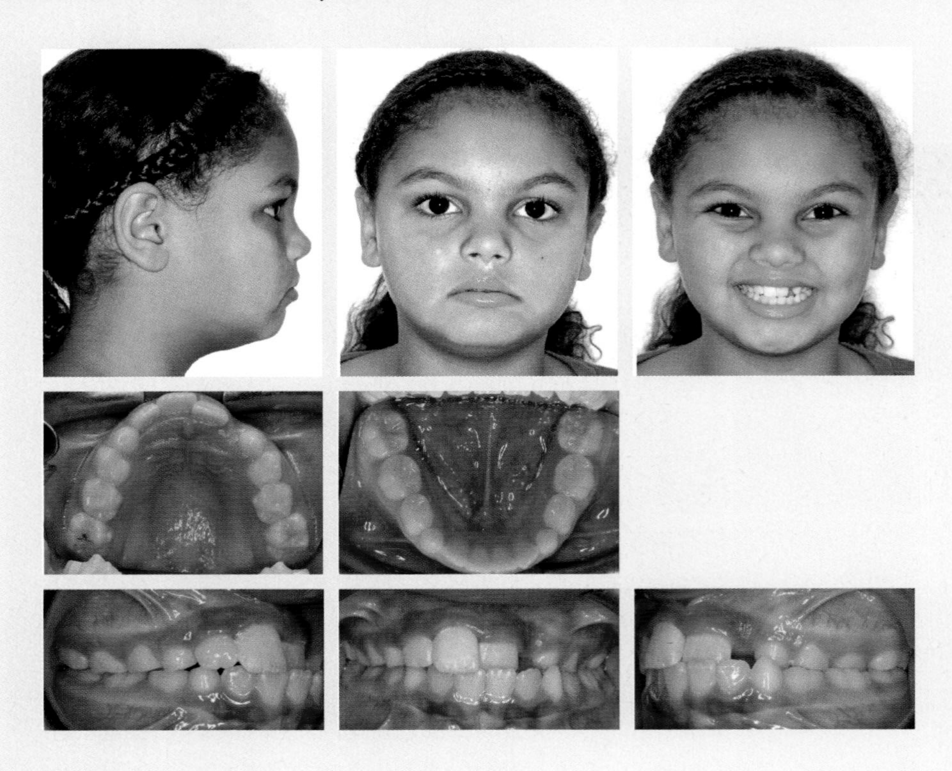

그림 5.25

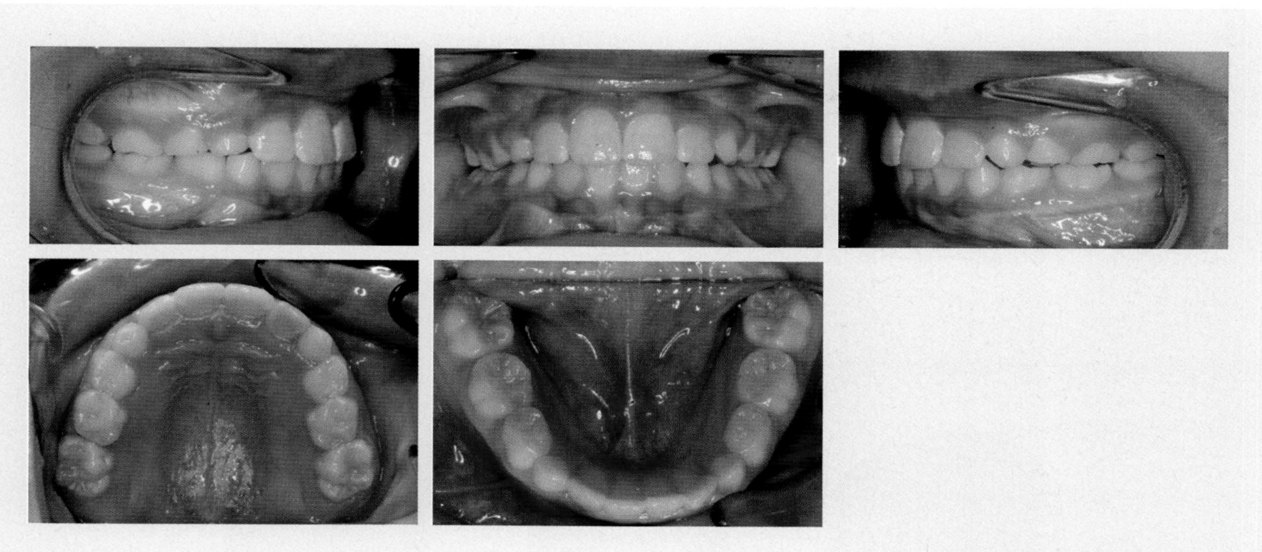

그림 5.26

장치는 일주일에 두 번 횡적으로 확장하였고 횡거 스프링은 진료시 활성화하였다. 치료과정은 성공적이었으나, 상악 좌측 측절치 또한 반대교합으로 맹출하였다. 2 X 4 장치를 적용하여 단기간에 수정하였다**(그림 5.26)**. 총 치료 기간은 약 12개월이었다. 그림 5.27에서 환자의 측모 두부계측방사선 사진과 그 계측치, 파노라마 방사선 사진을 볼 수 있다.

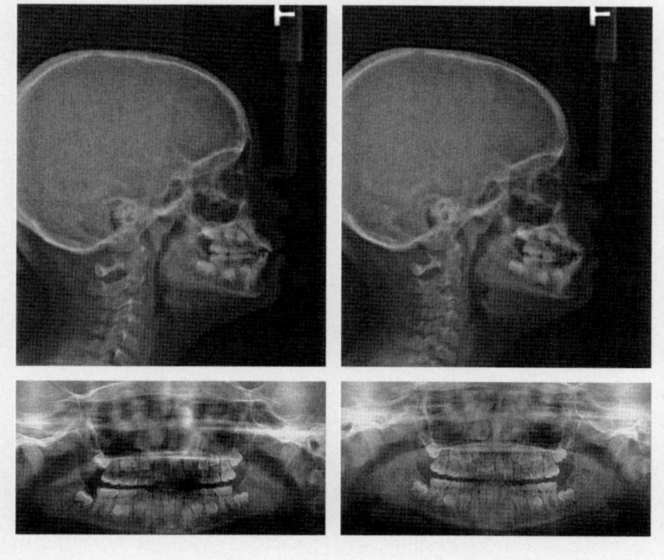

	Norms	Pre	Post
SNA	82	77.7	84.7
SNB	80	778.1	81.1
ANB	2	−0.4	3.6
WITS	−1.0	−2.0	0.5
FMA	25	9.9	10.9
SN−GoGn	32	24.4	21.8
U1−SN	105	112.0	117.2
IMPA	95	105.2	104.3

그림 5.27

환자 3

8세 2개월의 남아로 전치부 반대교합에 대한 평가를 위해 내원하였다(**그림 5.28**). 초진 시 환자는 Ⅲ급 부정교합으로 발육하는 것으로 보였다. 환자의 가족력이나 기능성 진단(CR 대 CO)을 포함한 심도있는 평가 후 급속 상악 확장 장치(rapid maxillary expander; RME)와 훼이스 마스크(face mask)로 치료를 시작하기로 하였다(**그림 5.29**). 전치부 반대교합은 빠르게 수정되었고, 3개월만에 훼이스 마스크를 중단하였다. 2 X 4 장치를 적용하여 치아를 배열하고 RME를 제거하였다(**그림 5.30**). 9세에, 유지를 시작하여 관찰하였다. 교합은 잘 발달하고 있었고 추후 2차 치료의 필요성에 대해 재평가할 것이다. 그림 5.31에 환자의 측모 두부계측방사선 사진과 계측치를, 그림 5.32에서 관찰 기간 동안의 유지상태를 확인할 수 있다.

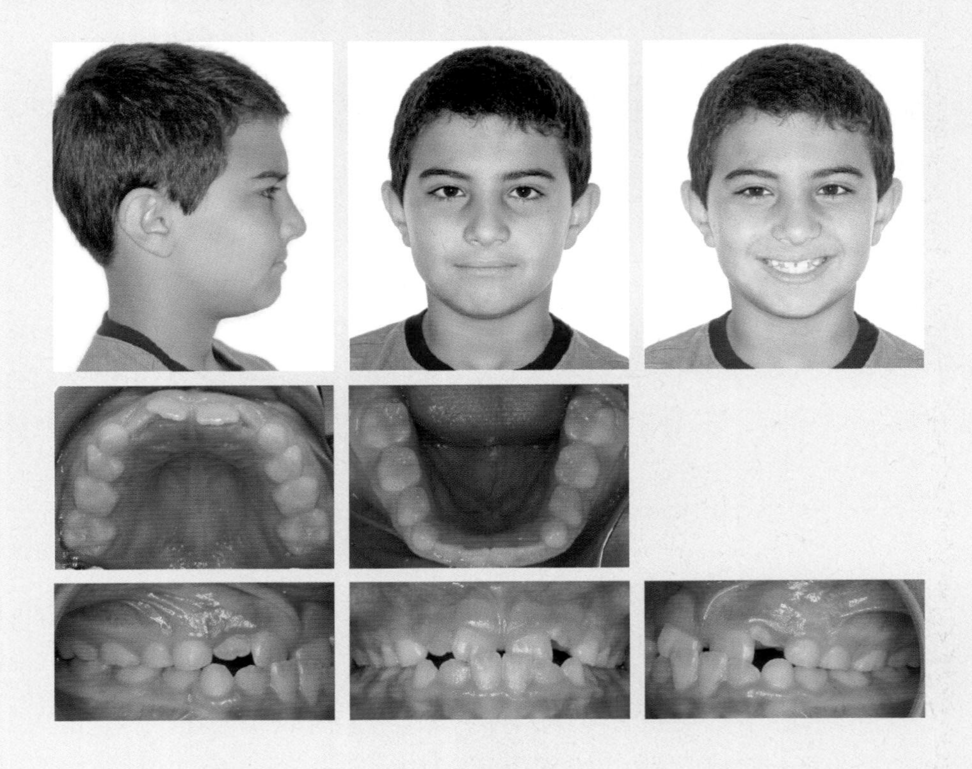

그림 5.28

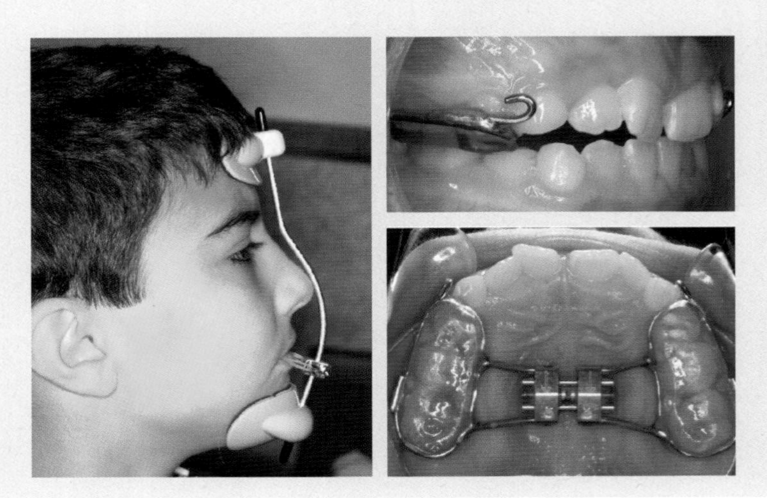

그림 5.29

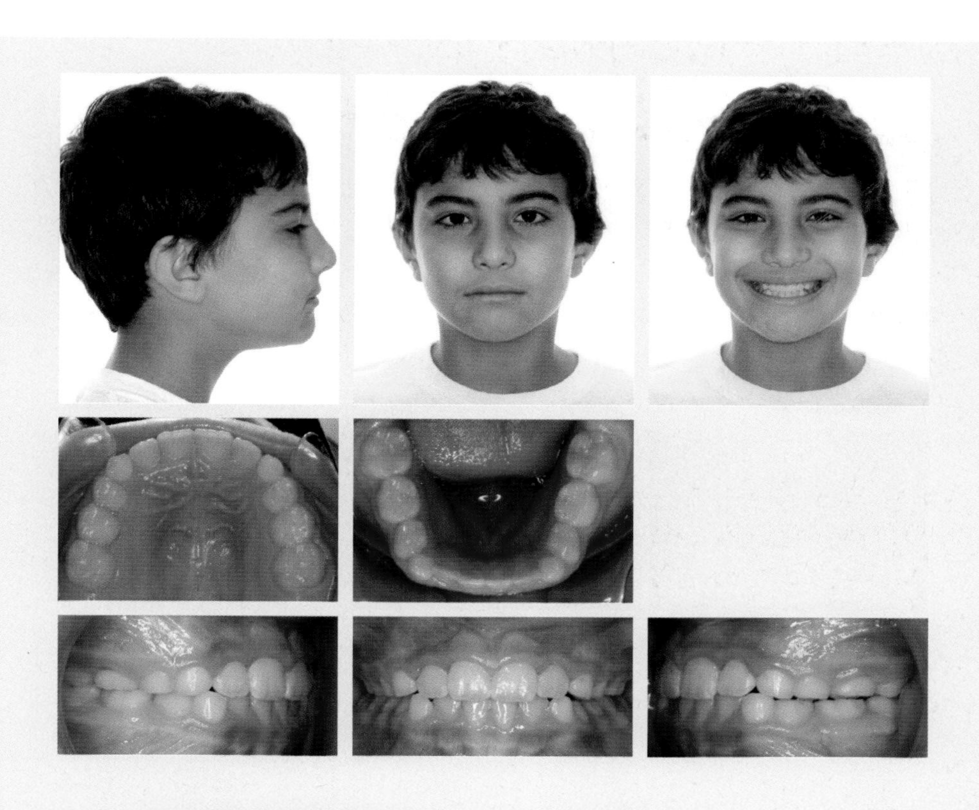

그림 5.30

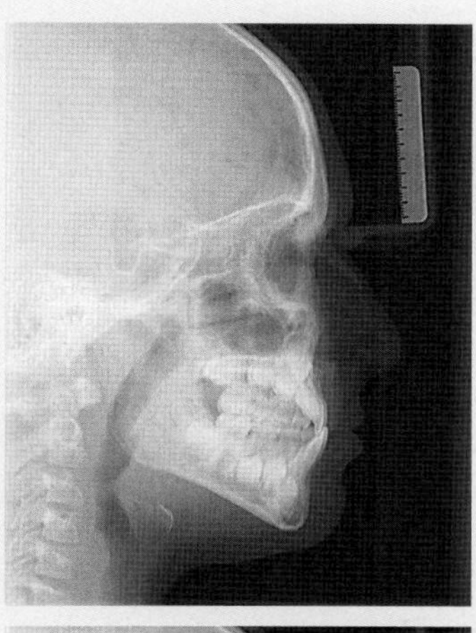

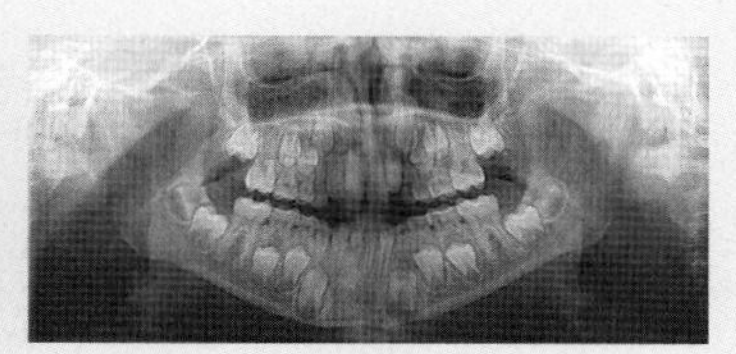

	Norms	Pre	Post
SNA	82	79.4	82.2
SNB	80	78.1	78.6
ANB	2	1.3	3.6
WITS	−1.0	−1.6	0.1
FMA	25	28.3	30.9
SN−GoGn	32	30.7	31.0
U1−SN	105	102.1	103.7
IMPA	95	93.1	87.8

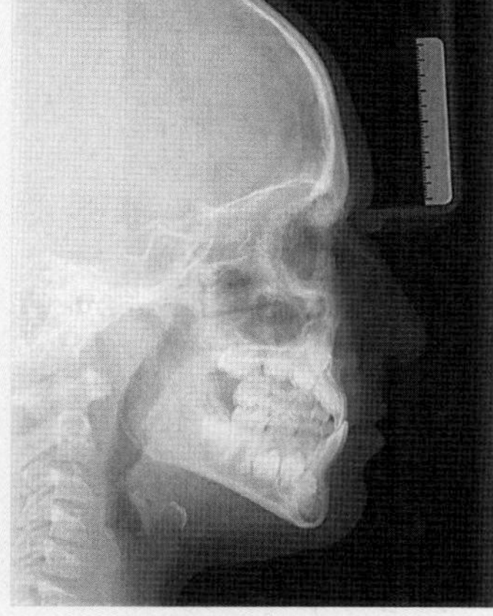

그림 5.31

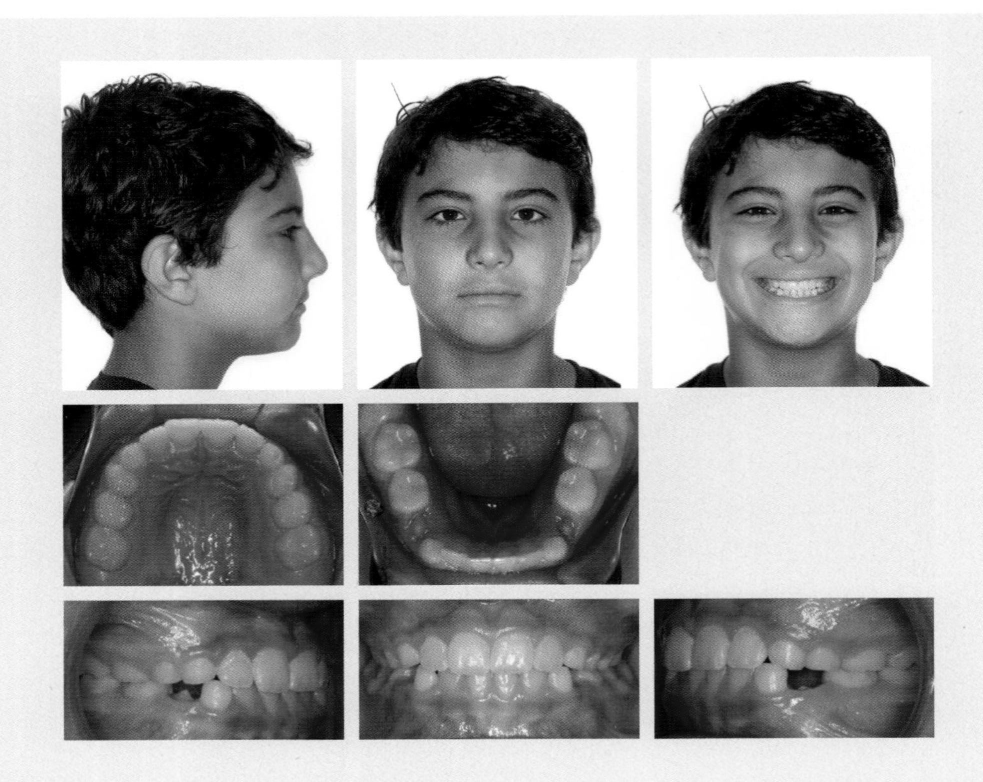

그림 5.32

환자 4

9세의 여아가 편측성 반대교합으로 내원하였다**(그림 5.33)**. 작은 확장 장치(mini expander)를 장착하고 하루에 한 차례 활성화하였다**(그림 5.34)**. 확장하여 반대교합을 수정한 후, 6주 간 휴지기를 두어 정중구개봉합이 재구성될 수 있도록 하였다. 확장 장치는 16~20주정도 제위치에 유지하였다. 상악 확장을 중단한 후 6주에, 2 X 4 장치를 적용하여 짧은 기간 안에 전치부를 배열하였다**(그림 5.35)**. 그림 5.36을 통해 1차 치료의 결과를 확인할 수 있고 유지장치를 혼합 치열기동안 권고하였다. 자료들은 그림 5.37을 통해 확인 할 수 있다.

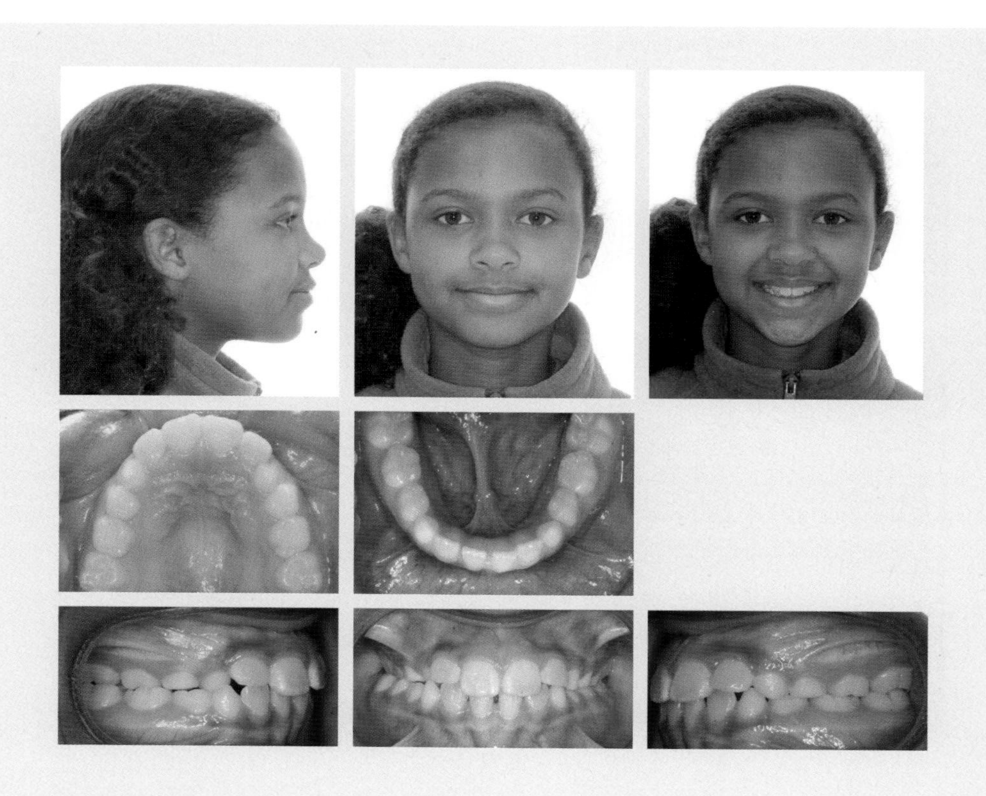

그림 5.33

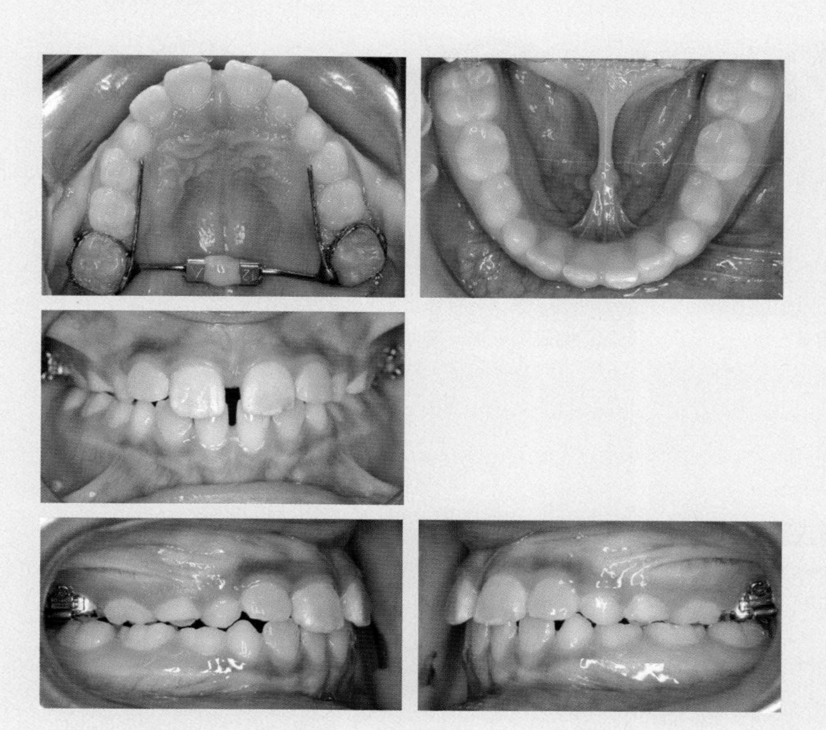

그림 5.34

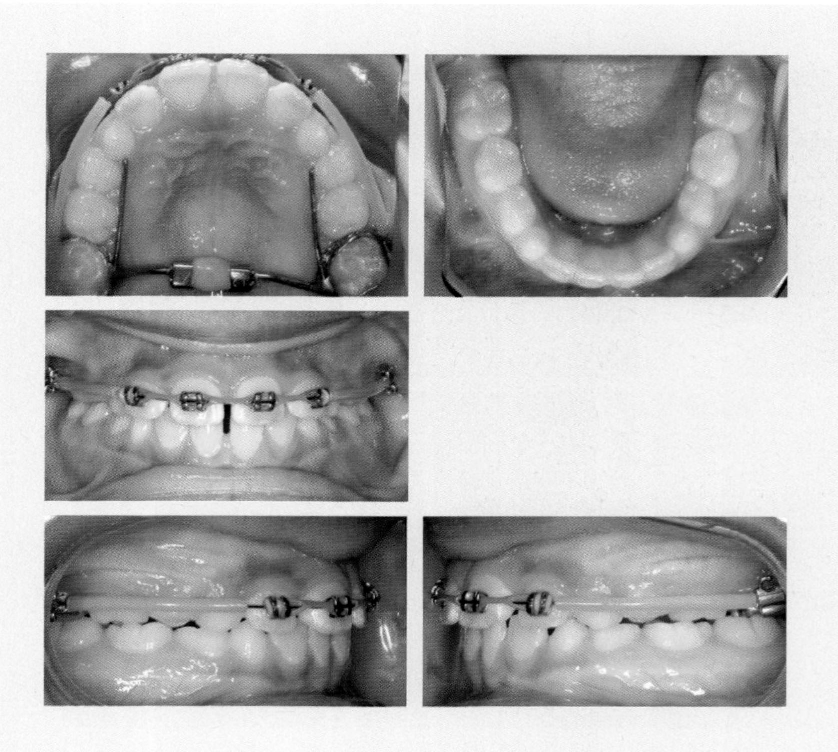

그림 5.35

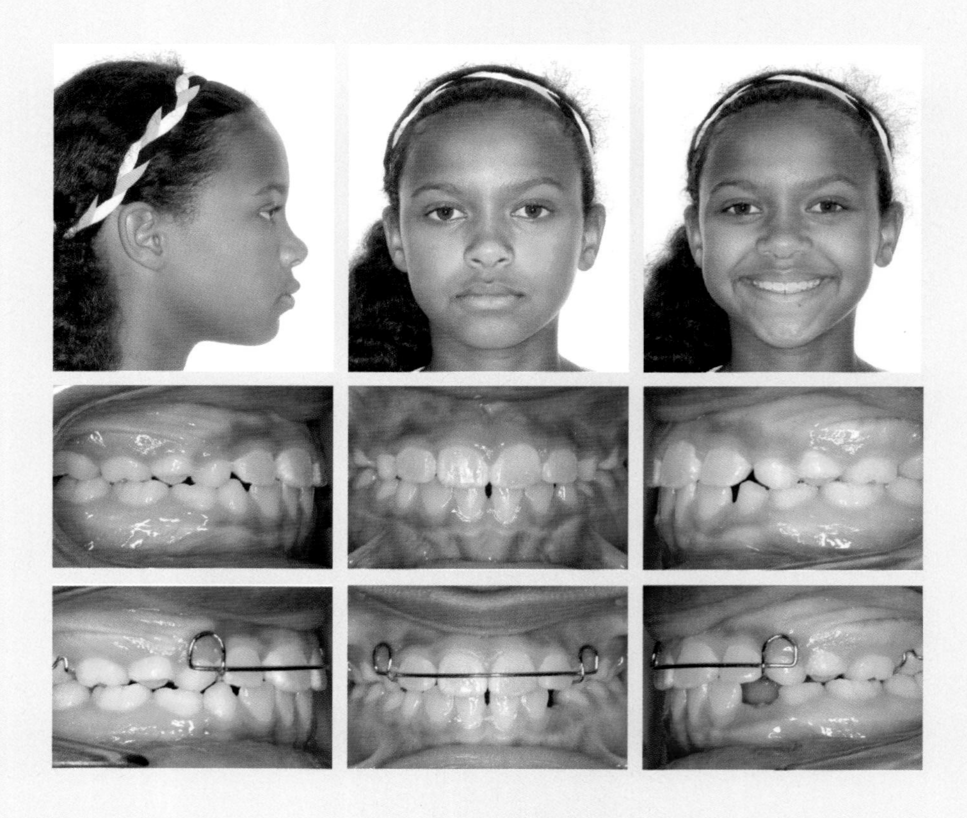

그림 5.36

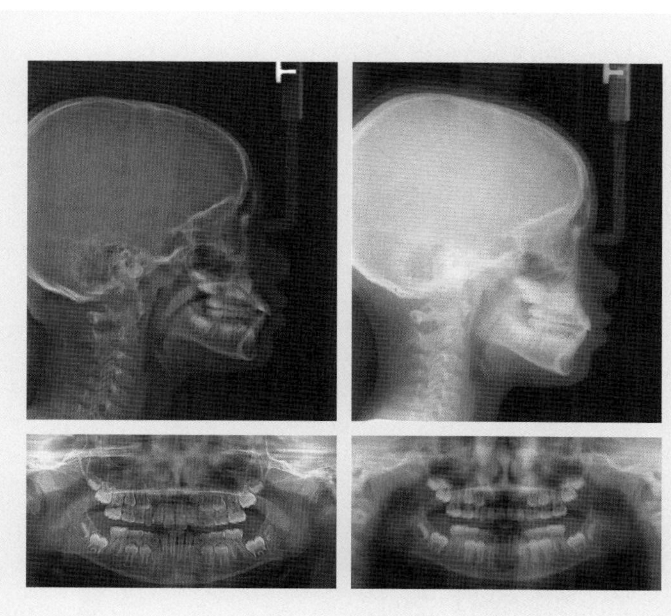

	Norms	Pre	Post
SNA	82	81.9	80.8
SNB	80	79.0	76.9
ANB	2	2.9	4.0
WITS	−1.0	−1.9	−1.0
FMA	25	22.0	21.5
SN−GoGn	32	30.7	32.9
U1−SN	105	11.4	107.0
IMPA	95	92.9	96.0

그림 5.27

환자 5

9세 남아가 편측성 기능적 반대교합으로 내원하였다**(그림 5.38)**. CO와 CR시 교합이 그림 5.38e와 그림 5.38g를 통해 확인할 수 있다. 상악 확장이 완료된 후, 관찰 기간을 가졌다. 최소한의 개입으로 긍정적인 결과를 얻었다. 최종 모습을 그림 5.39에서 확인할 수 있다.

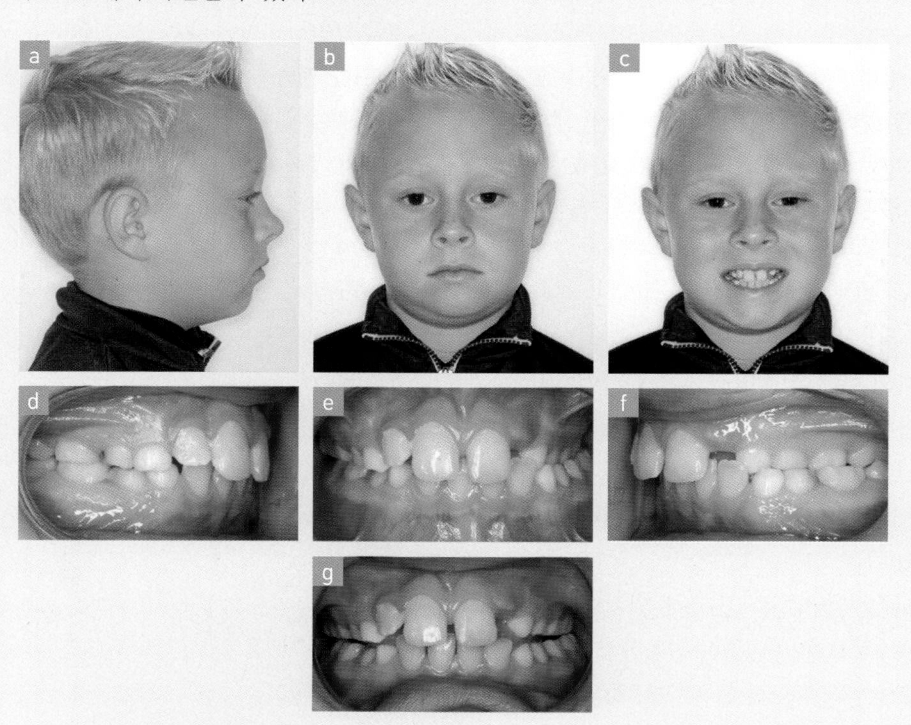

그림 5.38

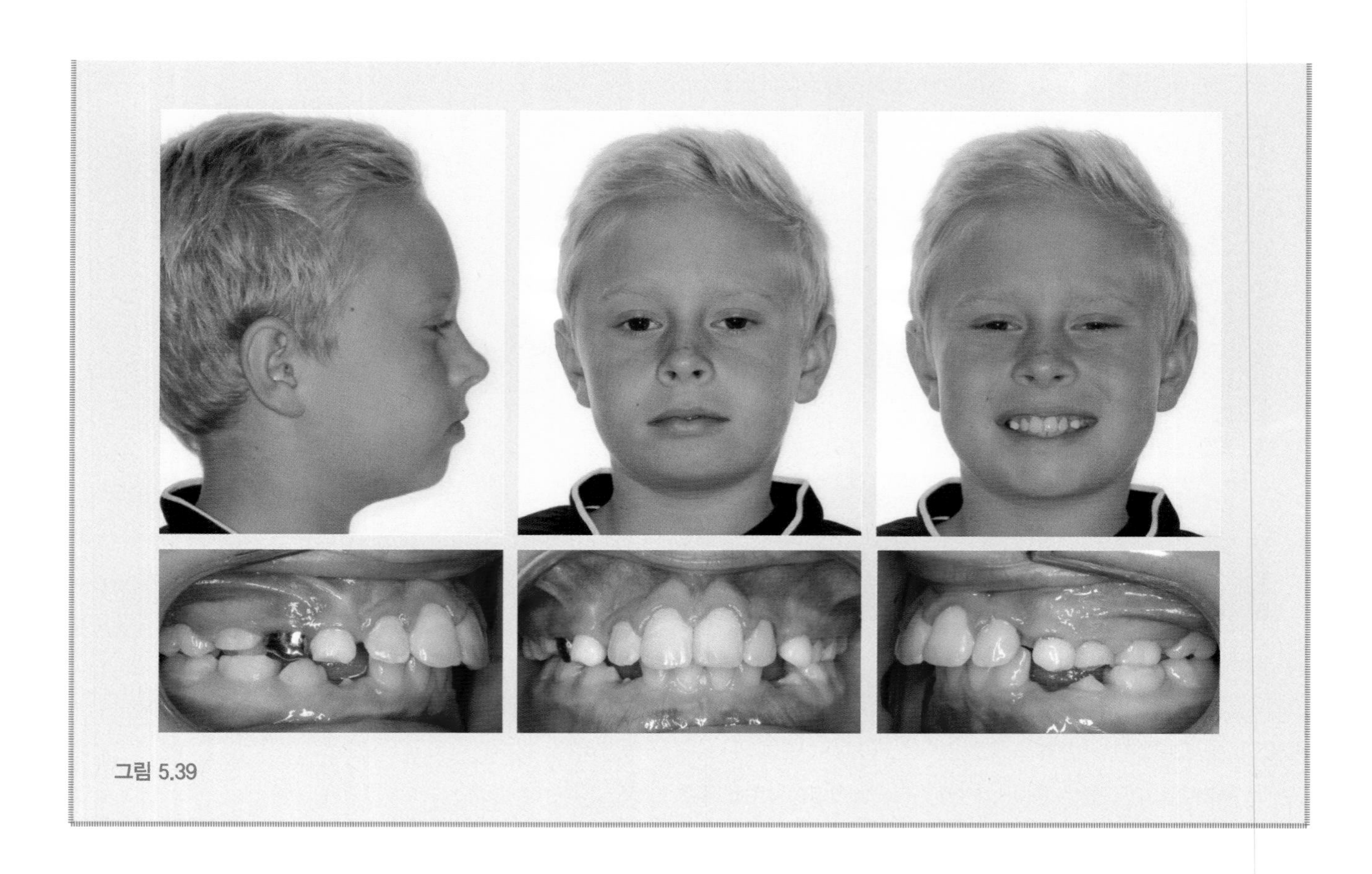
그림 5.39

하악궁에서의 공간 획득

유치열에서 영구치열로 이행하는 동안 하악궁의 공간 획득은 횡적 또는 전후방적 확장을 통해 얻어질수 있다. 횡적인 측면에서 립 범퍼(lip bumper)는 안정적인 결과를 제공할 수 있는 장치로 받아들여진다[37]. 이 장치에 대한 개념은, 하순과 볼의 근육을 하악 치열로부터 떨어지게 하여 내적, 외적 근력이 이루고 있는 평형을 깨뜨리고, 혀에 의해 하악 치열이 확장되도록 하는 것이다. 또한, 연하시 립 범퍼에 대한 하순의 압력을 하악 대구치로 바로 전달하여[38], 대구치에 약간의 후방이동과 원심경사를 일으켜 결과적으로 악궁 길이가 증가된다**(그림 5.40)**.

립 범퍼는 절치 치관 높이에 따라 다른 높이로 위치할 수 있다-절치 치관의 절단면1/3, 중간1/3, 치은1/3[39]. 만약 절단면 1/3에 위치된다면, 하순이 립 범퍼를 들어올려 구치를 직립시키는 힘이 발생된다. 중간 1/3에 위치되면, 원하는 효과에 따라 다를 수 있지만, 입술이 절치에서 떨어지게 되어 절치가 순측으로 이동하도록 허용한다. 치은 1/3이나 전정쪽의 하방으로 위치되면, 입술이 립 범퍼를 덮어 절치와 접촉하게 되므로 절치의 이동이 최소화된다[39,40].

립 범퍼의 효과에 대한 초기 연구들 중 하나에서, 하순과 절치를 계속적으로 떨어뜨리기 위해 강한 턱끝 근육을 가진 환자들에게 립 범퍼를 사용하였다. 부가적인 효과로, 이 환자들에서 악궁길이가 증가되었다. 두부계측방사선사진을 이용하여 25명의 환자를 연구한 결과, 악궁 길이의 증가는 절치의 순측 이동보다는 구치의 후방이동과 직립에 의한 것이라는 결론이 내려졌다. 또한 효과적으로 사용될

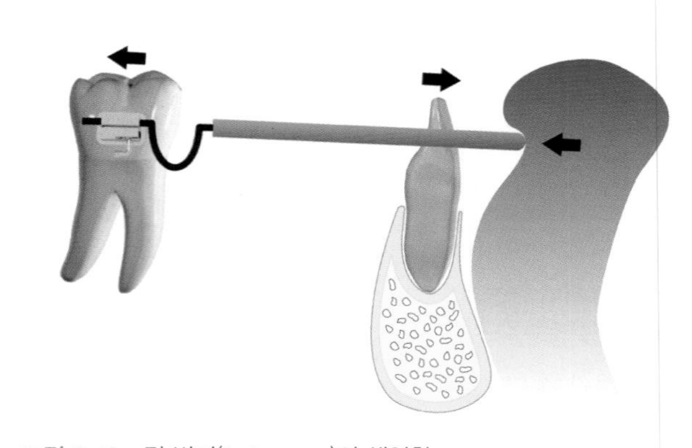
그림 5.40 립 범퍼(lip bumper)의 생역학.

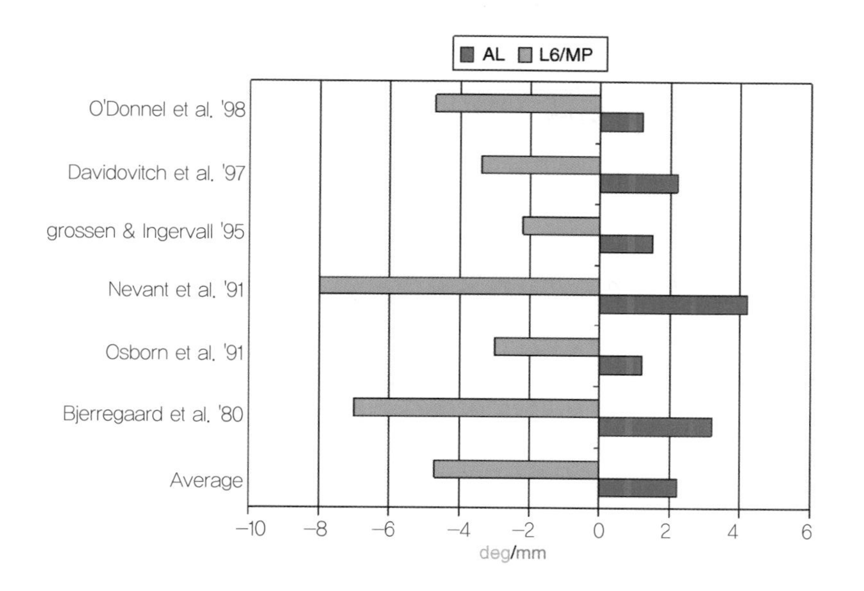

그림 5.41 악궁길이와 하악평면에 대한 하악구치에 대해 립 범퍼가 갖는 효과.

경우, 일반적으로 하악궁이 만족스럽게 레벨링되었다[38].

악궁크기의 변화

립 범퍼는 악궁크기의 유의한 변화를 유발할 수 있다. 연구논문과 리뷰논문 모두에서 이러한 변화에 대한 충분한 근거들을 찾을 수 있다. 그림 5.41~5.44를 종합하면, 매우 중요한 연구 결과가 도출된다. 이 연구들은 교정 문헌에 중요한 공헌을 한 것으로 고려된다[41~51].

악궁길이와 하악구치/하악평면

악궁길이(arch length; AL)와 하악평면(mandibular plane; MP)에 대한 제1대구치(L6/MP)에 대해 립 범퍼가 갖는 효과를 그림 5.41에 나타냈다.

악궁길이와 하악전치/하악평면

악궁길이(AL)와 하악평면에 대한 하악전치의 각(IMPA)에 대해 립 범퍼가 갖는 효과는 그림 5.42에 나타난다.

횡적변화

견치간, 구치간 폭경에서 횡적인 악궁크기에 대한 립

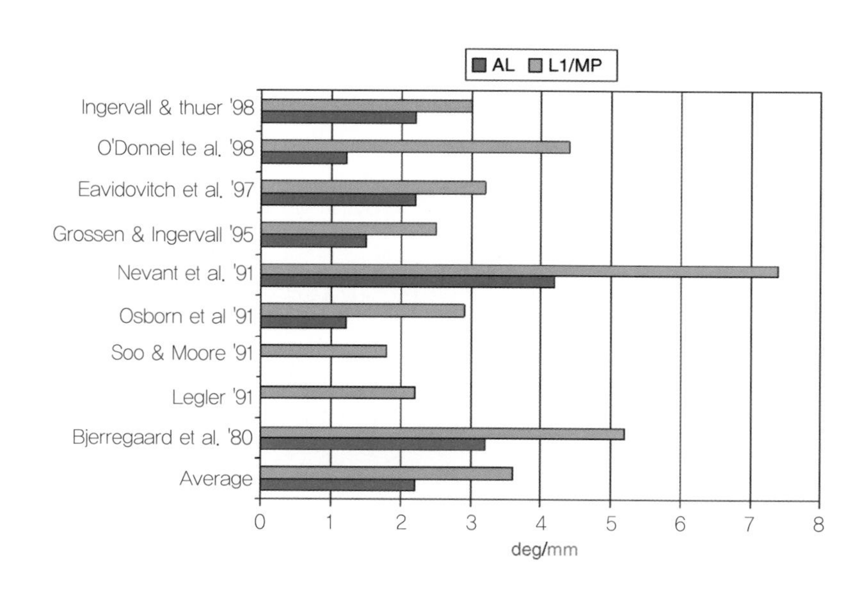

그림 5.42 악궁길이와 하악평면에 대한 하악전치에 립 범퍼가 갖는 효과.

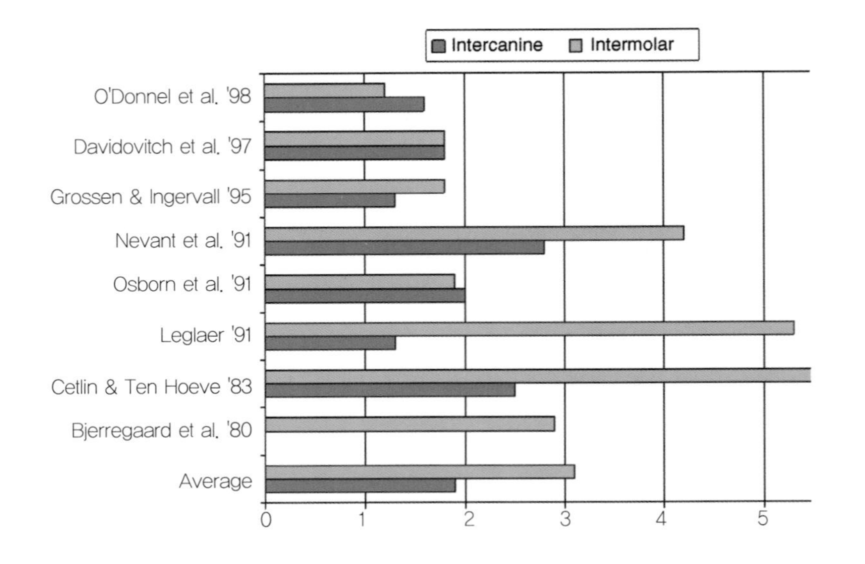

그림 5.43 견치간, 구치간 수준의 횡적인 악궁 크기에 대한 립 범퍼의 효과.

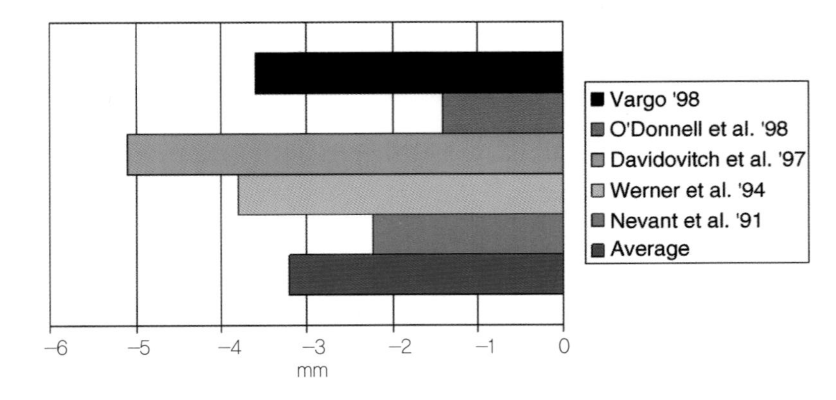

그림 5.44 불규칙 지수에 대한 립 범퍼의 효과.

범퍼의 효과는 그림 5.43에 나타난다.

전치 불규칙지수 변화

그림 5.44는 립 범퍼 치료에 따른 하악 전치 불규칙성의 변화를 보여준다. 이러한 변화는 하악 평면에 대한 하악 구치와 전치의 관계뿐만 아니라 횡적 크기의 증가에도 기여한다.

Schwarz 장치

상·하악궁의 발달을 개선하기 위한 다른 대중적인 장치로는 Schwarz 장치가 있다(**그림 5.45**). 이 하악장치는 오랫동안 사용되었으며, 횡적인 치아 확장을 촉진한다. 일반적으로 활성 스크류(activation screw)와 구치부 클래스프로 구성되며 순측보우(labial bow)는 없다. 만약 부가적인 유지력이 필요하다면 순측보우를 추가할 수 있는데, 이렇게 하면 횡적 확장에 대한 전치의 반응을 방해할 가능성이 있다. 이 장치는 효과적인 치료로 인식되고는 있지만, Schwarz 장치는 협조도가 좋아야 확장의 효과를 얻을 수 있다.

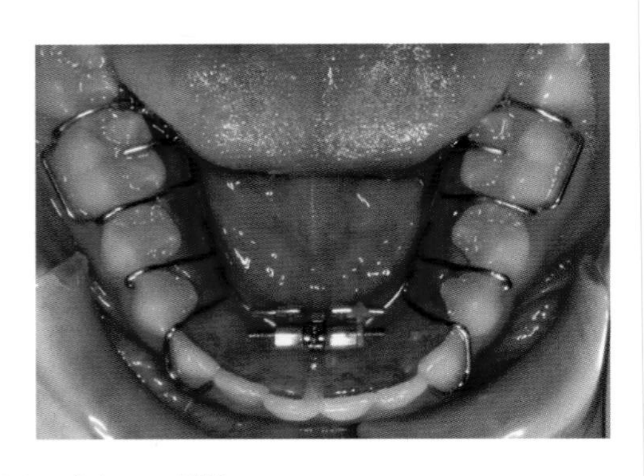

그림 5.45 Schwarz 장치.

2 X 4 고정성 치료

2 X 4 장치는 상악 절치의 본딩, 제1대구치에의 본딩이나 밴드, 그리고 연속호선으로 구성된다. 일반적으로 혼합치열기에 사용되고, 주로 절치의 배열 및 절치 반대교합과 다른 불규칙성을 수정하기 위해 사용된다. 2장에서 언급한 것처럼, 이 유형의 치료는 꼭 필요한 경우에만 시작되어야 한다. "미운 오리새끼" 단계에서 나타나는 약간의 불규칙성은 교합의 정상적 발달의 일부분이다. 이 장치는 다른 방법에 비해 전치 위치를 잘 조절할 수 있다는 장점이 있고, 적응이 쉽고, 환자가 장치를 조정할 필요가 없으며, 치아의 빠르고 정확한 배열을 가능하게 한다 [57]. 이 장치를 사용할 때 맹출 중인 견치와 상악 측절치 치근과의 관계를 주의깊게 관찰하도록 권고한다. 많은 증례들에서, 치근 각도의 변화가 의원성일 가능성이 있다. 브라켓 각도를 적절히 부여하여 측절치 치근의 손상을 피하도록 한다. 2 X 4 치료의 도해는 앞서 소개된 증례에서도 찾아볼 수 있을 것이다.

환자 6

한 환자가 치료가 필요한지 여부를 평가 받기 위해 본원으로 의뢰되었다. 그 당시 환자는 10세 2개월의 혼합치열기 단계로, 모든 제1대구치와 절치들이 맹출하였다. 구치는 Ⅰ급관계였으나, 절치들은 Ⅱ급 2류 부정교합, 심한 과개교합, 직립된 절치, 총생을 보이고 있었다**(그림 5.46)**. 상악에 2 X 4**(그림 5.47)**, 하악에 립 범퍼 장치를 이용한 1차 치료가 추천되었다. 1차치료 종료시기에 환자는 완벽한 배열을 보였다. 그림 5.48은 각기 다른 발달 단계에서 립 범퍼만으로 치료한 순차적인 모습을 보여준다. 유지는 교합판(bite plate)을 가진 Hawley로 하였다**(그림 5.49)**. 고정성 장치를 이용한 2차치료는 복잡하지 않았으며, 환자는 안정된 교합을 갖게 되었다**(그림 5.50)**.

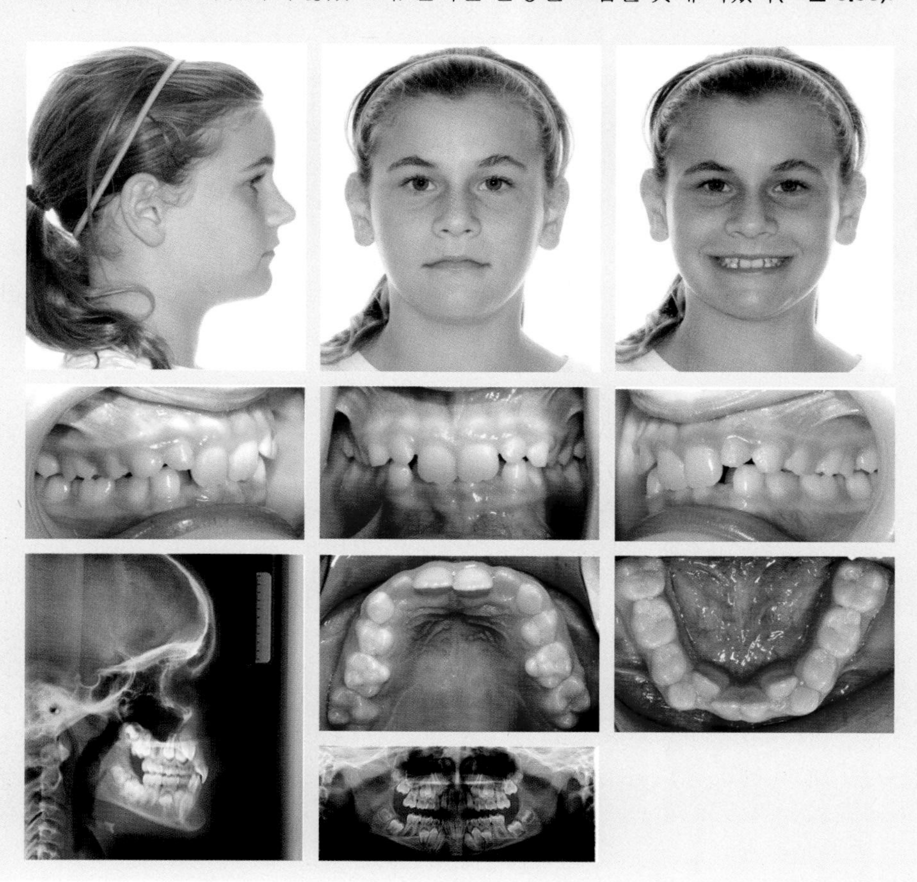

그림 5.46

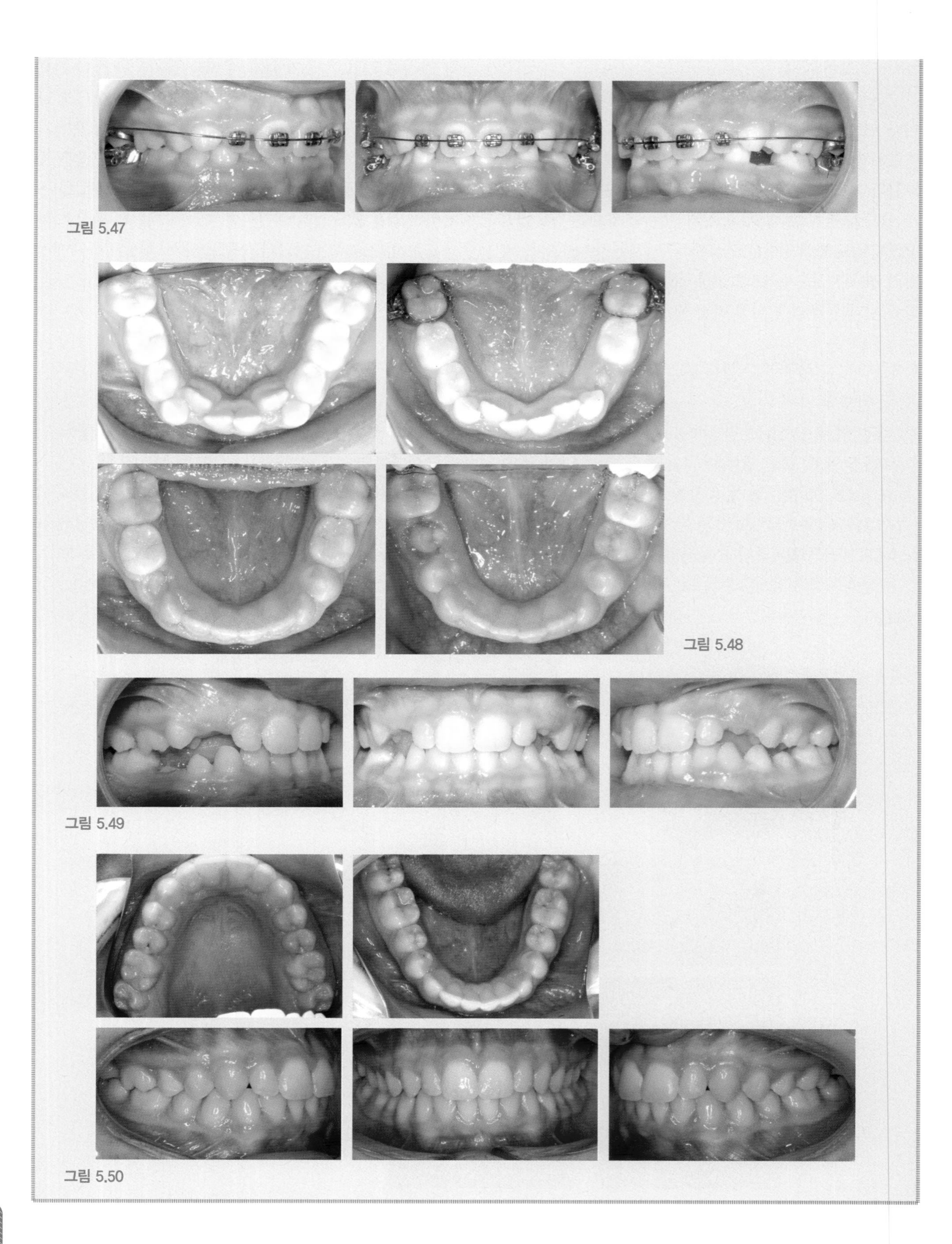

그림 5.47

그림 5.48

그림 5.49

그림 5.50

환자7

10세 2개월의 남아로 치성 Ⅱ급 1류 부정교합, 심한 과개교합, 큰 수평피개, 파절된 상악 절치를 가지고 있었으며 자신의 치아를 바로잡기를 원했다. 정면 미소에서 명확한 전돌을 보였고, 치료를 받고 싶어하는 환자의 마음을 알 수 있었다**(그림 5.51)**. 상악 확장후 뒤이어 2 X 4 장치를 적용하고, 동시에 하악에 립 범퍼의 사용할 것을 계획하였다**(그림 5.52)**. 환자 가족은 1년 이하의 치료 기간에 동의하였다. 립 범퍼의 효과는 그림 5.53에서 확인할 수 있다. 평가시, 영구치가 빠르게 맹출하고 있었기 때문에, 치료가 개입되지 않도록 하였다. 전악장치를 장착할 수 있을 때까지, 환자를 적극적으로 관찰하기로 하였다.

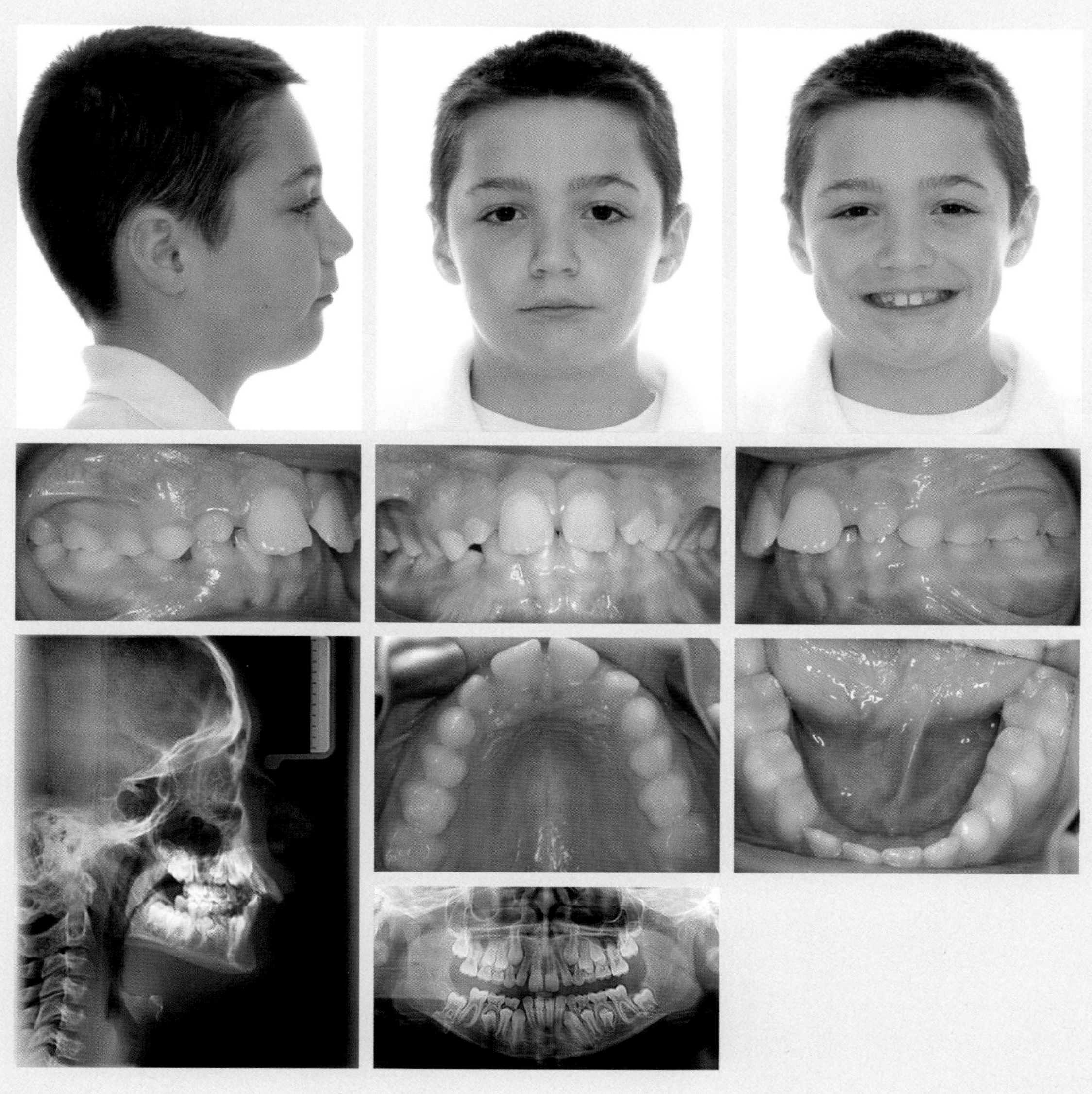

그림 5.51

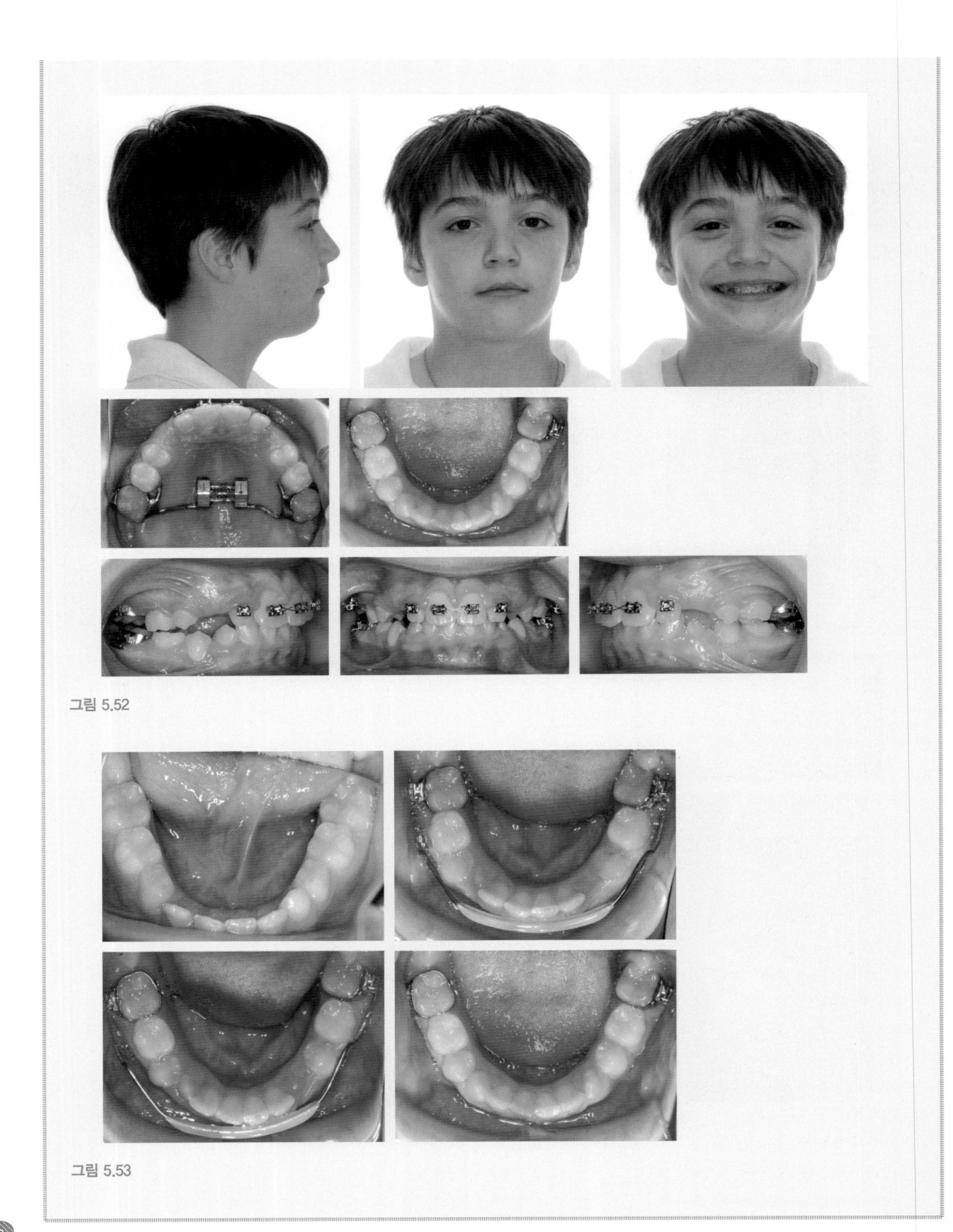

그림 5.52

그림 5.53

환자8

5세 6개월의 남아가 평가를 위해 내원하였다. 그의 어머니는 아이의 교합을 걱정하였고, 지금이 치료의 적절한 시기인지를 알고 싶어했다. 아이의 의료기록을 검토하고 구강 내 검진 후, 편측성 Brodie(협측) 교합으로 진단하였다**(그림 5.54)**. 제안된 치료계획은 립 범퍼를 이용하여 점진적으로 확장하는 것이었다**(그림 5.55)**. 상악궁에는, 치료를 지연시킬 수 있는 교합 간섭을 제거하기 위해 Essix가 추천되었다**(그림 5.56)**. 짧은 기간 내에, Brodie 교합이 수정되었고 유지를 위해 HLLA를 사용하였다. 그림 5.57은 보다 향상되고 안정된 모습을 보여준다.

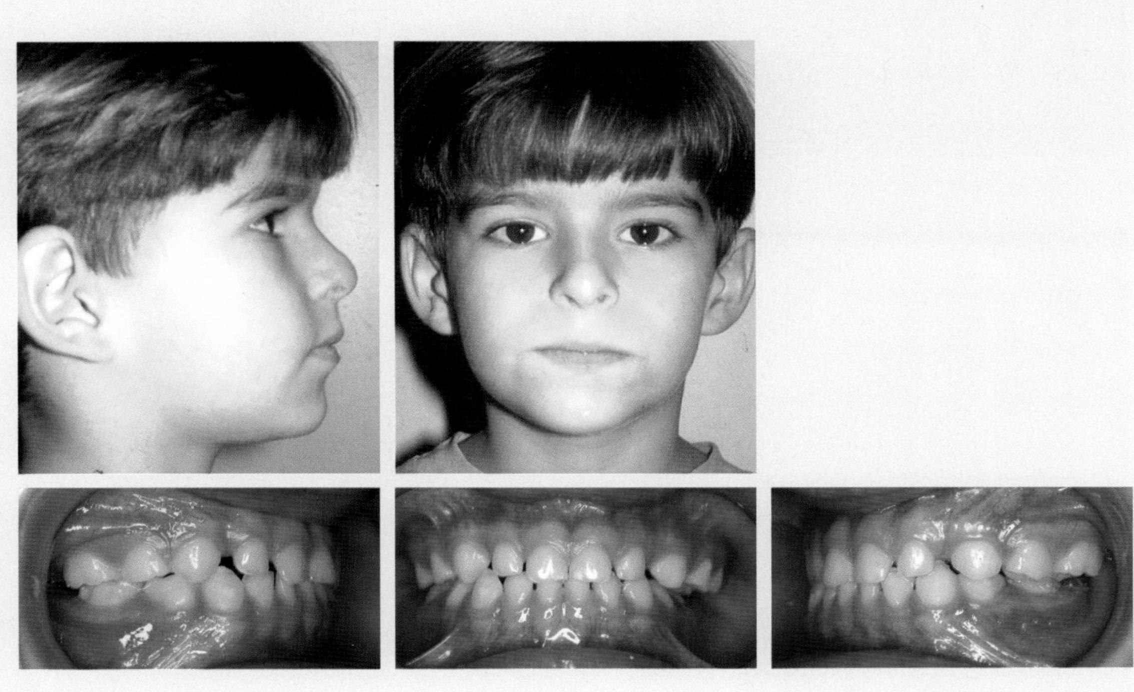

그림 5.54

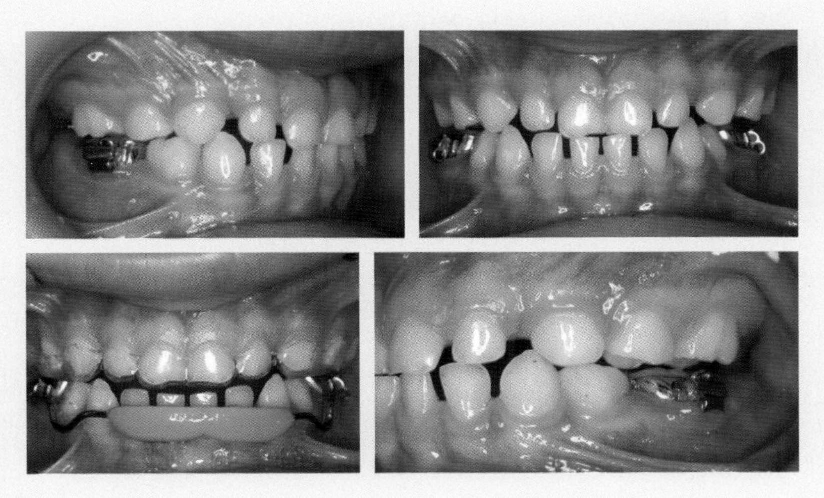

그림 5.55

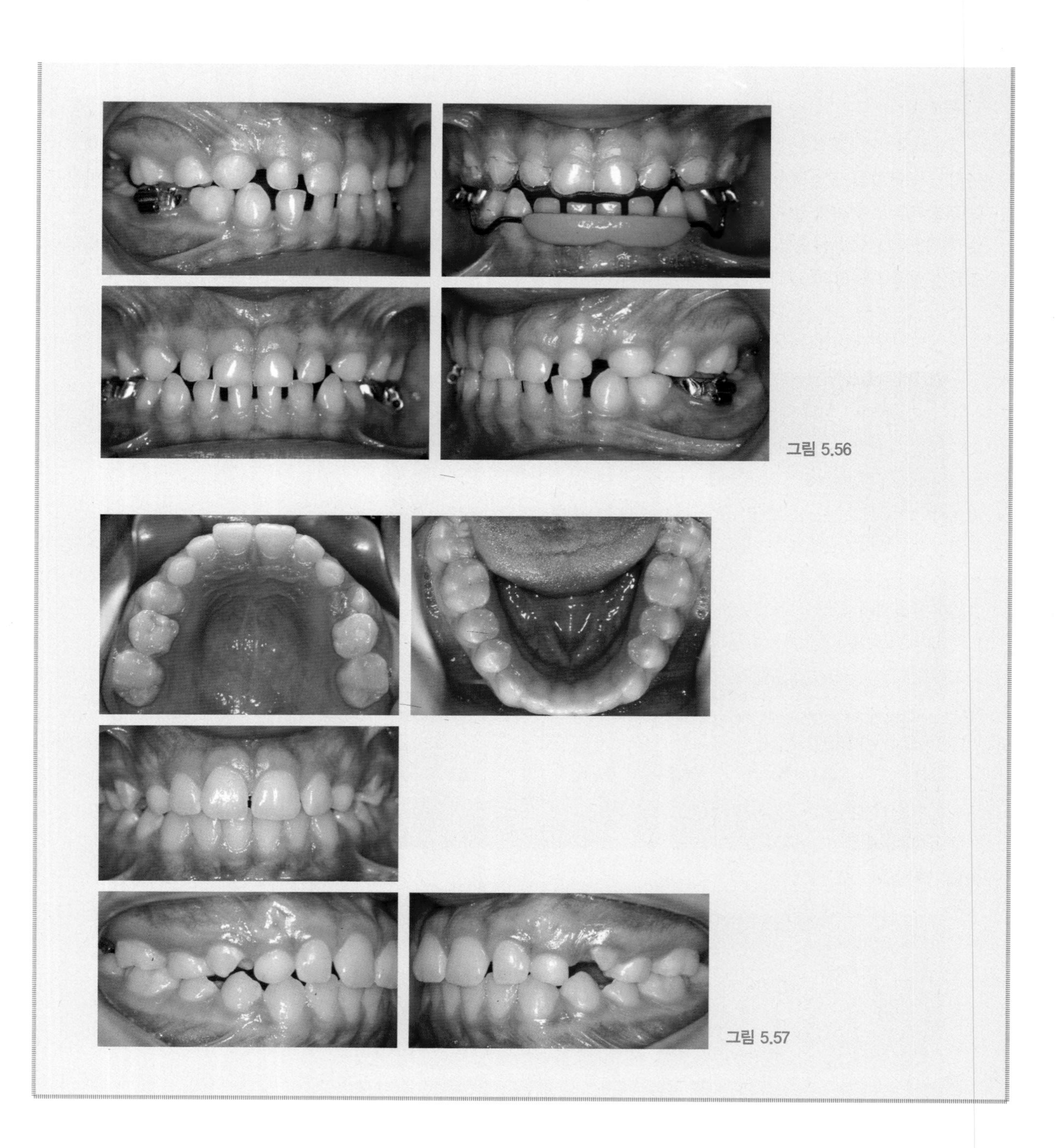
그림 5.56

그림 5.57

5.6.4 심각한 TSALD: 연속발치술의 기초

총생이 8~10mm가 넘는 부정교합은 심각한 것으로 인식되어야 하고, 일반적으로 보다 포괄적인 치료 계획을 필요로 한다. 효과와 효율이라는 치료개입의 기본에 적용할 때, 이 카테고리에 속하는 증례들은 다소 어려워진다. 효율이라는 것이 짧은 시간에 가능한 최고의 결과를 얻는 것이라고 할 때, 연속발치술(serial extraction)이라 명명된 유치와 영구치의 조기발치는 효율이라는 원칙에는 맞지 않을 수도 있다. 이 치료로 뛰어난 결과를 얻을 수는 있지만, 치료기간이 길어서 환자와 가족의 인내와 이해가 필요하다.

연속발치술은 혼합치열기에서 유치와 영구치의 시기 적절한 발치로 표현되어 왔었다. 1743년, Robert Bunon[58]은 영구치열기의 교합을 개선하기 위해서 유견치의 발치에 이은 소구치의 발치를 주장하며 최초로 혼합치열기에서 발치를 이용하였다. 이후, 다른 저명한 저자들도 이 방법을 추천하였다[59,60].

연속발치술이란 용어는 1950년쯤 Kjellgren가 도입하였고[61], 특정한 유치의 발치와 그 후 몇몇 영구치의 발치로 구성된다. Hotz[62]는 연속발치술이란 용어를 반대하면서, "발치에 의한 치아 맹출의 적극적 감리"라고 명명하였고 후에 "치아 맹출 혹은 맹출 유도의 적극적 감리"로 변경하였다. 1970년, 그는 "Guidance of eruption versus serial extractions"이란 논문에서, "연속발치술"이란 용어는 부적절하다면서, 오해를 불러일으킬 수 있고 심지어 위험한 용어라고 하였다[63].

연속발치술이란 용어는 점진적인 맹출 혹은 맹출 유도란 용어 대신에 널리 채택되고 있다[64-76]. 교합에 대한 연속발치술의 효과에 대해 보고한 연구들은 많지 않다. Araújo[16]는 전향적인 연구를 수행하고 제1소구치 발치 후 1년 까지 치열궁과 교합의 양상을 분석하였다.

연속발치술(SE)의 적응증과 비적응증[16]

각각의 환자에 대한 포괄적인 분석이 완료되어야 한다. 연속발치술의 시작에 앞서, 환자의 정확한 기록을 수집해야 한다. 이 기록에는 일반적으로 모형, 파노라마 방사선사진, 측모두부방사선사진, 구외 및 구내사진이 포함된다. 이 모든 기록들은 목적을 가지고 있고 부정교합의 안모, 골격, 치성요소를 결정하는데 사용되어야 한다. 연속발치술 실행에 영향을 줄 수 있는 가이드라인을 다음과 같이 제시한다.

1 **안모 유형과 균형:** 이 술식의 적응증은 총생을 가진 Ⅰ급 부정교합 환자이다. 양호한 안모 균형은 Ⅰ급 부정교합을 가진 환자들에서 보통 발견된다. 연속발치술은 안모가 조화롭거나 약간의 돌출이 있을 때 가장 효과적인 것 같다. 심각한 상하 치조성 전돌에서의 연속발치술은 재평가 되어야 하는데, 그 이유는 전돌을 최대한 감소시키기 위해 발치 공간을 최대한 보존해야 하기 때문이다.
2 **골격적 부조화:** 연속발치술이 골격성의 Ⅱ급, Ⅲ급 부정교합을 개선할 수 없음을 확실히 해야 한다. 성장 중인 Ⅱ급 또는 Ⅲ급 부정교합에 이 술식을 사용하는 것은 신중하지 못하다.
3 **악궁길이나 치아크기의 부족:** 과거에는 7mm 정도 부족한 경우 연속발치술을 고려하였다[73]. 교정 진단과 기술의 진화–본딩, 치아 인접면 삭제, 인접면 우식의 제거, leeway 공간의 사용–로 현재는 10+mm의 총생에서 추천된다.

4에서 8까지의 항목은 연속발치술에 대한 다른 진단적 고려사항들이다.

4 **하나 또는 그 이상의 유견치의 조기상실과 정중선 변위:** 영구 절치의 맹출 공간 부족에 대한 우선적인 신호 중 하나는 유견치의 조기 상실 또는 변위이다. 흔히 정중선의 조기 변위가 나타난다.
5 **측절치의 매복이나 이소맹출:** 영구측절치는 거의 매복되거나 유착되지 않는다. 측절치가 맹출하는 동안 유견치를 대체하지 못할 경우, 측절치는 정상적인 맹출 경로로부터 이탈할 수도 있다.
6 **치은 퇴축과 치조 파괴:** 맹출 중인 절치들의 심한 총생은 치은 퇴축과 치은의 열개와 같은 치주문제를 유발할 수 있다.
7 **구치의 이소 맹출에 기인한 공간 상실:** 상하악 구치들이 이소맹출할 수 있고, 과도하게 근심 방향으로 맹출하면 영구치들을 위한 공간이 감소하게 된다.
8 **유구치의 유착에 이은 공간상실:** 치조골의 정상적인 수직적 발달이 유구치의 유착에 의해 약화될 수 있다. 유착 초기 단계에는 문제를 일으키지 않을 수도 있으나, 성장과 함께 영구치가 발달하면서 유착된 유치 주변의 영구치가 기울어지고 상당한 양의 공간이 손실될 수 있다.

연속발치술이 비적응증인 몇몇 예들을 강조할 필요가 있다: 중등도 총생, 선천적 결손치, 골격성 Ⅱ급, Ⅲ급 부정교합, 큰 정중이개, 깊은 피개교합, 주로 하악에서 설측 경사된 절치, 이와 관련된 기초 지식의 부족.

정상적인 전치 배열로 환자와 환자 가족에게 희열에 가까운 안도감을 주는 단계가 있다. 많은 사람들이 모든 것이 정말 잘 진행되어 교정적 조절이 필요없다고 믿게 된다. 4-6개월 주기의 내원을 포함하여, 치료의 각 절차를 따르지 않았을 때의 결과를 상세하게 기록한 동의서가 필요하다.

연속발치술에서 부가적인 중요 기본원리들

1 치열궁의 변화

치열궁의 자연적인 발달로 악궁 깊이와 둘레길이가 감소한다.

2 맹출 순서

영구치의 맹출 양상에 대한 가장 광범위한 연구 중 하나는 1963년 Lo와 Moyers에 의해 수행되었다[78]. 상악에서 가장 흔한 맹출 순서가 6, 1, 2, 4, 5, 3, 7이라는 것을 발견하였다. 이 순서는 조사된 환자의 약 48%에서 나타났다. 위에 기술된 상악 치아들의 맹출 양상은 연속발치술에 유리하다. 즉각적 결론으로, 상악에서는 맹출 양상이 보통 유리하게 작용하므로 교정의사가 연속발치술을 하는데 있어 문제를 유발하지 않는다. 반대로, 하악에서 영구치의 가장 흔한 맹순 순서는 6, 1, 2, 3, 4, 5, 7로 밝혀졌다. 그 당시, 46%에서 이 순서로 맹출하였다[79,80]. 거의 대부분의 환자에서 하악 영구 견치가 제1소구치보다 먼저 맹출한다. 이 양상은 연속발치술을 복잡하게 한다. 발치 순서를 결정하기 위한 특별한 결정이 필요하다.

3 맹출 시기에 영향을 주는 요소

구강으로의 치아 출현은 치근이 2/3에서 3/4정도 형성되었을 때 나타나지만[81,82], 이것은 많은 변수에 의해 영향받는다. 치아 출현 혹은 치령(dental age)을 잘 이해해야 한다[81,83]. 치령은 치근 발달의 단계에 의해 결정된다. 반드시 고려해야 하는 다른 변수로는 치아 출현에 키와 몸무게가 영향을 줄 수 있다는 것이다: 키가 크고 무거운 아이에서 영구치 맹출이 보다 빠른 경향이 있다[84]. 또한 성별에 따른 차이도 관찰된다: 일반적으로 여아에서 맹출이 빠르다. 여아에서 유치 치근 흡수가 빠르게 진행되지만, 남아와 여아의 치근 형성 발달 단계는 일치한다[85]. 하지만, 여아에서 치관 형성이 먼저 완료된다. 이런 모든 연구들은 여아에서 맹출이 일찍 나타난다고 결론을 내렸는데, 특히 하악 견치가 빠르다고 하였다.

연속발치술 적용을 고려할 때 반드시 유념해야 할 문제 중 하나는 유치 발치가 계승 영구치의 맹출에 미치게 될 영향력이다. 유치의 발치는 계승 영구치의 즉각적인 맹출 촉진을 야기한다[82]. 그러나, 만약 유치 발치가 영구치 치근 형성 초기에 시행된다면, 초기 촉진에 이은 맹출 지연이 나타날 수 있다.

영구치의 조기 맹출에 영향을 줄 가능성이 있는 다른 요인으로 유치의 우식뿐 아니라 선행 유치의 농양이 있다. 장기적 관찰에 의한 결론은 다음과 같다: 1) 계승 소구치의 치근발달이 양호할 때 유구치를 발치하면, 소구치의 맹출이 가속화된다, 2) 제2유구치가 조기 상실되면 제1대구치가 근심으로 이동하여 제2소구치가 매복될 수 있다[82]. 이와 유사한 연구에서 유치는 계승 영구치의 정상적인 맹출을 위해 건강한 상태로 유지되어야 한다고 하면서, 유치의 조기 발치는 영구치 매복의 가능성을 높인다고 하였다[86]. 다른 임상적 중요 정보는 다음과 같다: 1) 유견치는 영구 견치의 치근이 절반 이상 형성되기 전에 발거되어서는 안 된다, 2) 유구치는 제1소구치의 치근이 절반 이상 형성되기 전에 발거되어서는 안 된다, 3) 만약 제1소구치가 치조정에 가깝게 위치한다면, 제1소구치를 덮고 있는 유구치를 발치하기 전에 제1소구치의 치근이 최소한 부분적이나마 형성되어 있어야 한다[87].

4 맹출 경로

영구치의 맹출 경로는 연속발치술 이전에 관찰해야 하는 또 다른 요소이다. 잘못된 위치에서 발달 중인 치아가 있다면 발치 순서를 바꾸어야 한다.

5 발치시의 수술적 기술

적절한 기술과 능력을 가지고 발치를 시행해야 한다. 다른 술식과 마찬가지로 신중하게 발치를 수행한다. 몇몇 전문가들은 하악 견치가 소구치보다 먼저 맹출하는 것을 확실하게 방지하기 위해 제1소구치의 적출(enucleation)을 선택한다. 이 술식은 아이에게 단 한번의 수술을 요하고, 일반적으로 진정처치와 함께 시행된다. 발치 및/혹은 적출술 동안, 치과의사/구강외과의사는 협측, 설측 지지골을 파괴하지 않도록 주의해야 한다. 어느 부분이든 골이 파괴되면, 영구적인 결손이 야기되고 발치 공간 폐쇄

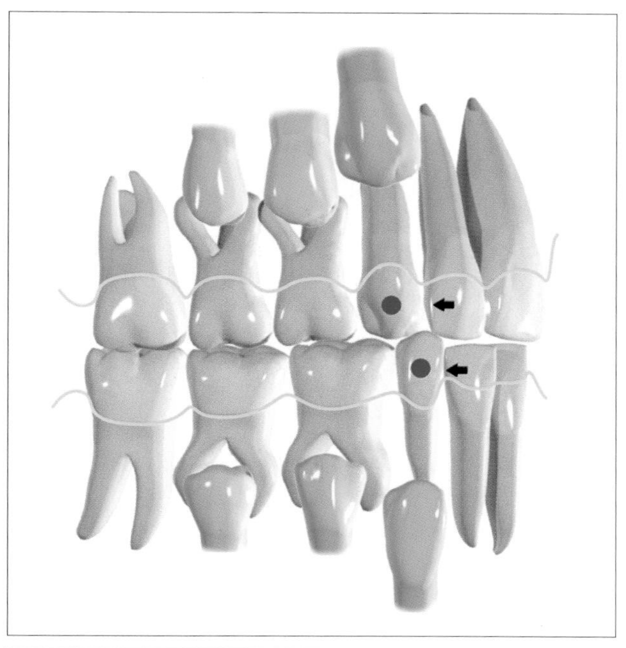
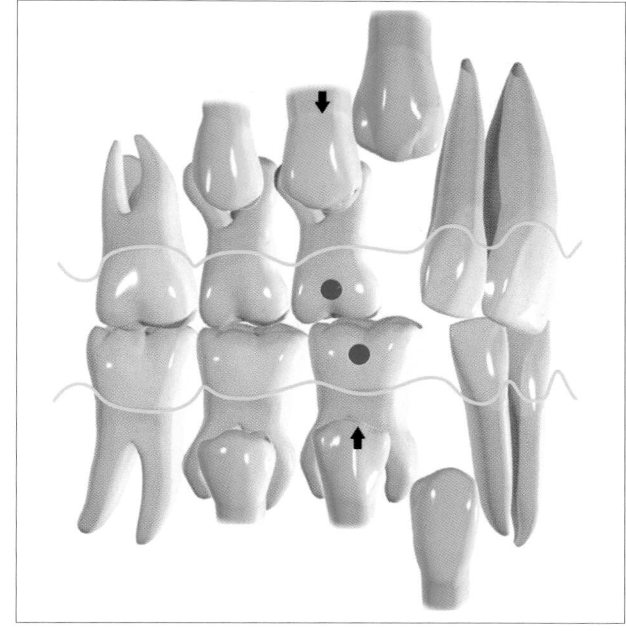
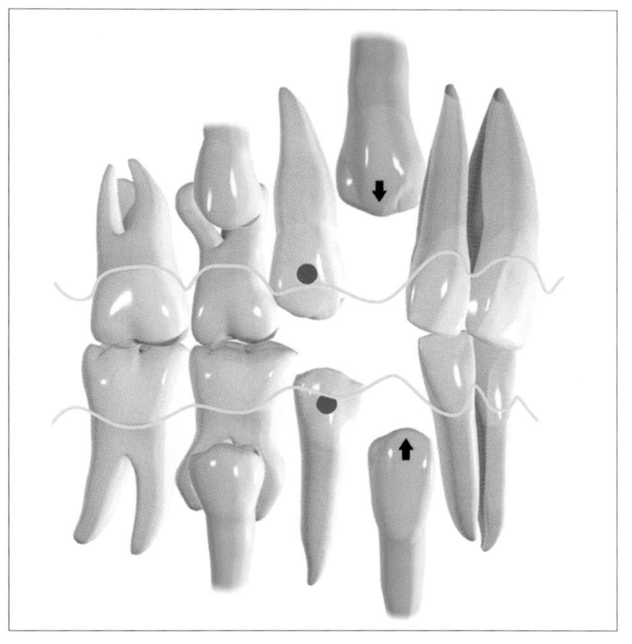
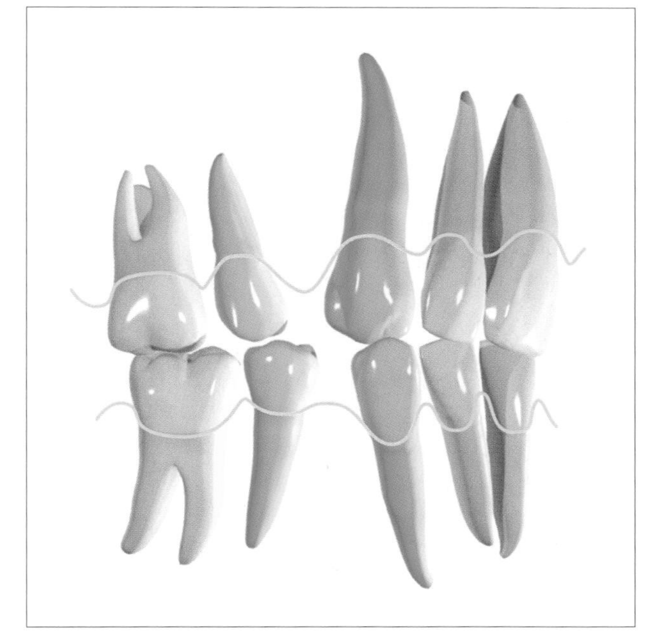

그림 5.58 발치순서가 유리할 때 전통적인 연속발치술 순서의 도해.

의 어려움이 기하급수적으로 증가된다. 수백개의 연속발치술 증례를 치료하면서 우리는 적출술을 금지했는데, 이는 의원성 손상을 야기할 수 있기 때문이다.

발치 순서와 시기

모든 조건이 "유리할" 때, 그림 5.58에 보여지는 전통적인 연속발치술 순서는 완벽하게 작용한다. 연속발치술의 시작과 완성의 이점이 틀림없인 부담감을 능가할 것이다. 환자는 궁극적으로는 개선된다. 연속발치술 순서에 대한 가이드라인이 논문에 잘 설명되어 있다[88~90].

1 단계. 절치의 생리적인 자가–배열을 허용하기 위해 유견치를 발거하라.

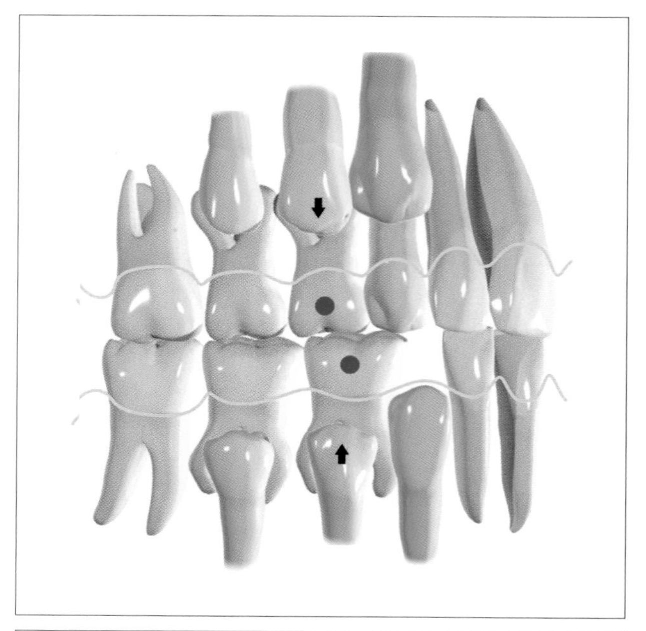
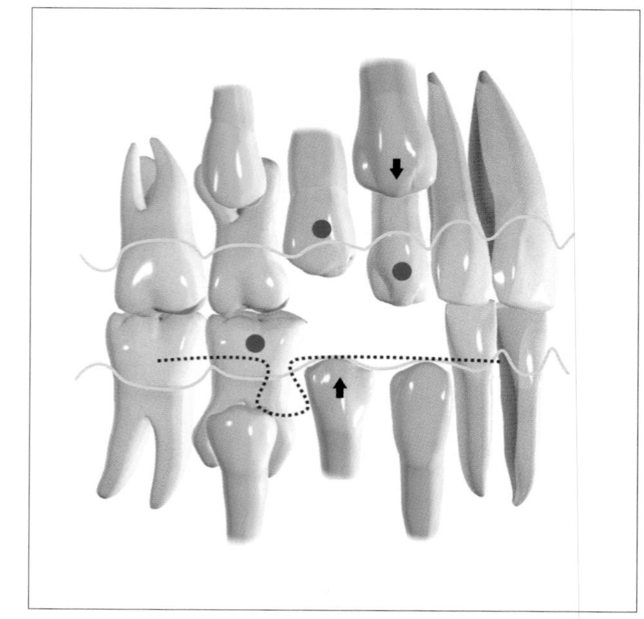
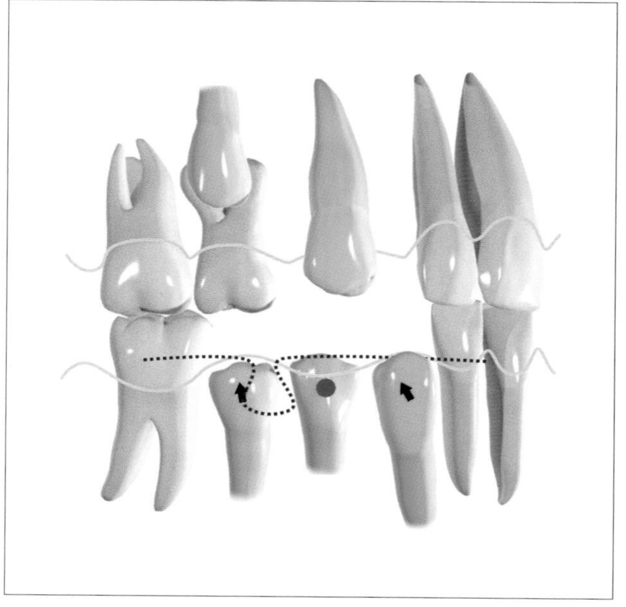
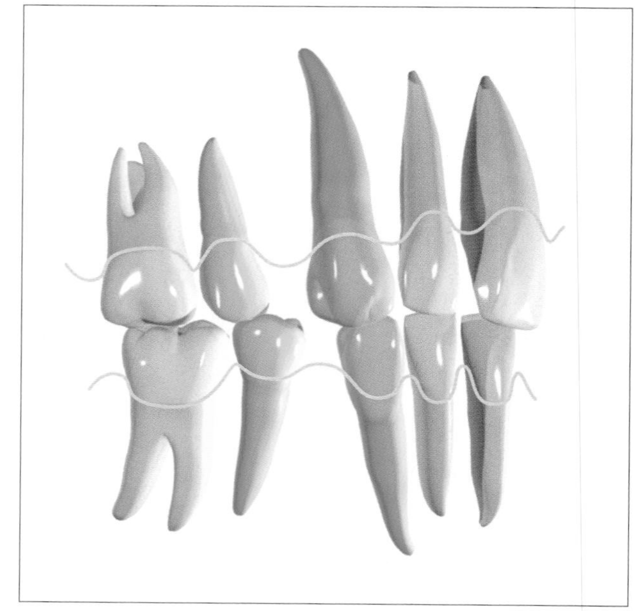

그림 5.59 대안적인 발치 순서: 하악 견치가 소구치와 같은 높이이거나 앞설 때 적출술을 프로토콜에 포함하지 않는다. LLHA를 적용하고, 제2유구치 발치에 뒤이은 제1소구치 발치가 추천된다.

2 단계. 제1소구치의 맹출을 촉진하고 가속화하기 위해 제1유구치를 발거하라. 종종, 수술 절차를 최소화하기 위해 유견치와 제1유구치를 동시에 발거할 수 있다.

3 단계. 견치가 원심으로 맹출하도록 맹출된 제1소구치를 발거하라.

4 단계. 견치와 제2소구치의 맹출을 허용하라.

대안적인 발치 순서

하악궁의 맹출 순서가 유리하지 않은 경우들이 있다. 이런 경우, 하악 영구 견치들은 하악 제1소구치와 같은 높이에 있거나 앞서 있다. 제1소구치의 적출을 피하기 위한 가능한 해결책으로 그림 5.59에 표현된 발치 순서가 있다.

1 단계. 제1유구치를 발거하라.

2 단계. 상악 유견치가 남아있다면 발거하라. LLHA를 삽입하고 하악 제2유구치를 발거하라. 상악 제1소구치 또한 발거를 위해 모니터링해야 한다.

3 단계. 하악 제1소구치를 발거하고–필요한 경우 상악 제2유구치를 발거하라.

4 단계. 견치와 소구치의 맹출.

환자 9와 10은 위에 언급한 두 경우를 보여준다.

환자 9

7세 남아로 극심한 총생, 보기좋게 균형잡힌 측모, 적절한 맹출 순서를 보여서, 전통적인 연속발치술의 이상적인 증례로 여겨진다(**그림 5.60**). 술식은 제1유구치와 제1소구치를 발거하였고, 결과는 성공적이었다(**그림 5.61, 5.62**). 1년간의 전악 장치 치료 후 유지 사진에서 이 치료의 성공적인 결과를 볼수있다(**그림 5.63**).

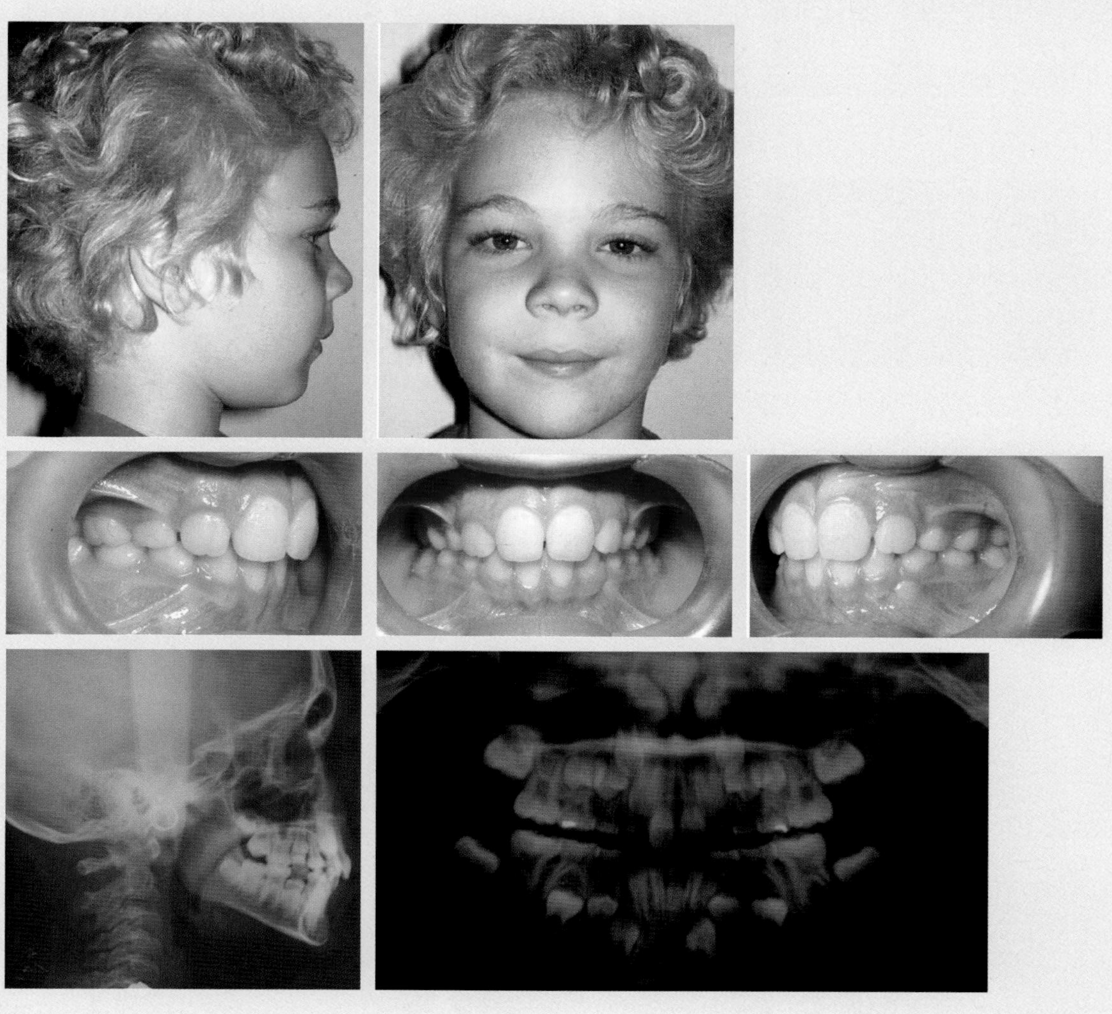

그림 5.60

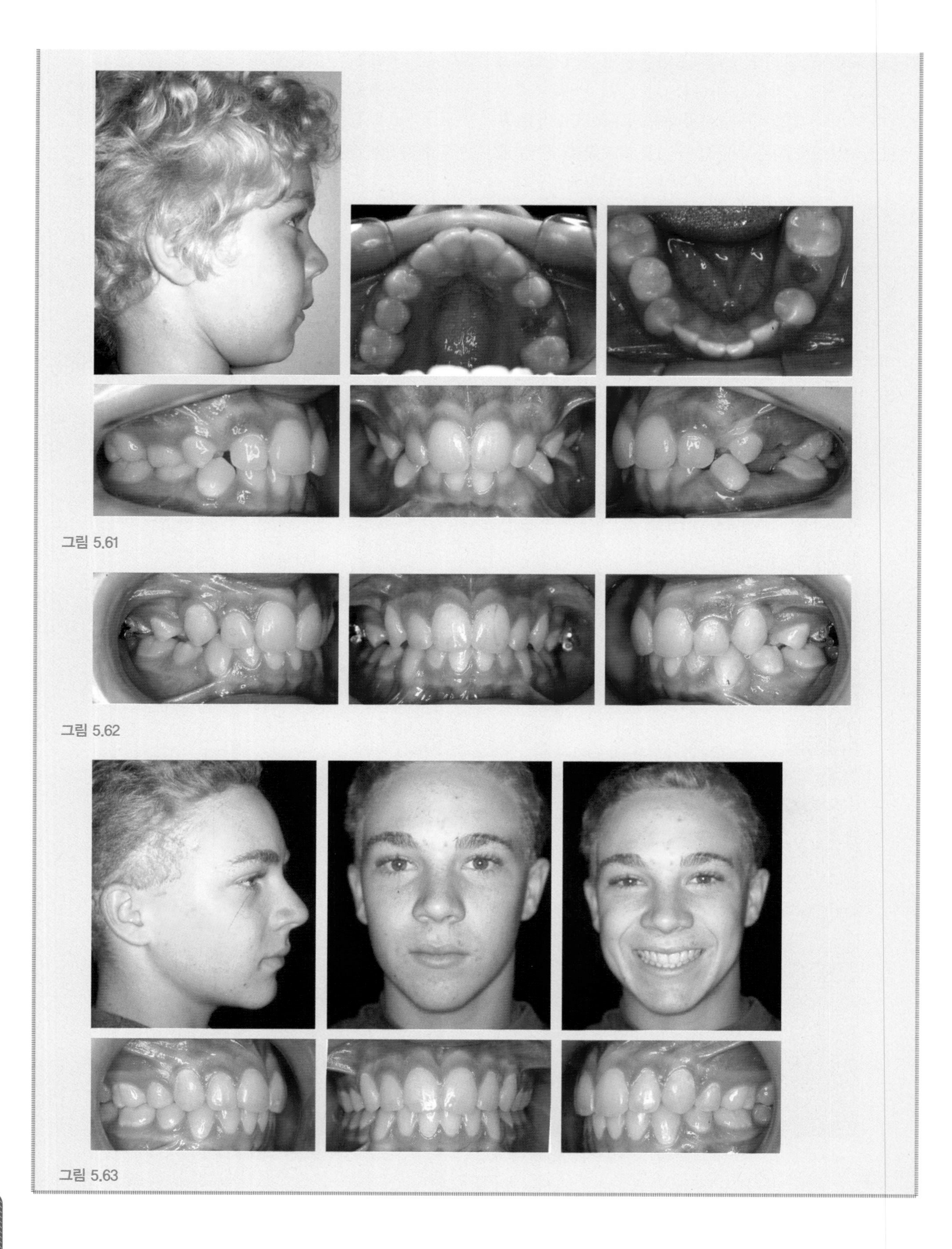

그림 5.61

그림 5.62

그림 5.63

환자 10

10세 3개월 여아로, 초기 평가는 조화로운 안모를 가지고 있지만 모든 영구치를 위한 공간이 부족하였다(**그림 5.64**). 이 환자는 약간의 Ⅱ급 부정교합을 보였음에도 불구하고, 대안적인 연속발치술이 치료 계획으로 제안되었다. 제1소구치의 적출을 피하기 위해 하악 치아들의 맹출 순서에 대한 대안적인 접근이 필요하였다(**그림 5.65~5.67**). 하악 제2유구치를 발거하기 전에 LLHA을 적용하였다. Ⅱ급 부정교합 경향을 조절하기 위해, 환자에게 high-pull headgear를 장착하게 하였다. 발치 순서는 사진 순서와 같다. 그림 5.68은 Ⅰ급 구치부 관계와 잘 조절된 하악궁과 상악궁을 보여준다. 조만간 우수한 최종 교합을 위한 전악 고정성 장치를 사용하게 될 것이다.

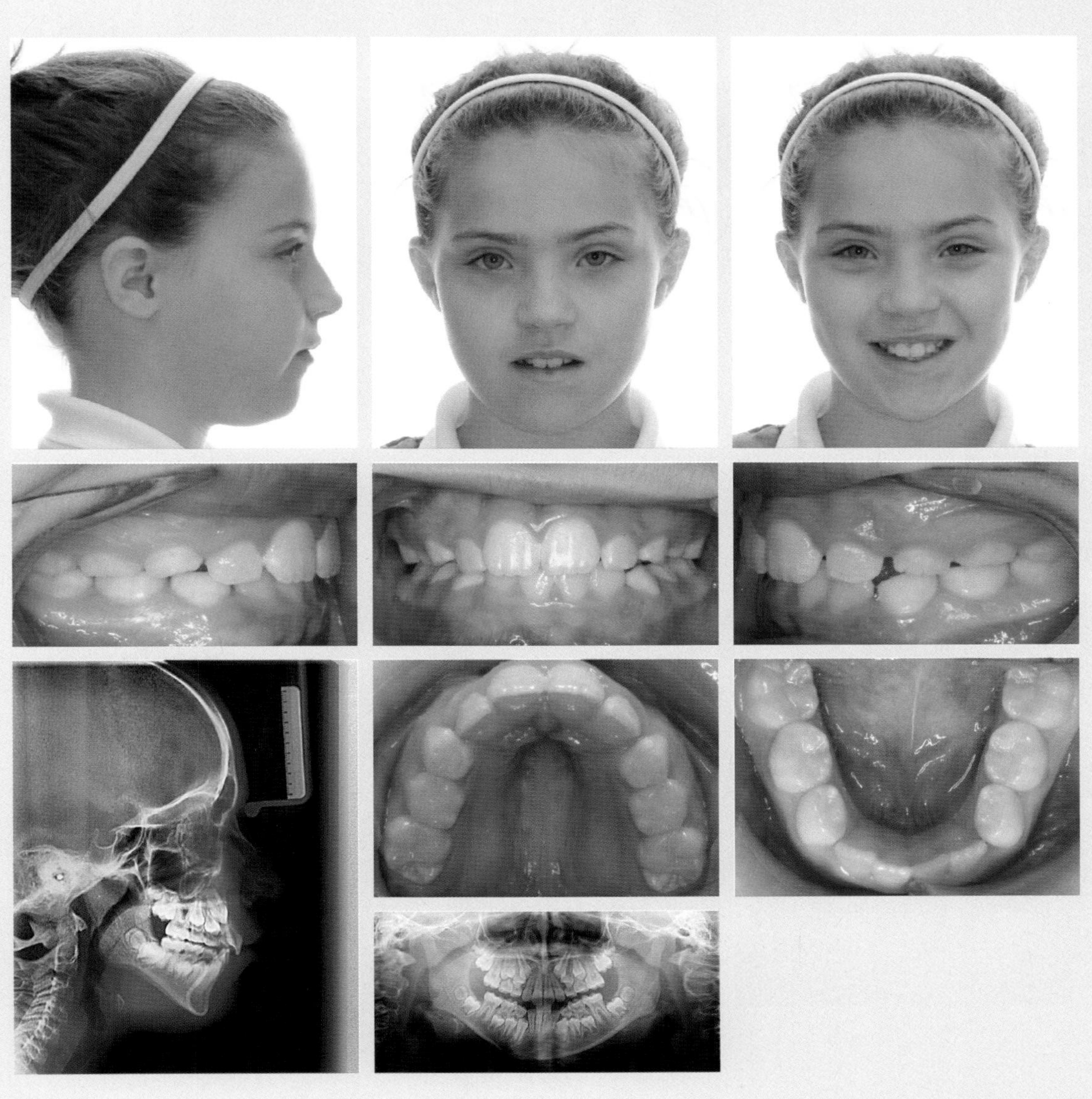

그림 5.64

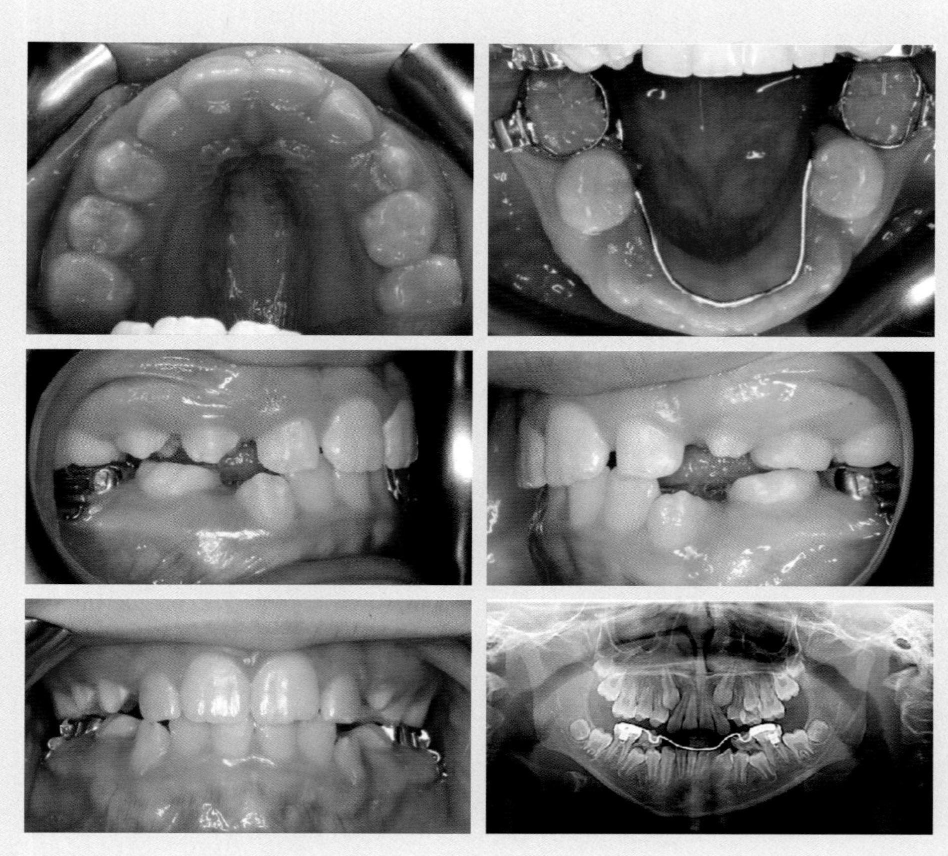
그림 5.65

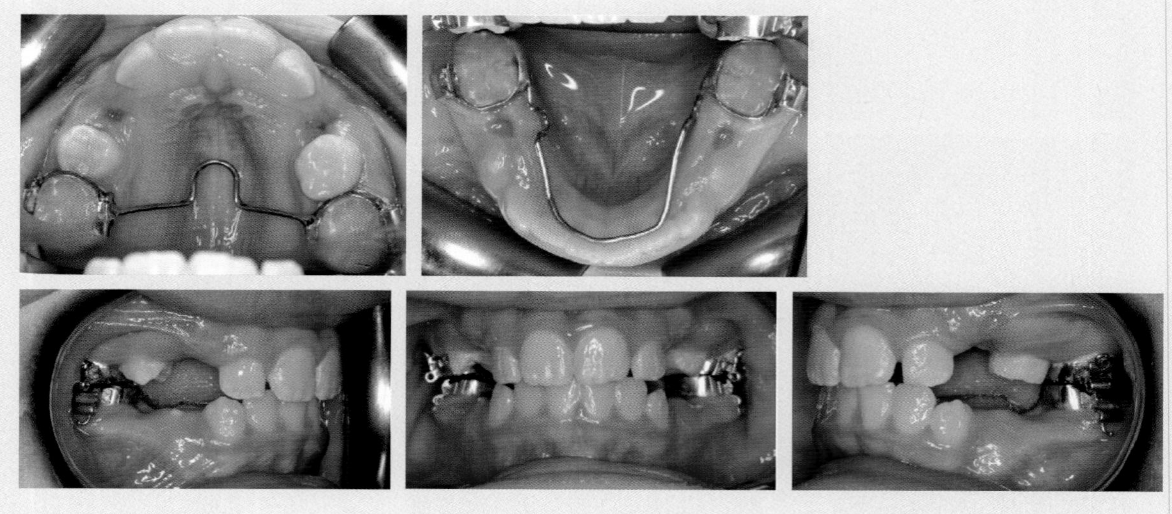
그림 5.66

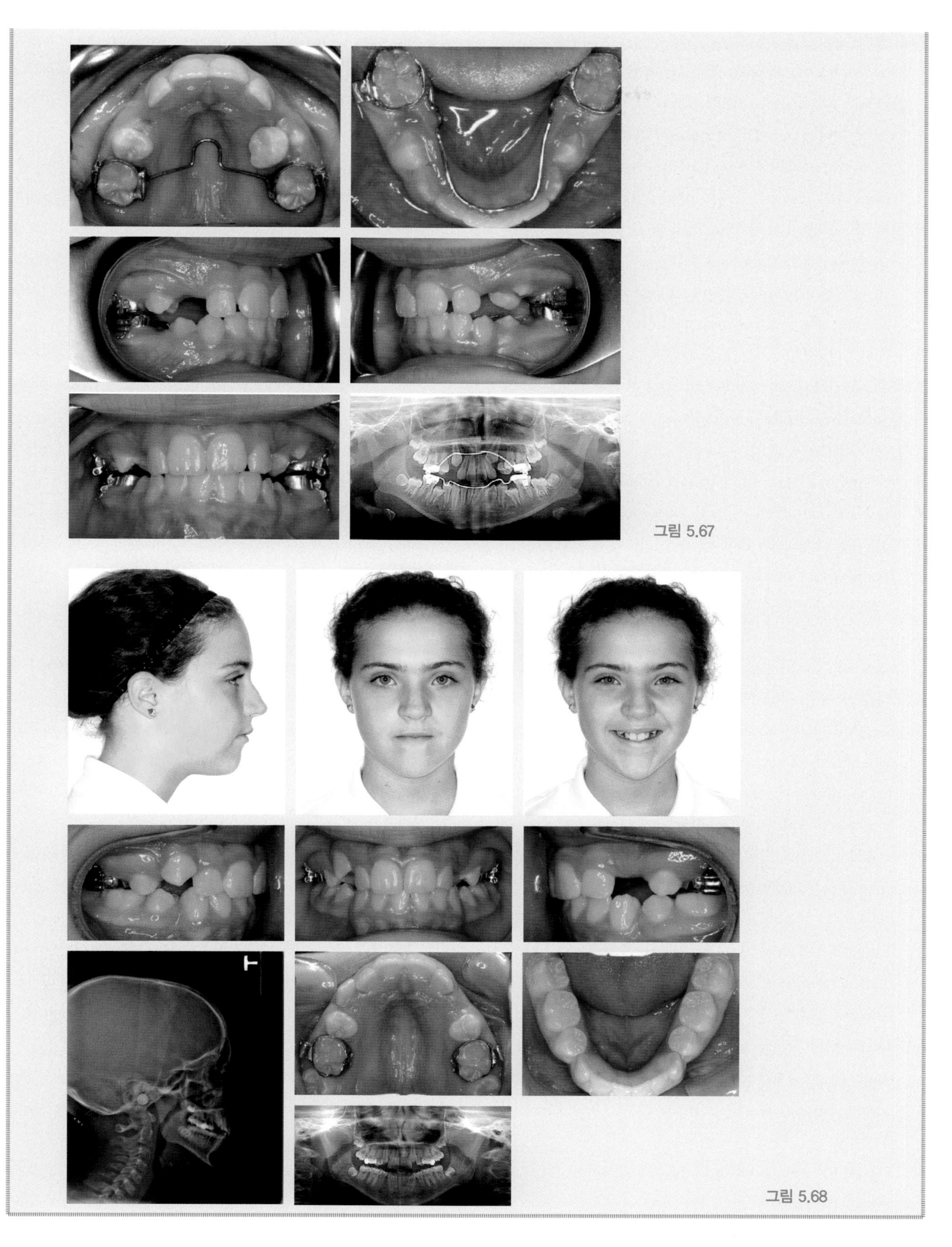

그림 5.67

그림 5.68

참 · 고 · 문 · 헌

1 Enlow DH. Handbook of facial growth. 2nd. edition. Philadelphia: WB Saunders, 1975. 423 p.
2 Enlow DH, Harris DB. A study of the postnatal growth of the human mandible. Am J Orthod 1964;50:25–50.
3 Moyers RE, van der Linden FPGM, Riolo MI, McNamara JA. Standards of human occlusal development. Ann Arbor: University of Michigan Press, 1976.
4 Nance HN. The limitations of orthodontic treatment; mixed dentition diagnosis and treatment.AmJ Orthod 1947 Apr; 33(4):177–223.
5 Sillman JH. Dimensional changes of the dental arches: longitudinal study from birth to 25 years. Am J Orthod 1964;50:824–42.
6 Moorrees CF, Reed RB. Changes in dental arch dimensions expressed on the basis of tooth eruption as a measure of biologic age. J Dent Res 1965 Feb; 44:129–41.
7 Moorrees C. Growth changes of the dental Arches: A longitudinal study. J Can DA. 1958;24:449–57.
8 Bjork A. Variations in the growth pattern of the human mandible: longitudinal radiographic study by the implant method. J Dent Res 1963; Feb; 42(1)Pt 2:400–11.
9 Southard TE, Behrents RG, Tolley EA. The anterior component of occlusal force. Part 1. Measurement and distribution. Am J Orthod Dentofac Orthop 1989 Dec; 96(6):493–500.
10 Southard TE,BehrentsRG,Tolley EA.The anteriorcomponent of occlusal force. Part 2. Relationship with dental malalignment. Am J Orthod Dentofac Orthop 1990 Jan; 97(1): 41–4.
11 Tsourakis AK. Dental and skeletal contributions to molar occlusal development [Master's Thesis]. [St. Louis]: Saint Louis University, 2012.
12 Tanaka MM, Johnston LE. The prediction of the size of unerupted canines and premolars in a contemporary orthodontic population. J Am Dent Assoc 1939. 1974 Apr; 88(4): 798–801.
13 Moyers RE. Handbook of Orthodontics. 4th edn. Chicago, 1988. 235–9 p.
14 Hixon E, Oldfather R. Estimation of the sizes of unerupted cuspid and bicuspid teeth. Angle Orthod 1958;28:236–40.
15 Ovens P.Modified serial extraction. Ariz Dent J 1976Mar; 22(1):30–1.
16 Araújo EA. The effect of serial extraction on Class I malocclusions: A one year report on the behavior of the incisors and canines. [Pittsburgh]: University of Pittsburgh, 1981.
17 Simon T, Nwabueze I, Oueis H, Stenger J. Space maintenance in the primary and mixed dentitions. J Mich Dent Assoc 2012 Jan; 94(1):38–40.
18 Owais AI, Rousan ME, Badran SA, Abu Alhija ES. Effectiveness of a lower lingual arch as a space holding device. Eur J Orthod 2011 Feb; 33(1):37–42.
19 Gianelly AA. Crowding: timing of treatment. Angle Orthod 1994;64(6):415–8.
20 Viglianisi A. Effects of lingual arch used as space maintainer on mandibular arch dimension: a systematic review. Am J Orthod Dentofac Orthop 2010 Oct; 138(4):382. e1–4; discussion 382–3.
21 Stivaros N, Lowe C, Dandy N, et al. A randomized clinical trial to compare the Goshgarian and Nance palatal arch. Eur J Orthod 2010 Apr; 32(2):171–6.
22 Baume LJ. Physiological tooth migration and its significance for the development of occlusion. I. The biogenetic course of the deciduous dentition. J Dent Res 1950 Apr; 29(2):123–32.
23 Baume LJ. Physiological tooth migration and its significance for the development of occlusion; the biogenesis of accessional dentition. J Dent Res 1950 Jun; 29(3):331–7.
24 Arya BS, Savara BS, Thomas DR. Prediction of first molar occlusion. Am J Orthod 1973 Jun; 63(6):610–21.
25 Hunter J. The natural history of the human teeth. London: J. Johnson, 1771.
26 Betts NJ, Vanarsdall RL, Barber HD, et al. Diagnosis and treatment of transverse maxillary deficiency. Int J Adult Orthodon Orthognath Surg 1995;10(2):75–96.
27 Da Silva Filho OG, Montes LA, Torelly LF. Rapid maxillary expansion in the deciduous and mixed dentition evaluated

through posteroanterior cephalometric analysis. Am J Orthod Dentofac Orthop 1995 Mar; 107(3):268–75.

28 Da Silva FOG, Santamaria M, Capelozza FL. Epidemiology of posterior crossbite in the primary dentition. J Clin Pediatr Dent 2007;32(1):73–8.

29 Proffit WR, Fields HW, Sarver DM. Contemporary Orthodontics. 4th edition. St. Louis: Mosby, Inc., 2007. 30 Harvold EP, Chierici G, Vargervik K. Experiments on the development of dental malocclusions. Am J Orthod 1972 Jan; 61(1):38–44.

31 Gungor AY, Turkkahraman H. Effects of airway problems on maxillary growth: a review. Eur J Dent 2009 Jul; 3(3):250–4.

32 Haas AJ. Palatal expansion: just the beginning of dentofacial orthopedics. Am J Orthod 1970 Mar; 57(3):219–55.

33 Haas AJ. The treatment of maxillary deficiency by opening the mid-palatal suture. Angle Orthod 1965 Jul; 35:200–17.

34 Lagravere MO, Major PW, Flores-Mir C. Long-term skeletal changes with rapid maxillary expansion: a systematic review. Angle Orthod 2005 Nov; 75(6):1046–52.

35 Lagravère MO, Heo G, Major PW, Flores-Mir C. Meta-analysis of immediate changes with rapid maxillary expansion treatment. J Am Dent Assoc 1939. 2006 Jan; 137(1):44–53.

36 Garib DG, Henriques JFC, Carvalho PEG, Gomes SC. Longitudinal effects of rapid maxillary expansion. Angle Orthod 2007 May; 77(3):442–8.

37 Buschang PH. Maxillomandibular expansion: short-term relapse potential and long-term stability. Am J Orthod Dentofac Orthop 2006 Apr; 129 (4 Suppl):S75–9.

38 Subtelny JD, Sakuda M. Muscle function, oral malformation, and growth changes. Am J Orthod 1966 Jul; 52(7):495–517.

39 Spena R. Nonextraction Treatment: An Atlas on Cetlin Mechanics. Bohemia, NY: Dentsply GAC Int., 2002.

40 Graber TM, Vanarsdall RL, Vig KWL. Orthodontics: Current Principles & Techniques. St. Louis: Elsevier Mosby, 2005.

41 O'Donnell S, Nanda RS, Ghosh J. Perioral forces and dental changes resulting from mandibular lip bumper treatment. Am J Orthod Dentofac Orthop 1998 Mar; 113(3):247–55.

42 Davidovitch M, McInnis D, Lindauer SJ. The effects of lip bumper therapy in the mixed dentition. Am J Orthod Dentofac Orthop 1997 Jan; 111(1):52–8.

43 Grossen J, Ingervall B. The effect of a lip bumper on lower dental arch dimensions and tooth positions. Eur J Orthod 1995 Apr; 17(2):129–34.

44 Nevant CT, Buschang PH, Alexander RG, Steffen JM. Lip bumper therapy for gaining arch length. Am J Orthod Dentofac Orthop 1991 Oct; 100(4):330–6.

45 Osborn WS, Nanda RS, Currier GF. Mandibular arch perimeter changes with lip bumper treatment. Am J Orthod Dentofac Orthop 1991 Jun; 99(6):527–32.

46 Bjerregaard J, Bundgaard AM, Melsen B. The effect of the mandibular lip bumper and maxillary bite plate on tooth movement, occlusion and space conditions in the lower dental arch. Eur J Orthod 1980;2(4):257–65.

47 Ingervall B, Thüer U. No effect of lip bumper therapy on the pressure from the lower lip on the lower incisors. Eur J Orthod 1998 Oct; 20(5):525–34.

48 Soo ND, Moore RN. A technique for measurement of intraoral lip pressures with lip bumper therapy. Am J Orthod Dentofac Orthop 1991 May; 99(5):409–17.

49 Cetlin NM, Ten Hoeve A. Nonextraction treatment. J Clin Orthod JCO 1983 Jun; 17(6):396–413.

50 Legler LR. The effects of removable expansion appliances on the mandibular arch [Master's Thesis]. [Dallas]: Baylor College of Dentistry, 1991.

51 Vargo J, Buschang PH, Boley JC, et al. Treatment effects and short-term relapse of maxillomandibular expansion during the early to mid mixed dentition. Am J Orthod Dentofac Orthop 2007 Apr; 131(4):456–63.

52 Hamula W. Modified mandibular Schwarz appliance. J Clin Orthod JCO 1993 Feb; 27(2):89–93.

53 O'Grady PW, McNamara JA, Baccetti T, Franchi L. A long-term evaluation of the mandibular Schwarz appliance and the acrylic splint expander in early mixed dentition patients. Am J Orthod Dentofac Orthop 2006 Aug; 130(2):202–13.

54 Wendling LK, McNamara JA, Franchi L, Baccetti T. A pro-

spective study of the short-term treatment effects of the acrylic-splint rapid maxillary expander combined with the lower Schwarz appliance. Angle Orthod 2005 Jan; 75(1):7–14.

55 Motoyoshi M, Shirai S, Yano S, et al. Permissible limit for mandibular expansion. Eur J Orthod 2005 Apr; 27(2):115–20.

56 Tai K, Park JH. Dental and skeletal changes in the upper and lower jaws after treatment with Schwarz appliances using cone-beam computed tomography. J Clin Pediatr Dent 2010;35(1):111–20.

57 McKeown HF, Sandler J. The two by four appliance: a versatile appliance. Dent Update 2001 Dec; 28(10):496–500.

58 Bunon R. Essay sur las maladies des dents. Paris, 1743.

59 Fox J. The natural history of human teeth: to which is added an account of the diseases which affect children during the first dentition. 6th edn. London: J. Cox, 1803.

60 Colyer J. Discussion on the early treatment of crowded mouths. Odont Soc Trans 1896;28(2):215–33.

61 Kjellgren B. Serial extraction as a corrective procedure in dental orthopedic therapy. Acta Odontol Scand 1948 Jan; 8(1): 17–43.

62 Hotz RP. Active supervision of the eruption of teeth by extraction. Tr Eur Orthod Soc 1947; 34–47.

63 Hotz RP. Guidance of eruption versus serial extraction. Am J Orthod 1970 Jul; 58(1):1–20.

64 Heath J. The interception of malocclusion by planned serial extraction. NZ Dent J 1953;49:77–88.

65 Dewell BF. Serial extraction; its limitations and contraindications. Ariz Dent J. 1968 Sep 15; 14(6):14–30.

66 Dewell BF. Prerequisites in serial extraction. Am J Orthod 1969 Jun; 55(6):533–9.

67 Dewell BF. Editorial. A question of terminology: serial extraction or guidance of eruption. Am J Orthod 1970 Jul; 58(1):78–9.

68 Dewell BF. Precautions in serial extraction. Am J Orthod 1971 Dec; 60(6):615–8.

69 Lloyd ZB. Serial extraction as a treatment procedure. Am J Orthod 1956;42:728–39.

70 Newman GV. The role of serial extraction in orthodontic treatment. N Jersey State Soc J 1959;31:8–13.

71 Tweed CH. Indications for the extraction of teeth in orthodontic procedure. Am J Orthod Oral Surg 1944 1945;42: 22–45.

72 Tweed CH. Treatment planning and therapy in the mixed dentition. Am J Orthod 1963;49(12):881–906.

73 Ringenberg Q. Serial extraction: Stop, look, and be certain. Am J Orthod 1964;50:327–36.

74 Jacobs J. Cephalometric and clinical evaluation of Class I discrepancy cases treated by serial extraction. Am J Orthod 1965 Jun; 51:401–11.

75 Graber TM. Serial extraction: a continuous diagnostic and decisional process. Am J Orthod 1971 Dec; 60(6):541–75.

76 Glauser RO. An evaluation of serial extraction among Navajo Indian children. Am J Orthod 1973 Jun; 63(6):622–32.

77 Proffit WR. The timing of early treatment: an overview. Am J Orthod Dent Facial Orthop 2006 Apr; 129(4 Suppl):S47–9.

78 Lo R, Moyers RE. Studies in the etiology and prevention of malocclusion: I. The sequence of eruption of the permanent dentition. Am J Orthod 1953;39(6):460–7.

79 Nanda RS. Eruption of human teeth. Am J Orthod 1960;46(5):363–78.

80 Sturdivant J, Knott V, Meredith H. Interrelations from serial data for eruption of the permanent dentition. Angle Orthod 1962;32(1):1–13.

81 Gron AM. Prediction of tooth emergence. J Dent Res 1962 Jun; 41:573–85.

82 Fanning EA. Effect of extraction of deciduous molars on the formation and eruption of their successors. Am J Orthod 1962;32:44–53.

83 Lamons FF, Gray S. Study of the relationship between tooth eruption age, skeletal development age, and chronological age in sixty-one Atlanta children. Am J Orthod 1958;44: 687–91.

84 Maj G, Bassani S,Menini G, Zannini O. Studies on the eruption of permanent teeth in childrenwithnormal occlusionand with malocclusion. Rep Congr Eur Orthod Soc

1964;40:107–30.

85 Fanning EA. A longitudinal study of tooth formation and root resorption. NZ Dent J 2008;104(2):60–1.

86 Maclaughlin JA, Fogels HR, Shiere FR. The influence of premature primary molar extraction on bicuspid eruption. J Dent Child 1967 Sep; 34(5):399–405.

87 Moorrees CF, Fanning EA, Hunt EE Jr. Age variation of formation stages for ten permanent teeth. J Dent Res 1963 Dec; 42:1490–502.

88 Dale JG, Brandt S. Dr. Jack G. Dale on serial extraction. J Clin Orthod JCO 1976 Jan; 10(1):44–60.

89 Dale JG, Brandt S. Dr. Jack G. Dale on serial extraction. 2. J Clin Orthod JCO 1976 Feb; 10(2):116–36.

90 Dale JG, Brandt S. Dr. Jack G. Dale on serial extraction. 3. J Clin Orthod JCO 1976 Mar; 10(3):196–217.

Chapter 06

II급 부정교합의 인지와 수정

Recognizing and correcting Class II

SECTION Ⅰ: II급 부정교합의 발달, 표현형, 발생 원인

Section I: The development, phenotypic characteristics, and etiology of Class II malocclusion

Peter H. Buschang, PhD
Department of Orthodontics, Texas A&M University Baylor College of Dentistry, Dallas, Texas, USA

6.1 개요

발생하는 성장변화를 이해하기 위해 Ⅱ급 부정교합의 다양한 유형을 구별하는 것이 중요하다. Ⅱ급에서는 1류와 2류의 구별이 가장 중요하다(**그림 6.1**). Angle은 Ⅱ급 2류 환자들이 "…제 1 대구치의 근-원심 관계에서 양측 하악 치아들이 원심 교합을 보이지만, 상악 전치들이 돌출(protrusion)되는 대신에 후퇴(retrusion)" 되는 특징을 보이는 것으로 이 둘을 구별하였다[1]. 골격적인 관점에서, Ricketts는 Ⅱ급 2류 부정교합을 갖는 환자의 특성으로 "강한 근육계를 초래하는 단안모 패턴. 하안면(lower face) 고경과 하악궁이 정상 범위보다 작고, 그로 인해 치아들이 기저골에서 깊이 위치한다"고 기술하였다[2].

환자의 성장 잠재성을 이해하기 위해, Ⅱ급 부정교합 환자들을 분류하는데 사용되었던 기존의 전통적인 전후방(AP) 범주는 불충분하였다. 수직적 그리고 전후방적 골격 관계를 모두 고려하여야만 한다. Ⅱ급 1류 부정교합 환자들의 하악은 보통 후퇴되어 있지만, 그들의 수직적 특징은 평균적으로 Ⅰ급 부정교합 환자들과 유사하다. 치료적 관점에서 보면, Ⅱ급 1류 부정교합 환자들에서 저발산형 환자와 과발산형 환자를 구별하는 것이 매우 중요하다(**그림 6.2**). Ⅱ급 2류 부정교합 환자들은 대개 안모가 편평하고 Ⅰ급 부정교합 환자들에 비해 더 저발산형이다.

Ⅱ급 부정교합 환자들은 전형적으로 기능적 결함을 가지고 있다(**그림 6.3**). 그들의 저작 능력(다시 말해, 음식을 잘게 부수는 능력)은 정상의 60% 밖에 되지 않는다는 보고가 있었다[3]. 치료받지 않은 Ⅱ급 부정교합 환자들에 의해 씹힌 조각의 크기가 정상 교합의 환자에 비해 대략 15%정도 더 크다[4]. Ⅱ급 부정교합 환자에서, 치아간 접촉과 근접촉이 일어나는 면적이 감소되기 때문에 음식을 분쇄하는 능력이 저하되는 것이다[5]. 치아 접촉과 근접촉의 감소는 감소된 교합력 및 턱 운동 패턴 변화와 관련성이 있기 때문에 중요하다[6]. 이것이 저작 시 Ⅰ급에 비해 Ⅱ급 부정교합일 때 더 적은 에너지를 소모하는 이유이고[7], Ⅱ급 부정교합 환자가 음식물 저작시 문제를 경험하는 이유를 설명해준다[4]. 기능적 결함은 저발산형 Ⅱ급 부정교합에 비해 더 작은 저작근과 더 약한 교합력을 가지는 과발산형 Ⅱ급 부정교합에서 더욱 두드러진다[8-10].

또한 Ⅱ급 부정교합은 환자의 심미적 걱정을 해결하기 위해서도 치료가 필요하다. Ⅱ급 부정교합의 특징인 볼록한 측모와 후퇴된 하악은 치과의사들에게 있어 그다지 선호되지 않는다[11]. 사실, 과도하게 볼록한 안모는 직선적인 안모에 비해 덜 심미적으로 여겨져 왔다[12,13]. 치과

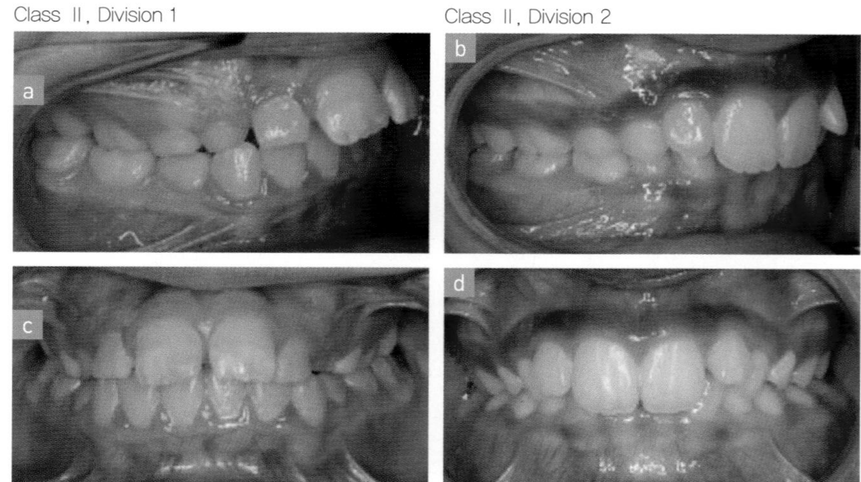

그림 6.1 Ⅱ급 1류와 2류 부정교합의 교합 특징 (Dr. Hiroshi Ueno 제공).

전문가와 비전문가 모두 더 직선적이고 하악이 덜 후퇴하도록 환자의 안모를 변화시키는 것이 상당히 매력을 증가시킨다고 생각한다[14]. 이것은 단순한 골격의 전후방적인 심미 문제가 아니다. 과도한 전방 하안면 고경은 교정의사와 비전문가 모두에게 매력적이지 않아 보인다[15].

6.1.1 유병율

1970년도에 시행된 대규모 역학조사에서[16,17] 양측성 Ⅱ급 구치관계는 6~11세 아동의 20.4%에서 12~17세 청소년의 14.5%로 감소된다는 것이 보고되었다**(그림 6.4)**. Ⅱ급 부정교합의 유병율은 흑인아동에 비해 백인 아

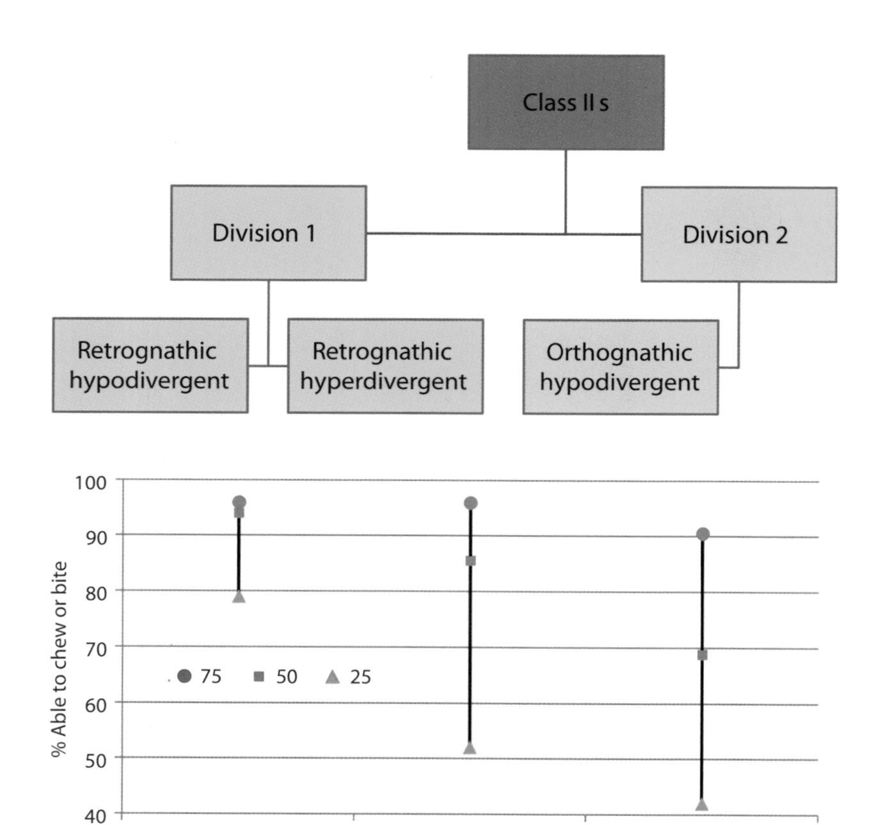

그림 6.2 Ⅱ급 1류와 2류 부정교합 환자의 전후방적 및 수직적 골격 특성.

그림 6.3 일상적으로 스테이크, 고기 또는 단단한 고기를 씹거나 깨물수 있는 정상교합, Ⅰ급 부정교합, Ⅱ급 부정교합 환자들의 백분율(0% 불가; 100% 아주잘함)(English 등[83]에서 적용).

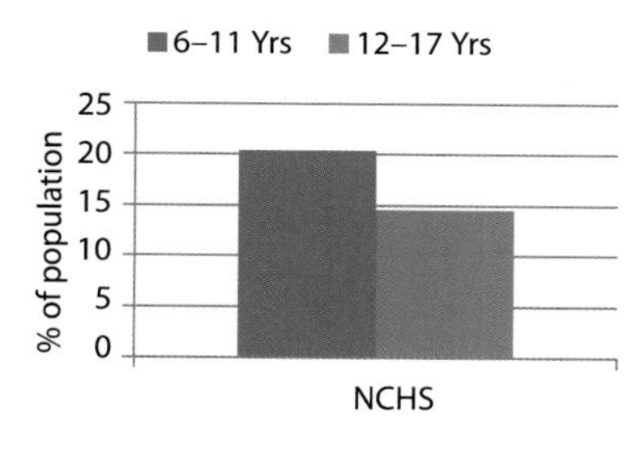

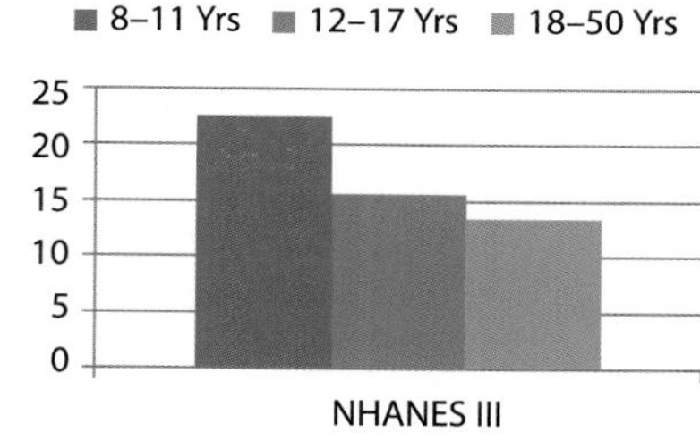

그림 6.4 미국의 어린이, 청소년, 성인의 Ⅱ급 부정교합 유병률(국립 보건 통계 센터[15,16]와 NHANES Ⅲ[18]로부터의 자료).

동에서 3.8배 높게, 그리고 흑인 청소년에 비해 백인 청소년에서 2.6배 높게 나타났다.

NHANES Ⅲ에 의해 수집된 더 최근의 자료는 Ⅱ급 부정교합(수평피개 ≥5mm)의 유병율이 8~11세에서는 22.5%, 12~17세에서는 15.6%로, 성인에서는 13.4%로 감소된다는 것을 보여주었다[18]. 연령 집단과 조합하여, NHANES Ⅲ 자료는 흑인(16.5%)에서 백인(14.2%)보다 조금 더 높은 유병율을 보이고, 멕시코계 미국인에서는 낮은 유병율(9.1%)을 보였다. 조합된, 가장 이용할 만한 역학 자료는 약 6~11세 아동의 21.5%, 12~17세 청소년의 15%에서 양측성 Ⅱ급 부정교합을 예측할 수 있다고 한다.

이런 역학 조사는 Ⅱ급 골격 관계를 평가하지 않았으나, 다른 조사에서는 Ⅱ급 골격과 Ⅱ급 치아 관계 사이의 상응관계를 구축하였다. Beresford는 2000명의 Ⅱ급 부정교합 증례를 분석하였는데[19], 약 74%에서 치아와 골격 관계 사이의 연관성을 보였다. 비슷하게, Milacic과 Markovic[20]은 그들이 조사한 585개 Ⅱ급 부정교합 증례의 대략 75%가 상응하는 골격성 부조화를 가지고 있다고 보고하였다. 치성 Ⅱ급 부정교합의 75%에서 골격성 Ⅱ급 부정교합을 갖는다고 가정하였을 때, 대략 6~11세 아동의 16.1%, 12~17세 청소년의 11.3%에서 골격적 부조화를 예측할 수 있다.

백인의 약 2~3%는 Ⅱ급 2류 부정교합을 갖는다. Ast 등[21]은 그들이 검사한 15~18세 청년 1462명 중 3.4%가 Ⅱ급 2류 부정교합을 가지고 있는 것을 발견하였다. Massler와 Frankel[22]은 2758명의 14~18세 백인을 평가하였고, 2.7%가 Ⅱ급 2류라는 통계를 얻었다; Mils[23]는 1455명의 8~17세 학생들을 평가하였고, 2.3%가 Ⅱ급 2류 부정교합을 갖는다는 것을 발견하였다.

6.2 Ⅱ급 2류 표현형의 특징

Ⅱ급 2류 환자의 형태학적 특성을 조사한 대부분의 연구들은 횡적관계를 중심으로 이루어졌다(**표 6.1**). 그들은 일관적으로 2류를 저발산형, 사각형의 턱, 작은 하악각과 하악평면, 감소된 전안면고경으로 특징지었다[25,26,29,30]. 상악은 전형적으로 잘 위치되어 있다고 보고되었다. Ⅱ급 2류 부정교합에서 하악은 정상이거나 후퇴된 위치로 나타날 수 있다[24~30]. 중요한 것은, 후퇴된 하악이나 짧은 하악을 보이는 대부분의 연구들은 B-점의

표 6.1 Ⅰ급과의 비교에 기초한, 치료받지 않은 Ⅱ급 2류 부정교합 환자들의 특성에 관한 횡단 연구.

	Divergence	AP Mx position	AP Md position	AP Dentoalveolar
Baldridge [24]	Normal	N/A	Normal	Defcient
Renfroe [25]	Hypo	Orthognathic	Slight retrognathic	N/A
Wallis [26]	Hypo	N/A	Slight retrognathic	Defcient
Godiawala and Joshi [27]	Hypo	Orthognathic	Retrognathic (SNB)	Slightly defcient
Hitchcock [28]	Normal	Orthognathic	Retrognathic (SNB)	N/A
Karlsen [29]	Hypo	N/A	Retrognathic	Defcient
Brezniak et al. [30].	Hypo	Orthognathic	Slight retrognathic	Defcient

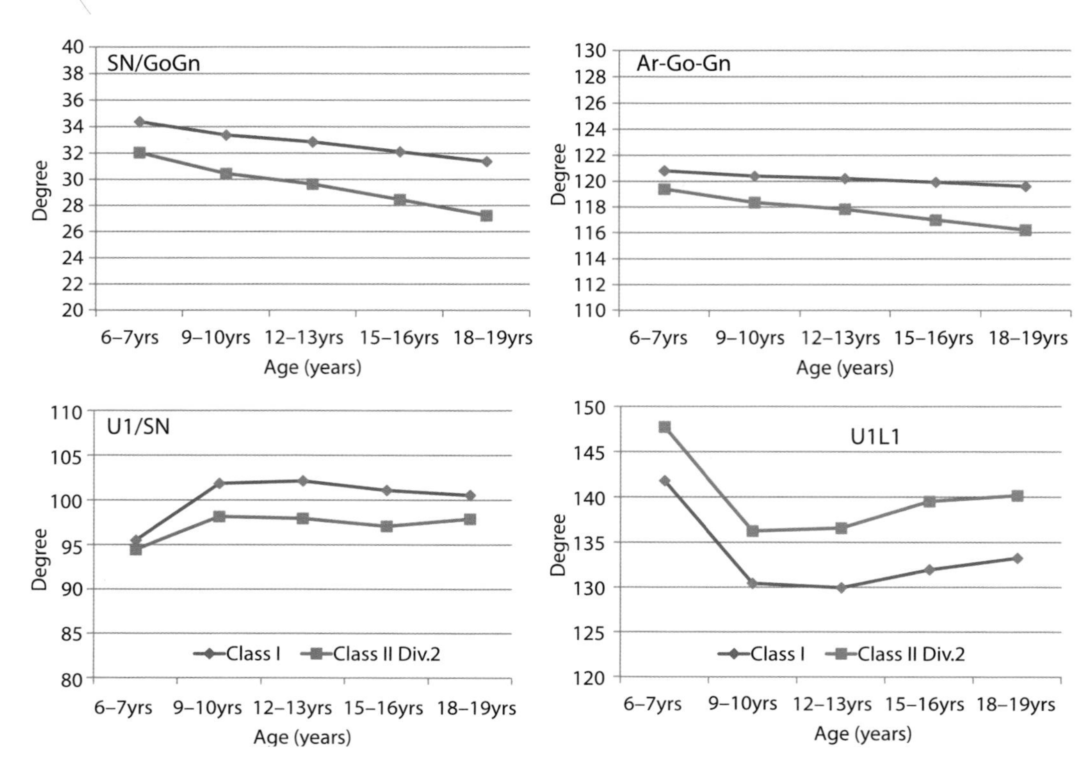

그림 6.5 6~19세 사이 Ⅰ급과 Ⅱ급 2류 부정교합 환자들의 수직적 골격 관계와 전치부 기울기의 변화(Barbosa 등의 자료[34]).

측정에 기초한다는 것이다. 턱끝 위치를 직접적으로 측정하면 하악이 정상 위치이거나 약간 후방에 위치한다는 것을 알 수 있다. B-점과 턱끝의 위치 차이에 의해서 대부분의 연구들이 Ⅱ급 2류 부정교합에서 하악의 치아치조 길이 부족을 보고한 이유를 알 수 있다[24,26,29-31,37].

Ⅰ급 부정교합과 비교하여, Ⅱ급 2류 부정교합 환자들은 상당히 큰 상악 절치의 후방경사, 하악 절치의 큰 후방경사, 큰 절치간 각, 그리고 증가된 절치피개를 보인다[27,28,30]. Ⅰ급 부정교합 환자의 절치피개와 비교하여, Ⅱ급 2류 부정교합 환자에서 절치피개가 비슷하거나[30] 더 크게[28] 나타나고, 이는 전형적으로 Ⅱ급 1류 환자에서보다 작게 발현된다[32].

최근 Ⅱ급 1류와 2류 부정교합을 비교한 두 개의 횡적 연구가 있다. 2류 환자들은 1류 환자들보다 상당히 적은 볼록함(≒5°), 더 적은 발산형, 더 적은 하악후퇴를 보인다[32]. SNA 각의 차이는 없었다. Ⅱ급 2류의 증례들은 또한 Ⅱ급 1류 환자들에 비해 더 직립된 상악 전치(≒30°), 더 후방 경사된 하악 전치(≒15°), 더 작은 수평피개(3.7 대 10.0mm), 더 큰 수직피개(6.2 대 4.6mm)를 보인다. 더욱 최근에, Al-Khateeb과 Al-Khateeb[33]은 293명의 Ⅱ급 1류 환자들과 258명의 Ⅱ급 2류 환자들을 비교하였다. 그들간에 전후방적인 상악의 위치 차이는 없지만, 2류 부정교합 환자들과 비교하여 1류 부정교합 환자들의 안모가 좀 더 볼록하고, 하악이 더 후퇴되어 있으며, 하안면 고경은 더 크다는 것을 확인하였다. 2류의 절치간 각도는 후방경사된 상악절치(≒19°)와 하악절치(≒6°) 때문에 거의 18° 정도 더 컸다.

6-19세의 치료받지 않은 Ⅱ급 2류와 Ⅰ급 부정교합 환자들을 장기간 비교한 Barbosa[34]는 상대적으로 골격적 차이를 거의 보이지 않았다. 상악 또는 하악 모두에서 그룹간에 전후방적 위치의 차이는 없었다. 6-19세 사이에서 Ⅰ급보다 Ⅱ급 2류 부정교합에서 두개저 각도가 약 4° 정도 크게 남아있었다. 다른 골격적 차이는 주로 수직적인 차이였다(**그림 6.5**). 하악평면과 하악우각 뿐만 아니라 전후방 안면고경 비율은 Ⅰ급에 비해 Ⅱ급 2류 부정교합 환자에서 이미 6-7세 때 더 작게 나타나고, 시간이 지

표 6.2 Ⅰ급과 Ⅱ급의 상악과 하악의 전후방적 위치를 비교한 최신의 문헌들.

	SNA		SNB		ANB	
	Amt	Prob	Amt	Prob	Amt	Prob
Ngan et al. [40]	←1.2°	NS	←3.6°	Sig	N/A	N/A
Bishara [41]	→0.2°	N/A	←0.6°	NS	↑0.8°	Sig (♂ only)
Dhopatkar et al. [42]	←0.3°	NS	←2.5°	Sig	↑2.3°	Sig
Riesmeijer et al. [43]	→2.2°	Sig	←0.5°	NS	↑2.7°	Sig
Stahl et al. [44]	←0.8°	NS	←3.4°	Sig	↑2.7°	Sig
Baccetti et al. [45]	→0.3°	NS	←5.5°	Sig	↑4.0°	Sig
Jacob & Buschang [46]	←0.5°	NS	←2.5°	Sig	↑2.1°	Sig
Yoon and Chung [47]	→2.1°	Sig	←0.6°	NS	↑2.9°	Sig
Most Common	–	NS	←	Sig	↑	Sig

NS–not statistically significant; N/A – not available; Sig – prob 〈 0.05.

남에 따라 그 차이가 증가되었다. Ⅱ급의 절치간 각도는 6~7세에서 5° 더 크고, 그리고 나서 그 차이는 약간씩 증가했다. 6~7세 때 상악 절치부의 경사(U1/SN)는 비슷했던 반면, 상악 전치가 완전 맹출하는 동안 Ⅰ급 부정교합에서 그 각도가 더욱 크게 증가되었고, 성장하는 동안에도 더 큰 각도가 유지되었다.

상악 전치부 치열은 분명하게 Ⅱ급 2류 부정교합의 발생에 중요한 역할을 한다. Ⅱ급 2류 부정교합 환자들의 상악 절치를 면밀하게 평가한 Leighton과 Adams[35]는 상악 절치들이 맹출 이전에 후방 경사되기 시작하여, 맹출하는 동안과 그 다음 몇 년 동안에도 후방경사를 유지한다고 하였다. 2류 부정교합 환자들의 상악 절치가 더 직립되어 하악이 과회전될 수 있게 허용한다. 상악 절치의 기울기와 입술의 높이 사이에는 음의 상관관계가 있어서, 피개가 클수록 상악 절치의 후방경사도 더 커지게 된다[36]. Ⅱ급 2류 부정교합 환자들은 더 높은 입술선을 갖는다[37,38]. 또한 안정 시 입술 압력이 치아의 절단 부위에서 더 크고 치경부 부위에서는 적어진다[38].

6.3 Ⅱ급 1류 부정교합 표현형의 특징

이전 연구들에서 대략 같은 수의 Ⅱ급 1류 환자들이 후퇴되거나, 정상이거나, 돌출된 상악을 보였기 때문에, McNamara[39]는 277명의 8~10세 Ⅱ급 부정교합 환자에 대해 더 잘 조절된 평가를 수행하였다. SNA와 상악 깊이(N-A/FH)에 기초하여, Ⅱ급 환자들의 상악이 약간 후방에 위치한 것을 발견하였다. 최근의 연구에서는 치료받지 않은 Ⅱ급 환자들에서 상악의 돌출과 후퇴가 모두 보고되었지만, Ⅱ급과 Ⅰ급 부정교합 사이에 통계적으로 유의성있는 차이는 거의 없었다(**표 6.2**). 교합관계보다는 ANB 각에 기초하여 그들의 환자를 분류한 2개의 연구에서는, Ⅱ급 부정교합 환자들의 볼록한 안모가 하악 후퇴보다는 상악 돌출 때문이라고 하였다[43,47]. 또한 Yoon과 Chung [47]은 Ⅰ급 보다 Ⅱ급 부정교합 환자들의 후안면고경이 더 작다고 보고하였다.

하악의 전후방적 위치에 대하여, McNamara가 재검토한 초기의 연구 대부분에서 Ⅱ급 부정교합 환자들의 하악이 후퇴되었다고 보고하였다. McNamara[39]의 표본 또한 더욱 최근의 문헌에서와 같은 하악의 후퇴를 보여주었다(**표 6.2**). 대부분의 연구들은 Ⅰ급과 Ⅱ급 부정교합 사이에 통계적으로 유의한 차이를 보인다. 다시 말해, Ⅰ급과 Ⅱ급 부정교합간의 ANB 각도의 차이는 SNA가 아니라, 주로 SNB의 차이에 의한 것이다.

또한 초기의 논문들은 Ⅱ급 부정교합 환자의 상악 절치는 돌출되고 상악 구치는 정상이거나 중립적인 위치에 있다는 것을 보여주었다[39]. McNamara[39]가 평가한 어린이들 또한 예측했던 것 보다 상악 전치가 A–Po 평면에 대하여 2~3mm 더 돌출되어 있었지만, 상악 절치에서 A-점까지의 수평적 거리는 정상 한계 내에 있었다. 구개 평

표 6.3 상악 크기와 위치의 차이 (Ⅱ급 – Ⅰ급).

	Size (ANS–PNS)	AP distance from CB	Palatal Ht
Craig [48]	NS	N/A	N/A
Menezes [49]	NS	N/A	N/A
Ngan et al. [40]	N/A	N/A	NS
Dhopatkar [42]	↑	↑	N/A
Riesmeijer et al. [43]	N/A	N/A	↑
Stahl et al. [44]	N/A	NS	NS
Baccetti et al. [45]	N/A	NS	NS
Most Common	NS	NS	NS

면에 대하여, Ⅰ급 보다 Ⅱ급 부정교합에서 상악 절치가 더 돌출(>10°)되어 있었다[42,49]. Ⅱ급 부정교합에서 N–A평면에 대한 상악 절치의 각도와 거리 모두 큰 돌출도(protrusion)를 반영한다[50].

비록 지속적으로 평가한 것은 아니지만, Ⅱ급 부정교합에서 상악의 크기와 두개저로부터의 전후방 위치는 Ⅰ급으로 예측되는 한계 내에 있고, 전방 상안면 고경은 약간 더 길게 나타났다(**표 6.3**). Dhopatkar 등[42]은 Ⅱ급의 상악이 더 길고, 예측한 것 보다 ANS가 condylion으로부터 더 멀리 위치되어 있다고 하였는데, 이것은 그들의 Ⅱ급 부정교합 환자들이 Ⅰ급 부정교합 환자들에 비해 현저하게 큰 두개저 각도를 갖기 때문이다. Riesmeijer 등[43]은, Ⅱ급 부정교합 환자에서 전상방 안면 고경이 더 크다고 보고하였지만, 이러한 차이는 13~14세까지는 외견상 드러나지 않았다. 또한 다른 학자들도 Ⅰ급에 비해 Ⅱ급 부정교합에서 전방 안면 고경이 약간 더 크다고 보고하였지만, 통계적으로 유의성 있는 차이는 나지 않았다[40,45]. 구개 평면 각도의 변화는 Ⅰ급과 Ⅱ급 부정교합에서 비슷하게 나타났다[45].

하악 성장 부족을 맨 처음으로 밝힌 학자 중에서, Nelson과 Higley[51]는 7~10세의 Ⅱ급 부정교합 환자에서 Ⅰ급에 비해 corpus 길이가 2.6mm 더 짧았다고 하였고, 그 차이는 11~14세까지 조금씩 증가한다고 했다. Ⅱ급 부정교합 환자의 치아치조 복합체 또한 더욱 짧았다. 더욱 최근의 문헌은 Ⅱ급 환자의 하악이 Ⅰ급에 비해 작다는 것을 보여준다(**표 6.4**). Ⅰ급과 Ⅱ급 간의 차이들은 하악지 고경과 corpus 길이보다는 전반적인 길이에서 약 두 배 정도 더 크게 나타났다[46]. 청소년기 후반까지 전반적인 길이 차이는 2~6mm인 반면, 하악지 고경과 corpus 길이 차이는 각각 1~3mm와 1~4mm 이다[40,44~46].

구치관계를 기초로 하여 분류된 Ⅱ급 부정교합 환자들의 대부분은 과발산형이 아니다; 그들의 하악 평면각도는 조금, 그러나 유의성은 없게, 크다(**그림 6.6**). ANB 각도에 기초하여 분류된 Ⅱ급 부정교합 환자들은 Ⅰ급 부정교합 환자들에 비해 하안면 고경(ANS-ME)이 더 크고, 그 차이는 7~14세 때 조금 증가한다[43]. 또한 MPAs가 1~2° 더 크고 우각(gonial angle)도 2~3° 더 크다. ANB 각도에 기초

표 6.4 하악 크기와 위치의 차이 (Ⅱ급 – Ⅰ급).

	Total LT (e.g. Co–Gn)	Ramus Ht	Corpus Lt	MPA	Gonial angle
Menezes [49]	↓	↓	↓	↑	N/A
Ngan et al. [40]	↓	N/A	↓	NS	NS
Bishara [41]	NS	N/A	N/A	NS	N/A
Dhopatkar et al. [42]	NS	N/A	NS	NS	N/A
Stahl et al. [44]	↓	NS	N/A	NS	NS
Riesmeijer et al. [43]	NS	N/A	↓	↑	↑
Baccetti et al. [45]	↓	↓	N/A	NS	NS
Vásquez et al. [50]	NS	NS	NS	NS	NS
Jacob and Buschang [46]	↓	NS	NS	NS	NS
Yoon and Chung [47]	↓	NS	↓	NS	NS
Most common	↓	↓	↓	NS	NS

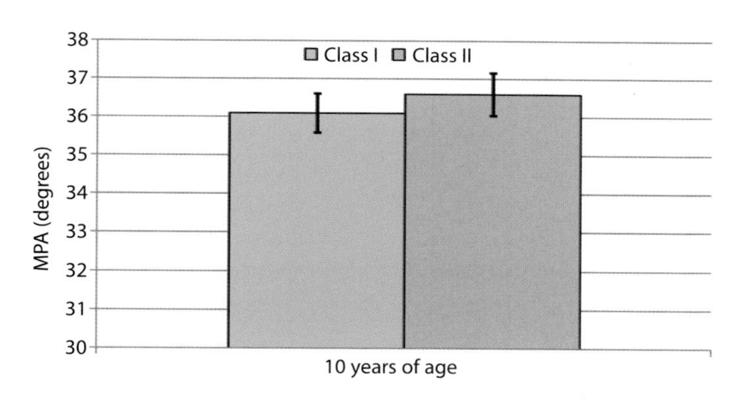

그림 6.6 Ⅰ급과 Ⅱ급의 하악평면각(MPA) (Jacob과 Buschang의 자료[46]).

해 환자를 분류한 Ⅰ급과 Ⅱ급 부정교합 비교 중에서 하악 평면의 각도, 후방–대–전방 안면 고경 비율 또는 우각에서는 통계적으로 유의한 차이가 없었다고 보고하였다[47].

Ⅱ급과 Ⅰ급에서 하악 절치의 경사는 일반적으로 동일하다고 보고되었다. A–Pg line에 대하여, 하악 절치는 돌출[44]되거나 정상적으로 위치[39]한다고 하였다. 하악 평면에 대한 하악 절치의 각도는 Ⅰ급과 비슷하거나[28,49,52] Ⅰ급보다 Ⅱ급에서 약간 더 크지만, 그 차이는 통계적으로 유의하지 않다[42,44].

6.3.1 과발산형 대 저발산형 Ⅱ급 1류 부정교합

Ⅱ급 부정교합 환자의 하악 평면 각도가 Ⅰ급 부정교합 환자에 비해서 약간만 –유의성없게– 크지만, 과발산형과 저발산형 Ⅱ급 부정교합을 구별하는 것은 임상적으로 중요하다. 골격적으로, 저발산형 Ⅱ급 1류 부정교합은 Ⅰ급 부정교합과 비슷한 경향이 있다. 이를 통해 Ⅱ급 부정교합의 25%가 골격성이기 보다는 치성이고, 또 다른 15~20% 정도는 2류라고 간주될 수 있을 것이다. 다시 말해, Ⅱ급 부정교합의 약 절반은 하악 성장에 문제가 없고, 기본적으로 치료에 대해 Ⅰ급과 같은 반응을 예견할 수 있다. 진정한 성장 관련 문제를 가지는 환자는 과발산형 Ⅱ급 부정교합이다. 이 환자들은 과발산형이고 하악 후퇴가 모두 나타난다.

Buschang과 동료들의 고찰에 따르면[53], 과발산형 Ⅱ급 부정교합 환자의 전방과 후방의 상악 고경은 대체로 정상 대조군과 비슷하였다. 과발산형 환자를 개방 교합에 기초해 분류했을 때, 상악의 길이와 그것의 전후방위치(SNA각에 기초한)는 작은 경향을 보이지만, 그들의 분류가 골격을 기반으로 이루어 질 때는 그렇지 않다. 과발산형은 구개평면 각도에 영향을 미치지 않는다. 고찰을 통해 일관적으로 과발산형 환자들에서 전방과 후방 치아치조 고경이 증가된 것을 볼 수 있는데, 이것은 과발산형 Ⅱ급 환자에서 근본적인 상악의 문제점은 골격적이라기 보다는 수직적, 그리고 치아치조적 이라는 것을 의미한다.

문헌 고찰은 또한 치료받지 않은 과발산형 Ⅱ급과 대조군을 비교했을 때, 상악보다 주로 하악에서 더욱 확연한 차이를 나타내는 것을 보여주었다[53]. 과발산형 Ⅱ급 부정교합 환자들은 전안면고경이 크고 하악지 고경은 짧다. 과발산형 Ⅱ급 부정교합에서 우각은 일관적으로 크고 하악 평면은 더 가파르게 나타난다. 후방 치아치조 고경은 전방부의 고경보다 더 많은 영향을 받는 것처럼 보여진다.

과발산형 Ⅱ급의 횡적인 차원 또한 영향을 받는다. 상하악 악궁 모두에서 구치부 폭경은 정상 개체에 비해 Ⅱ급 1류 환자들에서 더 좁은 경향을 보인다[54~57]. Ⅰ급

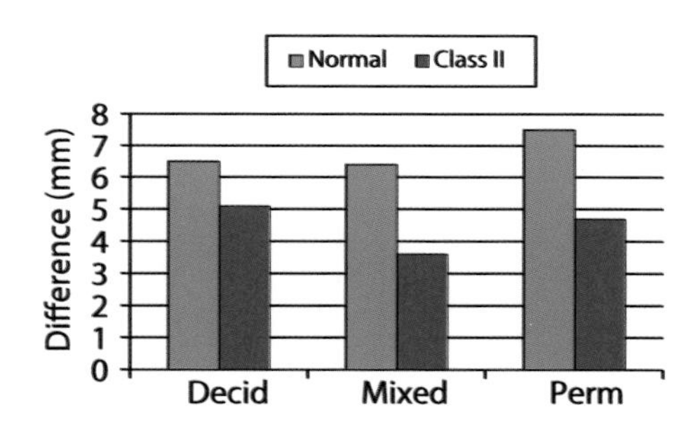

그림 6.7 정상과 Ⅱ급 부정교합을 갖는 남자의 유치열, 혼합치열, 영구치열기 동안의 상하악 대구치간 너비 차이(Bishara 등[55]의 자료).

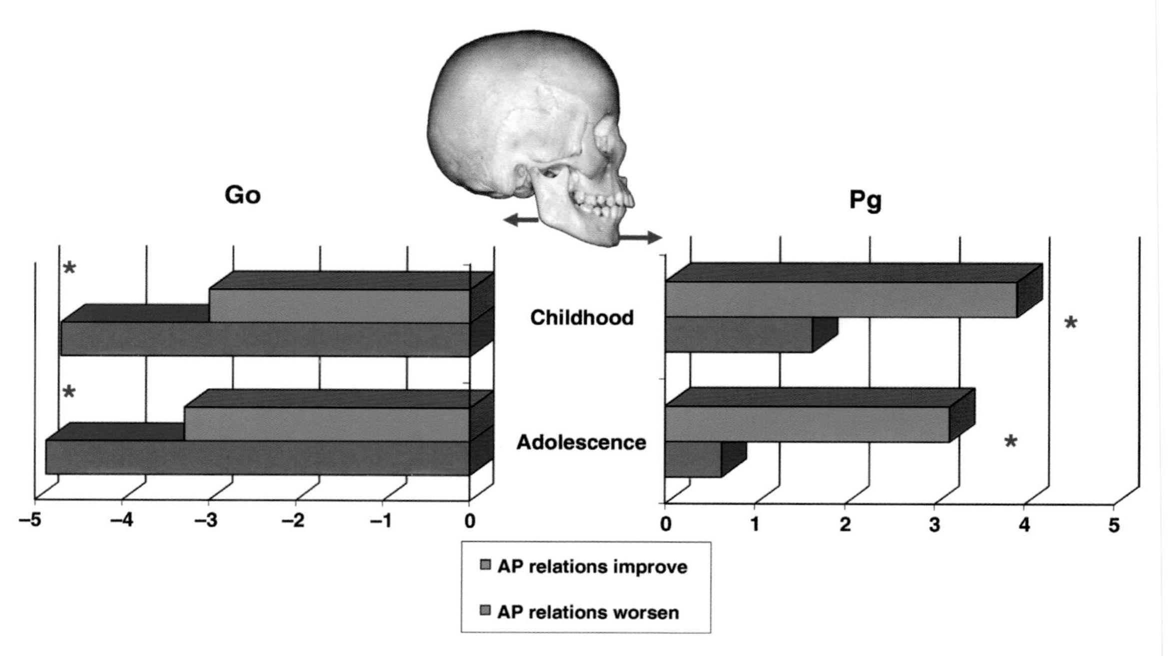

그림 6.8 두개저 중첩에 기초한, 아동기(6~10세), 청소년기(10~15세)동안 여성의 gonion(Go)과 pogonion(Pg)의 전후방적 위치 변화(Buschang과 Martin의 자료[62]).

과 Ⅱ급 부정교합 간의 폭경 차이는 보통 발육의 유치열기 단계에서 분명해진다**(그림 6.7)**. 과발산형 Ⅱ급에서도 비슷한 양상들이 발견된다. 또한 과발산형 환자들은 정상이나 저발산형 환자들에 비해 더 높고 얇은 하악 결합(mandibular symphyses)과 더 얇은 상악 전방부를 갖는다[58]. 결국, 과발산형 환자들은 상하악골 모두에서 얇은 피질골을 갖는다[59~61].

6.4 Ⅱ급 부정교합의 발달 변화

성장의 관점에서 보면, 교정의사들은 하악이 후퇴된 과발산형 Ⅱ급 부정교합에 가장 주의를 기울일 필요가 있다. 전후방 관계가 시간이 지남에 따라 개선되는 경우와 비교하여, 전후방 관계가 악화되는 경우에는 pogonion의 전방 이동이 더 적어지고 gonion의 후방이동은 더 커진다**(그림 6.8)**. 이것은 전후방적인 골격 관계의 변화가 수직적 변화 발생과 연관된다는 것을 보여주는 것이다. 시간이 지남에 따라 전후방 관계가 악화되는 치료받지 않은 환자들은 시간이 지남에 따라 더욱더 과발산형이 된다[62].

교정의사들은 대부분의 과발산형 Ⅱ급 부정교합 환자들의 성장 패턴이 조기에 확립된다는 것을 반드시 숙지해야 한다. 과개교합과 개방교합 환자들 사이의 하안면 고경 차이는 혼합 치열기 이전에 이미 확실하게 성립되어 있다[63]. 영구치열기에서 더 큰 하악평면각을 갖는 사람은 혼합 치열기 동안에서도 큰 하악평면각을 가지게 된다[64]. Bishara와 Jakobsen[65]에 의하면 장안모로 분류된 성인의 82%는 그들이 5세였을 때 이미 얼굴이 길었다고 한다. 과발산형, 정상, 저발산형으로 분류된 10세 소아들의 약 75%는 자신의 분류를 15세까지 유지하였다[66]. 이와 대조적으로, 조기에 전후방 부조화를 식별하는 것은 훨씬 어렵다[67]. 교정의사들은 발달성 수직적 부조화를 후기에 나타날 전후방적 부조화의 조기 증거로 보아야 한다.

과발산형 하악후퇴 Ⅱ급 부정교합을 효과적으로 치료하기 위해서, 임상가는 반드시 진성(true) 하악 회전이 무엇이고 어떻게 발생하는지에 대해 이해하여야 한다. 진성 전방 회전((Bjork와 Skieller[68]의 표현처럼 총 회전(total rotation)이라 흔히 알려진))은 하악의 후방면이 전방면에 비해 하방으로 변위되고, 그 역 또한 같을 때 이루어진다. 진성 하악 회전과 하악평면의 회전을 구별하는 것이 중요

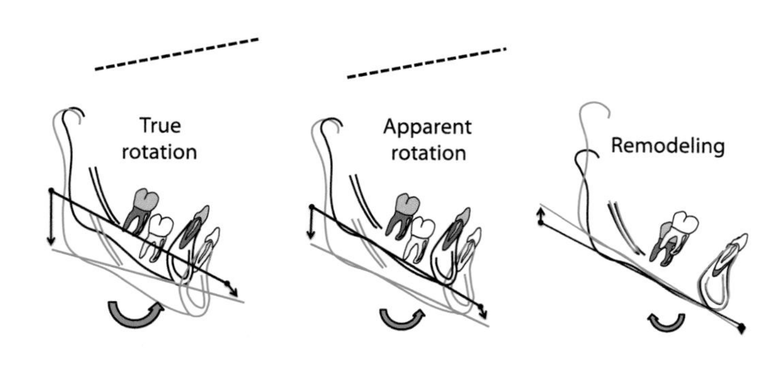

그림 6.9 두개저와 관련하여 임플란트 또는 안정 구조선의 진성 회전, 두개저와 관련하여 하악 하연의 외견상 회전, 그리고 하악 하연의 각도 개조(Buschang과 Jacob[69]으로부터 변형).

하다: 진성 회전은 modeling 변화에 의해 영향을 받지 않는 반면, 하악평면 각도는 modeling에 의해 상당한 영향을 받는다. 사실, 발생하는 진성 회전 변화의 대부분은 하악의 하연 부위에서 발생하는 modeling 변화에 의해 가려진다.

진성 하악 회전은 발산형, 하악후퇴증, Ⅱ급 2류 부정교합 환자들에서 가장 문제가 되는 다른 형태학적 특징들을 설명해주기 때문에 중요한 의미를 갖는다. 후방 회전이나 평균 이하의 전방 회전이 있으면서 치료 받지 않은 환자들은 더욱 과발산형 되는 경향이 있다[69]. 이와 같은 관계를 평가하기 위한 연구를 고안한 Karlsen[29]은 작은 하악평면각(SN–MP ≤26°)을 갖는 12세 소년들에서 큰 하악평면각(SN–MP ≥35°)을 갖는 소년들에 비해 상당히 큰(1.6~3.5°) 진성 전방 회전이 나타난다는 것을 보여주었다.

가장 중요하게도, 진성 하악 회전은 주로 전후방적인 턱의 위치에 의해 결정된다**(그림 6.9)**. 진성 회전은 과두의 성장이나 하악와의 변위보다는 턱 위치의 전후방적인 변화와 더욱 밀접하게 연관된다; 하악이 1도 진성 회전할 때마다, 어린이와 청소년의 턱은 각각 1.2mm와 1.4mm 전방 이동한다[69]. 회전은 턱의 정상적 전방 재위치를 설명하는 중요한 기전이 되어야만 하는데, 이는 과두가 후방으로 자라는 것보다 전형적으로 하악와가 후방으로 이동하는 것이 더 크기 때문이다[70]. 진성 회전은 또한 치료 받은 환자들의 전후방적 턱의 위치 변화를 설명하는 열쇠로 보여진다[71].

또한, 진성 회전은 과발산형 Ⅱ급 환자들의 하악 형태가 비정상적으로 형성되는 이유를 설명해준다**(그림 6.10)**. 하악이 약간만 전방 회전되거나 후방 회전되면서 치료받지 않은 경우에는, 더 큰 전방 회전을 겪는 환자들보다 더 뒤쪽 방향으로 향하고 적응하여, 과두가 덜 성장하게 된다[72~74]. 회전은 치료받거나 치료받지 않은 소아 모두에게 하악 형태에 영향을 끼친다. 치료 받지 않은 대조군

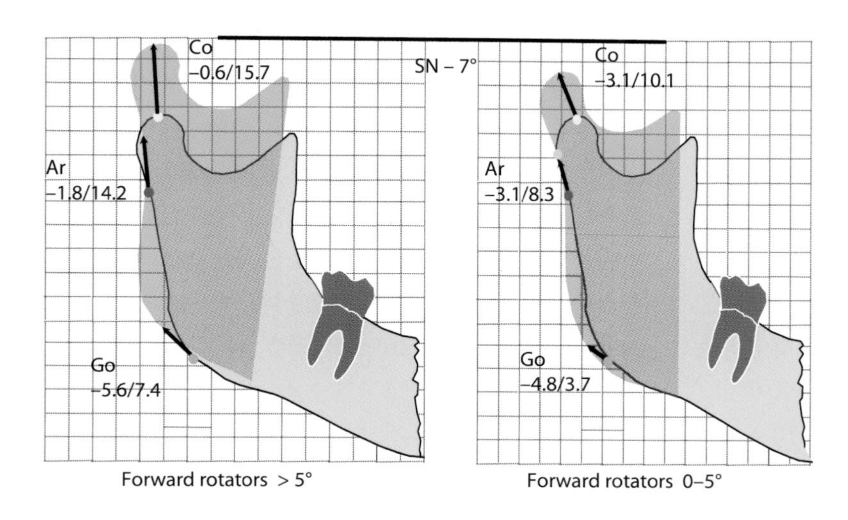

그림 6.10 5° 보다 더 크고 작은 진성 하악의 회전을 보이는 10~15세 청소년에서 선택된 지표의 수평적, 수직적(hor/ver) 성장과 개조변화(Buschang과 Gardini의 자료[64]).

과 비교하여, 무작위로 바이오네이터(bionator) 치료로 할당된 혼합 치열기 환자들은 하악이 약간 후방으로 회전되어, 과두 성장 방향이 후방으로 전환되었다[75]. 일반적인 기능성 교정장치는 하악을 후방으로 회전시키고, 과두가 더욱 후방으로 성장하여 적응하게 된다[64,76,77]. 좀더 후방을 향하는 과두의 성장으로, 과발산형 Ⅱ급 부정교합 환자에서 우각이 크게 나타나게 되는 것이다. 또한 진성 회전은 하악의 하연 부위에서 일어나는 modeling 변화와도 밀접하게 관련된다[78,79]. 결국, 평균보다 적은 양의 진성 전방 회전과 후방 회전은 하악 절치의 후방경사와 관련이 있고, 이는 치궁 둘레의 감소를 야기한다[72]. 후방 회전은 흔히 턱을 성장시키지 않는데 이는 하악결합이 하방으로 회전하기 때문이며, 이로 인해 전치가 후방경사되고 과맹출되며, 차례로 직선의, 길고, 좁은 형태의 하악결합을 초래하게 되는 것이다.

6.5 Ⅱ급의 발달 변화

장기간의 연구들은 일관적으로 아동기나 청년기 동안에 적거나 거의 없는 전후방 상하악 변화의 차이(Ⅱ급 대 Ⅰ급)를 보여준다. 대부분의 연구들은 부정교합 간의 ANB나 Wits 변화[40,41,43,44] 또는 SNA와 SNB의 증가에 있어 차이가 없다는 것을 발견했지만 예외가 있다. Ngan 등[40]은 Ⅱ급 부정교합 환자에서 시간이 지남에 따라 SNB보다 SNA가 더 크게 감소하기 때문에 ANB 각도가 조금 감소된다는 것을 보여주었다; Ⅰ급에서는 SNA보다 SNB가 더 크게 증가하기 때문에 ANB 각도가 감소된다. Ⅱ급에 비해 Ⅰ급 부정교합에서 유의성있게 큰 상하악 차이의 증가한다고 보고되었다[44].

Ⅰ급과 Ⅱ급 모두에서 일반적으로 하악 발산의 감소를 보이지만, Ⅰ급 부정교합에서 약간 더 큰 감소 경향을 보인다[41,43]. Stahl 등[44]은 Ⅱ급보다 Ⅰ급 부정교합에서 청소년기 동안 조금 더 큰 MPA와 우각의 감소를 보이지만, 그 차이가 통계적으로 유의하지는 않다고 하였다. Ngan 등[40]은 Ⅰ급 부정교합 환자들의 성장 패턴이 더 수평적인 것에 비하여, Ⅱ급 부정교합 환자들은 10세 이후에 약간 수직적 발달 경향을 보인다고 하였다(MPA와 Y–축이 약간 증가하고 PFH/AFH 비율이 조금 감소한다). Ⅰ급과 Ⅱ급 부정교합 간의 차이는 여성에서 더 분명하게 나타난다[41,43]. 또한 Riesmeijer 등[43]은 7~14세 사이에 Ⅰ급보다는 Ⅱ급 부정교합에서 우각(Ar–Go–Me)의 증가가 더 크게 나타난다고 하였다. 하악 성장의 방향에 있어 성장 변화(Y–축 또는 N–S–Gn)는 Ⅰ급과 Ⅱ급 부정교합에서 동일하게 나타났다[80]. 10~15세 사이 130명의 환자들에 기초하여, Ⅱ급 부정교합에서 Ⅰ급보다 MPA가 조금 더 많이 감소(0.2°)하였다[46].

크기의 관점에서, Ⅱ급 부정교합 환자의 하악은 Ⅰ급의 하악에 비해 더 작은 경향을 갖지만, 성장 차이는 작고 청소년이 될 때까지 분명해지지 않는다. Ngan 등[40]은 7~10세 사이 Ⅰ급과 Ⅱ급에서 전체(Ar–Gn) 그리고 corpus(Go–Gn) 길이가 약간 증가하는 것을 보여주었지만, Ⅰ급 부정교합에서 10~14세 사이에 더 큰 증가를 보였다. 장기간의 평가에 의하면, Ⅱ급 부정교합 환자에서 전체적인 하악의 길이(Co–Gn)는 10~15세 사이에 상당히 짧아진다고 한다[46]. Stahl 등[44]은 Ⅱ급에 비해 Ⅰ급 부정교합 환자에서 청소년기 동안에 전체적인 하악의 길이(Co-Gn)와 하악지의 높이(Co-Go)가 더 크게 증가하는 것을 보여주었다. Bishara[41]는 혼합치열기와 영구치열기 사이에 Ⅰ급에 비해 Ⅱ급에서 전체적인 하악의 길이(Ar–Pg)가 더 작게 남아 있는 것을 발견하였는데 그러한 차이는 약간 감소된다. Buschang 등[80]은 6~15세 사이에 축적된 Ⅰ급과 Ⅱ급 간의 S–Gn 성장에 작은 비율 차이가 있다고 보고하였다.

치료받지 않은 Ⅰ급과 Ⅱ급 부정교합간의 전체적인 하악 길이 차이는 과두의 성장 차이에서 기인한다. 10~15세 사이에 Ⅱ급에 비해 Ⅰ급 부정교합 환자의 Condylion에서 상당히 더 큰 전체적인 성장(14.1mm 대 12.1mm)이 이루어진다[46]. 연간 차이는 적고(0.4mm/년), Ⅱ급 보다는 주로 Ⅰ급 환자에서 하악 과두의 수직적 성장이 더 크기 때문이다. 또한 Ⅰ급 부정교합 환자는 gonion에서 더 큰 전반적 성장(7.8mm 대 6.9mm)을 보이는데, 이 또한 gonion의 상방 유동(drift)이 더 크기 때문이다. Ⅰ급과 Ⅱ급 간의 차이는 주로 과발산형 Ⅱ급 부정교합에서의 감소된 성장률에 기인한다; 저발산형 Ⅱ급의 과두성장은 저발산형 Ⅰ급의 성장과 비슷하다. 이것이 과발산형 Ⅱ급에

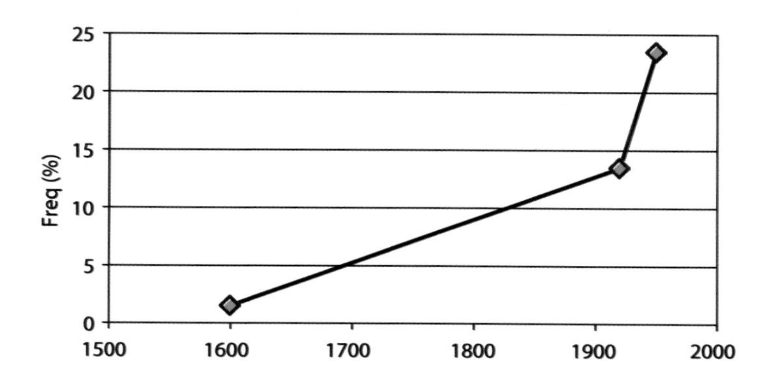

그림 6.11 1600, 1920, 1950년대에 태어난 핀족(Finns)에서 II급 부정교합의 빈도(Varrela의 자료[83]).

비해서 저발산형 Ⅱ급이 9~18세 사이에 후안면고경의 증가가 크게 나타나는 이유와, 안면 굴곡의 감소가 크게 나타나는 이유와, MPA가 더 편평해지는 이유를 설명해준다[81].

Ⅰ급에 비해 Ⅱ급에서 전형적으로 더 큰 수평피개와 약간 더 큰 수직피개를 보이지만, 수평피개와 수직피개의 변화는 비슷하다. Stahl 등[44]은 수직피개, 수평피개, 구치관계의 변화는 청소년기에 부정교합 분류간에 차이가 없다고 하였다. Bishara[41]는 유치열기와 혼합치열기 사이에 Ⅱ급 남아에서 수직피개 감소가 약간(0.4mm) 크게 나타나고, Ⅰ급 여아에서 약간(0.2mm) 크게 증가한다는 것을 보고하였다. 유치열기과 영구치열기 사이의 수직피개 증가는 Ⅰ급에 비해 Ⅱ급에서 단지 약간(0.2~0.4mm) 더 적었다.

6.6 원인

반응의 표준은 우리에게 주변 환경에 따라 같은 유전형에서 다양한 표현형이 나올 수 있다는 것을 상기시켜준다. 예를 들어, 현대의 핀(Finn) 족은 15세기와 16세기의 핀 족 표본에 비해 상당히 더 큰 우각과 하악평면각을 갖는다[82]. 유전적 변화가 일어나기에는 불충분한 기간이기 때문에, 같은 유전형이 다른 환경적 요인들에 의해 적응되었음이 분명하다. 핀란드 인구는 또한 과거 몇 세기 동안에 Ⅱ급 부정교합 유병율의 현저한 증가를 보인다

표 6.5 전치부, 구치부, 전체적인 볼튼 비율의 차이 (II급 – I급).

	Anterior	Posterior	Overall	Ethnicity
Sperry et al. [87]	NS	N/A	NS	US
Crosby & Alexander [88]	NS	N/A	NS	US
Nie and Lin [89]	↓ (–0.7%)	↓ (–1.8%)	↓ (–1.3%)	Chinese
Ta et al. [90]	NS	N/A	NS	Chinese
Alkofide & Hashim [91]	↑(0.7%) [1]	N/A	NS	Saudi
Araujo & Souki [92]	NS	N/A	NS	Brazil
Uysal et al. [93]	NS	N/A	NS	Turkey
Al–Khateeb and Alhaija [33]	NS	N/A	NS	Jordan
Fattahi et al. [94]	↓ (–1.7%)	NS	↓ (–1.2%)	Iran
Strujic et al. [95]	NS	NS	↓ (–0.7%)	Croatia
Wedrychowska–Szulc et al. [96]	NS	N/A	NS	Poland
Johe et al. [97]	NS	N/A	NS	US
Summary	NS (9 to3)	NS (2 to1)	NS (9 to 3)	

↑ Across the board difference; NS – prob 〉0.05; NA – no data available; [1] significant for females only.

(그림 6.11). 1600년대에 살았던 사람들의 유골에서는 Ⅱ급 부정교합의 유병율이 2%보다 더 적게 나타났다[83]. 1920년경, 핀족의 Ⅱ급 부정교합 비율은 13.5%로 증가되었고, 1950년대에는 거의 24%까지 증가되었다. 과거 몇 백 년 동안의 부정교합 증가 추세는 잘 확립되어 있다[84,85].

유전적 성향이 강한[86] 볼튼 치아-크기 부조화(Bolton tooth-size discrepancy)가 Ⅱ급 부정교합에서 보다 더 높게 나타나는지 더 낮게 나타나는지에 관한 증거는 거의 없거나 아예 없다. 반면에 예외가 있는데, 연구들의 대다수는 전치부, 구치부, 또는 전체 볼튼 비율에서 Ⅱ급과 Ⅰ급 간에 중요한 차이가 없다는 것을 보여주었다(표 6.5).

두개안면복합체에서 강한 유전적성향을 갖는 연골두개에서, Ⅰ급과 Ⅱ급 사이에 성장 차이의 발생 여부에 관해서는 아직 논쟁 중이다. 대부분의 논문들이 전방 혹은 후방 두개저 길이에 차이가 없다고 한 반면에, 다수의 연구들은 Ⅱ급 부정교합에서 더 큰 두개저각을 갖는다고 한다(표 6.6). Ⅱ급 부정교합에서 큰 두개저각으로 상악이 상대적으로 전방 위치되고 하악이 상대적으로 후방위치될 것을 예측할 수 있다. 또한 Ⅱ급의 더 큰 두개저각은 부정교합에 유전적 소인이 있다는 것을 뒷받침해준다.

Ⅱ급 부정교합의 원인을 이해하기 위해 과발산형 및

표 6.6 두개저 각도, 전방부 길이, 후방부 길이의 차이 (Ⅱ급 – Ⅰ급).

Article	Cl I/Cl II	Anterior CB	Posterior CB	Angle
Agarwal et al. [98]	52/51	NA	NA	NS
Bacon et al. [99]	41/45	NS	Ⅱ > Ⅰ	Ⅱ > Ⅰ
Bishara et al. [100]	35/30	NS	NS	NS
Chin et al. [101]	27/30	NS	NS	Ⅱ > Ⅰ
Dhoptkar et al. [42]	50/50	Ⅱ > Ⅰ	Ⅱ > Ⅰ	Ⅱ > Ⅰ
Kerr and Hirst [102]	51/34	NA	NA	Ⅱ > Ⅰ
Hopkin et al. [103]	96/96	Ⅱ > Ⅰ	Ⅱ > Ⅰ	Ⅱ > Ⅰ
Liu et al. [104]	17/20	Ⅰ > Ⅱ	Ⅱ > Ⅰ	NS
Menezes [49]	31/37	NS	NS	NS
Ngan et al. [40]	20/20	NS	NS	NS
Polat and Kaya [105]	25/25	NS	NS	NS
Stahl et al. [44]	17/17	NA	NA	Ⅱ > Ⅰ
Vandekar et al. [106]	25/25	NA	NA	NS
Wilhelm et al. [107]	22/21	NS	NS	NS
Most Common		NS	NS (6 to 4)	NS

저발산형의 환자들은 각각 개별로 고려되어야 한다(그림 6.12). 골격적으로, 저발산형 Ⅱ급 부정교합은 과발산형에 비해 Ⅰ급 부정교합과 보다 유사하다. 완전 치성 Ⅱ급의 25%에서 하악이 "정상"적으로 성장하기 때문에, 그들의 구치/견치 부조화의 원인은 다음과 같다 1) 아동기와 청소년기에 자가–수정될 수 없을 정도로 큰 유치의 부조화 및/혹은 2) Ⅰ급 구치관계로의 변화를 위한 영장류 공간 및 leeway 공간의 불충분[109~111]. 앞서 언급했듯이, Ⅱ급 2류 부정 교합에서의 치아 관계는 주로 전치 경사와 연관되는 하악의 치아치조 성장에 대한 상악의 제약 때문이다.

대부분의 과발산형 Ⅱ급에서, 골격적 발현을 가장 잘 설명하는 표현은 주변환경에 대한 발달 적응이다. 시간이 지남에 따라 변화되는 부정교합을 설명하기 위해 3가지의 넓은 환경적 요소가 제안되었는데, 습관, 정상 호흡의 장애, 저작근 강도의 감소이다[112].

전후방적 부조화(AP discrepancy)가 주로 상악의 돌출 때문인 과발산형 Ⅱ급은 지속적인 손가락 빨기 습관과 연관되어 있을 수 있다. 지속적인 엄지손가락 빨기 습관을 갖는 7~16세의 소아는 개방 교합, Ⅱ급 구치와 견치 관계, 전방 경사된 상악 절치, 긴 상악의 경향을 보이지만, 하악과 구개 평면의 각도는 정상적이다[113]. 다시 말해, 지속적 손가락 빨기 습관이 있다고 해서 반드시 Ⅱ급에서 더 과발산형이 되는 것은 아니다. 또한 손가락을 빨거나[114,115] 인공 젖꼭지를 빠는[116,117] 습관이 있는 유치열기의 어린이들에서는 반대교합의 유병율이 높다. 하지만 대부분의 반대교합은 초기 혼합 치열기로 이행되기 전에 습관이 중단된다면 자가–수정이 이루어지고, 치열 이행기 이후에도 손가락 빨기 습관을 갖는 대부분의 어린이들은 9세 이후에는 반대교합을 보이지 않는다[118,119].

기도 간섭(airway interference)과 감소된 저작근 강도는 과발산형, 하악이 후퇴된 Ⅱ급 부정교합에 대해 가장 널리 인지되는 원인이 된다. 시간의 흐름에 따른 구치와 견치 관계의 정상화를 가장 잘 설명해주는 상하악의 차등 성장은 과발산형 Ⅱ급에는 해당될 수 없다[120]. 하악의 전후방 회전이 제한적이기 때문에, 과발산형 Ⅱ급의 하악 치아는 Ⅰ급 구치와 견치 관계를 확립하기 위해 충분히

Hypodivergent ≈50%

- Dental not skeletal malocclusion – lack of primate and leeway space
- Division 2 – maxillary restriction of mandibular growth
- Maxillary protrusive – excessive growth displacement of maxillary teeth, perhaps due to finger habits

Hyperdivergent ≈50%

- Mandibular retrognathic – airway restrictions
- Mandibular retrognathic – weak musculature

그림 6.12 과발산형과 저발산형 II급의 발달을 설명해주는 원인 요소들.

전방으로 변위되지 못한다.

기도 간섭은 습관보다 과발산적 하악 후퇴 표현형과 더 밀접하게 연관된다[53]. 편도 비대, 알러지성 비염, 아데노이드 비대를 갖는 사람들에게서 보이는 표현형의 현저한 유사성은 만성 기도 간섭이 비슷한 표현형을 산출할 수 있다는 결론에 이르게 한다. Harvold와 그의 동료들이 수행한 고전 연구[121]는 막힌 비도와 가파른 하악평면의 발달, 그리고 큰 우각 사이의 원인에 대한 연관성을 구축하였다. 복합적인 연구들은 비대된 아데노이드를 갖는 어린이들이 비호흡을 하는 대조군에 비해 증가된 전방 하안면 고경, 큰 우각, 좁은 상악궁, 작은 SNB 각도, 후방경사된 전치, 큰 하악평면각을 갖는 것을 보여준다[122~124]. 아데노이드 절제술 이후에, 하악 성장 방향, 하악평면 각, 악궁 너비, 상악 전치의 경사에 대한 개선이 보고되었다[123,125~127].

또한 만성적으로 확대된 편도, 수면 무호흡증, 알러지성 비염은 동일하게 과발산되고 하악후퇴된 표현형을 야기한다. Behlfelt 등[128]은 비대된 편도를 갖지 않는 소아에 비해 비대된 편도를 갖는 10세 소아가 더 후퇴된 하악, 더 긴 전안면고경, 그리고 더 큰 하악평면 각을 갖는다는 것을 입증하였다. 알러지성 비염을 가진 소아들처럼[130~133], 폐쇄성 수면 무호흡증이 있는 소아들은 더 가파른 하악평면각, 더 큰 전방의 하안면 고경, 그리고 더 후방 경사된 전치들을 갖고 있다[129]. Trask 등[133]은 반복되는 알러지성 비염으로 구호흡을 하는 환자들이 그들의 형제들에 비해 더 깊은 구개, 후방경사된 하악 전치, 작은 SNB와 SNPg 각도, 증가된 수평피개, 증가된 하안면고경, 증가된 우각, 증가된 하악평면각을 갖는다고 하였다. 이러한 연관성은 알러지성 비염의 이환율이 10~20%에 이르고[143], 계속 증가하고 있으므로 중요하다.

감소된 저작근력 또한 가능한 원인 요소로 고려되어야 한다. 부드러운 음식과 감소된 근육 기능, 그리고 과발산형 사이에는 연관성이 존재한다. 실험 연구들은 성장 중인 동물들에게 부드러운 음식을 먹였을 경우 그들의 저작근 구조 차이, 하악 저작력 감소, 과두의 성장 차이, 더 좁은 상악, 다른 골 개조(remodeling)가 나타났다[135~137]. 사람에서도 과발산형인 경우 감소된 근육 크기, 낮은 EMG 활성, 감소된 근육 효율과 직접적으로 연관된다[138~140]. 큰 하악평면각을 갖는 성인[8,10]과 아동[9] 모두에서 저작력이 현저하게 감소한다. 증가된 치아치조 높이 또한 감소된 저작 근육 기능과 연관된다[141,142].

근위축증[143,144]과 척추성 근위축증[145] 환자들은 가장 극적으로 근 기능과 과발산형 사이의 관계를 증명해 준다. 이러한 환자들의 저작근을 직접적으로 약화시키는 열성 유전자 결함은 간접적으로 좁고 깊은 구개, 증가된 전안면고경, 증가된 하악우각, 가파른 하악 평면을 유발한다.

기도 폐쇄와 약화된 근육이 동일한 과발산형의 하악후퇴 표현형을 야기하는 이유는, 하악 위치(posture)로서 가장 적합하고 논리적으로 설명할 수 있다. 저작근력과 하악 위치 사이의 관계에 관한 직접적인 실험적 뒷받침[142]에 더하여, 이 관계를 지지해주는 간접적인 증거들

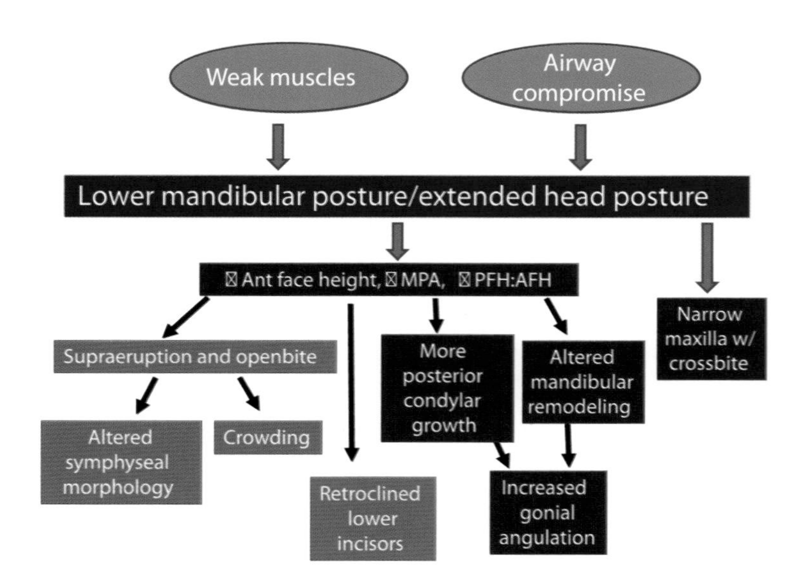

그림 6.13 과발산형의 하악후퇴 II급 부정교합의 발달을 보여주는 순서도(Buschang 등[53]으로부터 변형).

이 상당히 있다[146~148]. 구호흡자들은 호흡을 위해 그들의 하악을 재위치시키는데, 하악을 더 하방으로 하는 것이 전방이나 측방보다 더 효율적이다. 실험적으로 상기도를 폐쇄하면, 하악의 안정위가 더 낮아지고, 두경부 신전(craniocervical extension)이 5° 증가한다[149]. 만일 낮아진 하악의 위치가 습관적이고 환자가 성장 잠재력을 갖고 있다면, 치열, 치아치조 복합체, 하악이 변화된 위치에 적응할 것이다(**그림 6.13**). 하악 자세가 낮아지면, 즉시 하악평면각이 증가하고 후방–전방 안면 고경 비율이 감소된다. 성장에 따라, 낮아진 위치로 전안면 고경이 더욱 증가하게 되고 치아는 이를 보상하기 위해 과맹출한다. 혀가 치아 사이에 위치하는 지에 따라, 최소한 부분적으로라도, 전치 과맹출 여부가 결정되는 데, 이런 경우 개방교합이 생기게 된다. 절치, 특히 하악절치는 후방경사 됨으로써 낮아진 하악의 위치에 적응한다. 후방경사와 과맹출은 증가된 총생과 결합부(symohysis)의 형태 변화를 야기한다. 또한 낮아진 하악과 혀 위치는 반대교합이 가능한 좁은 상악궁을 야기한다. 결국, 낮아진 위치는 하악의 개조 패턴을 변화시키고 과두 성장이 더 후방을 향하게 하여, 하악우각이 증가하게 된다.

참·고·문·헌

1 Angle EH. Treatment of Malocclusion of the Teeth. Philadelphia: S.S. White Dental Manufacturing Co, 1907.
2 Ricketts RM. Orthodontic diagnosis and planning. Philadelphia: Saunders, 1982.
3 Henrikson T, Ekberg EC, Nilner M. Masticatory efficiency and ability in relation to occlusion and mandibular dysfunction in girls. Int J Prosthodont 1998;11(2):125–132.
4 English JD, Buschang PH, Throckmorton GS. Does malocclusion affect masticatory performance? Angle Orthod 2002;72(1):21–27.
5 Owens S, Buschang PH, Throckmorton GS, et al. Masticatory performance and areas of occlusal contact and near contact in subjects with normal occlusion and malocclusion. Am J Orthod Dentofac Orthop 2002;121(6):602–609.
6 Lepley CR, Throckmorton GS, Ceen RF, Buschang PH. Relative contribution of occlusion, maximum bite force, and chewing cycle kinematics to masticatory performance. Am J Orthod Dentofacial Orthop 2011;139(5):606–613.
7 Hisano M, Soma K. Energy-based re-evaluation of Angle's Class Imolar relationship. JOral Rehabil 1999;26(10):830–835.
8 Proffit WR, Fields HW, Nixon WL. Occlusal forces in normal- and long-face adults. J Dent Res 1983;62 (5):566–70.
9 García-Morales P, Buschang PH, Throckmorton GS, English JD. Maximum bite force, muscle efficiency and mechanical

advantage in children with vertical growth patterns. Eur J Orthod 2003;25(3):265–272.

10 Ingervall B, Minder C. Correlation between maximum bite force and facial morphology in children. Angle Orthod 1997;67(6):415–22.

11 Czarnecki ST, Nanda RS, Currier GF. Perceptions of a balanced facial profile. Am J Orthod Dentofac Orthop 1993;104(2): 180–187.

12 Michiels G, Sather AH. Determinants of facial attractiveness in a sample of white women. Int J Adult Orthod Orthognathic Surg 1994;9(2):95–103.

13 Maple JR, Vig KW, Beck FM, et al. A comparison of providers' and consumers' perceptions of facial-profile attractiveness. Am J Orthod Dentofacial Orthop 2005;128(6): 690–696.

14 Spyropoulos MN, Halazonetis DJ. Significance of the soft tissue profile on facial esthetics. Am J Orthod Dentofac Orthop 2001;119(5):464–471.

15 Naini FB, Donaldson AN, McDonald F, Cobourne MT. Influence of chin height on perceived attractiveness in the rethognathic patient, layperson, and clinician. Angle Orthod 2012;82(1):88–95.

16 Kelly JE, Sanchez M, Van Kirk LE. An assessment of occlusion of teeth of children. DHEW publication no 74–1612. Washington, CD: National Center for Health Statistics, 1973.

17 Kelly JE, Harvey C. An assessment of the teeth of youths 12 to 17 years. DHEW publication no 77–1644. Washington, CD: National Center for Health Statistics, 1977.

18 Proffit WR, Fields HW Jr, Moray LJ. Prevalence of malocclusion and orthodontic treatment need in the United States: Estimates from the NHANES III survey. Int J Adult Orthod Orthognathic Sur 1998;13(2):97–106.

19 Beresford JS, Tooth size and class distinction. Dent Pract Dent Rec 1969;20(3):113–120.

20 Milacic M, Markovic M. A comparative occlusal and cephalometric study of dental and skeletal anteriorposterior relationships. Br J Orthod 1983;10(1):53–54.

21 Ast DB, Carlos JP, Cons NC. The prevalence and characteristics of malocclusion among senior high school students in upstate New York. Am J Orthod 1965;51(6):437–45.

22 Massler M, Frankel JM. Prevalence of malocclusion in children aged 14 to 18 years. Am J Orthod 1951;37(10):751–68.

23 Mills LF. Epidemiologic studies of occlusion IV. The prevalence of malocclusion in a population of 1,455 school children. J Dent Res 1966;45(2):332–336.

24 Baldridge J. A study of the relation of the maxillary first permanent molars to the face in Class I and Class II malocclusion. Angle Orthod 1941;11(2):100–9.

25 Renfroe EW. A study of the facial patterns associated with Class I, Class II, Division 1, and Class II, Division 2 malocclusion. Angle Orthod 1948;18(1):12–15.

26 Wallis S. Integration of certain variants of the facial skeleton in Cl II, division 2 malocclusion. Angle Orthod 1963;33(1):60–67.

27 Godiawala RN, Joshi MR. A cephalometric comparison between class II, division 2 malocclusion and normal occlusion. Angle Orthod 1974;44(3):262–267.

28 Hitchcock HP. The cephalometric distinction of class II, division 2 malocclusion. Am J Orthod 1976;69(4):447–454.

29 Karlsen AT. Craniofacial characteristics in children with Angle Class II div. 2 malocclusion combined with extreme deep bite. Angle Orthod 1994;64(2):123–130.

30 Brezniak N, Arad A, Heller M, et al. Pathognomonic cephalometric characteristics of Angle Class II Division 2 malocclusion. Angle Orthod 2002;72(3):251–257.

31 Fischer-Brandies H, Fischer-Brandies E, Konig A. A cephalometric comparison between Angle Class II division 2 malocclusion and normal occlusion in adults. Br J Orthod 1985;12(3):158–162.

32 Isik F, Nalbantgil D, Sayinsu K, Arun T. A comparative study of cephalometric and arch width characteristics of Class II division 1 and division 2 malocclusions. Eur J Orthod 2006;28(2):179–183.

33 Al-Khateeb EAA, Al-Khateeb SN. Anteroposterior and vertical components of class II division 1 and division 2 malocclu-

sion. Angle Orthod 2009;79(5):859–866.

34 Barbosa LA. Longitudinal growth evaluation of untreated subjects with Class II, division 2, malocclusion. Masters thesis, Saint Louis University, 2012.

35 Leighton BC, Adams CP. Incisor inclination in class 2 division 2 malocclusion. Eur J Ortho 1986;8(2):98–105.

36 Luffingham JK. The lower lip and the maxillary central incisor. Eur J Orthod 1982;4(4):263–268.

37 McIntyre GT, Millett DT. Lip shape and positon in Class II division 2 maolocclusion. Angle Orthod 2006;76(5):739–744.

38 Lapatki BG, Mager AS, Shulte-Moenting J, Jonas IE. The importance of the level of the lip line and resting lip pressure in Class II, divisions 2 malocclusion. J Dent Res 2002;81(5):323–328.

39 McNamara JA Jr. Components of Class II malocclusion in children 8–10 years of age. Angle Orthod 1981;51(3):177–202.

40 Ngan PW, Byczek W, Scheick J. Longitudinal evaluation of growth changes in Class II division 1 subjects. Semin Orthod 1997;3(4):222–31.

41 Bishara SE. Mandibular changes in persons with untreated and treated Class II division 1 malocclusion. Am J Orthod Dentofacial Orthop 1998;113(6):661–73.

42 Dhopatkar A, Bhatia S, Rock P. An investigation into the relationship between the cranial base angle and malocclusion. Angle Orthod 2002;72(5):456–63.

43 RiesmeijerAM,Prahl-Andersen B,Mascarenhas AK, JooBH, Vig KWL. A comparison of craniofacial Class I and Class II growth patterns. Am J Orthod Dentofacial Orthop 2004;125(4):463–71.

44 Stahl F, Baccetti T, Franchi L, McNamara JA Jr. Longitudinal growth changes in untreated subjects with Class II division 1 malocclusion. Am J Orthod Dentofacial Orthop 2008;134(1):125–37.

45 Baccetti T, Stahl F, McNamara JA Jr. Dentofacial growth changes in subjects with untreated Class II malocclusion from late puberty through young adulthood. Am J Orthod Dentofacial Orthop 2009;135(2):148–54.

46 Jacob HB, Buschang PH. Mandibular growth comparisons of class I and Class II division 1 skeletofacial patterns. Angle Orthod 2014;84(5):755–61.

47 Yoon SS, Chung CH. Comparison of craniofacial growth of untreated Class I and Class II girls from ages 9 to 18 years: A longitudinal study.AmJ Orthod Dentofacial Orthop 2015;147(2):190–6.

48 Craig EC. The skeletal patterns characteristic of Class I and Class II, division I malocclusions in norma lateralis. Am J Orthod 1951;21(1):44–56.

49 Menezes DM. Comparisons of craniofacial features of English children with Angle Class II division 1 and Angle Class I occlusions. J Dent 1974;2(6):250–4.

50 Vasquez MJ, Baccetti T, Franchi L, McNamara JA Jr. Dentofacial features of class II malocclusion associated with maxillary skeletal protrusion: A longitudinal study at the circumpubertal growth period. Am J Orthod Dentofacial Orthop 2009;135(5):568.e1–568.e7.

51 Nelson WE, Higley LB. The length of mandibular basal bone in normal occlusion and Class I malocclusion compared to Class II, division 1 malocclusion. Am J Orthod 1948;34(7) 610–7.

52 Harris JE, Kowalski CJ, Walker GF. Discrimination between normal and Class II individuals using Steiner's analysis. Angle Orthod 1975;42(3):212–19.

53 Buschang PH, Jacob HB, Carrillo R. The morphological characteristics, growth, and etiology of the hyperdivergent phenotype Semin Orthod 2013;19(4):121–6.

54 Fröhlich FJ. Changes in untreated Class II type malocclusions. Angle Orthod 1962;32(3):167–79.

55 Bishara SE, Bayati P, Jakobsen JR. Longitudinal comparisons of dental arch changes in normal and untreated Class II, Division 1 subjects and their clinical implications. Am J Orthod Dentofacial Orthop 1996;110(5):483–9.

56 Baccetti T, Franchi L, McNamara JA Jr, Tollaro I. Early dentofacial features of Class II malocclusion: a longitudinal study from the deciduous through the mixed dentition. Am J

Orthod Dentofacial Orthop 1997;111(5):502–9.
57 Alvaran N, Roldan SI, Buschang PH. Maxillary and mandibular arch widths of Colombians. Am J Orthod Dentofacial Orthop 2009;135(5):649–56.
58 Beckmann SH, Kuitert RB, Prahl-Andersen B, et al. Alveolar and skeletal dimensions associated with lower face height. Am J Orthod Dentofacial Orthop 1998;113(5): 498–506.
59 Tsunori M, Mashita M, Kasai K. Relationship between facial types and tooth and bone characteristics of the mandible obtained by CT scanning. Angle Orthod 1998;68(6):557–62.
60 Swasty D, Lee J, Huang JC, et al. Cross-sectional human mandibular morphology as assessed in vivo by cone-beam computed tomography in patients with different vertical facial dimensions. Am J Orthod Dentofacial Orthop 2011;139(Suppl 4):e377–89.
61 Horner KA, Behrents RG, Kim KB, Buschang PH. Cortical bone and ridge thickness of hyperdivergent and hypodivergent adults. Am J Orthod Dentofacial Orthop 2012;142(2):170–8.
62 Buschang PH, Martins J. Childhood and adolescent changes of skeletal relationships. Angle Orthod 1998;68(3):199–208.
63 Nanda SK. Patterns of vertical growth in the face. Am J Orthod Dentofacial Orthop 1988;93(2):103–16.
64 Buschang PH, Gandini Júnior LG. Mandibular skeletal growth and modelling between 10 and 15 years of age. Eur J Orthod 2002;24(1):69–79.
65 Bishara SE, Jakobsen JR. Longitudinal changes in three normal facial types. Am J Orthod 1985;88(6):466–502.
66 Jacob HB, Buschang PH. Vertical craniofacial growth changes in French-Canadian between 10–15 years of age. Am J Orthod Dentofac Orthop 2011;139(6):797–805.
67 Rhodes JD. Cephalometric indications of developing skeletal discrepancies in young children. Master's thesis. Baylor College of Dentistry, Texas A&M Health Science Center 1990.
68 Björk A, Skieller V. Normal and abnormal growth of the mandible. A synthesis of longitudinal cephalometric implant studies over a period of 25 years. Eur J Orthod 1983;5(1):1–46.
69 Buschang PH, Jacob HB. Mandibular rotation revisited: what makes it so important? Semin Orthod 2014;20(4):299–315.
70 Buschang PH, Santos-Pinto A. Condylar growth and glenoid fossa displacement during childhood and adolescence. Am J Orthod Dentofac Orthop 1998;113(4):437–42.
71 LaHaye MB, Buschang PH, Alexander RG, Boley JC. Orthodontic treatment changes of chin position in Class II Division 1 patients. Am J Orthod Dentofacial Orthop 2006;130(6): 732–41.
72 Björk A, Skieller V. Facial development and tooth eruption. An implant study at the age of puberty. Am J Orthod 1972;62:339–83.
73 Lavergne J, Gasson N. A metal implant study of mandibular rotation. Angle Orthod 1976;46(2):144–50.
74 Ødegaard J. Mandibular rotation studies with the aid of metal implants. Am J Orthod 1970;58:448–54.
75 Araujo A, Buschang PH, Melo ACM. Adaptive condylar growth and mandibular remodeling changes with bionator therapy – an implant study. Eur J Orthod 2004;26(5):515–22.
76 Hultgren BW, Isaacson RJ, Erdman AG, Worms FW. Mechanics, growth, and class II corrections. Am J Orthod 1978;74(4):388–95.
77 Birkebæk L, Melsen B, Terp S. A laminagraphic study of the alterations in the temporo-mandibular joint following activator treatment. Eur J Orthod 1984;6(4):257–266.
78 Spady M, Buschang PH, Demirjian A, LaPalme L. Mandibular rotation and angular remodeling during childhood and adolescence. Am J Hum Biol 1992;4:683–89.
79 Wang MK, Buschang PH, Behrents R. Mandibular rotation and remodeling changes during early childhood. Angle Orthod 2009;79:271–5.
80 Buschang PH, Tanguay R, Demirjian A, et al. Mathematical models of longitudinal mandibular growth for children with normal and untreated Class II, division 1, malocclusion. Eur J Orthod 1988;10(3):227–34.
81 Chung CH, Wong WW. Craniofacial growth in untreated

skeletal Class II subjects: A longitudinal study. Am J Orthod Dentofac Orthop 2002;122(6):619–26.

82 Varrela J. Effects of attritive diet on craniofacial morphology: a cephalometric analysis of a Finnish skull sample. Eur J Orthod 1990;12(2):219–223.

83 Varrela J. Masticatory function and malocclusion: a clinical perspective. Semin Orthod 2006;12(2):102–9.

84 Welland FJ, Jonke E, Bantleon HP. Secular trend in malocclusion in Austrian men. Eur J Orthod 1997;19(4): 355–359.

85 Corruccini RS. How Anthropology Informs the Orthodontic Diagnosis of Malocclusion's Causes. Edwin Mellen Press, Lewiston, NY, 1999.

86 Baydas B, Oktay H, Dagsuyu IM. The effect of heritability on Bolton tooth-size discrepancy. Eur J Orthod 2005;27(1):198–102.

87 Sperry TP, Worms FW, Isaacson RJ, Speidel TM. Tooth-size discrepancy in mandibular prognathism. Am J Orthod 1977;72(2):183–190.

88 Crosby DR, Alexander CG. The occurance of tooth size discrepancies among different malocclusion groups. Am J Orthod Dentofacial Orthop 1989;95(6):457–61.

89 Nie Q, Lin J. Comparison of intermaxillary tooth size discrepancies among different malocclusion groups. Am J Orthod and Dentofacial Orthop 1999;116(5):539–544.

90 Ta TA, Ling JYK, Hägg U. Tooth-size discrepancies among different occlusion groups of southern Chinese children. Am J Orthod Dentofacial Orthop 2001;120(5):556–8.

91 Alkofide E, Hashim H. Intermaxillary tooth size discrepancies among different malocclusion classes: a comparative study. J Clin Pediatr Dent 2002;26(4):383–8.

92 Araujo E, Souki M. Bolton anterior tooth size discrepancies among different malocclusion groups. Angle Orthod 2003; 73(3):307–313.

93 Uysal T, Sari Z. Intermaxillary tooth size discrepancy and mesiodistal crown dimensions for a Turkish population. Am J Orthod Dentofacial Orthop 2005;128(2):226–230.

94 Fattahi HR, Pakshir HR, Hedayati Z. Comparison of tooth size discrepancies among different malocclusion groups. Eur J Orthod 2006;28(5):491–495.

95 Strujic M, Anic -Miloševic S, Meštrovic S, Šlaj M. Tooth size discrepancy in orthodontic patients among different malocclusion groups. Eur J Orthod 2009;31(6):584–9.

96 Wedrychowska-Szulc B, Janiszewska-Olszowska, Stepien P. Overall and anterior Bolton ratio in Class I, II, and III orthodontic patients. Eur J Orthod 2010;32(3):313–318.

97 Johe RS, Steinhart T, Sado N, et al. Intermaxillary tooth-size discrepancies in different sexes, malocclusion groups, and ethnicities. Am J Orthod Dentofacial Orthop 2010;138(5):599–607.

98 Agarwal A, Pandey H, Bajaj K, Pandey L. Changes in cranial base morphology in Class I and Class II division 1 malocclusion. J Int Oral Health 2013;5(1):39–42.

99 Bacon W, Eiller V, Hildwein M, Dubois G. The cranial base in subjects with dental and skeletal Class II. Eur J Orthod 1992;14(3):224–8.

100 Bishara SE, Jakobsen JR, Vorhies B, Bayati P. Changes in Dentofacial structures inuntreatedClass IIdivision1and-normal subjects: A longitudinal study. Angle Orthod 1997;67(1):55–66.

101 Chin A, Perry S, Liao C, Yang Y. The relationship between the cranial base and jaw base in a chinese population. Head Face Med 2014;10(1):1–8.

102 Kerr WJS, Hirst D. Craniofacial characteristics of subjects with normal and postnormal occlusions – A longitudinal study. Am J Orthod Dentofacial Orthop 1987;92(3):207–12.

103 Hopkins GB, Houston WJB, James GA. The cranial base as an aetiological factor in malocclusion. Angle Orthod 1968; 38(3):250–5.

104 Liu Y, Liu F, Zheng Y, Yu X. Morphological characteristics of the cranial base in sagittal malocclusion. J Hard Tissue Biol 2013;22(2):249–54.

105 Polat OO, Kaya B. Changes in cranial base morphology in different malocclusions. Orthod Craniofacial Res 2007;10(4):216–21.

106 Vandekar M, Kulkarni P, Vaid N. Role of cranial base morphology in determining skeletal anteroposterior relationship of the jaws. J Ind Orthod Soc 2013;47(4):245–8.

107 Wilhelm BM, Beck FM, Lidral AC, Vic KWL. A comparison of cranial base growth in Class I and Class II skeletal patterns. Am J Orthod Dentofacial Orthop 2001;119(4):401–5.

108 Baume LJ. Physiological tooth migration and its significance for the development of occlusion. I. The biogenetic course of the deciduous dentition. J Dent Res 1950;29(4):123–32.

109 Baume LJ. Physiological tooth migration and its significance for the development of occlusion. II. The biogenesis of accessional dentition. J Dent Res 1950(3);29:331–7.

110 Baume LJ. Physiological tooth migration and its significance for the development of occlusion. III. The biogenesis of successional dentition. J Dent Res 1950(3);29:338–48.

111 Moorrees CFA, Grøn AM, Lebret LML, et al. Growth studies of the dentition: A review. Am J Orthod 1969;55(6):600–16.

112 Varrela J, Alanen P. Prevention and early treatment in orthodontics: a perspective. J Dent Res 1995;74(8):1436–8.

113 Subtelny JD. Oral habits. Studies in form, function and therapy. Angle Orthod 1973;43(4):347–383.

114 Popovich F. The prevalence of sucking habits and its relationship to oral malformations. Appl Ther 1966;8(8):689–91.

115 Köhler L, Holst K. Malocclusion and sucking habits of four-year-old children. Acta Paediat Scand 1973;62(4):373–379.

116 Larsson E. Dummy- and finger-sucking habits in 4-yearolds. Sven Tandlak Tidskr 1975;68(6):219–24.

117 Svedmyr B. Dummy sucking. A study of its prevalence, duration and malocclusion consequences. Swed Dent J 1979;3(6):205–10.

118 Larsson E. Dummy- and finger-sucking habits with special attention to their significance for facial growth and occlusion. 7. The effect of earlier dummy- and finger-sucking habit in 16-year-old children compared with children without earlier sucking habits. Swed Dent J 1978;2(1):23–33.

119 Larsson E. Prevalence of crossbite among children with prolonged dummy- and finger-sucking habit. Swed Dent J 1983;7(4):115–119.

120 Tsourakis AK, Johnston LE Jr. Class II malocclusion: The aftermath of a "perfect storm". Semin Orthod 2014;20(1):59–73.

121 Harvold EP, Tomer BS, Vargevik K, Chierici G. Primate experiments in oral respiration. Am J Orthod 1981;79(4):359–72.

122 Linder-Aronson S. Adenoids. Their effect on mode of breathing and nasal airflow and their relationship to characteristics of the facial skeleton and the dentition. A biometric, rhino-manometric and cephalometro-radiographic study on children with and without adenoids. Acta Otolaryngol Suppl 1970;265:1–132.

123 Kerr WJS, McWilliam JS, Linder-Aronson S. Mandibular form and position related to changed mode of breathing – a five-year longitudinal study. Angle Orthod 1989;59(2):91–96.

124 Arun T, Isik F, Sayinsu K. Vertical growth changes after adenoidectomy. Angle Orthod 2003;73(2):146–50.

125 Linder-Aronson S. Effects of adenoidectomy on dentition and nasopharynx. Trans Eur Orthod Soc 1972:177–86.

126 Linder-Aronson S, Woodside DG, Lundstrom A. Mandibular growth direction following adenoidectomy. Am J Orthod Dentofacial Orthop 1986;89(4):273–84.

127 Woodside DG, Linder-Aronson S, Lundstrom A, McWilliam J. Mandibular and maxillary growth after changed mode of breathing. Am J Orthod Dentofac Orthop 1991;100(1):1–18.

128 Behlfelt K, Linder-Aronson S, McWilliam J, et al. Craniofacial morphology in children with and without enlarged tonsils. Eur J Orthod 1990;12(3):233–43.

129 Zettergren-Wijk L, Forsberg CM, Linder-Aronson S. Changes in dentofacial morphology after adeno-/ tonsillectomy in young children with obstructive sleep apnea – a 5-year follow-up study. Eur J Orthod 2006;28(4):319–326.

130 Bresolin D, Shapiro PA, Shapiro GG, et al. Mouth breathing in allergic children: its relationship to dentofacial devel-

opment. Am J Orthod 1983;83(4):334–340.

131 SteinE, Flax SJ.Acephalometric study of childrenwith-chronic perennial allergic rhinitis. J Dent Assoc S Afr 1996;51(12):794–801.

132 Harari D, Redlich M, Miri S, et al. The effect of mouth breathing versus nasal breathing on dentofacial and craniofacial development in orthodontic patients. Laryngoscope 2010;120(10):2089–93.

133 Trask GM, Shapiro GG, Shapiro PA. The effects of perennial allergic rhinitis on dental and skeletal development: a comparison of sibling pairs. Am J Orthod Dentofacial Orthop 1987;92(4):286–93.

134 Ozdoganoglu T, Songu M. The burden of allergic rhinitis and asthma. Ther Adv Respir Dis 2012;6(1):11–23.

135 Bouvier M, Hylander WL. The effect of dietary consistency on gross and histologic morphology in the craniofacial region of young rats. Am J Anat 1984;170:117–26.

136 Yamada K, Kimmel DB. The effect of dietary consistency on bone mass and turnover in the growing rat mandible. Arch Oral Biol 1991;36(2):129–38.

137 Tuominen M, Kantomaa T, Pirttiniemi P. Effect of food consistency on the shape of the articular eminence and the mandible. An experimental study on the rabbit. Acta Odontol Scand 1993;51(2):65–72.

138 Ueda HM, Ishizuka Y, Miyamoto K, et al. Relationship between masticatory muscle activity and vertical craniofacial morphology. Angle Orthod 1998;68(3):233–238.

139 Granger MW, Buschang PH, Throckmorton G, Iannaccone ST. Masticatory muscle function in patients with spinal muscular atrophy. Am J Orthod Dentofacial Orthop 1999;115(6):697–702.

140 Throckmorton GS, Ellis E. III Buschang PH. Morphologic and biomechanical correlates with maximum bite forces in orthognathic surgery patients. J Oral Maxillofac Surg 2000;58(5):515–524.

141 Watt DG, Williams CH. The effects of the physical consistency of food on the growth and development of the mandible and the maxilla of the rat. Am J Orthod 1951;37(12):895–928.

142 Navarro M, Delgado E, Monje F. Changes in mandibular rotation after muscular resection. Experimental study in rat. Am J Orthod Dentofacial Orthop 1995;108(4):367–79.

143 Kreiborg S, Jensen BL, Møller E, Björk A. Craniofacial growth in a case of congenital muscular dystrophy. Am J Orthod 1978;74(2):207–15.

144 Kiliaridis S, Mejersjö C, Thilander B. Muscle function and craniofacial morphology: a clinical study in patients with myotonic dystrophy. Eur J Orthod 1989;11(3):131–8.

145 Houston K, Buschang PH, Iannaccone ST, Seale NS. Craniofacial morphology of spinal muscular atrophy. Pediatr Res 1994;36(2):265–9.

146 Kuo AD, Zajac FE. A biomechanical analysis of muscle strength as a limiting factor in standing posture. J Biomech 1993;26 (Suppl 1):137–50.

147 Nallegowda M, Singh U, Handa G, et al. Role of sensory input and muscle strength in maintenance of balance, gait, and posture in Parkinson's disease: A pilot study. Am J Phys Med Rehabil 2004;83(12):898–908.

148 Yahia A, Jribi S, Ghroubi S, et al. Evaluation of the posture and muscular strength of the trunk and inferior members of patients with chronic lumbar pain. Joint Bone Spine 2011;78(3):291–7.

149 Linder-Aronson S. Respiratory function in relation to facial morphology and dentition. Br J Orthod 1979;6(2):59–71.

SECTION II: II급 부정교합 치료: 문제점과 해결방법

Section II: Class II treatment: problems and solutions

Eustáquio Araújo, DDS, MDS
Center for Advanced Dental Education, Saint Louis University, St. Louis, MO, USA

2002년 Early Treatment Symposium에서, Dr. Lysle Johnston은 조기치료에 대한 지속적인 논의를 다음과 같이 명확하게 요약했다.

> 빨리 또는 늦게? 분명히 이 모임에서 논의되었던 치료 시기는 논쟁의 여지가 없다. 사실, 나는 주요 논쟁이 – 또한 모든 강의실의 이유일지도 모르는 – Ⅱ급 부정교합 치료에 관한 것이라 생각한다[1].

교정 치료 시기를 조절하는 추(pendulum)는 수년 동안 여러 방향으로 진행되어 왔다. 그러나, 현재는 다양한 이유와 많은 상황에서 조기 차단 치료 쪽으로 선회하고 있다. Ⅱ급 부정교합 치료는 여전히 논쟁의 가장 큰 주제이다.

많은 경우에서, 치료 시기의 결정은 학자들 사이에서도 격정적인 논쟁의 주제가 된다. 급진적인 학자들은 우수한 목표/효과 그리고 효율성에 대해 부정적으로 반응할지도 모른다. 적절한 결정을 할 수 있도록 임상가들을 이끄는 완고한 규칙이 없다.

Ⅱ급 부정교합 치료의 가장 적절한 시기는 언제이고, 치료 여부는 어떻게 결정하는가?

치료 시기에 대한 논의는 1900년대 초기에, Le Roy Johnson이 "조기 치료에 참고가 되는 부정교합의 진단(The diagnosis of malocclusion with reference to early treatment)"에서 제안하면서 시작되었다[2]. 논문에서, 그는 진단에 있어 유전에 기반한 매력적인 주제뿐만 아니라 기능과 형태에 관한 흥미로운 개념을 논의하였다.

보다 최근에는, 아직 해결되지 않은 문제들을 밝히기 위해 여러 연구들이 행해지고 있다. 최근 여러 무작위 임상 연구(randomized clinical trials; RCT)가 Ⅱ급 부정교합의 접근에 대해 다루고 있다[3~8].

그 결론들로 몇 가지 중요한 사항을 알 수 있다.

1. 1차 치료는 헤드기어, 기능성 장치로 치료를 하던, 또는 치료를 하지 않던, 이에 따라 다른 반응을 나타낸다.
2. 그러나, 2차 치료 말기에 이러한 경향은 관찰되지 않으며, 환자는 유사한 골격성 및 치성 수정을 보인다.
3. 결과의 최종 질적인 측면에서 유의한 차이가 없다.
4. 2차 치료를 단순화하기 위한 수단으로서의 1차 치료는 의문의 여지가 있다.
5. 1차 치료와 2차 치료를 같이 고려하면 치료 기간이 길어지기 때문에, 결론적으로 2단계 치료는 효율적이지 못하다.

Ⅱ급 부정교합의 조기 차단 치료가 통상적으로 적용되지 않는다는 충분한 근거가 있음에도 불구하고, 많은 사람들이 Ⅱ급 부정교합을 가진 어린이들을 조기에 치료할 것인지에 대한 결정은 여러 다른 요인에 근거를 두고 각각의 어린이들을 개별적으로 평가해야 한다는 사실을 받아들인다.

한 논문에서, 그 저자는 치료 과정의 조기 단계에서 치료의 긍정적인 진행이 매우 인상적이어서, 대조군에서 치료를 하지 않는 것이 윤리적인지에 대해 논의했다고 하였다[7].

그럼에도 불구하고, 매일의 진료 속에서, 그것은 생각만큼 간단하지 않다. 임상가들은 빈번히 결정을 내려야하는 상황에 직면하게 되고, 어떠한 질문에도 대답을 할 준비가 되어있어야 한다:

우리는 중증의 치성/골격성 변위가 있는 아이들을 위해 무엇을 해야 하나? 외모 때문에 끊임없이 친구들에게

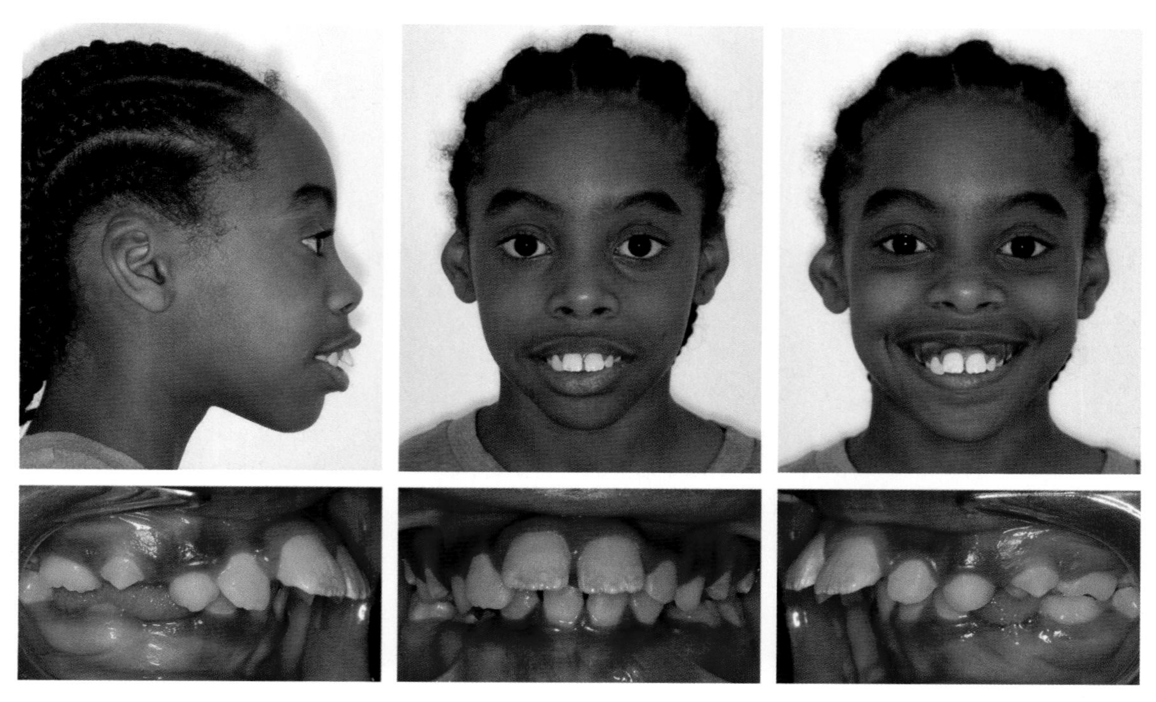

그림 6.14 극도의 총생과 돌출. 환자는 입을 다물 수 없다.

괴롭힘이나 놀림을 받는 내성적인 아이들에 대한 우리의 책임은 무엇인가? 자녀들을 돕기 위해 적절한 차단치료를 원하는 부모님들의 걱정을 어떻게 다루어야 하나? 효율성(치료 기간) 때문에 치료를 하지 않는 것을 제안하는 것이 적합한가?

교정학은 장치 체계의 이해뿐만 아니라 아이들의 성장과 유전, 신체적 및 정신적 발달의 이해를 기반으로 해야 한다. 초기 아동기 동안 생물학적 반응은 최고치에 다다른다. 적절한 진단과 주의 깊은 힘의 전달로, 초기의 심각한 문제를 개선하거나 제거할 수 있다[9].

또한 이 기간 동안 누군가가 아이들의 삶과 인성 발달에 큰 영향을 미칠 수 있다. 1, 2장에서 언급하였듯이, 성장기의 Ⅱ급 부정교합 차단치료 시기를 결정하는데 세 가지의 중요한 점이 있다: 1) 심리학적 문제, 2) 외상의 증가 위험, 3) 발달성 과발산형. 문헌들은 특히 외상과 심리학적 문제에 관련하여 이러한 언급을 지지한다[10~20]. 이 장의 1절에서 과발산형 안모 형태에 대한 많은 증거들을 언급하였다. 혼합 치열기에서 구치의 함입을 위한 MSIs에 관련된 연구들이 행해지고 있다. 비록 몇몇의 연구들이 문제를 최소로 하기 위한 조기 차단 치료에 대해 이의를 제기하지만, 또 다른 연구들에서는 긍정적인 결과를 보여준다[21~28].

그림 6.14-6.19는 이전에 언급하였던 조기 차단 치료의 주요한 세 가지 이유에 기반하여, 차단 치료를 해야 하는 심각한 부정교합과 의심할 여지 없는 적응증을 가진 Ⅱ급 부정교합 환자를 보여준다. 교정의사로서 우리는 우리의 환자를 위해 최선을 다 할 의무가 있다.

많은 경우에서 최선의 치료가 단지 더 좋은 교합만을 의미하지 않는다. 또한 더 큰 자신감을 갖고 세상과 직면하여 승자가 될 수 있도록 어린이들의 발달을 고려하여야만 한다. 적절하게 추천된다면 성장기 Ⅱ급 부정교합의 조기 치료가 필요한 경우가 있다. 최근에 Tuncay는 Ⅱ급 부정교합의 궁금증 해결(Solving the Puzzle of Class Ⅱ Malocclusion)에서 다음과 같이 언급하였다.

> "모든 사람에게 주어진대로, 최선의 Ⅱ급 부정교합의 치료 전략은, 아무리 잘해도 교정의 다른 모든 치료 형태와 다르지 않을 것이다: 기여 요인과 윤리적 틀 내에서의 임상가의 판단." [29]

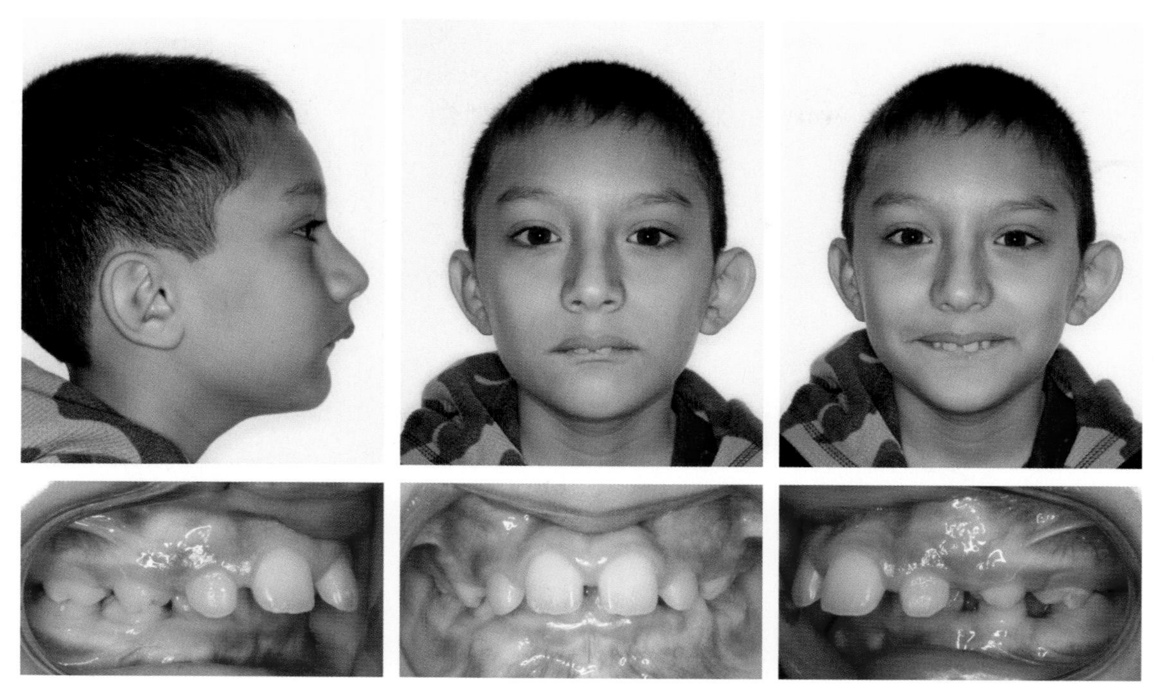

그림 6.15 씹기가 어려울 정도인 중증의 과개교합과 돌출.

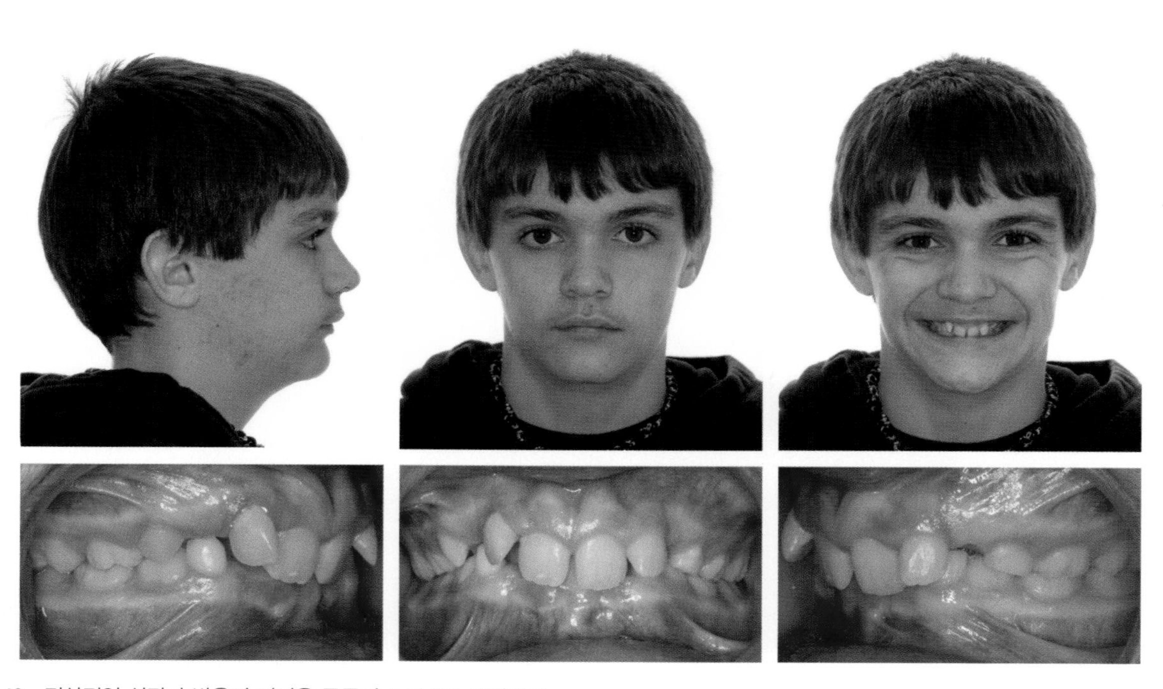

그림 6.16 정상적인 성장과 발육이 어려운 중증의 II급 2류 부정교합.

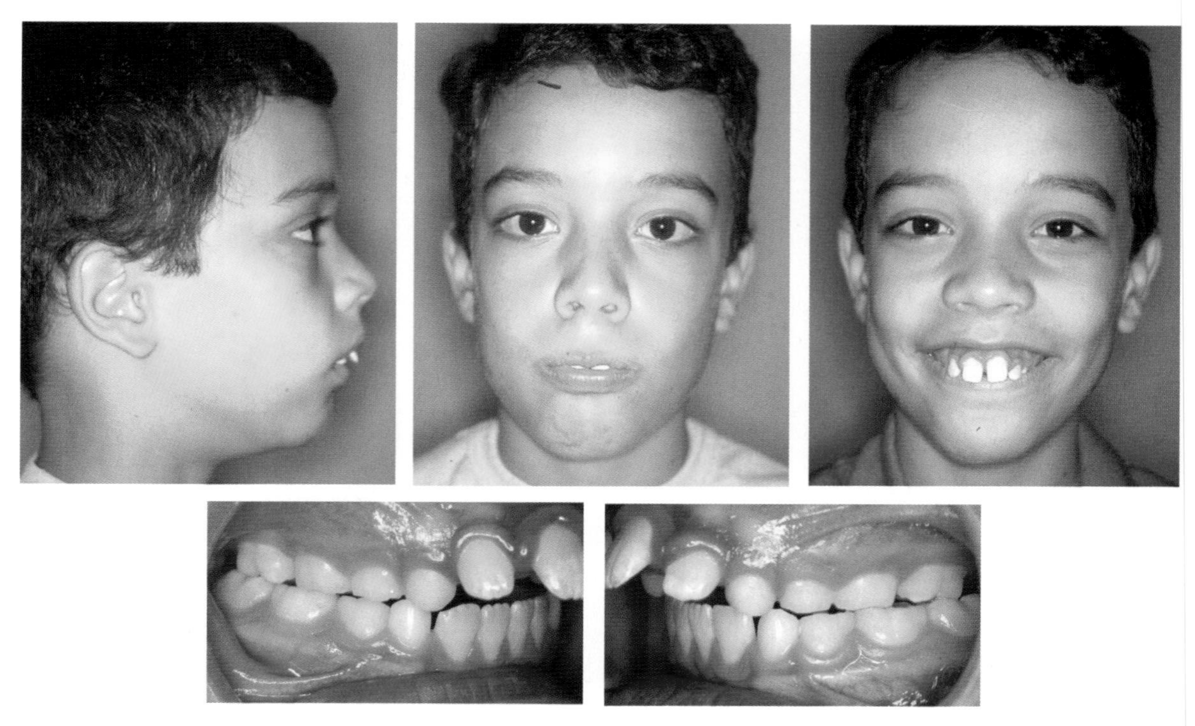

그림 6.17 과발산형, 두드러진 돌출, 정서적인 문제와 관련된 부정교합.

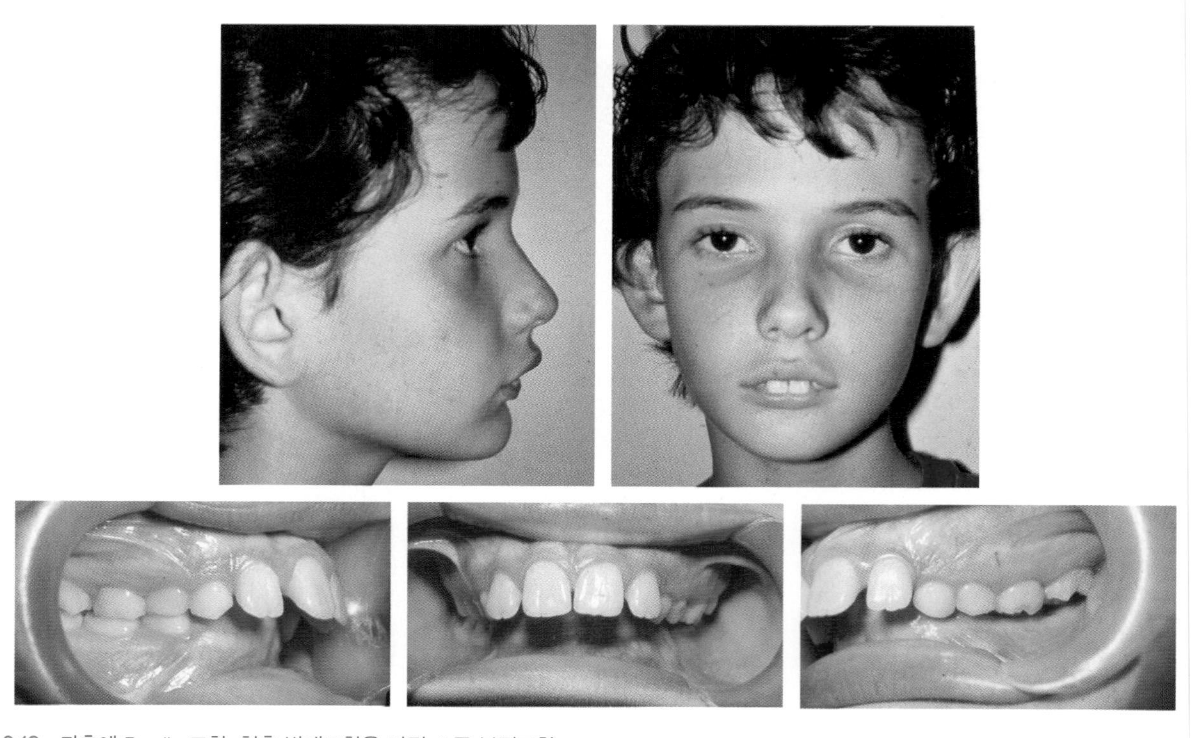

그림 6.18 좌측에 Brodie 교합, 협측 반대교합을 가진 II급 부정교합.

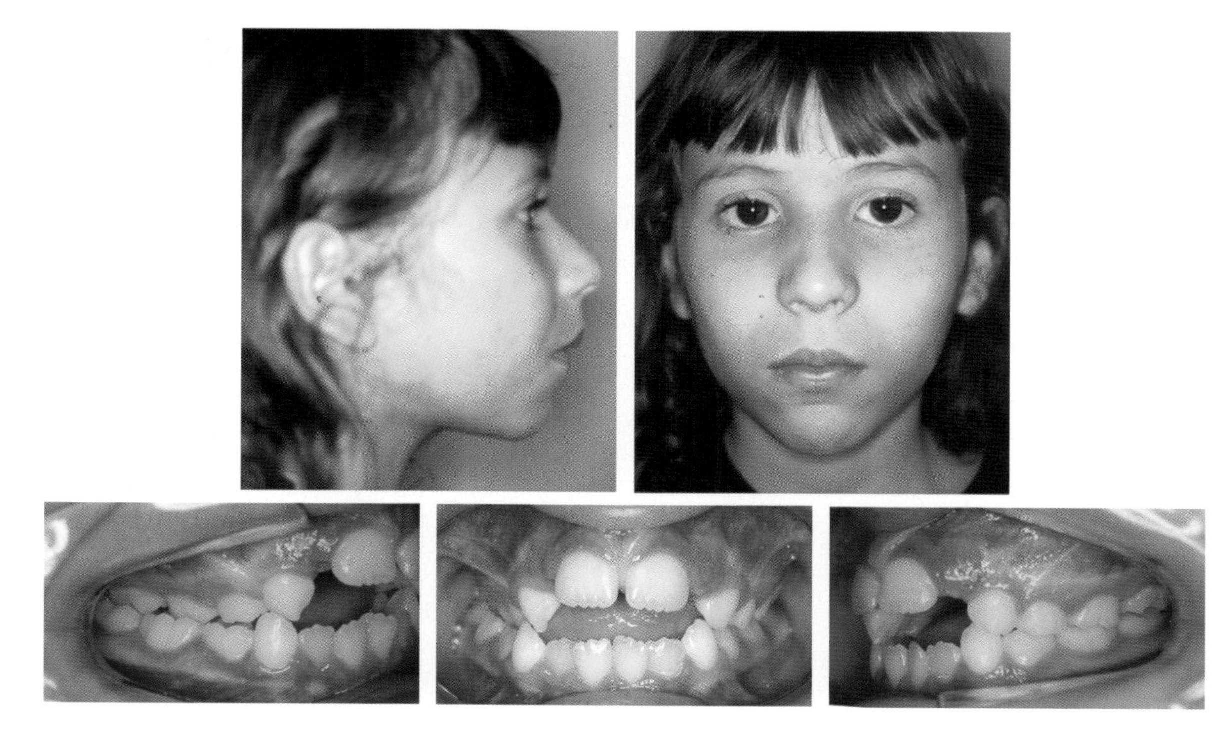

그림 6.19 II급, 개방교합, 중증의 과발산형, 편측 반대교합.

6.7 II급 부정교합 조기 조절 (Early Class II adjustment)

정상적인 I급 구치 교합은 다른 메커니즘을 통해 달성된다. 2장에 언급한 것처럼, 임상가는 초기 혼합 치열기에서 치열의 변화를 인지해야만 한다. 여러 연구들은 오랫동안 제2유구치의 원심 계단 관계(distal–step relationship)를 보이는 환자의 경우 II급 관계의 영구치를 나타낼 것이라고 언급하였다(**그림 6.20**). 또한 성장중인 환자에서 II급 부정교합은 "자가–수정"되지 못하는 것이 확인되었다[30,31]. 최종 구치 교합은 유치열의 형태 – 개방 또는 폐쇄(open or closed) – 뿐만 아니라 제2유구치의 교합 평면 관계에 의해 영향을 받고, 5장에서 언급한 것처럼 유전적 요소와 개인의 자연적인 성장량도 영향을 미친다.

성장은 II급 부정교합을 수정하는데 중요한 역할을 한다. 치료 시기의 70%에서, II급 관계는 성장과 관련된 차단치료로 수정될 수 있다. Full–step, less–than–full–step, edge–to–edge II급 부정교합은 일반적으로 구별된 방법과 프로토콜로 치료된다.

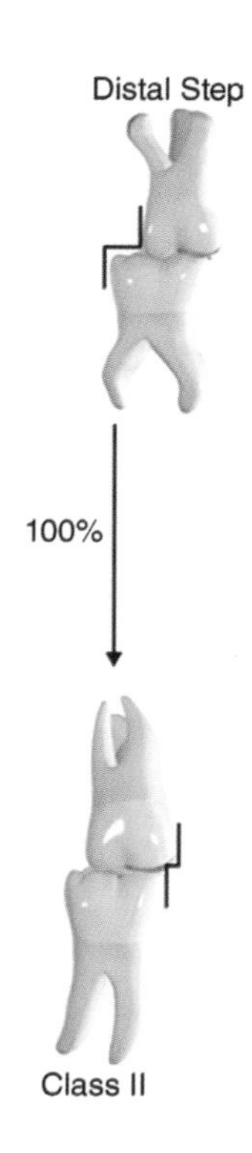

그림 6.20 원심 계단의 적응(Distal step adaptation). (Arya 등[30]으로부터 인용)

6.8 치료 (Treatment)

답변이 있어야 할 가장 중요한 질문들은 치료가 되어야 하는 Ⅱ급 부정교합의 종류에 관한 것이다: *임상가들은 치료를 상악이나 하악에 중점을 두어야 하는가? Ⅱ급 1류 및 2류 부정교합의 치료는 똑같은가? 우리는 이 주제와 관련된 협조도를 어떻게 다루어야 하는가? 환자들은 헤드기어를 적절히 수용하는가? 기능성 장치는 효과적인가? 기능성 장치는 안정적이고 지속적인 결과를 제공하는가? 임플란트 지지 장치는 혼합 치열기 환자에게 적합한가? 어느 정도가 과도한 것인가? 어느 정도가 충분하지 않은 것인가?*

이전에 언급하였듯이, Ⅱ급 부정교합 환자에서 헤드기어와 기능성 장치를 이용한 조기 차단 치료는 장점이 거의 없다고 폭넓게 보고되었다[4-7,12,33,34]. 2단계 치료 말기와 대조군에서 비슷한 골격적 결과를 보일지라도, 행해진 치료 형태에 따라 상악 또는 하악에 더 효과적인 치료의 초기 적응증이 있다는 것이 중요하다. 헤드기어를 사용한 그룹은 대조군과 바이오네이터 사용 그룹에 비해 상악의 전방 이동이 제한되었다. 기능성 장치인 바이오네이터 그룹은 대조군과 헤드기어 그룹에 비해 하악의 길이가 증가하였다. 두 그룹 모두에서 전후방적인 개선이 연구의 첫번째 부분에서는 명확하였으나, 이러한 경향이 연구와 치료의 두 번째 부분에서는 지속되지 않았다.

결론적으로, 1차 치료에서는 성장과 관련하여 다른 반응을 나타냈지만, 2차 치료에서는 이러한 경향이 관찰되지 않았고, 세 그룹 모두에서 비슷한 골격성, 치성 개선을 보였다. PAR 지수에서도 차이를 보이지 않았다. 1차 치료와 관련하여, 치료 결과 그 자체나 단순화된 2차 치료와 비교할 때 치료 결과에 있어 장점은 없다고 하였다. 1차 치료와 2차 치료를 같이 고려하면 치료 기간이 길어지기 때문에, 결론적으로 2 단계 치료는 더 효과적이라고 판단되지 않았다. 그러나 우리는 반문해야만 한다: 효율성이 필요성을 능가해야만 하는가?

더 최근에, 다른 연구들은 Ⅱ급 부정교합 치료의 단기간 효과가 중요하다고 하였으나, 이와 관련된 더 많은 연구가 이루어질 것이다[35-38].

상악이나 하악의 치료 여부 결정에서 안모를 주된 목표로 고려해야만 한다. 정말로 안모에 중점을 맞추는 것은 중요하다. 안모를 완벽하게 분석한 후, 전치부 경사도에 중점을 둔 치아 불균형, SNA 및 SNB 같은 골격 관계, 수직 고경을 평가해야 한다. 안모와 환자/가족이 치료를 원하는 주된 이유를 우선시해야 한다.

Sassouni[39,40]가 언급했듯이, Ⅱ급 부정교합은 전후방적 변위와 수직적 변위의 조합이다. 다양한 수직적 및 전후방적 조합으로 여러 가지 형태의 부정교합이 유발된다. Moyers 등[41]은 이런 조합의 다양성을 언급한다(**그림 6.21**).

최근 문헌에서 묘사된 것처럼, Ⅱ급 1류 및 2류 부정교합의 요소 분석은 임상가들이 알아야 하는 한계점을 지적한다[42-43].

치료의 선택은 부정 교합 유형에 따라 달라질 것이다: Ⅰ급 관계로 상악 치열을 후방 이동시키는 것부터, 심한 경우에는 적당한 시기에 수술 치료를 행하여 악교정적으로 하악을 조절하는 것까지 다양하다. 문헌들은 Ⅱ급 부정교합 치료를 위한 뚜렷한 대안을 제시한다. 혼합 치열기에서 이전에 언급한 세 가지를 고려하여, 헤드기어(cervical 또는 high–pull)만 사용할 수도 있고, 헤드기어와 4전치 본딩(two–by–four)을 함께 시행할 수도 있고, 하악의 jumping/액티베이터/기능성 장치를 사용할 수도 있다(이 장의 후반부에 묘사된 환자들을 보아라). 이들 중 많은 부분이 협조도와 관련되어 있다. 그림 6.22에서처럼, 환자 참여가 반드시 필요하다.

1장에서 언급한 바와 같이, 치료는 환자의 저발산형(hypodivergent)이나 과발산형(hyperdivergent) 골격 패턴에 따라 달라질 것이다. 과발산형 환자를 위한 기능성 장치의 적응증은 없다.

과발산형 환자에게 하악의 자가회전(autorotation)을 유발하는 방법으로 High full 헤드기어, Thurow 장치, 구치부 함입을 위한 miniscrew(**그림 6.23**) 등이 추천되는 반면, 기능성 또는 bite-jumping 장치는 저발산형 환자에게 적용될 수 있다. 골 지지 임플란트나 플레이트를 이용한 함입과 관련하여 더 많은 증거와 시도가 필요하다. 수직적 조절이 반드시 필요하다. 이 장 후반부의 환자 2, 3은 계획된 수직적 조절 유무에 따른 치료 결과를 보여준다.

임상적으로, 우리가 믿는 두 가지 원리는 반론의 여

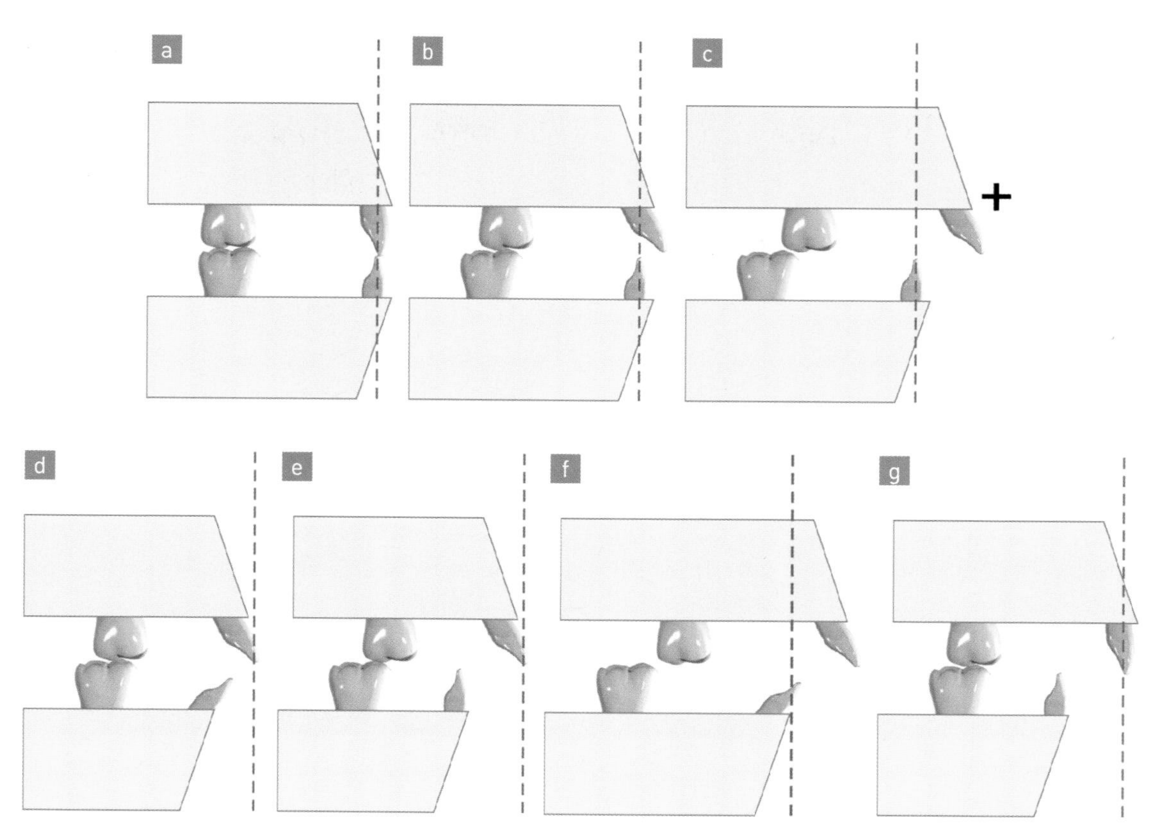

그림 6.21 Ⅱ급 부정교합 조합. (Moyers 등[41]으로부터 인용)
a 정상
b 상악 치성 돌출
c 중안면부 돌출
d 상악 후퇴, 치성 돌출과 하악 후퇴, 치성 순측 경사
e 하악 후퇴, 상악 후퇴와 치성 돌출
f 상하악 돌출, 치성 돌출과 순측 경사
g 하악 후퇴

지가 없다. 첫 번째는, 어떠한 Ⅱ급 기능성 장치나 bite jumper라도 상악 치열에 상당한 효과가 있다는 것이다. 알려진 변화의 대부분이 치아치조성 변화이다. 두 번째는, 하악 치열을 고정원으로 하는 상악 후방 이동 장치는 "원치않는" 하악 절치의 순측 경사를 유발한다는 것이다.

이러한 두 가지 원리는 조기 Ⅱ급 부정교합 치료를 논의한 3장에서 분명하게 명시되었다. 1차 치료 초기와 말기에 관찰되었던 Discrepancy Index(DI)의 개선 양은 세 부정교합 그룹 중에서 34.5%로 가장 작았다. DI의 모든 특징을 통계적으로 분석하였고, DI 점수의 유의한 감소를 보여준 사람들 사이에서 수평피개와 IMPA 값이 마지막 결과에 중요한 역할을 하였다. IMPA 각도는 통계적으로 유의한 증가를 보였고, 이는 치료 후 하악 전치의 위치가 더욱 순측 경사되어 수평피개 감소에 기여했음을 의미한다. Ⅱ급 부정교합은 성장으로 부분적으로 개선됨과 동시에, 위에서 언급한 것처럼 치아치조 변화에 의해 크게 개선되었다.

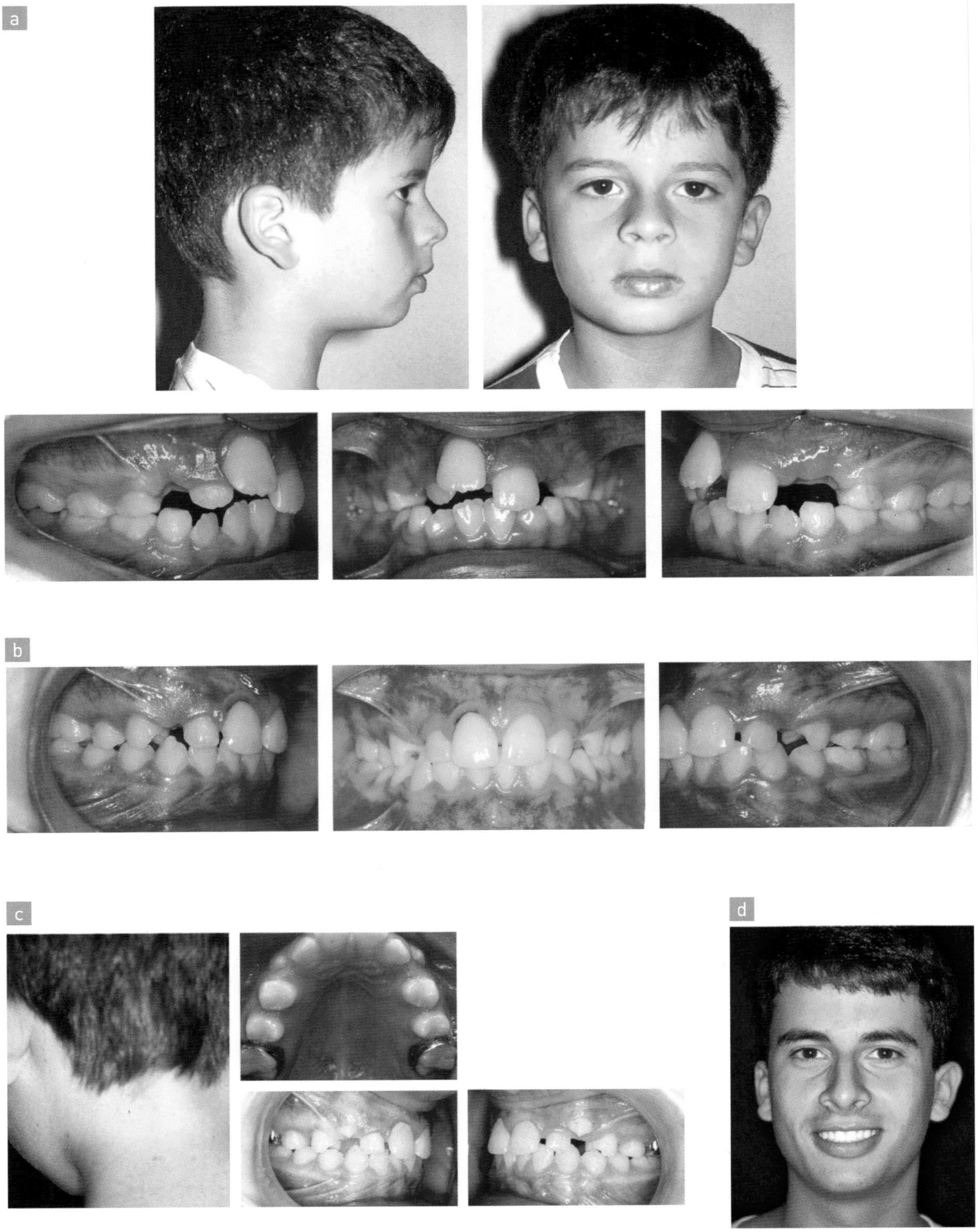

a

b

c

d

그림 6.22 협조도와 바람직한 성장으로 치료된 II급 1류 부정교합.
a 초진 사진
b two-by-four 후
c 태닝 자국과 상악궁이 cervical pull 헤드기어에 대한 좋은 협조도를 반영하고, 협측 I급 교합을 보여준다.
d 치료 3년 후 미소 사진

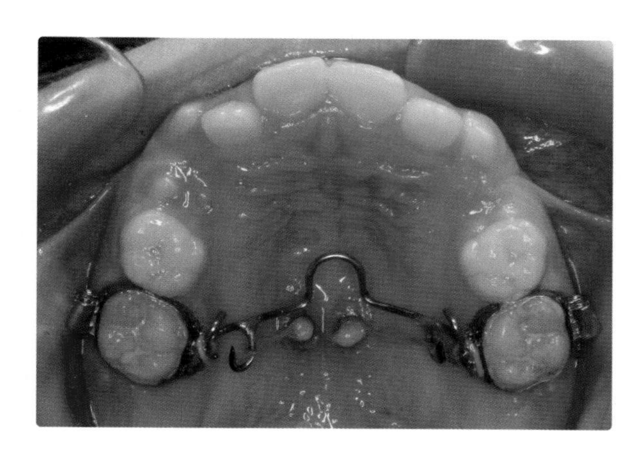

그림 6.23 MSI와 장치를 지지하는 TPA를 통해 수직적 조절(함입).

환자 1

8세 남아가 검사를 위해 내원하였다. 안모적으로는, 볼록한 측모를 보이고, 상악 전치의 돌출로 lip competence가 부족했으며 하악은 후퇴되어 있었다. 치성으로는, 큰 수평 피개를 보였고, 하악 유치의 조기 탈락으로 공간이 부족하였다. 입술을 깨무는 습관이 있었다(**그림 6.24**).

그림 6.25와 같이 바이오네이터를 이용한 1차 치료가 제안되었다. 바이오네이터 사용 약 1년 후, 환자의 높은 협조도 덕에, 안모와 교합에 많은 개선이 있었다. 측모 두부방사선 사진에서도 개선을 관찰할 수 있다(**그림 6.26**).

영구치 맹출 후 고정성 장치를 장착하고, 공간 유지와 구치 및 견치의 Ⅰ급 관계를 달성하였다(**그림 6.27**).

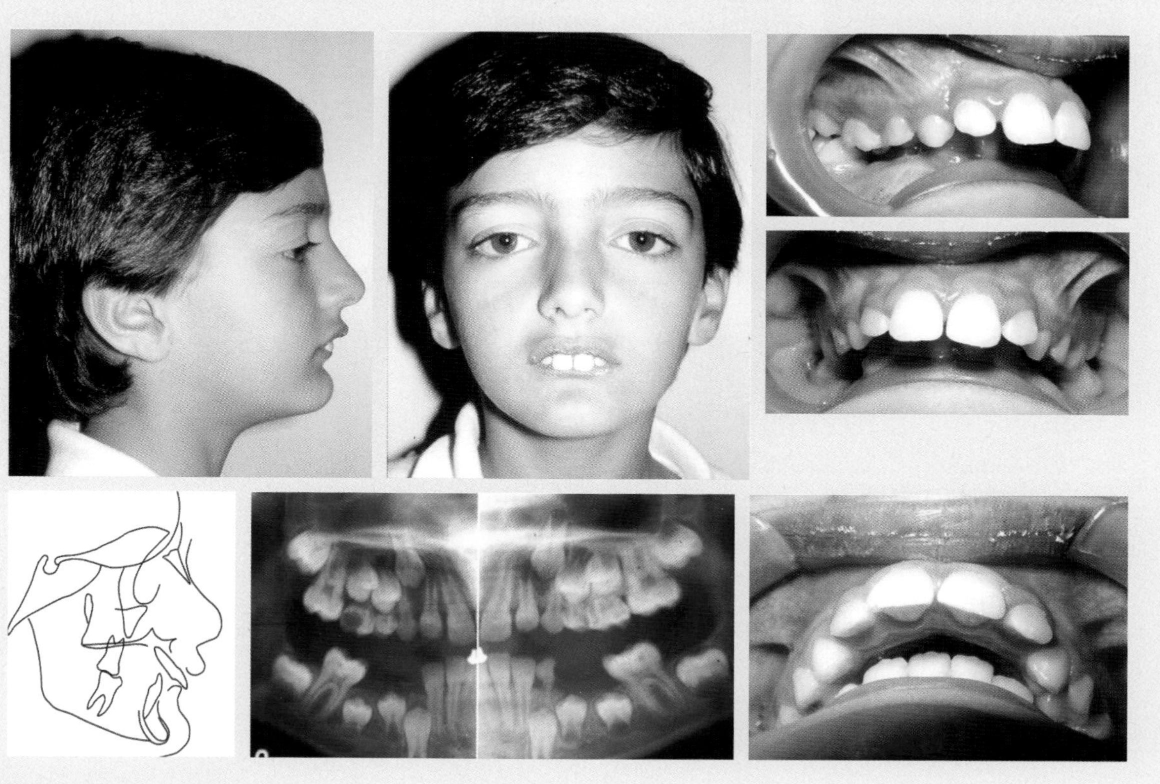

그림 6.24

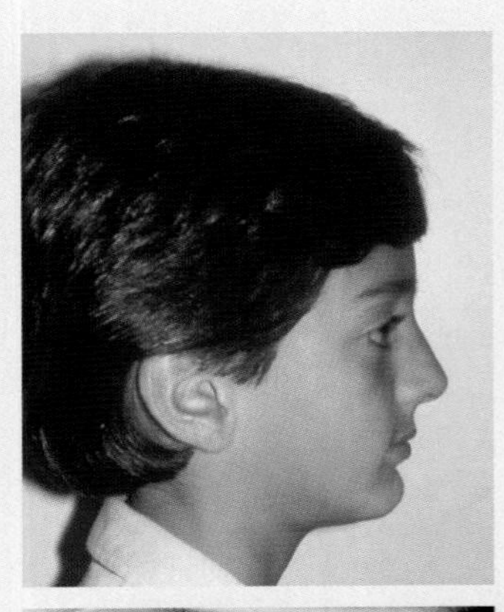

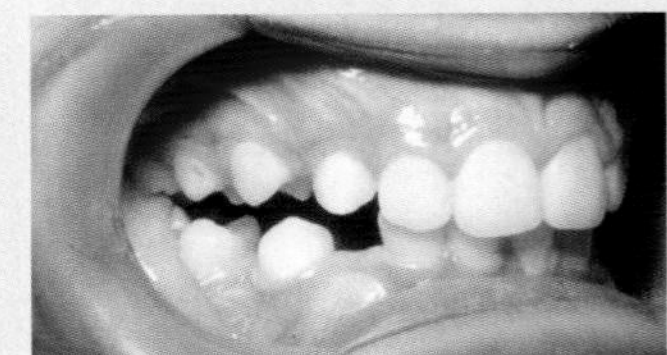

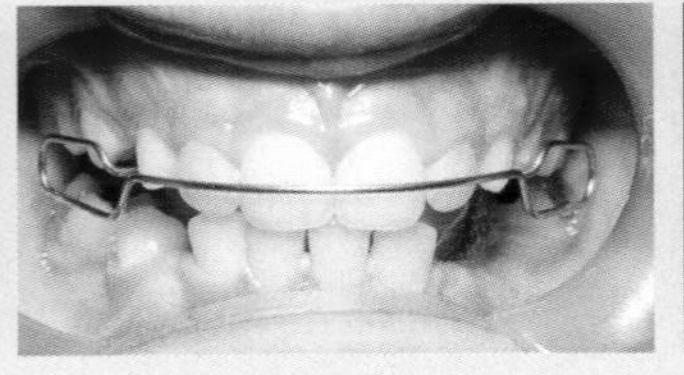

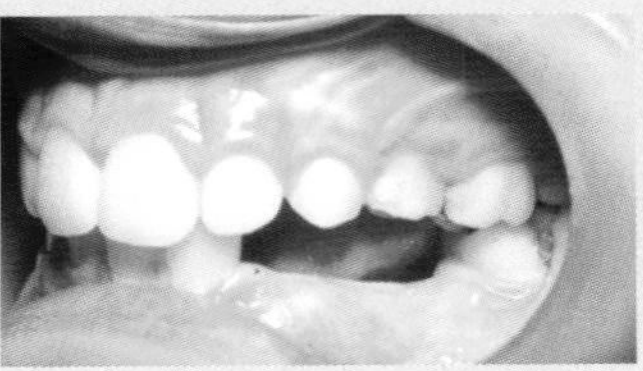

그림 6.25

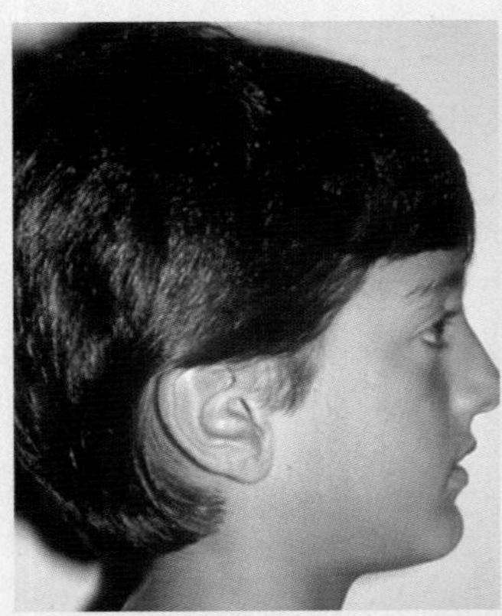

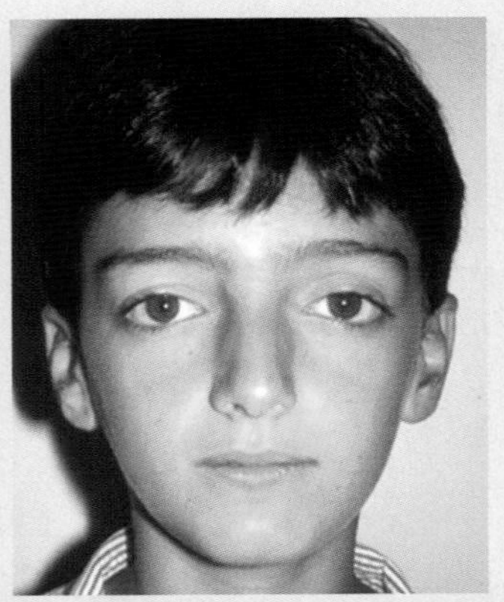

	Norms	Pre	Post
SNA	82	79.5	78.0
SNB	80	74.0	75.0
ANB	2	4.5	3.0
WITS	−1.0	−1.0	−3.0
FMA	25	22.0	25.0
SN−GoGn	32	27.0	33.0
U1−SN	105	120.0	98
IMPA	95	88.0	97.5

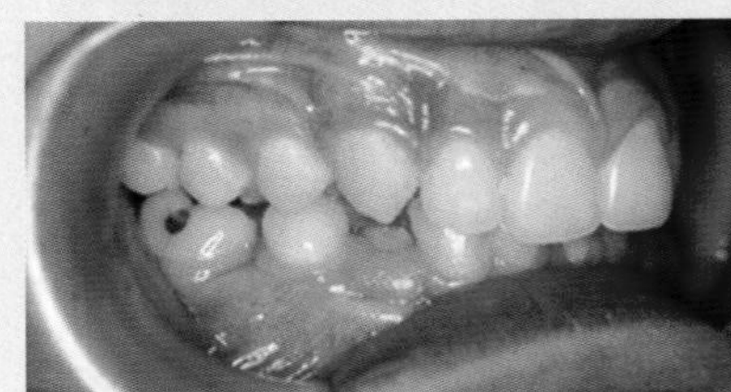

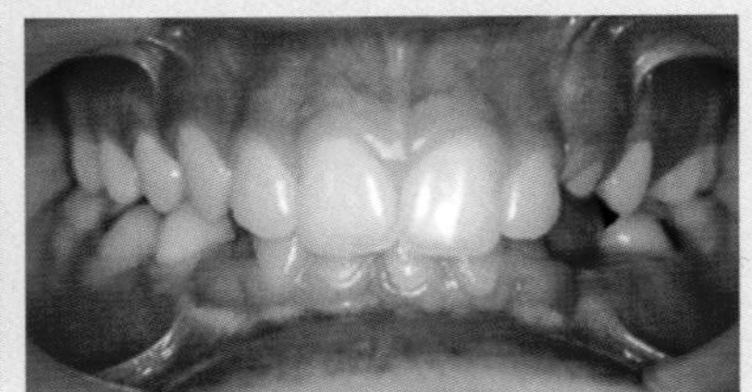

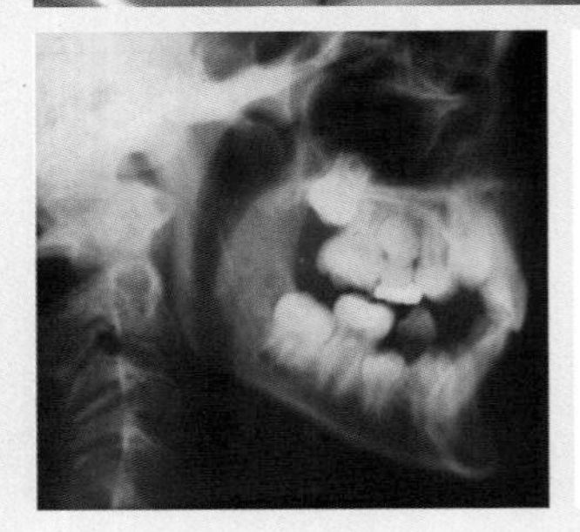

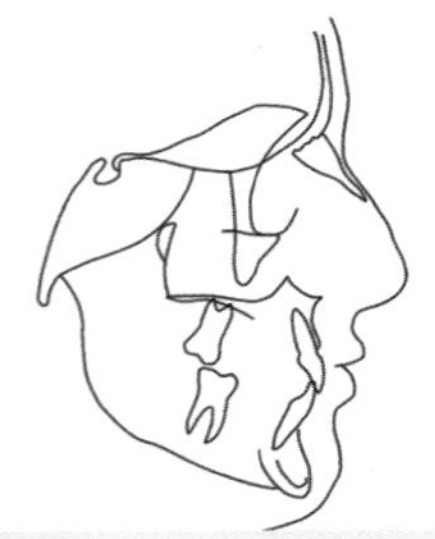

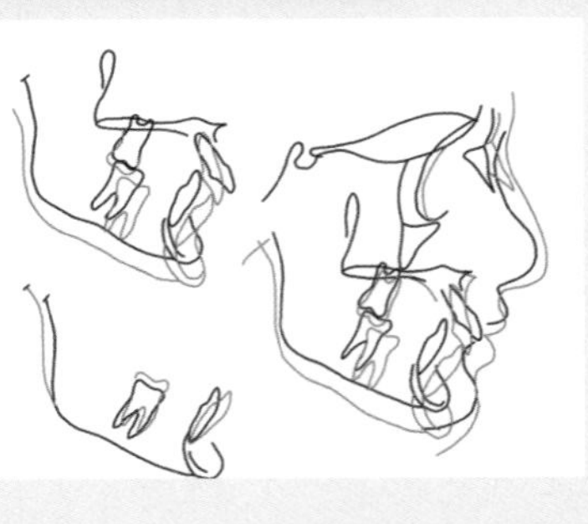

그림 6.26

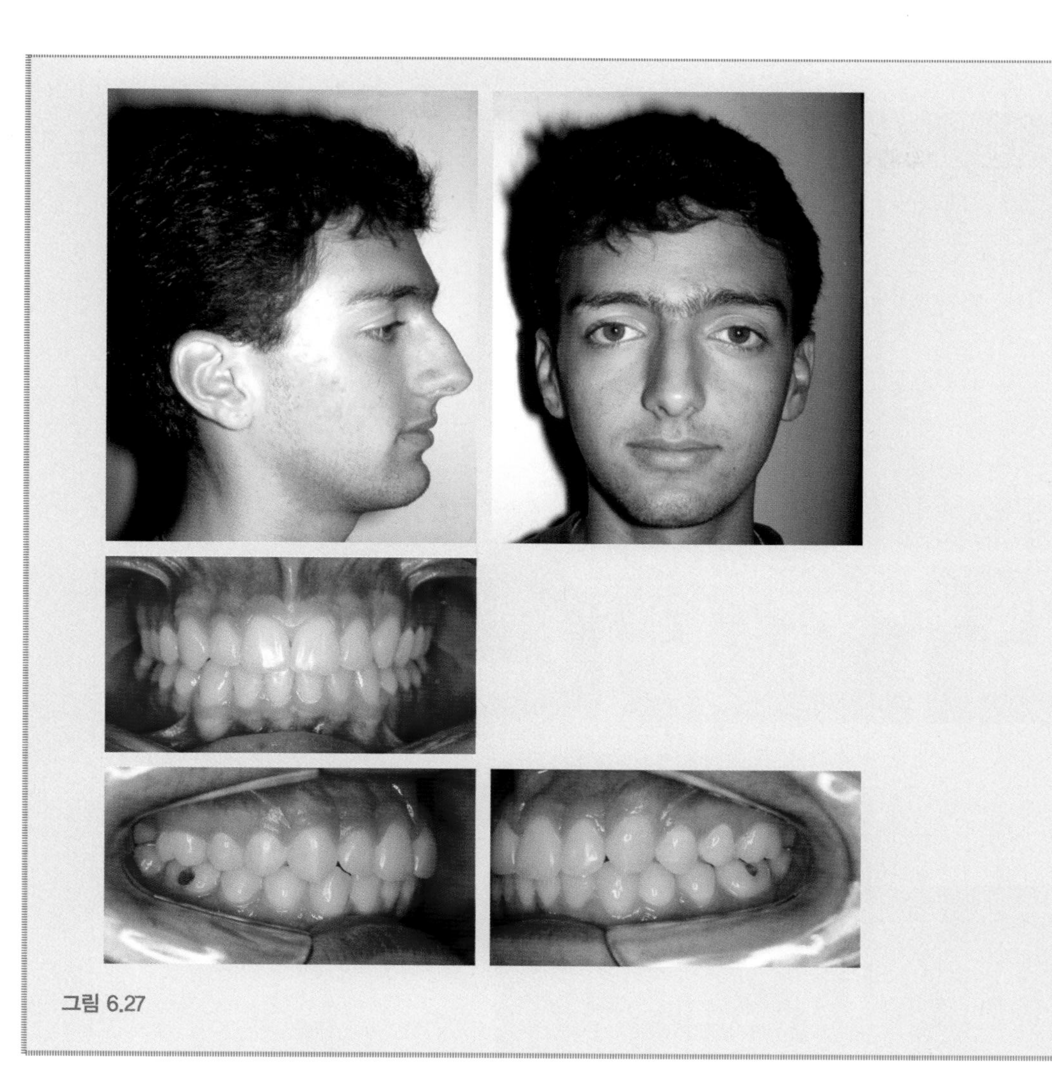

그림 6.27

환자 2

한 7세 10개월의 남아가 브라질의 Belo horizonte에 위치한 PUC Minas graduate clinic으로 의뢰되었는데, 또래 친구들에게 놀림을 당하면서 문어 이해와 인지 장애가 부족한 난독증이 발달하고 있다는 학교 교장 선생님의 도움을 요청하는 의뢰서를 가지고 왔다. 의뢰서에 따르면, 이 질병은 말하기 문제와도 연관된다고 하였다. 그림 6.28은 안모와 치아의 특징을 보여준다. 볼록한 측모와 lip competence의 결핍이 보이며, 뻐드러진(Procumbent) 전치와 잇몸이 관찰된다. 치성으로 양측성 반대교합이 관찰되며(**그림 6.28d, e**), 그림 6.28f에서 15mm의 수평피개를 볼 수 있다. 두부방사선 사진(**그림 6.28g**)에서 과발산이 두드러진다.

그의 자존감을 상승시켜 주기 위해서 상악 확장으로 치료를 시작하는 대신에 수평피개를 먼저 해결하기로 결정하였다. 2 X 4 장치와 함께, 하루 14시간 이상의 high–pull 헤드기어를 사용하도록 하였다. 환자는 자신의 부정교합을 개선하기 위해서 잘 협조하였고, 하루 평균 16시간을 착용하였다. 그림 6.29에서 치료 시작 6개월 후 얼마나 훌륭한 결과를 얻었는지 알수 있다. 제1대구치 전방의 공간과 상악 악궁의 확장은 high-pull 헤드기어의 생역학의 결과로 얻어진 것이다.

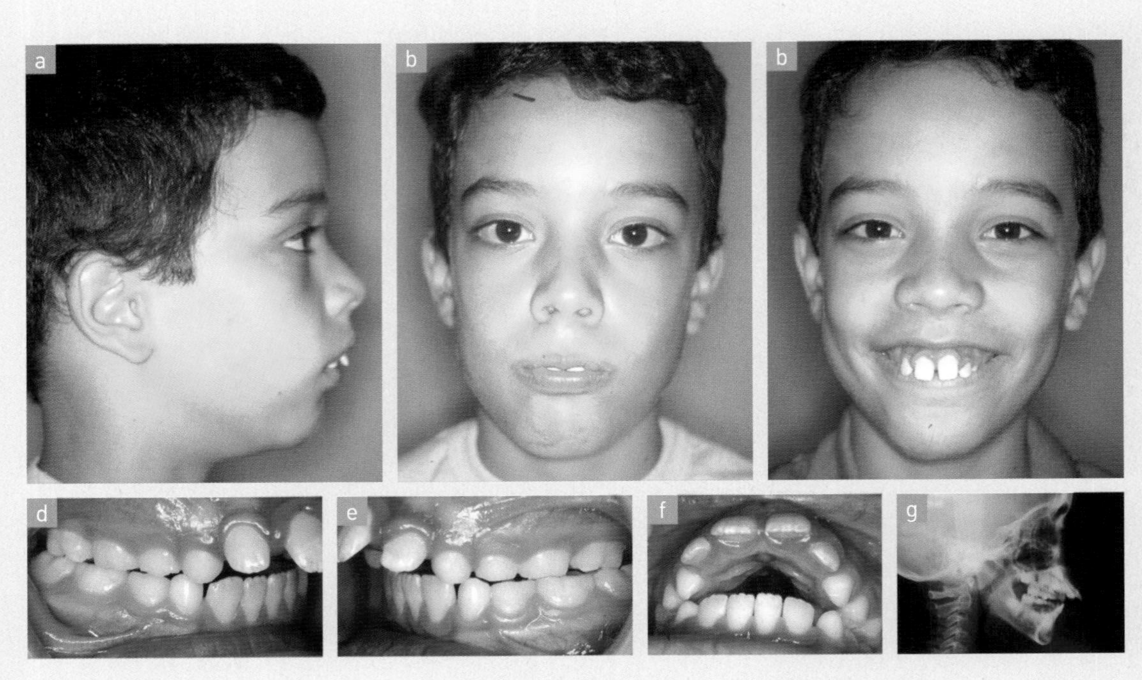

그림 6.28

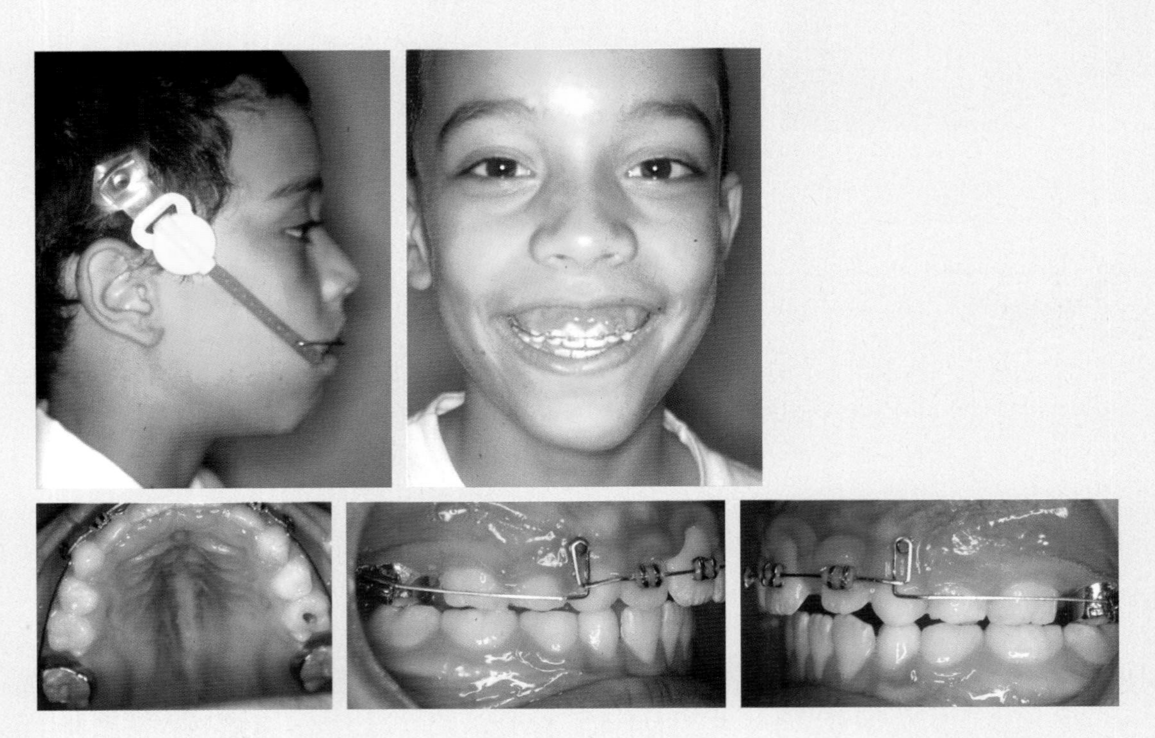
그림 6.29

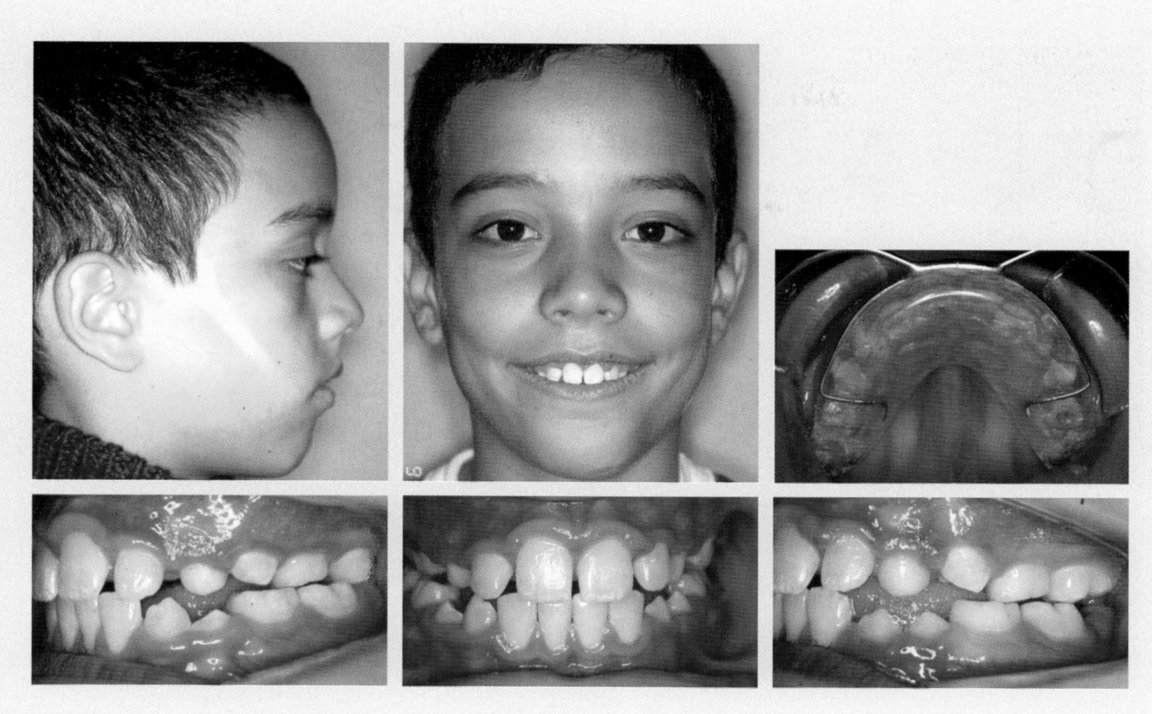

그림 6.30

다음 단계로 2 X 4를 제거하고 Thurow에 대한 high–pull 헤드기어의 대용품으로, high–pull 헤드기어의 교합면을 아크릴릭 레진으로 완전히 피개하여 사용하였다. 그림 6.30에서 장치와 훌륭한 결과를 볼수 있다. 아이 얼굴의 햇볕에 태닝된 자국을 통해 좋은 협조도를 알수 있다. 1차 치료가 끝났을 때 Ⅲ급 구치부 관계였고, 수평피개가 없어졌다. 고정식 장치를 사용한 2차 치료 종료 시 환자는 훌륭한 치아 관계를 얻었고 미소 시의 잇몸 노출도 조절되었다. 그림 6.32는 치료 18년 후 환자이고 그림 6.33은 측모두부방사선 자료이다.

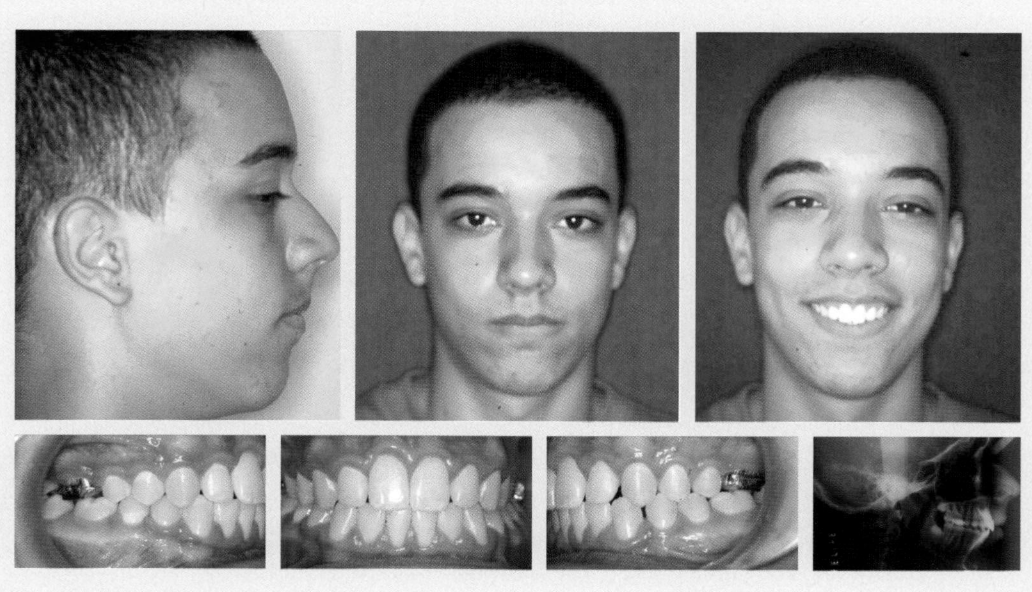

그림 6.31

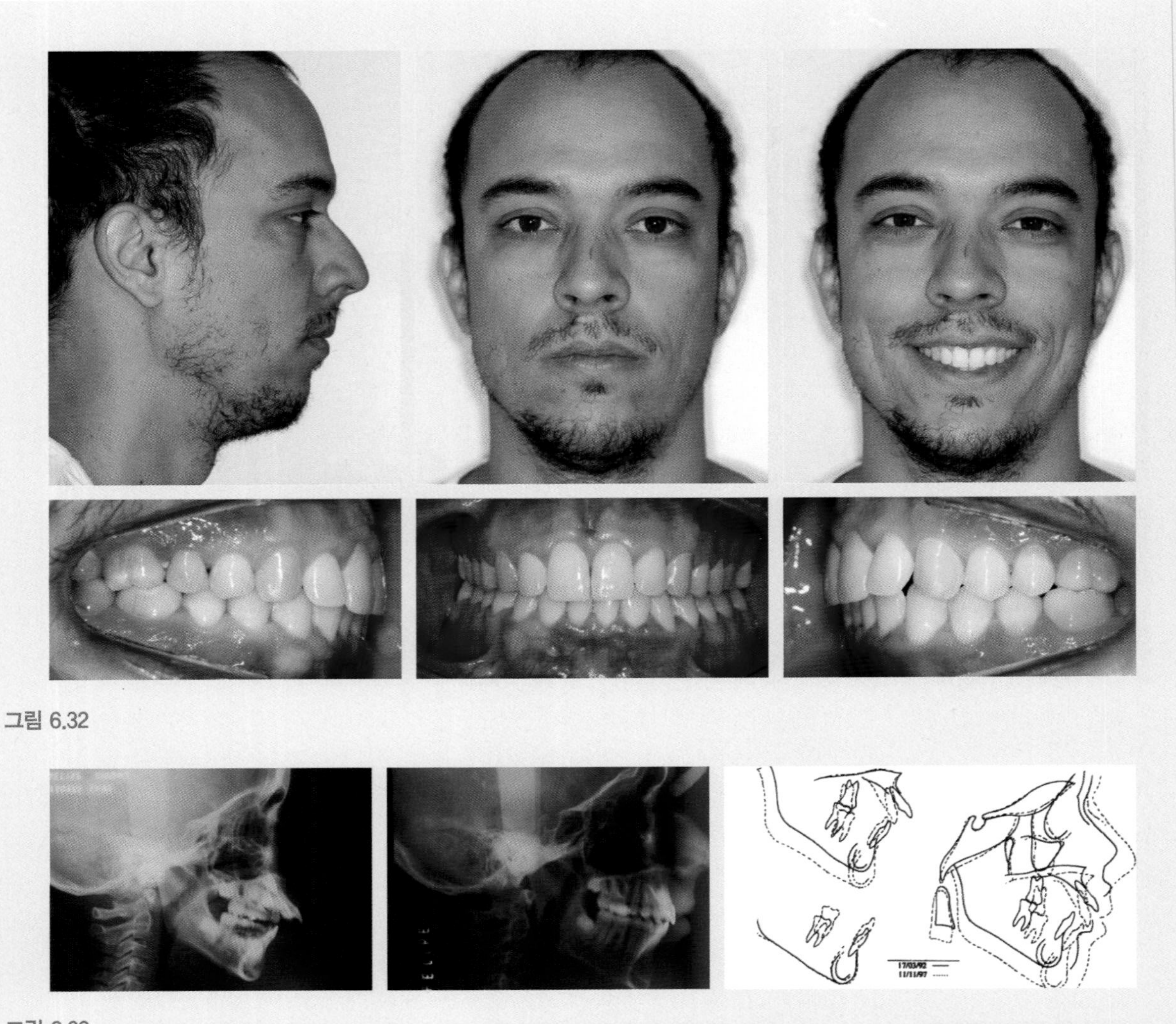

그림 6.32

그림 6.33

환자 3

7세 여아가 부모님과 함께 진단을 위해 내원하였다. 그의 부모님과 가정 주치의는 개방교합과 “작은 턱”을 염려하였다. 채득된 자료들을 바탕으로 중증의 과발산으로 평가되었다. 안모적으로 환자는 볼록한 측모와 작은 하악을 보였다. 치성으로는 7mm의 개방교합이 관찰되었다. 수평적으로 좁은 상악궁과 편측 반대교합을 보였다**(그림 6.34)**.

1차 치료 동안 상악을 확장하고 5개월간 유지하였다**(그림 6.35)**. 확장이 끝난 후 high–pull 헤드기어와 LLHA를 사용하여, 수직적 양상을 조절하고 상방 견인력의 벡터에 의해 발생하는 상악치아의 함입에 따른 하악 구치부의 정출을 방지하였다. 그림 6.36에서 상악 확장, 헤드기어, LLHA를 통합 사용하여 얻어진, 개방 교합의 자연스러운 수정을 확인할 수 있다.

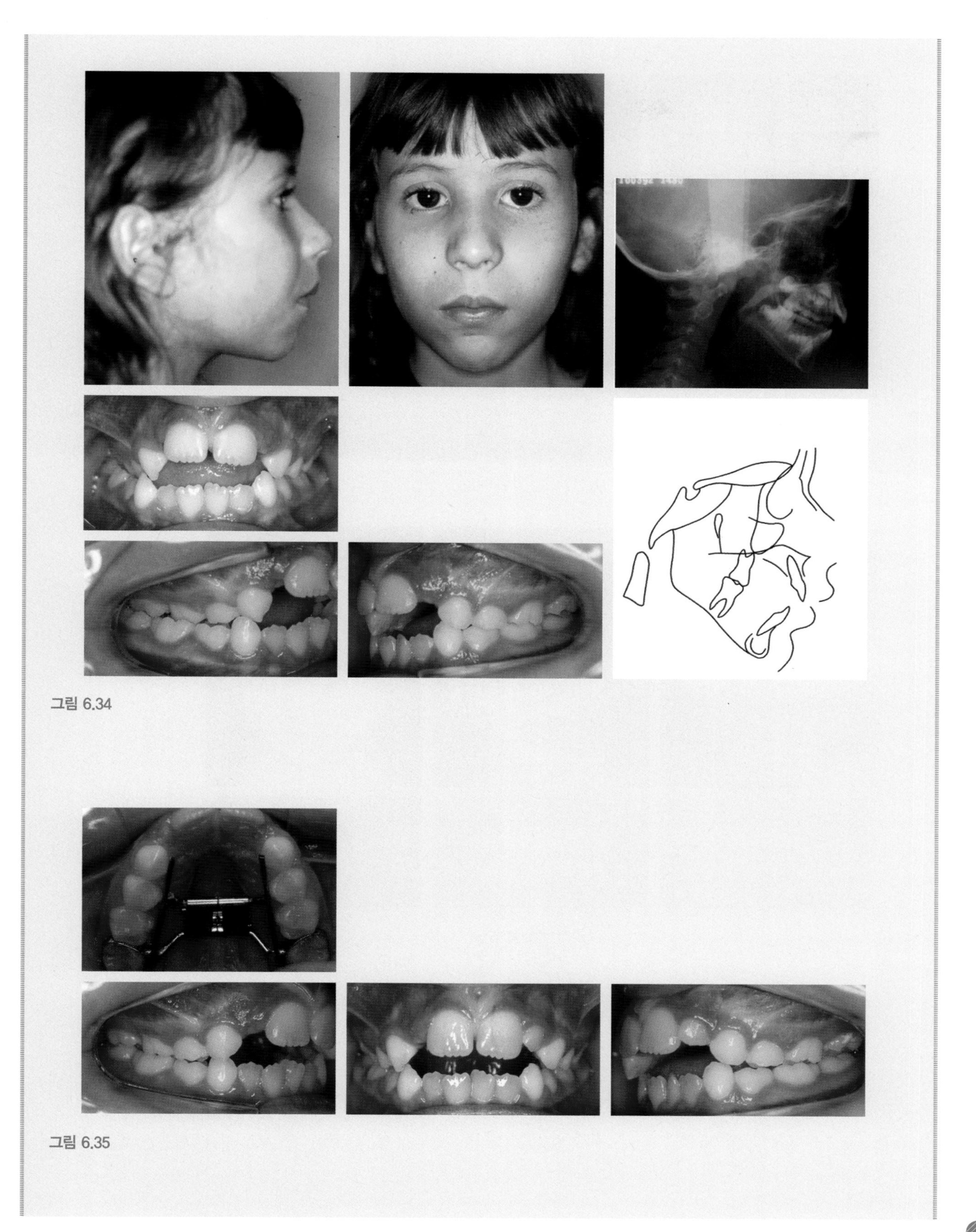

그림 6.34

그림 6.35

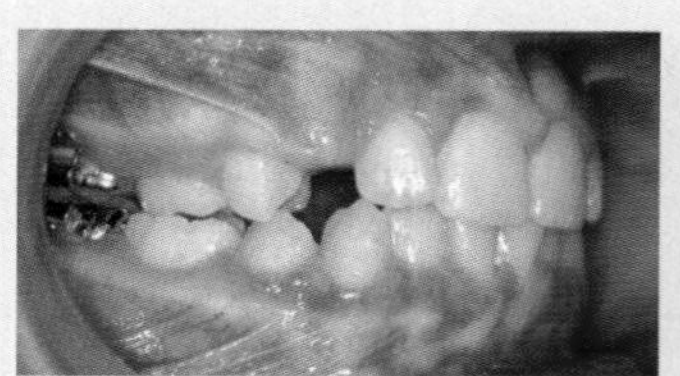
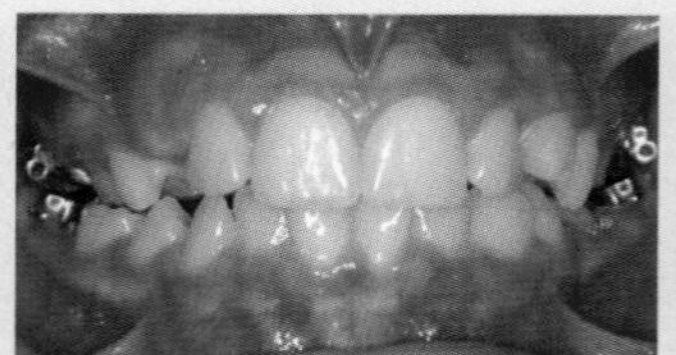
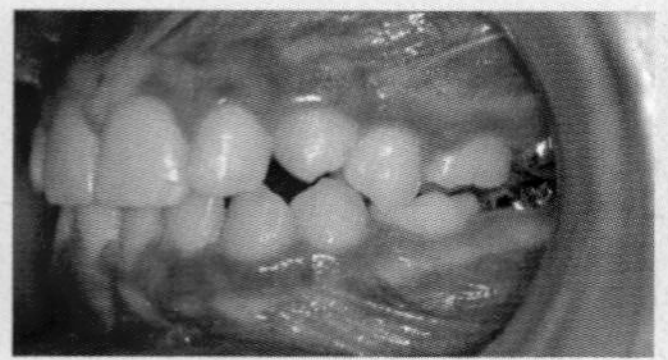

그림 6.36

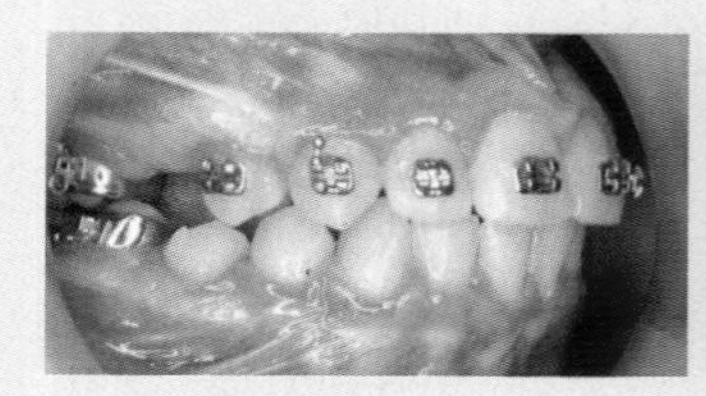
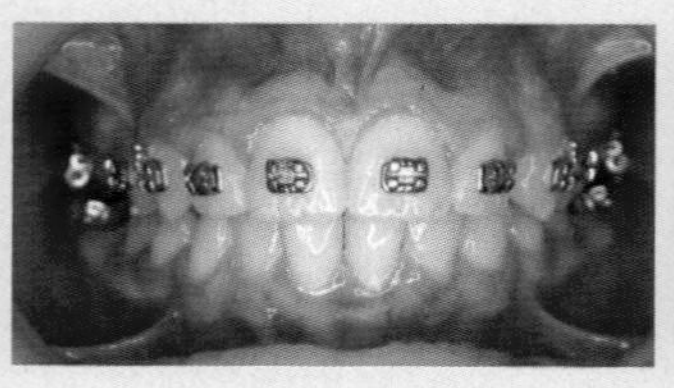
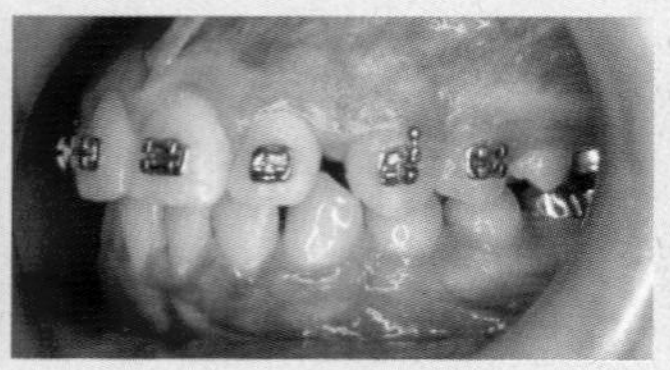

그림 6.37

영구치열기에 접어든 후 전악 교정 치료를 시행하였다(**그림 6.37**). 그림 6.38은 중첩을 통해 안모와 치아의 최종 결과를 보여주고있다. 그림 6.39는 치료 18년 후의 환자이다.

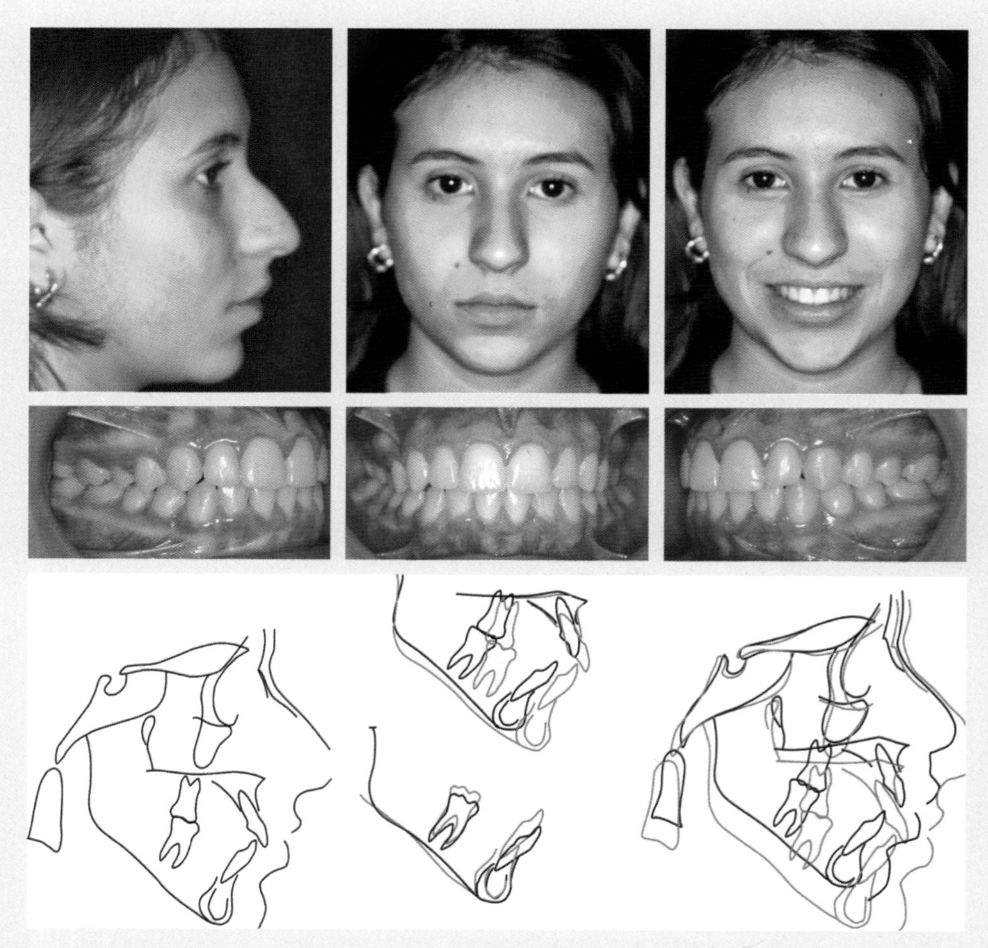

그림 6.38

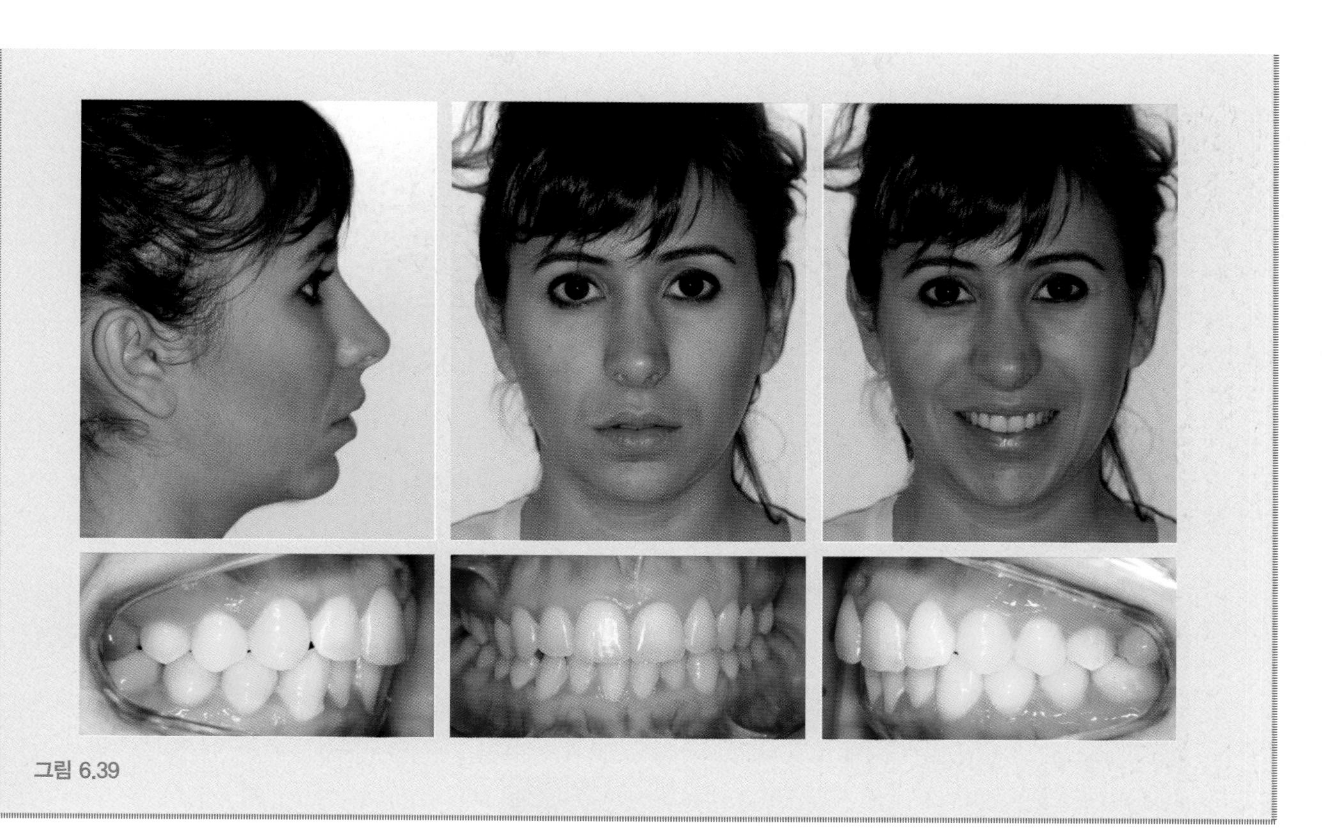

그림 6.39

환자 4

9세 남아가 소아치과 의사로부터 우리 병원으로 의뢰되었다. 안모 분석에서 하악 후퇴와 뻐드러진 전치를 가진 Ⅱ급 안모 유형을 확인할 수 있었다. 치성으로 중증의 과개교합을 보였고 12mm의 수평피개와 좌측 구치부의 협측 반대교합–편측성 Brodie 교합–을 보인다**(그림 6.40)**. 1차 치료에서는 프랑켈 장치(Frankel appliance)를 사용하였다. 프랑켈 장치를 선택한 이유는 치아부터 협측 쉴드(Buccal shield)의 거리를 조절하여 하악 우측 사분면보다 좌측 사분면을 더 많이 확장시킬 수 있기 때문이다**(그림 6.40h)**.

환자의 협조도가 좋아서 1년의 치료 결과 상당한 개선을 보였는데, 교합이 열렸고 Brodie 교합이 완전하게 개선되어 Ⅰ급 교합관계가 되었다. 또한 반대교합 elastics을 사용하여 좌측 구치부의 협설 관계 개선에 도움이 되었다**(그림 6.41)**.

영구치열기에 전악 브라켓을 본딩하여 교정치료를 진행하였다. 최종 결과는 그림 6.42에서 볼 수 있다. 그림 6.43을 보면 안모는 치료 시작부터 종료까지 눈에 띄게 개선되었다.

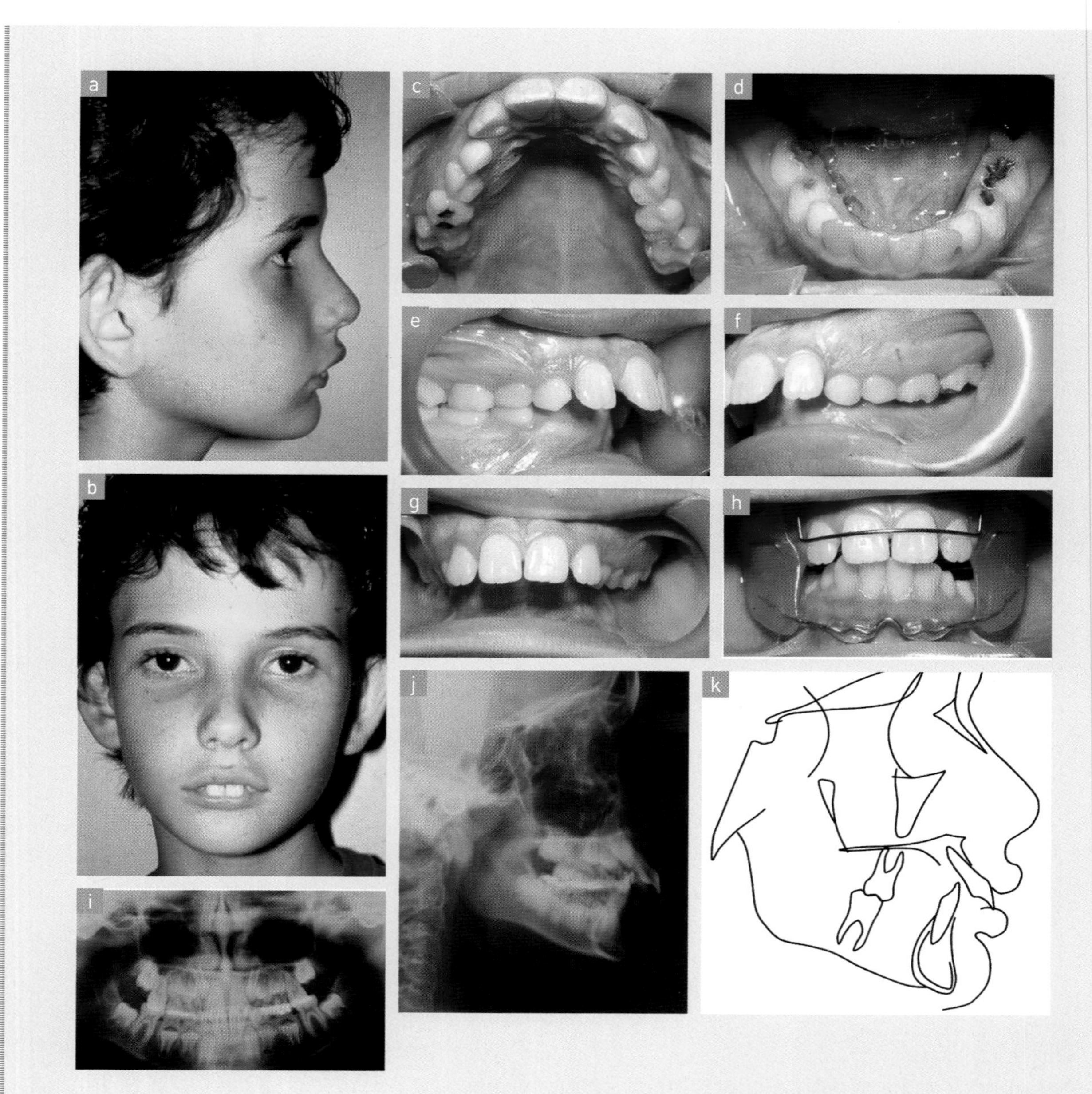

그림 6.40

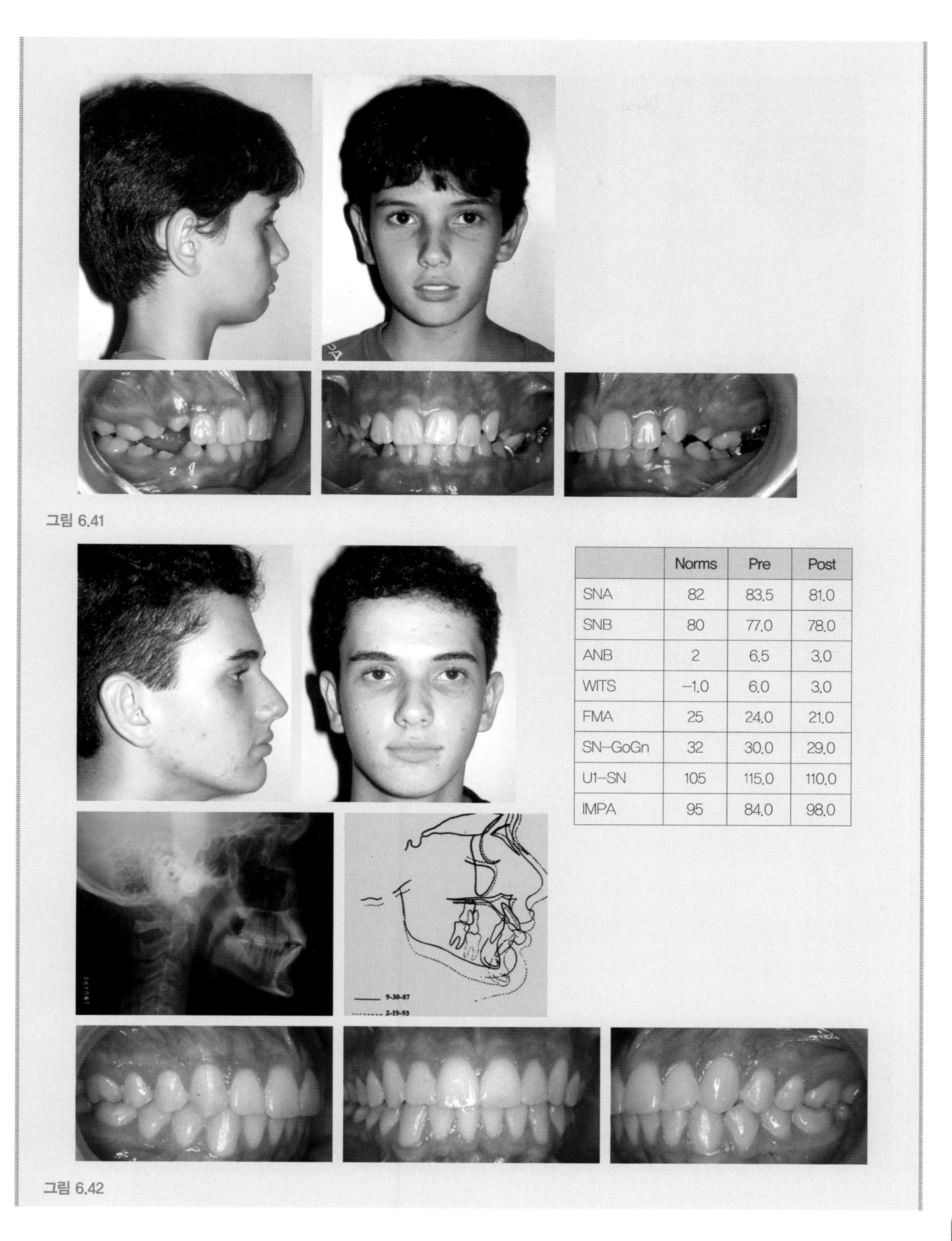

그림 6.41

	Norms	Pre	Post
SNA	82	83.5	81.0
SNB	80	77.0	78.0
ANB	2	6.5	3.0
WITS	–1.0	6.0	3.0
FMA	25	24.0	21.0
SN–GoGn	32	30.0	29.0
U1–SN	105	115.0	110.0
IMPA	95	84.0	98.0

그림 6.42

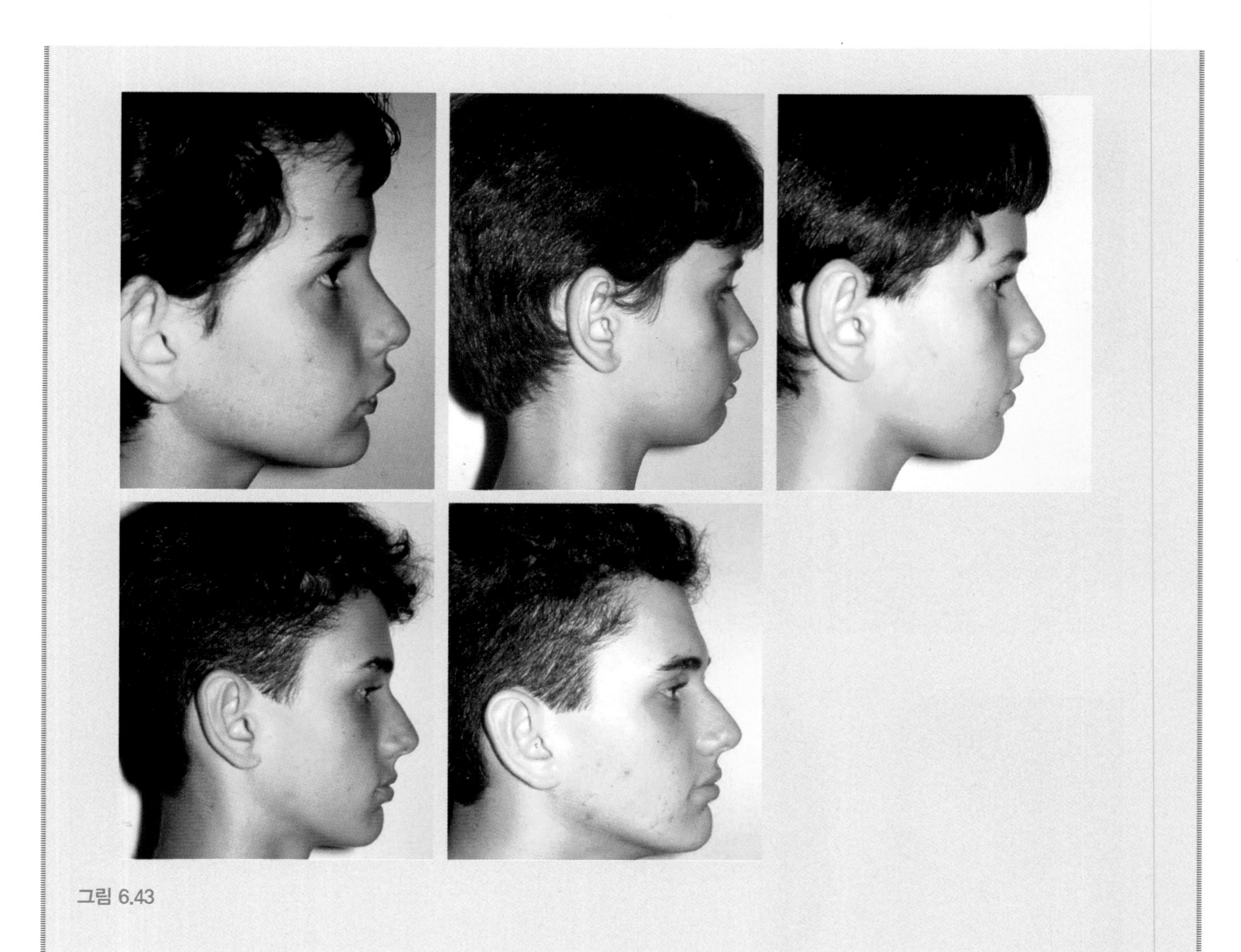

그림 6.43

환자 5

Ⅱ급 1류 교합을 가진 소아는 사고의 위험에 노출되기 쉽고, 낮은 자존감 때문에 어린 나이에 차단치료를 시작할 수도 있다. 9세 10개월의 환자로 볼록한 측모와 호감가는 안모를 가지고 있었다. 그림 6.44에서와 같이, 중증의 수평피개, 순측 경사된 상악 전치와 공극을 가지고 있다. 초기에는 2 X 4 장치와 cervical–pull 헤드기어를 사용하였다(**그림 6.45**). 1차 치료 후 LLHA와 Nance 버튼을 적용하고 2차 치료를 위해 유지관찰하였다(**그림 6.46**). 측모 두부 방사선과 파노라마 방사선 사진을 그림 6.47에서 확인 할 수 있다.

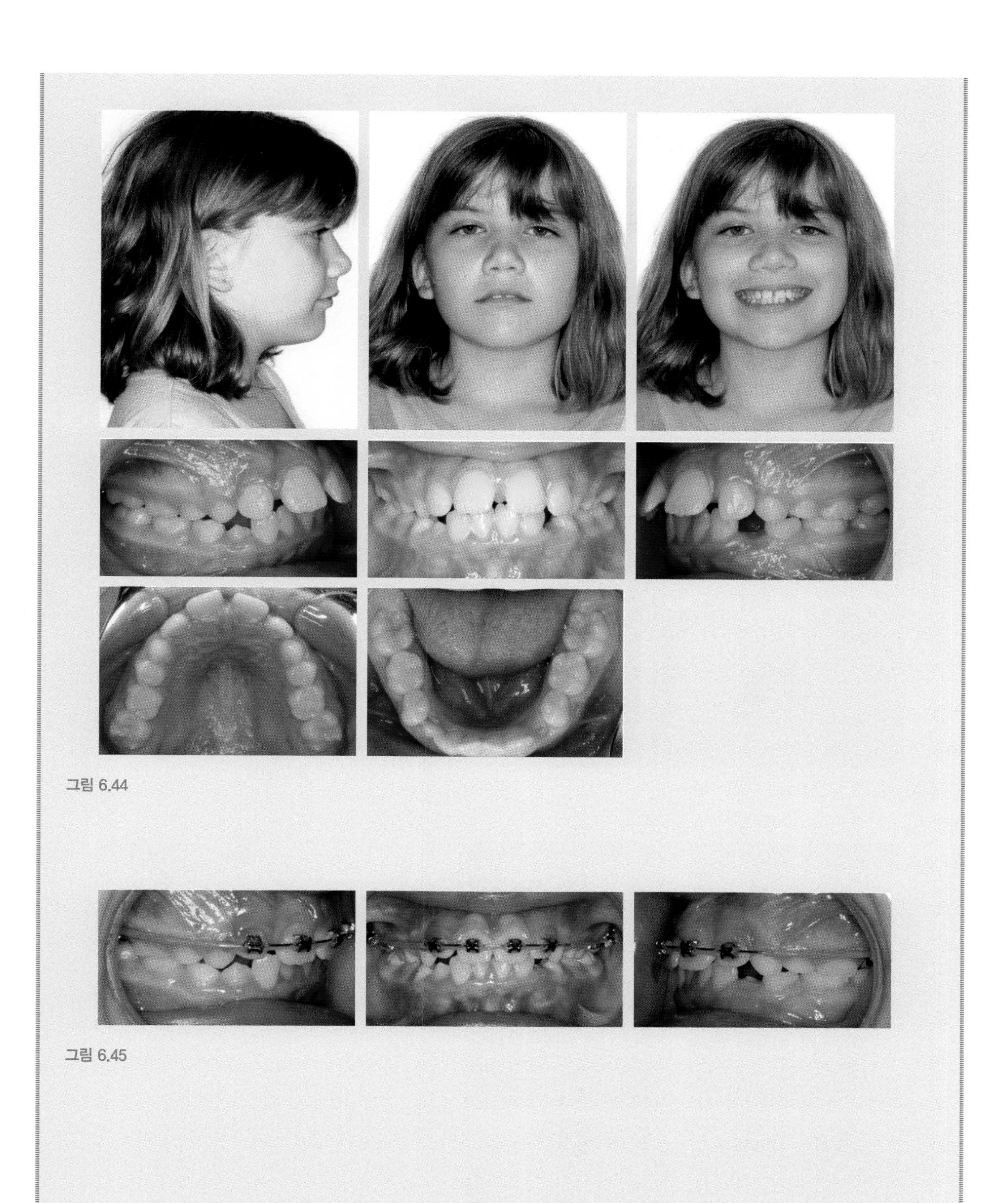

그림 6.44

그림 6.45

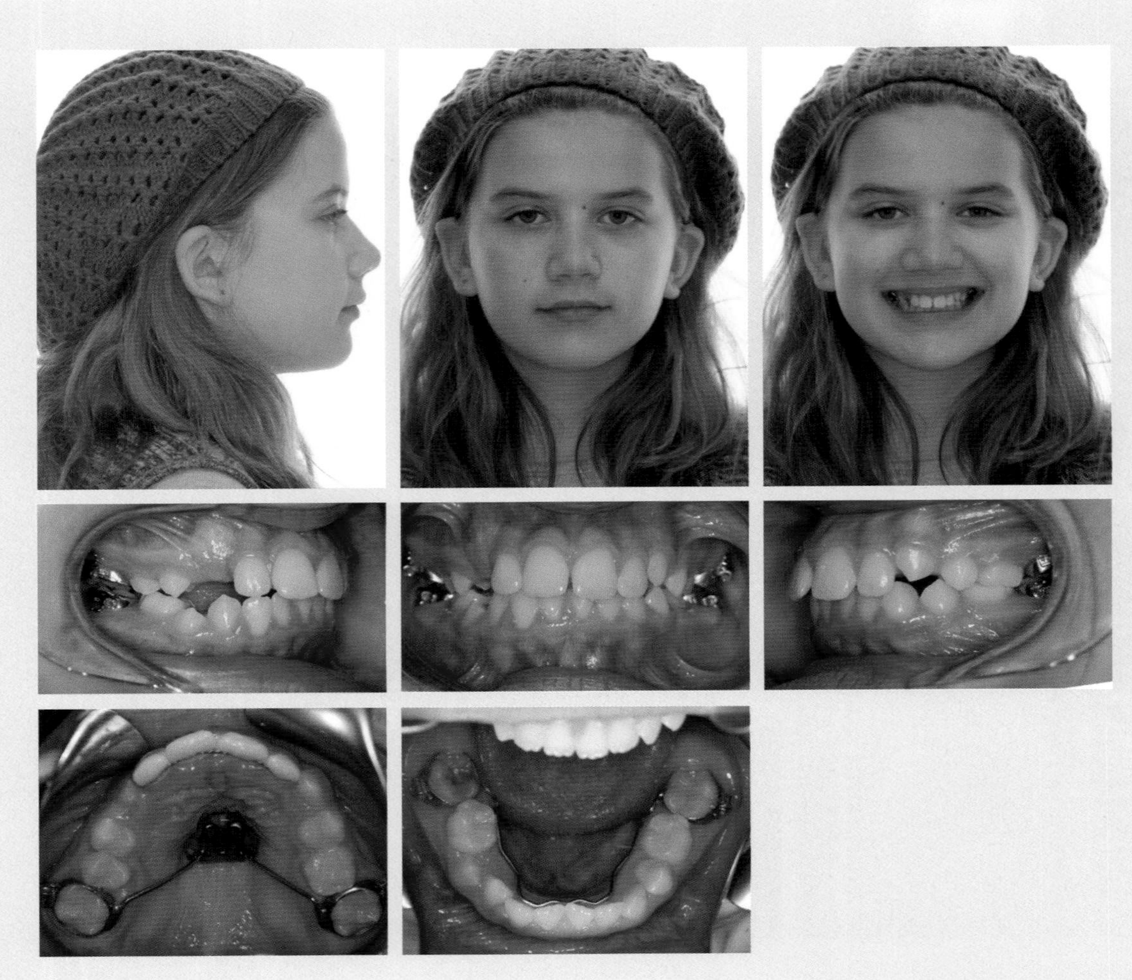

그림 6.46

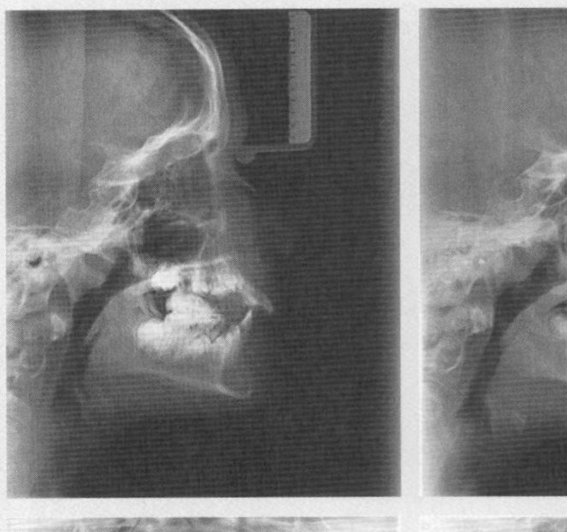

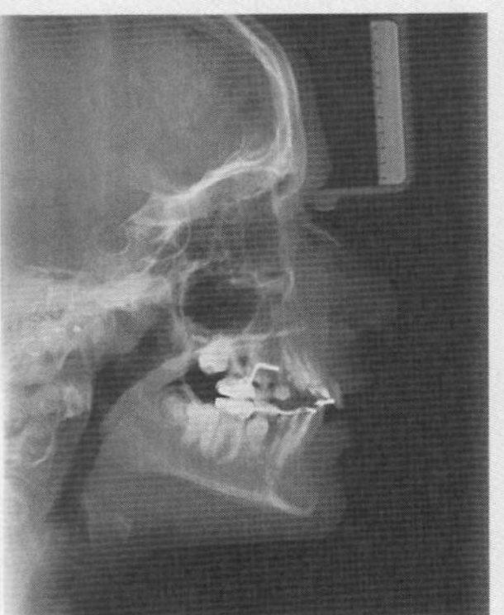

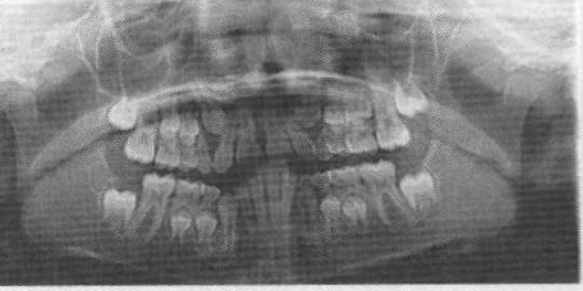

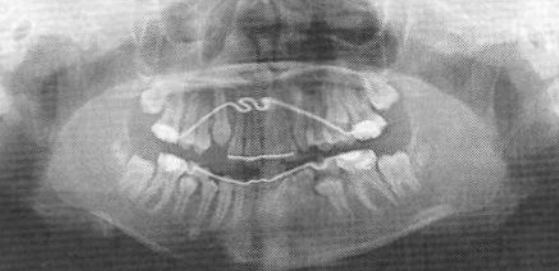

	Norms	Pre	Post
SNA	82	80.0	81.4
SNB	80	77.0	77.3
ANB	2	2.8	4.0
WITS	−1.0	−0.5	0.1
FMA	25	28.2	24.1
SN–GoGn	32	29.7	27.2
U1–SN	105	118.1	107.2
IMPA	95	90.3	98.3

그림 6.47

환자 6

10세 남아로 중증의 Ⅱ급 1류 부정교합을 가지고 있었다. 안모적으로, 볼록한 안모와 약간의 후퇴된 턱이 관찰되었다. 그림 6.48과 같이, 심도의 과개교합, 뻐드러진 전치부와 깊은 Spee 만곡의 치아 특성을 보이고 있다. 전치부의 레벨링과 배열 후 Herbst 장치를 삽입하였다. 그림 6.49는 장치 삽입 당일의 모습이고, 그림 6.50은 8개월 후의 교합이다. Herbst 장치 삽입 1년 후 장치를 제거하고, 환자를 적극적으로 관찰하였다(**그림 6.51**). 측모두부방사선과 파노라마 사진의 변화를 그림 6.52에서 볼 수 있다.

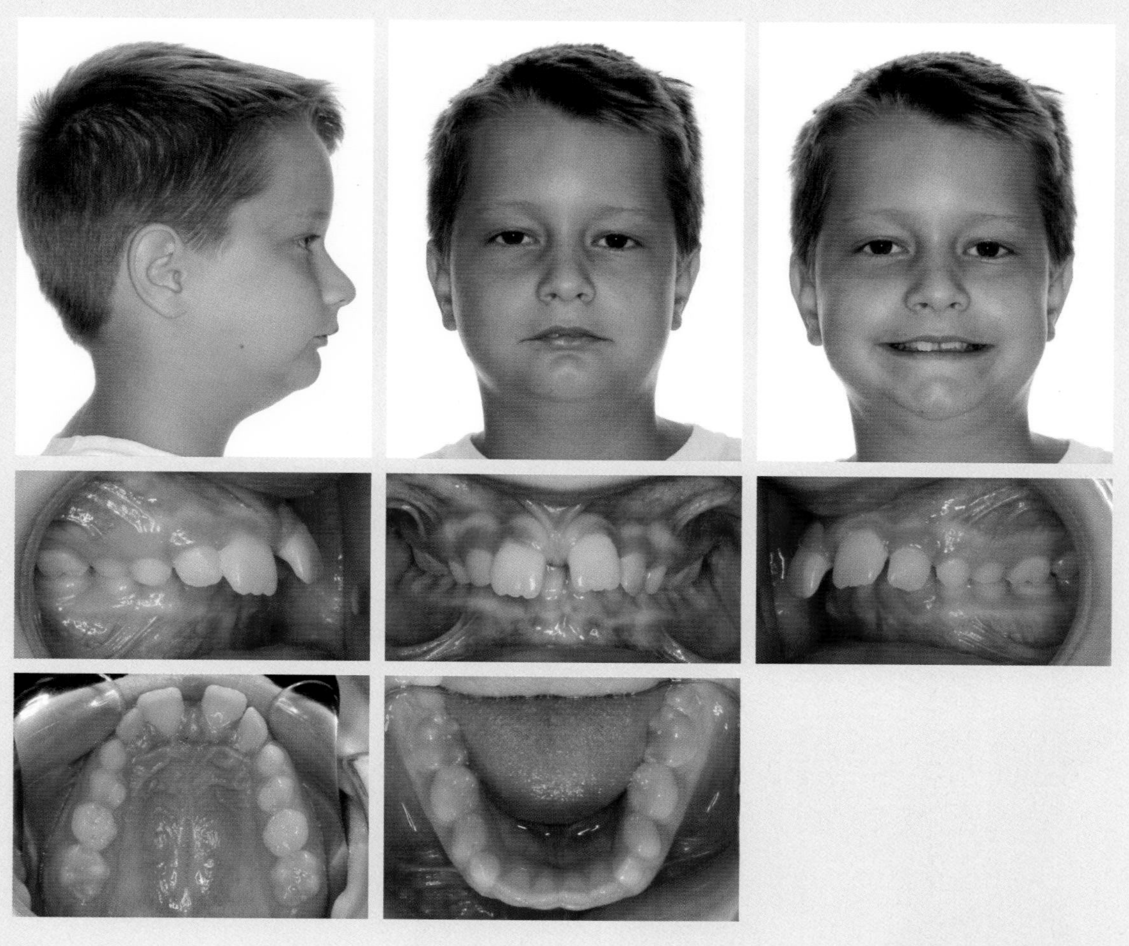

그림 6.48

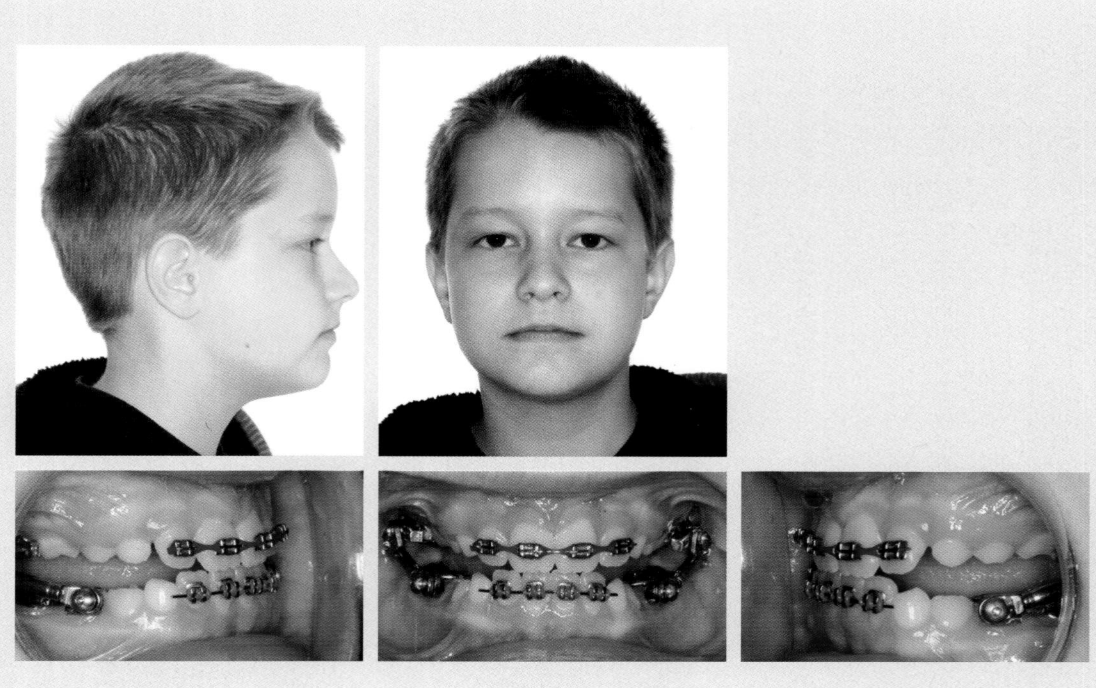

그림 6.49

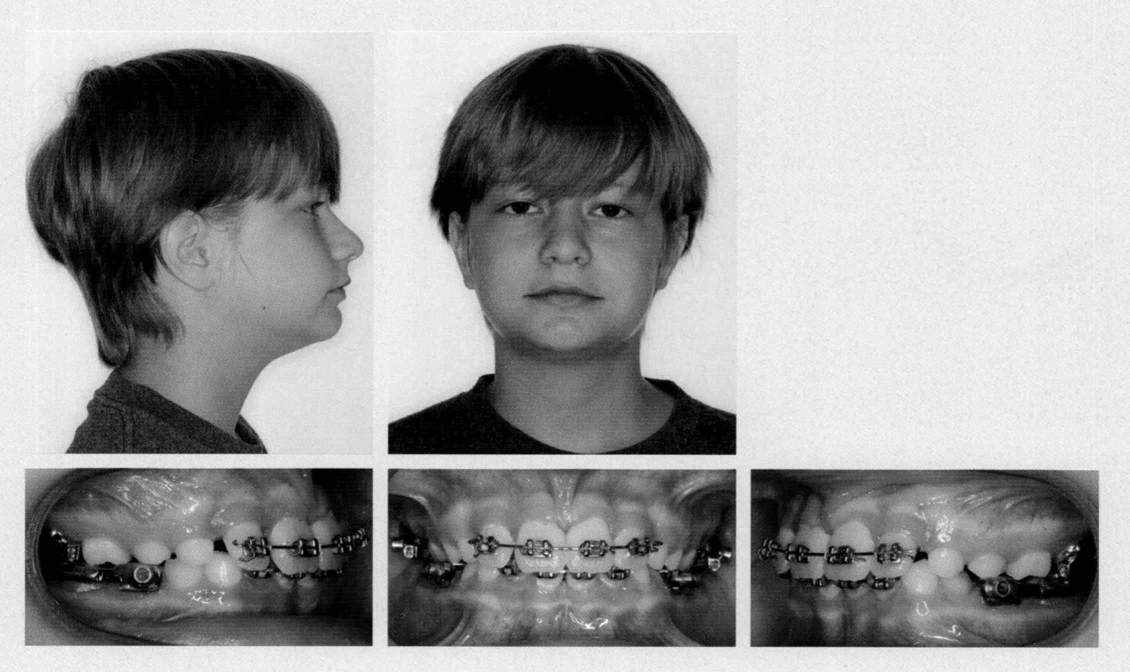

그림 6.50

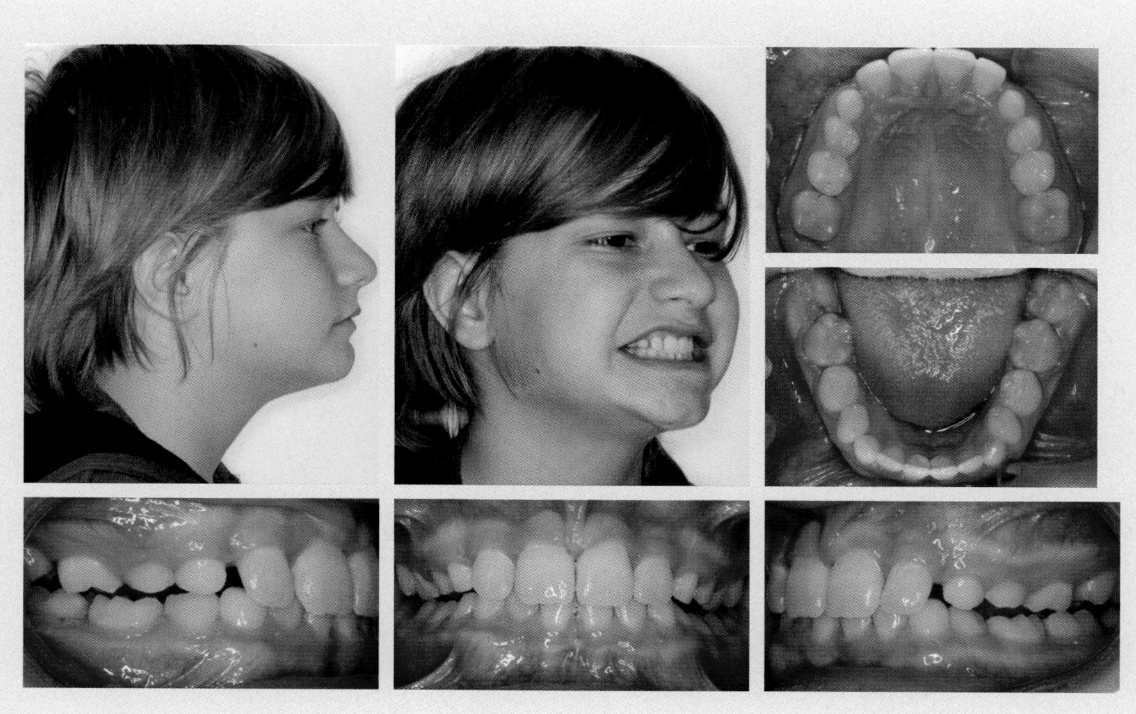

그림 6.51

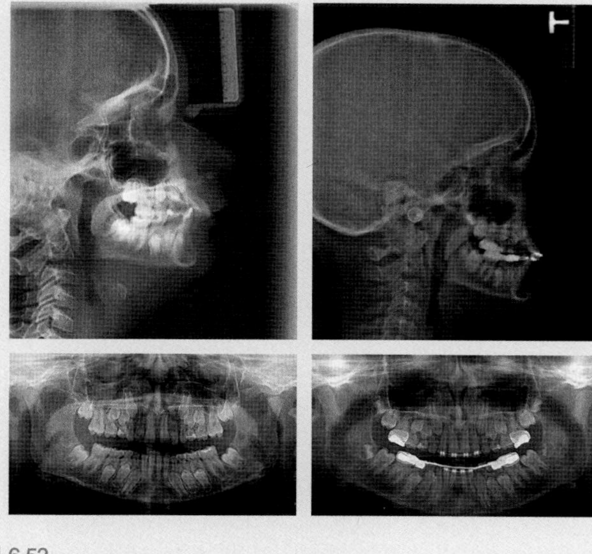

	Norms	Pre	Post
SNA	82	85.6	84.5
SNB	80	79.0	83.3
ANB	2	6.6	1.2
WITS	−1.0	6.3	−2.7
FMA	25	14.8	17.9
SN−GoGn	32	21.6	23.0
U1−SN	105	114.1	108.8
IMPA	95	98.3	99.1

그림 6.52

환자 7

7세 9개월의 여아로 "과개교합"과 "비뚤어진(crooked) 치열"로 일반 치과의사에게서 의뢰되었다. 안모적으로 볼록한 측모를 보이며, 치성으로는 상하 중등도의 총생을 동반한 Ⅱ급 2류 부정교합을 보이고 있다**(그림 6.53)**. 확장 장치를 본딩하고 하악 립범퍼를 사용하기로 계획하였다. 초기과정의 마무리에서 2 X 4장치를 상하악에 부착하였다**(그림 6.54)**. 총 치료기간은 9개월이 소요되었다. 2차 치료 전 최종 교합은 그림 6.55과 같으며, 눈에 띄게 향상되었음을 볼 수 있다.

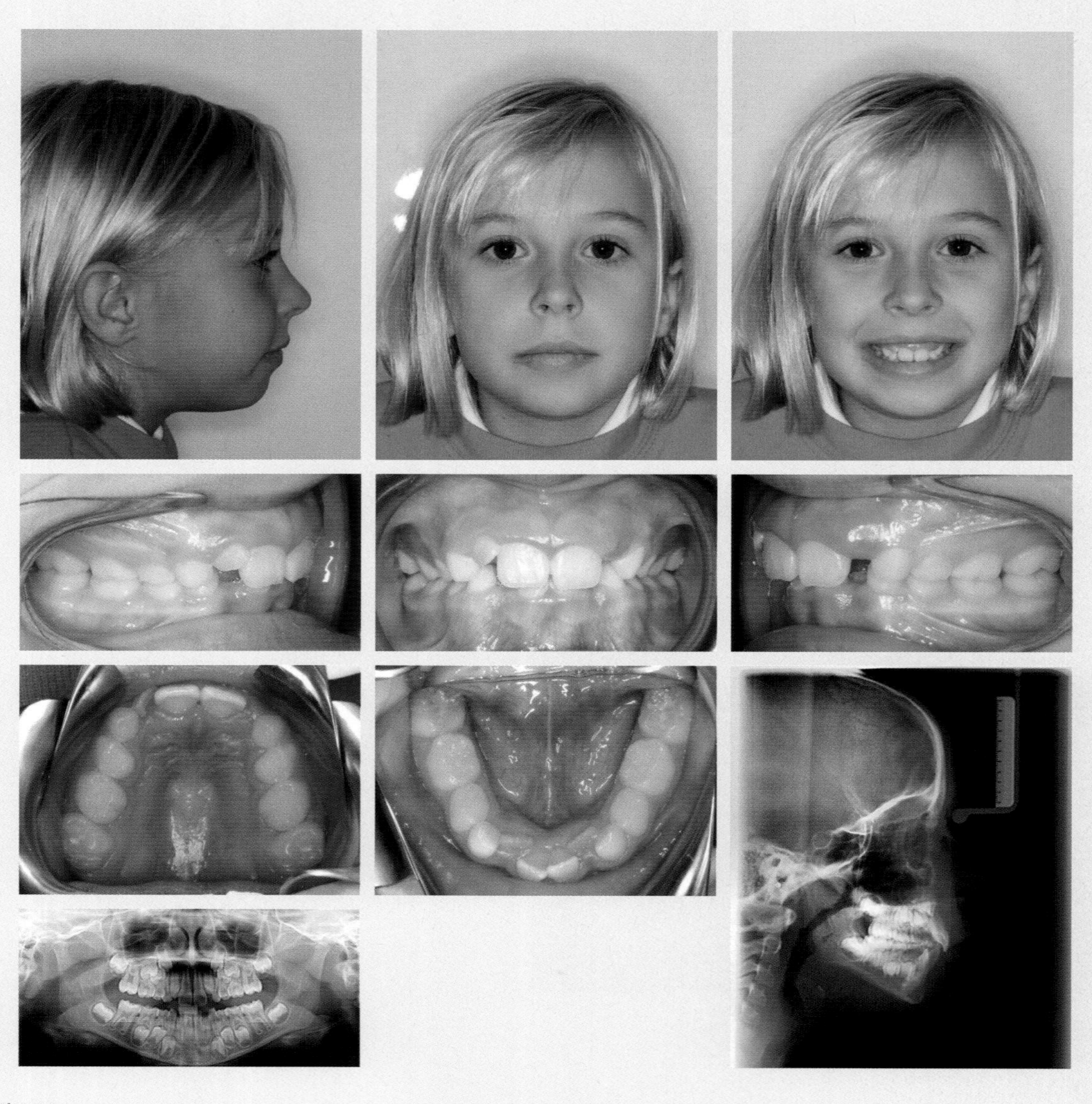

그림 6.53

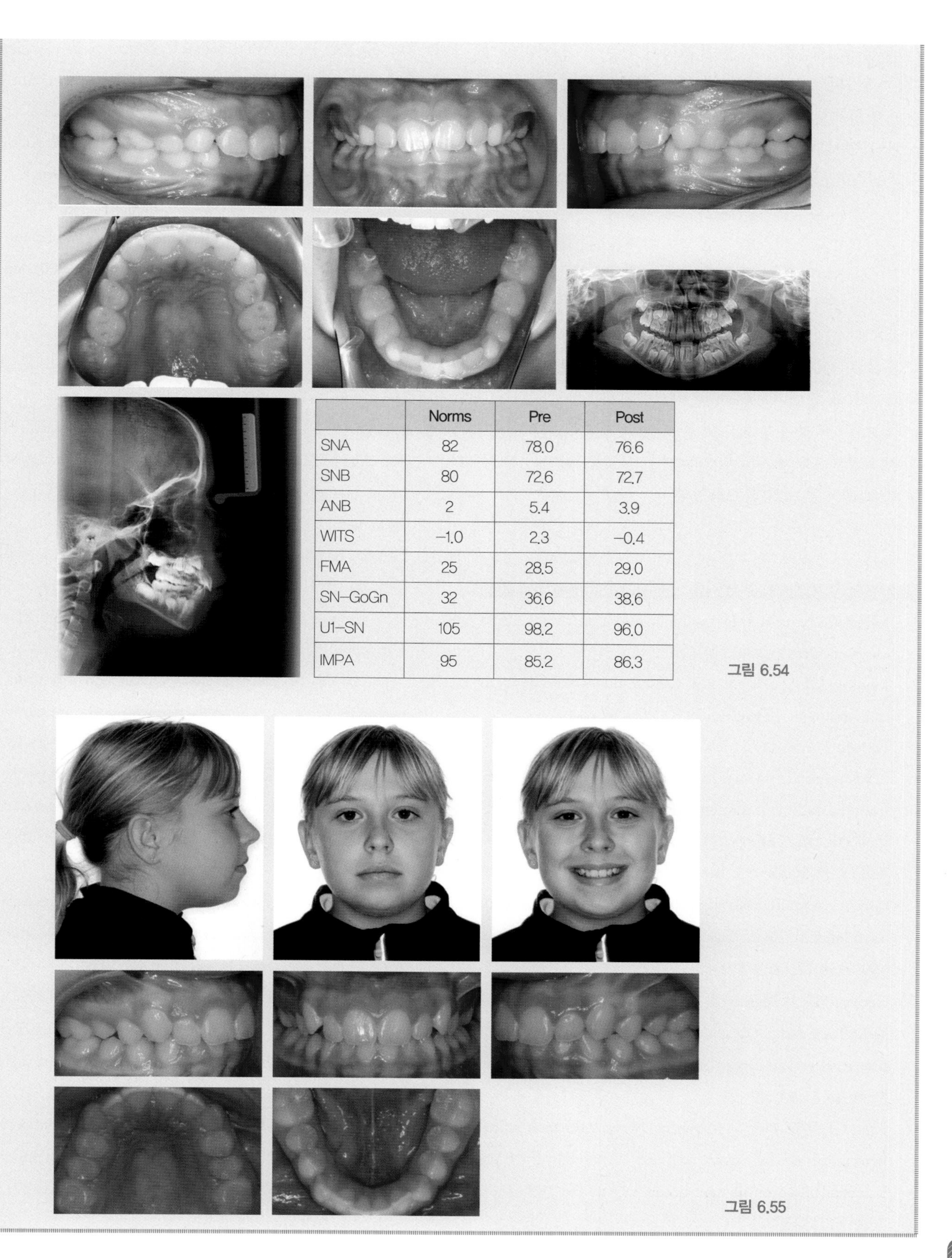

	Norms	Pre	Post
SNA	82	78.0	76.6
SNB	80	72.6	72.7
ANB	2	5.4	3.9
WITS	−1.0	2.3	−0.4
FMA	25	28.5	29.0
SN−GoGn	32	36.6	38.6
U1−SN	105	98.2	96.0
IMPA	95	85.2	86.3

그림 6.54

그림 6.55

본질적으로, 좋은 성장 가능성이 있는 Ⅱ급 어린이의 경우 조기치료로 훌륭한 안모와 치열을 얻을 수 있다. 과발산형 환자는 더 긴 치료기간이 필요한데, high-pull 헤드기어와 구치부 bite block, 수직적인 조절을 위한 수직적 친컵(chincup)을 사용한다. MSI의 연구들은 혼합치열기에 구치부의 함입이 필수적이라고 하였다.

앞서 서술한 것처럼 Ⅱ급 2류 환자는 Ⅰ급 환자와 보다 더 유사하며 더 저발산형이다. 일반적으로, 치료는 헤드기어를 동반하거나 동반하지 않는 2 X 4 장치를 이용한 전치부의 배열이 적당하다. 이것은 각각의 경우에 따라 달라진다. 부가적인 치료는 전치부를 정상 위치로 이동시킨 이후에 재평가 하는 것이 바람직하다.

이어진 일련의 증례들은 Ⅱ급 조기 치료의 다른 접근을 보여준다. 각 증례들은 가능한 궁금증을 밝히기 위하여 각 증례에 특별히 집중하였다.

참·고·문·헌

1 Johnston LE. Answers in search of questioners. Am J Orthod Dentofac Orthop 2002;121(6):552–3.

2 Johnson, LR. The diagnosis of malocclusion with reference to early treatment. J Dent Res 1921;3(1):v–xx.

3 Baccetti T, Franchi L, McNamara JA, Tollaro I. Early dentofacial features of Class II malocclusion: a longitudinal study from the deciduous through the mixed dentition. Am J Orthod Dentofac Orthop 1997 May; 111(5):502–9.

4 Tulloch JF, Phillips C, Koch G, Proffit WR. The effect of early intervention on skeletal pattern in Class II malocclusion: a randomized clinical trial. Am J Orthod Dentofac Orthop 1997 Apr; 111(4):391–400.

5 Keeling SD, Wheeler TT, King GJ, et al. Anteroposterior skeletal and dental changes after early Class II treatment with bionators and headgear. Am J Orthod Dentofac Orthop 1998 Jan; 113(1):40–50.

6 King GJ, Wheeler TT, McGorray SP, et al. Orthodontists' perceptions of the impact of phase 1 treatment for Class II malocclusion on phase 2 needs. J Dent Res 1999 Nov; 78(11):1745–53.

7 Tulloch JFC, Proffit WR, Phillips C. Outcomes in a 2-phase randomized clinical trial of early Class II treatment. Am J Orthod Dentofac Orthop 2004 Jun; 125(6):657–67.

8 Harrison JE, O'Brien KD, Worthington HV. Orthodontic treatment for prominent upper front teeth in children. Cochrane Database Syst Rev 2007;(3):CD003452.

9 Carlson DS. Biological rationale for early treatment of dentofacial deformities. Am J Orthod Dentofac Orthop 2002 Jun; 121(6):554–8.

10 Kalha AS. Early orthodontic treatment reduced incisal trauma in children with class II malocclusions. Evid Based Dent 2014 Mar; 15(1):18–20.

11 O'Brien K, Wright JL, Conboy F, Macfarlane T, Mandall N. The child perception questionnaire is valid for malocclusions in the United Kingdom. Am J Orthod Dentofac Orthop 2006 Apr; 129(4):536–40.

12 O'Brien K, Macfarlane T, Wright J, et al. Early treatment for Class II malocclusion and perceived improvements in facial profile. Am J Orthod Dentofac Orthop 2009 May; 135(5):580–5.

13 Tessarollo FR, Feldens CA, Closs LQ. The impact of malocclusion on adolescents' dissatisfaction with dental appearance and oral functions. Angle Orthod 2012 May; 82(3):403–9.

14 Peres SH, de CS, Goya S, Cortellazzi KL, et al. Self-perception and malocclusion and their relation to oral appearance and function. Ciênc Saúde Coletiva 2011 Oct; 16(10):4059–66.

15 Ryan FS, Barnard M, Cunningham SJ. Impact of dentofacial deformity and motivation for treatment: a qualitative study. Am J Orthod Dentofac Orthop 2012 Jun; 141(6):734–42.

16 Seehra J, Fleming PS, Newton T, DiBiase AT. Bullying in orthodontic patients and its relationship to malocclusion, self-esteem and oral health-related quality of life. J Orthod 2011 Dec; 38(4):247–56; quiz 294.

17 Seehra J, Newton JT, Dibiase AT. Interceptive orthodontic treatment in bullied adolescents and its impact on selfesteem and oral-health-related quality of life. Eur J Orthod 2013 Oct; 35(5):615–21.

18 Taghavi Bayat J, Hallberg U, Lindblad F, et al. Daily life impact of malocclusion in Swedish adolescents: a grounded theory study. Acta Odontol Scand 2013 Jul; 71(3–4):792–8.

19 Al-Omari IK, Al-Bitar ZB, Sonbol HN, et al. Impact of bullying due to dentofacial features on oral health-related quality of life. Am J Orthod Dentofac Orthop 2014 Dec; 146(6):734–9.

20 Petti S. Over two hundred million injuries to anterior teeth attributable to large overjet: a meta-analysis. Dent Traumatol 2015 Feb; 31(1):1–8.

21 Haralabakis NB, Sifakakis IB. The effect of cervical headgear on patients with high or low mandibular plane angles and the "myth" of posterior mandibular rotation. Am J Orthod Dentofac Orthop 2004 Sep; 126(3):310–7.

22 Kim KR, Muhl ZF. Changes in mandibular growth direction during and after cervical headgear treatment. Am J Orthod Dentofac Orthop 2001 May; 119(5):522–30.

23 Ulger G, Arun T, Sayinsu K, Isik F. The role of cervical headgear and lower utility arch in the control of the vertical dimension. Am J Orthod Dentofac Orthop 2006 Oct; 130(4):492–501.

24 Henriques JF, Martins DR, Pinzan A. [The cervical headgear action in the mixed dentition on maxilla, mandible and teeth in class II, division 1, malocclusions--a cephalometric study (author's transl.)]. Ortodontia 1979 Aug; 12(2):76–86.

25 Gkantidis N, Halazonetis DJ, Alexandropoulos E, Haralabakis NB. Treatment strategies for patients with hyperdivergent Class II Division 1malocclusion: is vertical dimension affected? Am J Orthod Dentofac Orthop 2011 Sep; 140(3):346–55.

26 Defraia E, Marinelli A, Baroni G, et al. Early orthodontic treatment of skeletal open-bite malocclusion with the open-bite bionator: a cephalometric study. Am J Orthod Dentofac Orthop 2007 Nov; 132(5):595–8.

27 Sankey WL, Buschang PH, English J, Owen AH. Early treatment of vertical skeletal dysplasia: the hyperdivergent phenotype. Am J Orthod Dentofac Orthop 2000 Sep; 118(3):317–27.

28 Ngan P, Wilson S, Florman M, Wei SH. Treatment of Class II open bite in the mixed dentition with a removable functional appliance and headgear. Quintessence Int Berl Ger 1985 1992 May; 23(5):323–33.

29 Tuncay O. Solving the puzzle of Class II malocclusion. Semin Orthod 2014;20(4):339–42.

30 Arya BS, Savara BS, Thomas DR. Prediction of first molar occlusion. Am J Orthod 1973 Jun; 63(6):610–21.

31 Bishara SE, Hoppens BJ, Jakobsen JR, Kohout FJ. Changes in the molar relationship between the deciduous and permanent dentitions: a longitudinal study. Am J Orthod Dentofac Orthop 1988 Jan; 93(1):19–28.

32 McNamara JA. Components of class II malocclusion in children 8–10 years of age. Angle Orthod 1981 Jul; 51(3): 177–202.

33 Baccetti T, Franchi L, McNamara JA, Tollaro I. Early dentofacial features of Class II malocclusion: a longitudinal study from the deciduous through the mixed dentition. Am J Orthod Dentofac Orthop 1997 May; 111(5):502–9.

34 O'Brien K, Wright J, Conboy F, Appelbe P, Davies L, Connolly I, et al. Early treatment for Class II Division 1 malocclusion with the Twin-block appliance: a multi-center, randomized, controlled trial. Am J Orthod Dentofac Orthop 2009 May; 135(5):573–9.

35 Koretsi V, Zymperdikas VF, Papageorgiou SN, Papadopoulos MA. Treatment effects of removable functional appliances in patients with Class II malocclusion: a systematic review and meta-analysis. Eur J Orthod 2014; 1–17.

36 Marsico E, Gatto E, Burrascano M, et al. Effectiveness of orthodontic treatment with functional appliances on mandibular growth in the short term. Am J Orthod Dentofac Orthop 2011 Jan; 139(1):24–36.

37 Antonarakis GS, Kiliaridis S. Short-term anteroposterior treatment effects of functional appliances and extraoral traction on class II malocclusion. A meta-analysis. Angle Orthod 2007 Sep; 77(5):907–14.

38 Vaid N, Doshi V, Vandekar M. Class II treatment with functional appliances: a meta-analysis of short term treatment

effects. Semin Orthod 2014;20(4):324–8.
39 Sassouni V. The Class II syndrome: differential diagnosis and treatment. Angle Orthod 1970 Oct; 40(4):334–41.
40 Sassouni V. A classification of skeletal facial types. Am J Orthod 1969 Feb; 55(2):109–23.
41 Moyers RE, Riolo ML, Guire KE, et al. Differential diagnosis of class II malocclusions. Part 1. Facial types associated with class II malocclusions. Am J Orthod 1980 Nov; 78(5):477–94.
42 Ghafari J, Macari. Component analysis of Class II, Division 1 discloses limitations for transfer to Class I phenotype. Semin Orthod 2014;20(4):253–71.
43 Ghafari J, Haddad R. Cephalometric and dental analysis of Class II, Division 2 reveals various subtypes of the malocclusion and the primacy of dentoalveolar components.Semin Orthod 2014;20(4):272–86.

Chapter
07

Ⅲ급 부정교합의 인지와 수정

Recognizing and correcting Class III malocclusions

SECTION Ⅰ: Ⅲ급 부정교합의 발달, 표현형의 특징, 그리고 원인

Section I: The development, phenotypic characteristics, and etiology of Class III malocclusion

Peter H. Buschang, PhD
Department of Orthodontics, Texas A&M University Baylor College of Dentistry, Dallas, Texas, USA

7.1. 도입

Ⅲ급 부정교합은 치아들의 관계를 기반하여 정의된다; 하악 치열 전체가 상악 치열 전체에 근심에서 교합되며 전치부 반대교합이 존재한다. 처음으로 Angle[1]이 Ⅲ급 부정교합을 "모든 하악 치아들이 정상보다 소구치의 폭만큼 혹은 심한 경우 더 크게 근심측에서 교합되는 것"이라고 묘사했었다. 또한 하악 절치와 견치가 설측으로 기울어져 있으며 아래턱의 돌출에 기여하는 골격적 요소들이 존재한다고 하였다. Ⅲ급 부정교합은 골격적 요소들로 인해 치료가 매우 어려워진다.

Ⅲ급 부정교합은 다른 부정교합들에 비해 안모의 심미성에 해로운 영향을 끼치고 심각한 기능적 장애를 발생시키기에 매우 중요하고 더 잘 이해해야 한다. 발생빈도는 특정 인종에서 특징적으로 나타난다.

특별히 하악 전돌을 보이는 Ⅲ급 부정교합 사람들의 측모는 매우 보기 좋지 않다고 여겨진다. 2651명의 일본 성인에게 다섯 개의 안모 사진에 순위 매기라고 하였는데, 하악 전돌이 가장 매력적이지 않았으며 하악 후퇴, 양악 전돌, 양악 후퇴 그리고 정상 순이었다[2]. 또한 터키 사람들도 하악 전돌 안모가 가장 덜 선호되는 것으로 나타났다[3]. 사실 일반인이나 교정의사 및 외과의사들도 하악 전돌 저발산 안모를 심한 하악 후퇴 과발산 안모보다 훨씬 더 비심미적으로 생각하고 있다[4]. 외모는 개개인의 사회적 지위 결정에 있어 큰 역할을 하기에 매우 중요하다[5-7].

Ⅲ급 부정교합 환자의 저작 기능은 대부분 약화되어 있다. 정상 교합인 사람들에 비해 질긴 고기를 씹는데 어려움을 느끼는 경우가 3배라고 한다[8]. 그들은 다른 교합의 사람들처럼 음식을 잘게 부술 수 없다(**그림 7.1**). 치료받지 않은 정상 교합, Ⅰ급 및 Ⅱ급 부정교합 사람들과 비교해서 Ⅲ급 부정교합 환자의 음식물 평균 입자 크기는 상당히– 약 35% – 컸다[8]. Zhou와 Fu[9]는 Ⅲ급 부정교합의 중국 사람들의 저작 효율은 정상 교합에 비해 60%정도라고 하였다.

Ⅲ급 부정교합의 낮은 저작 효율은 교합 접촉과 근접촉(near contact) 면적이 거의 50%정도로 감소한 것이 주요 원인이다[10]. 교합 접촉과 근접촉의 수는 근육과 저작력에 관계되기 때문에[11], Ⅲ급의 경우 상대적으로 약한 저작근을 가질 것이라 예상할 수 있다. 하악 전방 이동 수술을 받은 환자들의 경우 저작근의 기계적 장점이 감소됨을 보였다[12]. 더 작은 접촉과 근접촉 부위는 감소된 교합 지지(즉, 적은 치아상으로 분포되는 힘)를 의미하며, 이것은 저작근의 강도 감소와 비정상적 저작운동과 관련 있

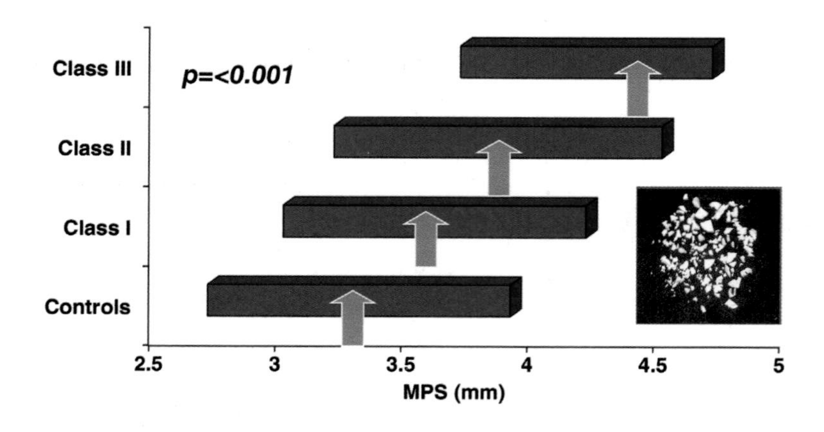

그림 7.1 조각 크기의 중앙(화살표)과 정상교합과 부정교합 대상의 4분위간 범위(English 등[8]).

다[13]. 또한 Ⅲ급 부정교합은 높은 빈도의 씹는 횟수, 반대의(reversed) 혹은 대측성(contralateral)으로 일어나는 저작 궤도 등의 비정상적 교합 양상을 나타낸다[14,15].

Ⅲ급 부정교합의 유병률은 인종들간에 매우 다양한데, 중국인과 말레이시아인 사이에서 가장 높은 빈도를 보인다(**그림 7.2**). 전세계의 보고들을 종합해보면 서남 아시아 집단에서 Ⅲ급 부정교합의 가장 높은 유병률(15.8%)를 보이며 그 뒤로 중동(10.2%), 유럽(4.9%), 아프리카(4.6%)의 순이다[16]. NCHS는 1973년과 1979년에 미국과 관련된 최고의 설문조사를 수행하였다. 구치부 관계를 기초로, 6~11세 백인 아동의 4.9%와 12~17세 백인 청소년의 6.0%에서 양측성 Ⅲ급 부정교합을 보였다[17,18]. 그리고 흑인 아동의 7.0%와 흑인 청소년의 7.7%에서 양측성 Ⅲ급 부정교합을 보였다. Ⅲ급 부정교합은 여성보다 남성에서 약간 더 빈번한 경향을 보였다; 그 차이는 매우 작지만(0.2%) 아동과 청소년에서 일관적으로 나타났다.

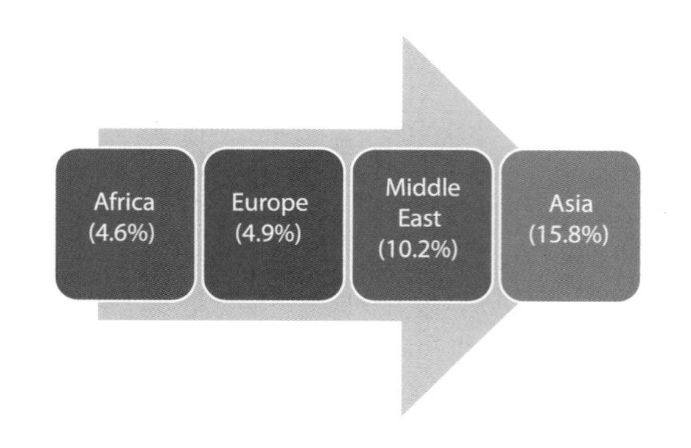

그림 7.2 24개의 연구로부터 정리된 통계를 기초로 한 Ⅲ급 부정교합의 세계적인 발병 추산(하디 등의 데이터[16]).

NHANES Ⅲ(전국보건영양조사)에서는, 수평피개에 기반하여 백인의 약 4.9%, 흑인의 8.1%, Mexican–American 인종의 8.3%가 Ⅲ급 부정교합을 가지고 있다고 추정하였다[19]. NHANES의 추정에 의하면 Ⅲ급 부정교합의 빈도는 8~11세와 12~17세에서 상당히 증가하나 그 이후로는 거의 변화가 없다.

7.2 Ⅲ급 부정교합 표현형의 특징

이전의 많은 연구들은 가장 많은 영향을 미친다고 판단했던 악궁에 기초하여 그들의 표본을 분류하였다. Sanborn[20]은 처음으로 Ⅲ급 부정교합을 다음과 같이 분류하였는데 33.3%는 상악이 문제였고, 45.5%는 하악이 문제였다. 유감스럽게도, Ⅲ급 부정교합을 분류한 문헌들에서는 지속적인 양상이나 우세한 악궁이 존재하지 않았다(**표 7.1**). 이런 연구들은 Ⅲ급 부정교합 환자들을 분류하기 위해 다른 기준과 방법론을 사용하였기 때문에 비교하기 어렵고, 그들 중 일부만이 대조연구하기 위해 Ⅲ급 부정교합 환자를 비교하였다. 이런 연구 중 언급할 수 있는 가장 좋은 것은 상하악 모두가 관련된다는 것이다.

Ⅲ급 부정교합에서 상악이 후퇴인지 아닌지는 여전히 논쟁적이다. 대부분의 초기 연구는 Ⅲ급과 Ⅰ급 부정교합간의 차이를 지적하였는데, 평균 Ⅲ급 상악이 Ⅰ급 평균보다 더 후퇴되어 있다고 하였다(**표 7.2**). 반면에, 보다 최근의 연구 및 잘 조절된 연구의 대부분에서는, 상악의 위치는 부정교합 분류간 차이가 없다고 하였다. 이를 조합

표 7.1 문제가 상악만, 하악만, 모두, 혹은 그 외에 존재한다고 판단되는 Ⅲ급 부정교합의 비율(진한 글자가 가장 일반적임).

	Md→	Mx←	Combi	Other
Sanborn [20]	**45.2%**	33.3%	9.5%	12%
Dietrich [21]	31%	**37%**	1.5%	31.5%
Jacobson et al. [22]	**49%**	26%	6%	14%
Ellis and McNamara [23]	19.2%	19.5%	**31%**	30.32%
Guyer et al. [24]	20%	22.8%	**34.3%**	2.9%
Bui et al. [25]	35%	**48.8%**	16.2%	N/A
Staudt and Kiliaridis [26]	**47.4%**	19.3%	8.7%	24.6%

해보면, 차이(즉, Ⅲ급 부정교합의 상악이 Ⅰ급보다 후퇴)가 있을 수 있으나, Ⅰ급과 Ⅲ급 간의 차이는 적다고 할 수 있다. Ⅰ급과 Ⅲ급 부정교합의 상악의 크기(ANS–PNS)에서는 작지만 일관된 차이가 있고, Ⅲ급 부정교합이 더 작게 나타난다. 두개저로부터 상악의 전후 차이는 부정교합의 분류간 차이가 없다. FH로부터 구개면(Palatal plane) 각도는 Ⅲ급 부정교합에서 더 작게 나타나나, S–N에 대한 구개면 각도는 Ⅰ급과 Ⅲ급 부정교합 간의 차이가 없다[24,30]. 대부분의 연구에서 두개저에서부터 구개면까지의 수직적 고경은 Ⅰ급과 Ⅲ급 간에 차이가 없는 것으로 평가된다.

Ⅲ급 부정교합에서 상악이 다소 후퇴되고 작지만, 후퇴가 시간의 흐름에 따라 악화되지는 않는다. 차이는 조기에 나타난다. 다양한 연령군에 대한 넓은 범위의 횡단적 평가에서, Ⅰ급과 Ⅲ급간 차이는 유아기와 청소년기 동안 변하지 않는다고 한다[24,28]. 최고의 횡적 비교를 제안한 Reyes 등[31]에 의하면, 6~17세 사이의 어떤 나이에서도 SNA 각도의 Ⅲ급과 Ⅰ급간 차이는 없다고 하였다. 또한 최고의 종적인 비교 중 하나를 보고한 Wolfe 등[33]은, 6~16세에 나타난 SNA 각도의 변화는 분류군간 차이가 없다는 것을 발견하였다. 그들은 어린 Ⅲ급 환자의 상악이 6세에서 약 1.6mm 짧았고, 이 차이는 16세까지 유지된다고 하였다. 성장에 대한 자료를 전체적으로 보면, 어린 Ⅲ급 환자의 상악은 약간 작을 것이다. 중앙 안면부 후퇴가 있다면, 보통 조기에 발생하고 성장에 따라 더 이상의 후퇴는 일어나지 않는다.

횡적으로, Ⅲ급과 Ⅰ급의 상악 견치간 폭경은 유사하다[34~36]. 그러나, 종종 소구치간 및 대구치간 거리는 정상 교합보다 Ⅲ급 환자에서 더 좁게 나타난다[34~36]. 상악의 골격기저(관골간 거리; interjugal distance)와 대구치간 폭경 또한 Ⅲ급에서 유의성있게 작게 나타난다. 장기적 연구를 보면, 10~14세의 나이에서 Ⅲ급과 Ⅰ급 간의 상악 구치부 폭경 차이가 증가한다[37]. 다른 연구들은 Ⅲ급에서 구치부 악궁 폭경이 더 크다고도 하였고[38], 유의성 있는 분류간 차이는 없다고도 하였다[39,40]. 이런 불일치는 표본의 수직적 구성 때문일 것이다. Chen 등[41]은 Ⅲ

표 7.2 상악의 전돌 및 크기, 두개저에서 수평적 거리, 구개높이의 차이(Ⅰ급과 Ⅲ급 부정교합).

	AP position (SNA)	Size (ANS–PNS)	AP distance from CB	Palatal ht
Sandborn [20]	←	N/A	N/A	N/A
Jacobson [22]	←	↓	N/A	↓
Ellis and McNamara [23]	←	N/A	N/A	N/A
Guyer et al. [24]	←	N/A	↓ (Co–A)	NS
Williams & Andersen [27]	←	↓	N/A	NS
Battagel [28]	NS	N/A	NS	NS
Tollaro et al. [29]	←	N/A	N/A	N/A
Chang et al. [30]	NS	↓	N/A	N/A
Reyes et al. [31]	NS	N/A	NS	NS
Staudt & Kiliaridis [26]	←	N/A	N/A	N/A
Choi et al. [32]	←	NS	N/A	N/A
Wolfe et al. [33]	NS	↓	NS	NS
Most common	←	↓	NS	NS

급 중에서 하악평면각이 작은 환자보다 큰 환자에서 골격성 및 치성 폭경 모두가 유의성 있게 작다고 하였다. 다시 말해, 과발산형 Ⅲ급 환자가 횡적인 상악 부족을 보이고, 저발산형 Ⅲ급 환자는 차이가 없거나 과다를 보인다는 것이다.

하악 전후방 위치에 대한 분류군간 차이는 상악 전후방 위치 차이보다 훨씬 더 크고 일관된다. 상악 및 하악의 전후방 위치를 평가한 대부분의 연구에서, Ⅰ급보다 Ⅲ급에서 상악 위치가 유의하게 더 후퇴되었다고 하였다(**표 7.3**). 언급한 바와 같이, 유효한 더 나은 횡적 연구에 의하면 Ⅰ급과 Ⅲ급 환자 간에 SNA 각도에는 차이가 없다. 예를 들어, 495명의 치료받지 않은 Ⅲ급 부정교합 환자를 연구한 Battagel 등[28]과 949명의 치료받지 않은 Ⅲ급 환자를 연구한 Reyes 등[31]은, 6~16세의 어떠한 나이에서도 상악 후퇴에는 차이가 없다고 하였다. 이와 반대로, 모든 연구들은 Ⅲ급 환자에서 하악이 심하게 전돌되어 있고, 막대한 절대다수가 대단히 유의성있는 차이를 보인다. Ⅲ급과 Ⅰ급간 하악 전돌의 차이는 상악 후퇴의 차이보다 훨씬 더 크다(보통 4배 이상). 요약하면, Ⅲ급과 Ⅰ급간의 전후방 차이는 주로 하악 전돌에 의한 것이고, 상악 후퇴는 이차적이다.

Ⅰ급과 Ⅲ급간에 지속적인 차이는 보이는 것은 하악

표 7.3 Ⅰ급과 Ⅲ급 부정교합에서 상악 후퇴와 하악 전돌의 차이.

	Maxilla		Mandible	
	Retrusion	Prob	Protrusion	Prob
Sandborn [20]	←3.1°	Sig	→4.2°	Highly sig
Jacobson [22]	←2.6°	Sig	→5.3°	Highly sig
Guyer et al. [24]	←2.2°	Sig	→1.5°	Sig
Williams & Andersen [27]	←2.5 mm	Sig	→3.7 mm	High sig
Battagel [28]	—	NS	→3.9°	High sig
Tollaro et al. [29]	←1.1°	Sig	→5–6°	Highly sig
Sugawara and Mitani [42]	—	NS	→3.0°	Highly sig
Chang et al. [30]	—	NS	→6.5°	Highly sig
Reyes et al. [31]	—	NS	→3–4°	Highly sig
Staudt and Kiliaridis [26]	←	Sig	→	Highly sig
Choi et al. [32]	←4.7°	Highly Sig	→1.5°	Sig
Wolfe et al. [33]	—	NS	→2.5°	Highly sig

표 7.4 하악 전돌, 총 크기, 하악지 높이, 하악체 길이, 하악평면각, 하악각의 차이 (Ⅲ급 – Ⅰ급).

	Protrusion	Total Size	Ramus Ht	Corpus Lt	MPA	Gonial Angle
Sandborn [20]	→	N/A	NS	NS	N/A	↑
Jacobson [22]	→	↑	NS	NS	↑	↑
Ellis and McNamara [23]	→	N/A	N/A	N/A	↑	N/A
Guyer et al. [24]	→	↑	↑	↑	↑	↑
Williams and Andersen [27]	→	↑	NS	NS	N/A	N/A
Battagel [28]	→	↑	N/A	N/A	↑	↑
Tollaro et al. [29]	→	↑	↑	↑	N/A	NS
Chang et al. [30]	→	↑	NS	↑	↑	↑
Reyes et al. [31]	→	↑	N/A	N/A	NS	N/A
Staudt and Kiliaridis [26]	→	N/A	N/A	N/A	↑	↑
Choi et al. [32]	→	↑	↑	N/A	NS	NS
Wolfe et al. [33]	→	↑	↑	↑	↑	↑
Most common	→	↑	–	↑	↑	↑

전돌만이 아니다(**표 7.4**). 전체적인 하악 크기(예를 들어 Co–Gn, Co–Pg)를 평가한 모든 연구들은 Ⅰ급보다 Ⅲ급에서 하악 크기가 유의하게 크다는 것을 보여주었다. 대부분의 연구들이 Ⅰ급보다 Ⅲ급에서 하악체의 길이가 더 길다고 하였으나, 하악지 높이의 차이 여부에 대해서는 여전히 불명확하다(4개의 연구는 차이가 있다고 하였고, 4개의 연구는 차이가 없다고 하였다). 수직적 관계의 차이는 더욱 명백하다. Ⅲ급은 Ⅰ급보다 대부분 큰 하악평면과 하악각을 갖는다. Ⅲ급은 명백하게 전돌적이고 과발산형이다.

유효한 연구들은 Ⅲ급에서 증가된 총 하악 길이가 시간에 따라 발달한다고 제시하였다(**그림 7.3**). 중요한 것은, Ⅲ급과 Ⅰ급 사이의 총 길이의 차이는 과다한 과두 성장에 기인하지 않는다는 것이다. 이러한 관점에서, 과두가 성장 중심이 아닌 성장 부위라는 것과 생체역학적이고 환경적인 요소라는 것을 기억해야 한다[43,44]. 하악지 길이 성장을 평가한 연구들은 Ⅲ급과 Ⅰ급 사이의 유의성이 있거나 없는 차이점 모두를 보고했다(**표 7.4**). 종단적으로 잘 일치하는 그룹들을 추적한 Wolfe 등[33]은 6~8세에서 Ⅰ급보다 Ⅲ급에서 하악지의 길이가 약 1.4mm가 더 길고, 14~16세까지 그 차이가 유지됨을 보여주었다. 만약 과도한 과두 성장이 가장 중요한 요인이라면, 하악지의 길이는 더 크고 더 지속적인 분류군간 차이를 보여야 한다. 더욱 중요한 것은, 총하악 길이 차이가 시간에 따라 증가하는 것처럼(**그림 7.3**), 하악지의 길이 차이도 증가하여야 한다. 금속성 임플란트가 있는 대상자들의 하악을 중첩시킨 Björk와 Skieller[45]에 의해 제시된 자료에 의하면, Ⅰ급이나 Ⅱ급보다 Ⅲ급에서 과두의 후방 성장이 더 나타나는데, 성장량에는 차이가 없었다(**그림 7.4**).

이것은 Ⅲ급에서 하악 과두가 좀 더 후방으로 성장하기 때문에 과도하게 큰 하악을 갖는다는 개념을 뒷받침한다. 하악 과두의 성장 방향이 후방일수록, 전체적인 하악 길이가 더욱 증가한다. 예를 들어, 과두의 10mm 성장이 후방으로 이루어지면 전체적인 길이가 10mm 증가하

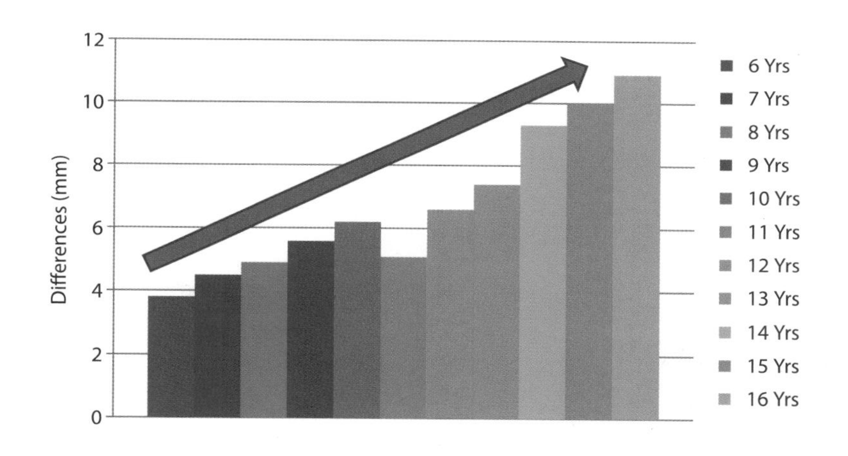

그림 7.3 6~16세에서 총 하악 길이의 차이 (Ⅲ급 – Ⅰ급) (Reyers 등의 자료[31]).

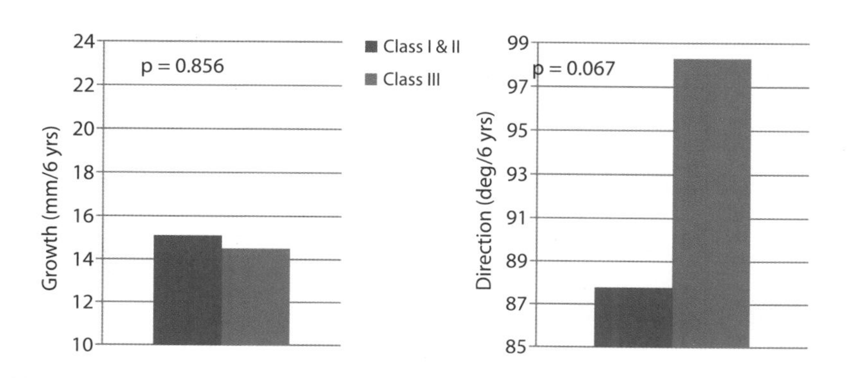

그림 7.4 금속성 임플란트의 하악 중첩을 기반으로 한 총 하악 과두 성장과 과두 성장 방향. 성별 차이 조정함(Björk와 Skieller[45]).

지만, 좀 더 전방으로 성장할 경우 전체 길이는 0.5mm만 증가한다(**그림 7.5**). 앞서 언급했듯이, Ⅲ급 교합은 덜 안정적이기 때문에 하악을 좀 더 전방/하방으로 위치시키게 된다. McNamara와 Carlson[46]이 처음으로 하악이 전돌될 때 과두 연골이 좀 더 후방으로 성장하여 적응함을 보였다. 하악을 전하방으로 위치시키는 기능성 장치들은 하악 과두의 성장 방향을 좀 더 후방으로 변화시킨다[47].

최종적으로, 절치 관계에는 Ⅲ급과 Ⅰ급 사이에 지속적인 차이가 존재한다. Ⅲ급의 상악 절치들은 순측 경사를 보이고, 하악 절치들은 설측 경사를 보인다(**표 7.5**). 절치간 각도는 일반적으로 Ⅲ급에서 더 크기 때문에, Ⅲ급과 Ⅰ급에서 하악 절치의 설측 경사 차이는 상악 절치의 순측 경사 차이보다 더 클 것이다.

표 7.5 상악 절치 경사, 하악 절치 경사, 절치간 각도의 차이(Ⅲ급 – Ⅰ급).

	U1 Inc	IMPA	U1/L1
Sandborn [20]	↑	↓	↑
Jacobson [22]	↑	↓	N/A
Ellis and McNamara [23]	↑	↓	N/A
Guyer et al. [24]	↑	↓	NS
Battagel [28]	↑	↓	N/A
Mouakeh [48]	↑	↓	↑
Chang et al. [30]	↑	↓	N/A
Staudt and Kiliaridis [26]	↑	↓	N/A
Choi et al. [32]	↑	↓	↑
Most Common	↑	↑	↑

7.3 Ⅲ급 부정교합의 발달

Ⅲ급 부정교합은 일반적으로 대부분의 다른 골격적 부조화보다 조기에, 유치열기 동안 발생한다. Angle[49]은 그것이 첫번째 영구치의 출현과 함께 발생하거나 더 일찍 발생한다고 하였다. 유치열기에 Ⅲ급 부정교합의 존재를 지지하는 상당한 문헌들이 있다. 3차원적 분석들은 Ⅲ급과 비(non)–Ⅲ급 사이의 차이들이 5~6세에 확연하게 명백하다는 것을 보여준다[50]. Guyer 등[24]은 13~15세 Ⅲ급의 특징인 상악 후퇴와, 특히, 하악 전돌이 이미 5-7세에 명백함을 언급하였다. 흥미롭게도, Sugawara와 Mitani[42]는 10세일 때보다 7세일 때 Ⅰ급과 Ⅲ급 사이에 더 큰 차이(즉 하악 전돌, 하악 길이)가 있다고 보고하였다. 일본인 표본들은 전후방 부조화가 제2유구치 맹출 때 이미 형성된다는 것을 보여준다[51].

Ⅲ급 구치 관계들은 시간이 갈수록 악화되고, 변화는 성장과 연관되어 나타난다(**그림 7.6**). 앞서 보여진 것처럼, 구치 관계에 관한 1970년대에 행해진 대규모 역학 연구들은 Ⅲ급 부정교합이 6~11세 어린이들보다 12~17세 청소년기에서 더 많이 나타난다는 것을 보여 주었다. 보다 최근에, NHANES Ⅲ에 의하면, Ⅲ급 부정교합이 유년기

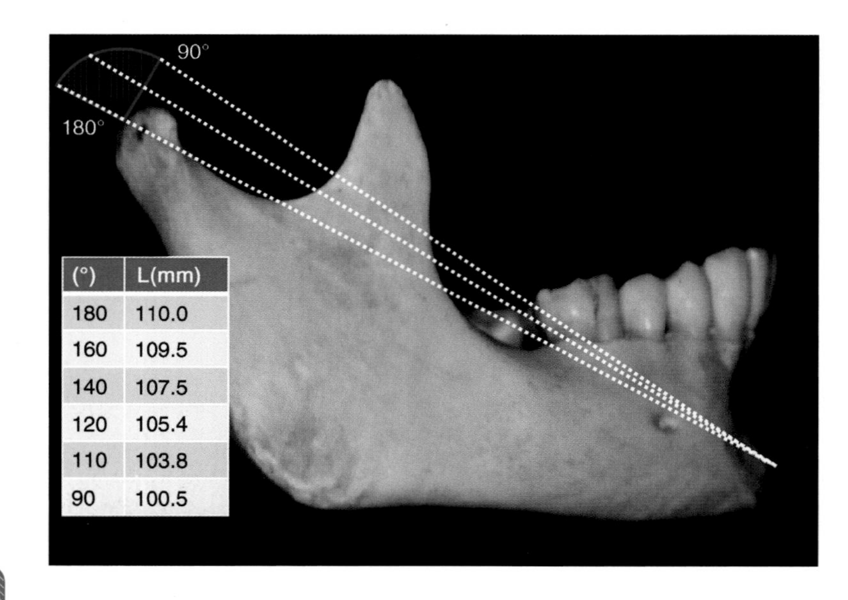

(°)	L(mm)
180	110.0
160	109.5
140	107.5
120	105.4
110	103.8
90	100.5

그림 7.5 여러 방향으로의 하악 과두 10 mm 성장에 따른 총 하악 길이(L)의 변화.

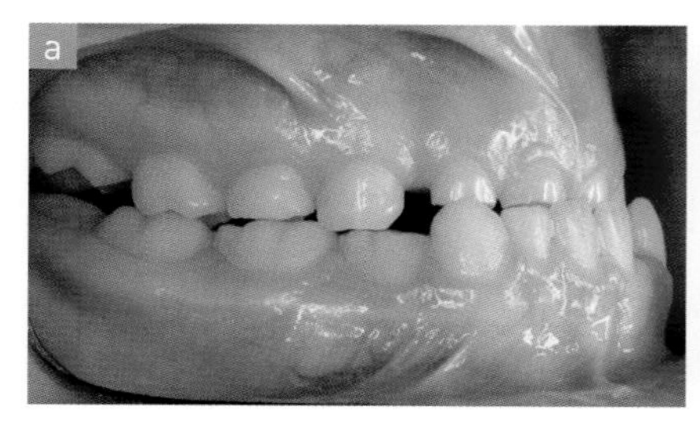

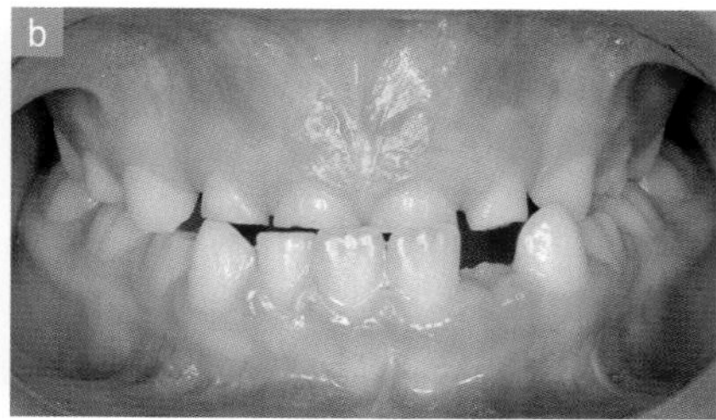

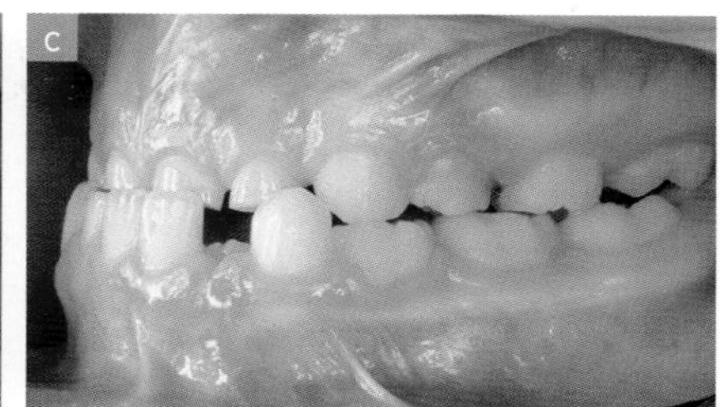

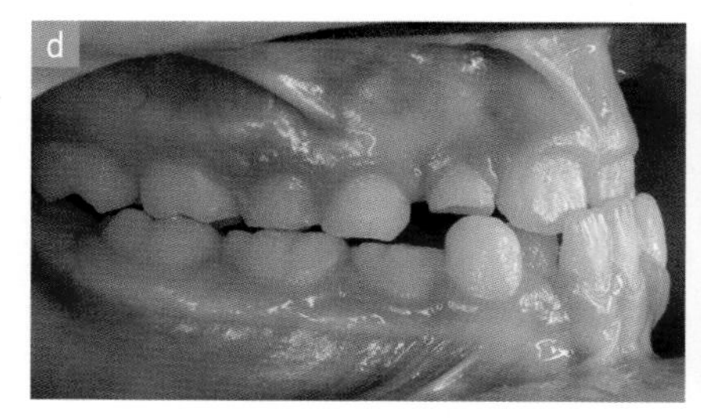

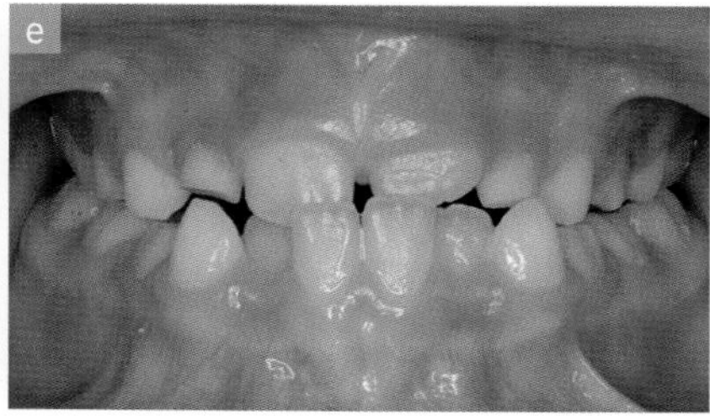

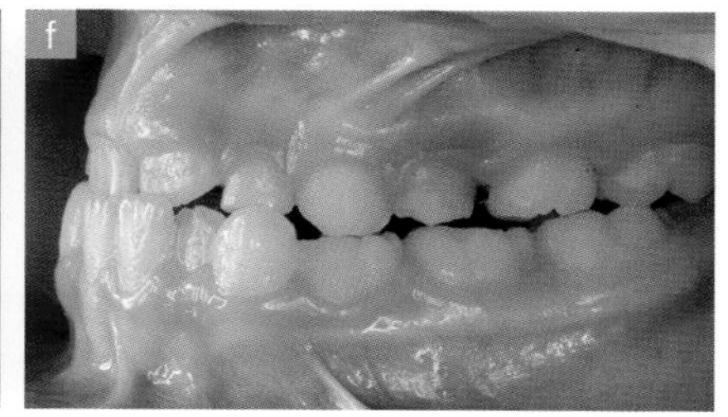

그림 7.6 치료받지 않은 남성 환자의 4세 2개월과 7세 2개월간 Ⅲ급 부정교합의 악화(Dr. Samuel Roldan 제공).

(8~11세)와 청소년기(12~17세) 사이에 증가하지만 그 이후에는 증가하지 않는다(**그림 7.7**)[19]. 치료받지 않은 22명의 Ⅲ급 환자에 대한 종적 평가는 구치 관계가 8세 6개월과 15세 2개월 사이에 3.3 mm 악화됨을 보여준다[52].

전부는 아니지만, 대부분의 Ⅲ급 골격성 관계들 또한 시간이 지남에 따라 악화된다. Baccetti 등[52]은 8세 6개월과 15세 2개월에 평가한 22개의 Ⅲ급 부정교합에서 Wits(–2 mm)와 ANB(–1.9°)가 비슷한 정도로 악화됨을 보였다. 42개의 치료받지 않은 Ⅲ급 부정교합을 종적으로 평가한 Wolfe 등[33]은 6세~16세까지 ANB 각이 약 0.25도/년씩 감소하는 것을 보였다(**그림 7.8**). 중요하게, 시간에 따른 ANB 각의 감소는 Ⅲ급과 Ⅰ급에서 동일하였다. 다시 말해서, Ⅲ급과 Ⅰ급 사이의 차이는 이미 6~8세에 형성되었고, 17세까지 유지되었다. 또한 Reyer 등[31]이 평가한 대규모 횡적 표본에서 Ⅲ급과 Ⅰ급 사이 ANB 각의 차이는 시간에 따라 증가하지 않았다.

반대로, Wits 평가와 상–하악 격차(maxillo-mandibular differential)에 대한 Ⅲ급과 Ⅰ급간의 차이는 시간에 따라 증가한다. Ⅲ급과 Ⅰ급 모두에서 상–하악 격차가 증가하지만, Ⅲ급에서 더 확연히 크게 증가한다(**그림 7.8**). 유사하게, Wits 평가는 Ⅰ급에서 작거나 변화가 없지만 Ⅲ급에서는 감소한다. 첫 영구치 절치의 맹출과 제3대구치의

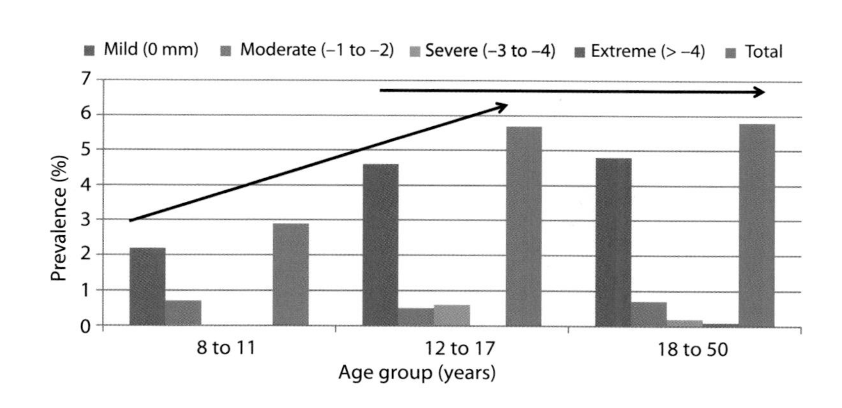

그림 7.7 NHANES Ⅲ의 미국 아동, 청소년, 성인에서의 Ⅲ급 부정교합 추정치(Proffit 등[19]).

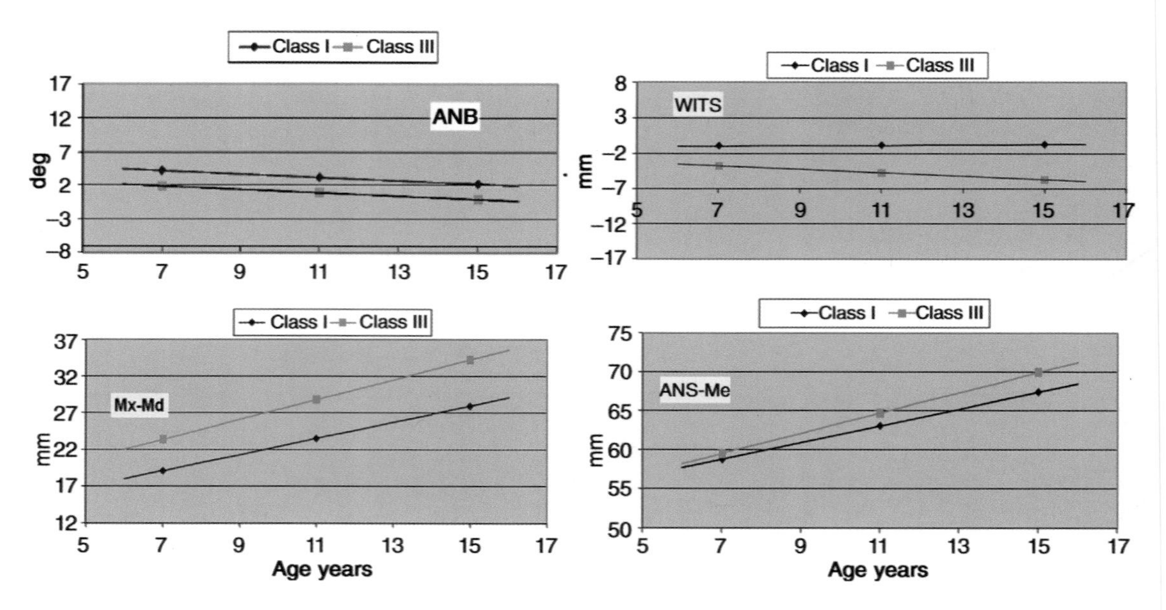

그림 7.8 치료받지 않은 Ⅲ급 부정교합과 대응되는 Ⅰ급 부정교합의 ANB, Wits 평가, 상하악 격차(maxillomandibular differential), 하안면 고경의 종적 변화(Wolfe 등[33]).

완전한 맹출 사이 동안에 Ⅲ급 부정교합을 여러 번 평가한 일본인 표본에 대한 대규모 횡적 연구[51]들은 ANB 각에서 Ⅰ급과 동일한 변화(1.9°)를 보이지만, Wits 평가에서는 예상보다 더 큰 변화(5.5 mm)를 보였다.

ANB는 그렇지 않은 반면, Wits 평가와 상-하악 격차는 시간에 따라 악화되는데 그것은 발생하는 수직적 성장 변화 때문이다. 이전에도 언급했듯이, Ⅲ급 부정교합의 수직적 측면을 평가한 대부분의 연구들은 Ⅲ급 부정교합에서 하악평면각과 하악각이 더 크다고 하였다(**표 7.4**). Wolfe 등[33]에 의한 종적 연구들은 Ⅲ급 부정교합에서 예상보다 더 큰 하안면 고경의 증가를 보였다. 이것은 Ⅰ급보다 Ⅲ급이 더 과발산형일뿐만 아니라 시간의 흐름에 따라 지속적으로 더 과발산형으로 되는 것을 의미한다. 다시 말하면, 그들의 하악은 진성 전방회전이 일어나는 만큼 이동하지 않고, 심지어 후방으로 회전될 수도 있다. 진성 전방회전은 전방 턱 변위의 주요한 결정요인이다; 유년기에 턱은 전방 회전이 1도씩 일어날 때마다 전방으로 1.2 mm씩 변위된다[53]. ANB 각은 Wits나 상–하악 격차만큼 변화가 일어나지 않는데, 이것은 수직적 성장이 전체적인 길이의 발달 부조화를 가리기 때문이다.

7.4 병인

Ⅲ급 부정교합의 원인에는 유전적 요인뿐만 아니라 비유전적 성장 장애도 포함된다(**그림 7.9**). 비유전적 장애에는 두 가지의 일반적 유형이 있다. 중앙안면부의 전방 변위를 방지하는 요인은 Ⅲ급 골격성 또는 치성 관계를 유발할 수 있다. 예를 들어, 구순/구개열 수술이 중안면의 후퇴를 유발시켜 Ⅲ급 부정교합을 유발한다는 것은 잘 알려져 있다. Dogan 등[54]은 각각 3개월과 12개월에 편측성 구순구개열을 봉합한 어린이의 상악이 치료를 받지 않

비유전적 성장 장애

- 중안면부 전방 변위의 방지
- 습관적 체위성 위치

유전적 요인

- 선천성 상악 골유착
- 1차 연골 성장
- 치아 크기

그림 7.9 Ⅲ급 부정교합의 병인을 설명하는 비유전적 성장 장애와 유전적 요인들.

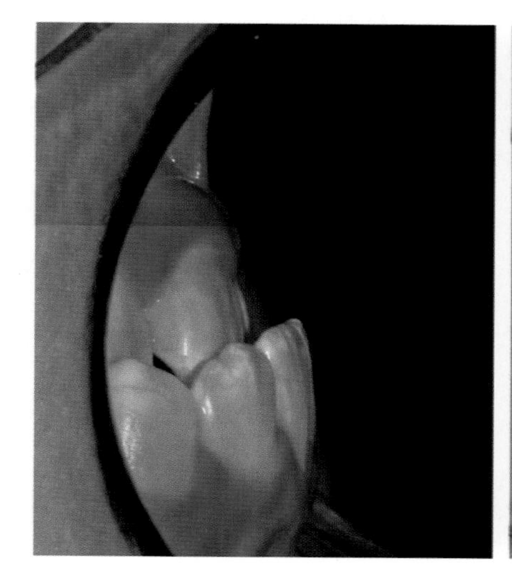

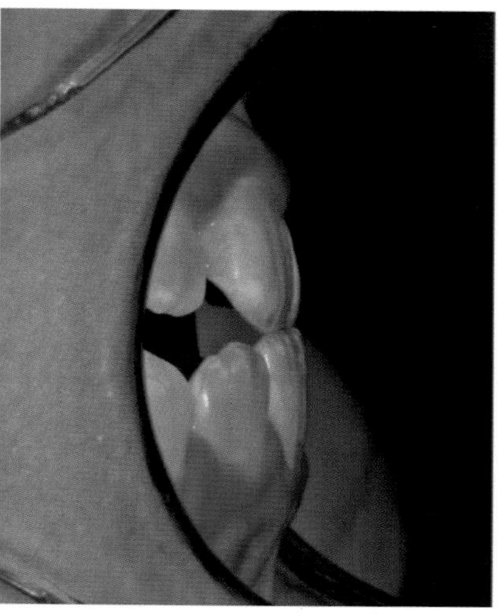

그림 7.10 습관적으로 하악을 전방 이동(CO/CR 부조화 2 mm)시켜 중심교합을 이루는 환자의 치료 전 상태.

은 경우보다 더 짧고 후방에 위치한다는 것을 보였다. 중앙안면부 함몰은 특히 입술에서 수술에 의해 생기는 반흔조직과 연관되는데, 그것은 성장 중 정상적으로 발생하는 상악의 전방 변위를 방해 혹은 억제한다. 인두 후방부의 반흔조직들 또한 꼭 일어나야 하는 상악골 후방의 정상적인 전하방 변위를 억제하는 사슬로 작용할 수 있다. Cleft 환자의 중안면 함몰은 의인성이다. Cleft 수술을 하지 않은 환자는 상대적으로 정상적인 안면 성장의 잠재력을 갖는다[55].

하악의 습관성 전방 위치 또한 Ⅲ급 부정교합을 유발할 수 있다. 전치부 반대교합과 Ⅲ급 부정교합 환자들은 종종 그들의 하악을 전방으로 위치시켜 중심교합을 이룬다. 이를 조기에 확인한다면, 종종 하악을 중심위로 후방 조절할 수 있다(**그림 7.10**). 환자들로 하여금 습관적으로 그들의 하악을 전방으로 위치하도록 유발할 수 있는 요인들은 다양하다. 교합 관계, 특히 전방 교합은 병인으로 고려해야 한다. 기도 문제 또한 고려해야 한다. 예를 들어, Angle[49]은 하기도 장애를 Ⅲ급 부정교합의 주요 병인으로 고려하였다. 그는 편도가 비대해지면 혀를 앞으로 내밀게 되어, 결국 하악을 돌출시킨다고 생각했다. 비대해진 편도가 환자로 하여금 혀를 전방으로 내밀게 하여 그들의 기도를 유지한다는 사실은 잘 알려져 있다. 어떠한 기도 장애든지 그들의 하악을 전방으로 내밀도록 유도할 수 있다. Harvold가 영장류 실험에서 비호흡을 하지 못하게 했을 때, 영장류들은 하악을 약간의 전방 위치를 포함한 여러 방향으로 위치시켰다[56]. 하악을 더 전방으로 위치시키는 다른 환경적 요인들 또한 존재할 수 있다.

유전적으로, Ⅲ급 부정교합의 발달 성향을 갖게 하는 세 가지 방법이 있다. 상악 후퇴가 있는 경우는 봉합선(suture)이 유합되는 유전적 성향이 있을 수 있다. 섬유아세포 성장인자 신호 물질의 돌연변이가 크루종(Crouzon), 파이퍼(Pfeiffer), 잭슨-바이스 두개골 조기유합 증후군들로 진단받은 환자들에서 발견되었다[57]. 이와 같은 개인들은 또한 cirumaxillary와 상악골간 봉합이 유합됐을 수도 있다. 전상악골-상악골, 비골-전두골, 상악골-구개골 봉합의 조기 골융합이 파이퍼, 에퍼트(Aperts) 증후군의 생쥐 모델들에서 보고되고 있다[58].

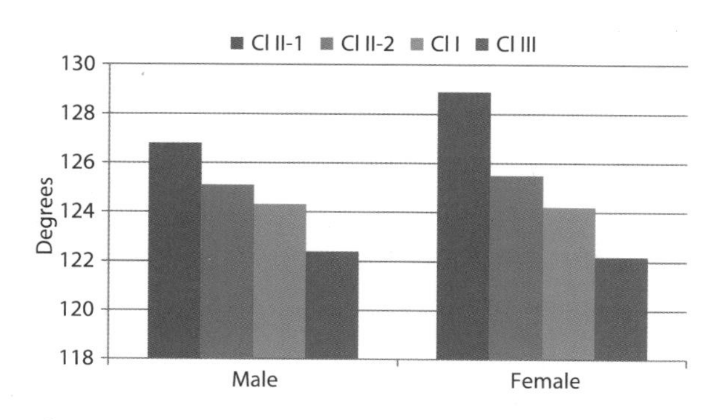

그림 7.11 Ⅰ급, Ⅱ급, Ⅲ급 부정교합 개체들의 두개저 각(N-S-Ba)(Hopkins 등의 자료[45]).

표 7.6 두개저 각, 전방 길이, 후방 길이의 차이(Ⅲ급 – Ⅰ급)

	Angle	Anterior	Posterior
Sandborn [20]	N/A	↓	N/A
Hopkins et al. [59]	↓	↓	↓
Guyer et al. [24]	NS	NS	↑
Williams and Andersen [27]	↓	NS	↓
Battagel [28]	↓	NS	N/A
Tollaro et al. [29]	NS	NS	N/A
Mouakeh [47]	NS	↓	↓
Chang et al. [30]	↓	NS	↓
Reyes et al. [31]	↓	↓	N/A
Staudt and Kiliaridis [26]	↓	N/A	N/A
Wolfe et al. [33]	NS	NS	N/A

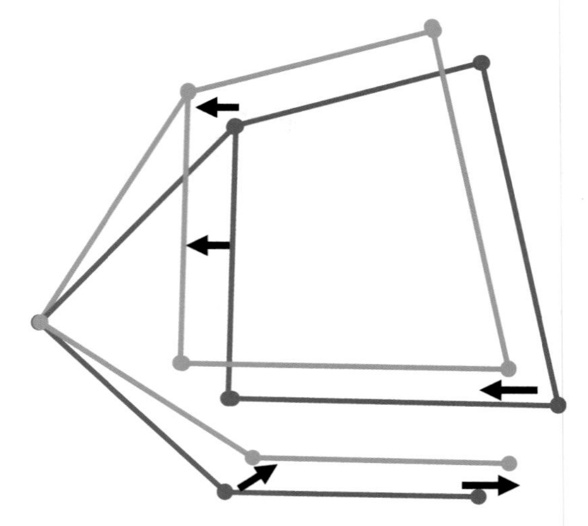

그림 7.12 작은 두개저 각의 상대적 효과들, 상악의 후방 이동 및 하악의 전방 이동.

유전적 요인들은 또한 연골머리뼈의 발달에도 주요한 역할을 한다. 다른 1차 연골들처럼 연골결합의 성장은 유전적 영향을 크게 받는다. 대부분의 문헌들은 부정교합의 두개저 각이 Ⅲ급에서 Ⅰ급보다 유의하게 작다고 하였다(**그림 7.11; 표 7.6**). 6~16세의 치료받지 않은 Ⅲ급을 대상으로 한 가장 큰 횡단연구는 Ⅲ급의 두개저 각이 Ⅰ급보다 약 7° 작다는 것을 보여주었다[31]. 두개저 각이 더 작으면 상악과 하악을 각각 더 후방과 전방에 효과적으로 위치시킨다(**그림 7.12**). 비록 제한적이지만, Ⅲ급의 전후방 두개저 길이가 더 짧다는 몇몇의 근거들도 존재하는데, 이것 또한 골격적 차이를 갖게 할 수 있다.

비중격 또한 조기의 중앙안면부 성장 변위에 중요한 역할을 하는 성장 중심으로 여겨진다. Wexler와 Sarnat[60]는 그들의 전형적인 연구에서, 비중격을 제거하면 토끼의 중안면부 성장이 억제되는 것으로 나타났다. 몇몇의 개체들은 상악 부족의 유전적 성향을 가지며 이것으로 Ⅲ급 부정교합이 유발된다.

연골성뼈(즉, 1차 연골)와 마찬가지로, 치아 크기 또한 매우 유전적이다. Townsend와 Brown[61]은 영구치 크기의 변동성의 약 64%는 유전적 요인에 의한 것이라고 추정했다. 더 최근에, Baydas 등[62]은 전체 및 전방부 Bolton ratio 모두가 매우 유전적이라고 하였다. 유효한 문헌 리뷰에 의하면 Ⅲ급과 Ⅰ급의 Bolton ratio를 평가한 대부분의 연구들이 상당한 차이를 보인다(**표 7.7**). 전방, 후방, 전체 ratio는 Ⅲ급에서 높은 경향을 보이고, 차이는 세계적으로 적용된다. 중요하게도, 상악 치아보다 하악 치

표 7.7 전방, 후방, 전체 Bolton ratio의 차이(Ⅲ급 – Ⅰ급).

	Anterior	Posterior	Overall	Ethnicity
Sperry et al. [64]	NS	N/A	↑	US
Nie and Lin [65]	↑	↑	↑	Chinese
Ta et al. [66]	↑	N/A	↑	Chinese
Araujo and Souki [67]	↑	N/A	↑	Brazil
Uysal et al. [35]	NS	N/A	NS	Turkey
Al-Khateeb and Alhaija [39]	NS	N/A	NS	Jordan
Fattahi et al. [68]	↑	↑	↑	Iran
Strujic et al. [69]	↑	↑	↑	Croatia
Wedrychowska-Szulc et al. [70]	↑	N/A	↑	Poland
Johe et al. [71]	NS	N/A	NS	US

그림 7.13 Ⅲ급 치성 및 골격성 부정교합의 발달을 위한 교두(cusp)–와(fossa) 관계의 중요성.

아가 상대적으로 크기 때문에 이런 차이가 발생한다[63].

Ⅲ급 부정교합의 발달을 이해하기 위한 핵심은 치아의 교두(cusp)–와(fossa) 관계일지 모른다**(그림 7.13)**. 골격적 부조화들이 하악 전돌이나 상악 후퇴, 또는 둘 모두의 조합인 반면, Ⅲ급의 교합은 절충적일 것이다. 영장류의 후방 치아와 견치의 교두를 삭제하여 교합접촉을 제거하면, 하악이 더 전돌되고 근심 교합이 더 발달하는 것이 실험적으로 증명되었다[72]. 다시 말하면, 후방 치아의 교합접촉 부족은 Ⅲ급 부정교합의 발달에 중요한 역할을 할 수 있다. 위에 나열된 비유전적 장애와 유전적 요인들 모두 Ⅲ급의 치아들이 서로 잘 맞는 것을 어렵게 한다고 예상할 수 있다.

치아가 서로 잘 맞는 것은 악궁간 골격 관계에 영향을 준다. 사실 교두의 1차적 기능은 성장 동안 상하악의 관계를 형성하는 것이다. 치아 교두가 음식을 씹고 부수는 능력을 향상시키지는 않는다. 인류학자들은 편평한 교합면을 갖는 교모성 교합이 선사시대와 산업화 이전의 그룹 모두에서 정상이었다는 것을 보여주었다[73]. 교합성 마모는 대부분의 인류에서 정상이었다. Begg와 Kesling[74]은 호주 원주민에 대한 광범위한 연구를 기반으로, 교두가 저작 효율을 증가시키기보다 감소한다고 주장하는 첫 번째 교정과 의사들이었다. 그들은 높은 교두의 역할이 치아가 교합 관계로 유도되도록 돕는 것이라고 언급하였다. 진화론적 관점에서, 함께 들어맞는 교두들은 주로 성장 동안 상하악의 관계를 안정화시키는 역할을 한다[73]. 선사시대 그룹에서 제2대구치가 맹출할 때까지, 제1대구치 교합면의 법랑질은 종종 닳아 없어졌고, 제2대구치의 교두들은 종종 제3대구치가 맹출할 때 닳아 없어졌다. 제1대구치 치관 모양이 지난 2천만년동안 가장 안정적이라는 사실에 기반하여[75], 제1대구치의 교두-와 관계가 가장 중요한 것으로 보인다. 이것은 안정적인 Ⅰ급 구치 관계를 확립하는 동시에 문제의 원인을 제거하는 치료가 장기적 안정성을 위한 큰 잠재력을 보유하고 있다는 것을 의미한다.

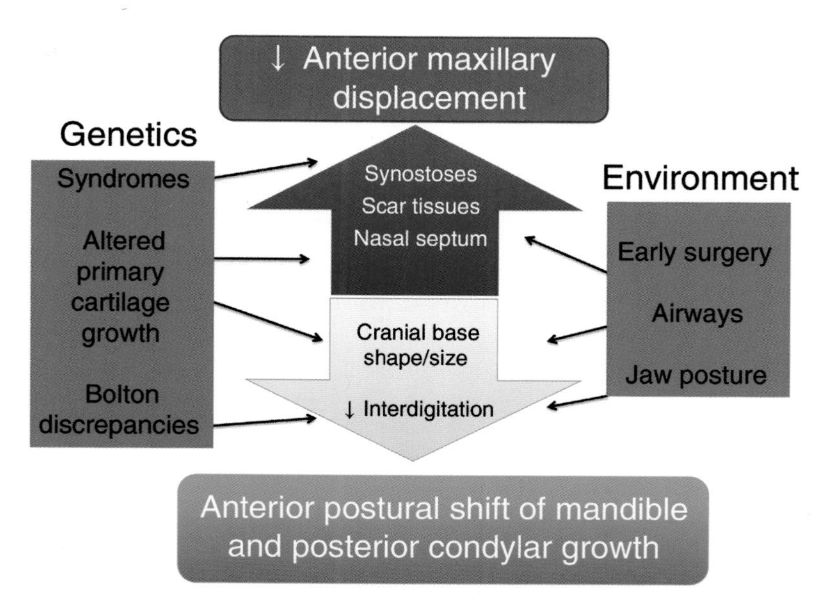

그림 7.14 Ⅲ급 부정교합의 발달을 설명하는 원인 요소들

참·고·문·헌

1 Angle EH. Classification of malocclusion. Dental Cosmos 1899;41:248–264.

2 Mantzikos T. Esthetic soft tissue profile preferences among the Japanese population. Am J Orthod and Dentofac Orthop 1998;114(1):1–7.

3 Türkkahraman H, Gökalp H. Facial profile preferences among various layers of Turkish population. Angle Orthod 2004;74(6):640–647.

4 Maple JR, Vig KWL, Beck M, et al. A comparison of providers' and consumers' perceptions of facial-profile attractiveness. Am J Orthod Dentofac Orthop 2005;128 (6):690–6.

5 Dion K, Berscheid E, Walster E. What is beautiful is good. J Pers Soc Psychol 1972;24(3):285–290.

6 Albino JE, Alley TR, Tedesco LA, et al. Esthetic issues in behavioral dentistry. Ann Behav Med 1990;12:148–155.

7 Shaw WC. The influence of children's dentofacial appearance on their social attractiveness as judged by peers and lay adults. Am J Orthod 1981;79(4):399–415.

8 English JD, Buschang PH, Throckmorton GS. Does malocclusion affect masticatory performance? Angle Orthod 2002;72(1):21–27.

9 Zhou Y, Fu M. Masticatory efficiency in skeletal class III malocclusion. Zhonghua Kou Qiang Yi Xue Za Zhi 1995;30 (2):72–4.

10 Owens S, Buschang PH, Throckmorton GS, et al. Masticatory performance and areas of occlusal contact and near contact in subjects with normal occlusion and malocclusion. Am J Orthod Dentofac Orthop 2002;121(6):602–609.

11 Bakke M, Holm B, Jensen BL, et al. Unilateral, isometric bite force in 8–69-year-old women and men related to occlusal factors. Cand J Dent Res 1990;98(2):149–158.

12 Ellis E, Throckmorten GS, Sinn DP. Bite forces before and after surgical correction of mandibular prognathism. J Oral Maxillofac Surg 1996;54(2):176–81.

13 Lepley CR, Throckmorton GS, Ceen RF, Buschang PH. Relative contribution of occlusion, maximum bite force, and chewing cycle kinematics to masticatory performance. Am J Orthod Dentofac Orthop 2011;139:606–613.

14 Proeschel PA. Chewing patterns in subjects with normal occlusion and with malocclusion. Semin Orthod 2006:12(2):138–49.

15 Ahlgren, J. Pattern of chewing and malocclusion of teeth. A clinical study. Acta Odontol Scand 1967;25(1):3–13.

16 Hardy DK, Cubas YP, Orellana MF. Prevalence of angle class III malocclusion: A systematic review and meta analysis. Open J Epidem 2012;2:75–82.

17 Kelly JE, Sanchez M, VanKirk LE. National Center for Health Statistics: An assessment of the occlusion of the teeth of children 6–11 years, United States. Vital and Health. Statistics. Series 11-No. 130. DHEW Pub. No. (HRA) 74–1612. Health Resources Administration. Washington. 1973.

18 Kelly JE. An assessment of the occlusion of the teeth of youths 12–17 years, United States. Vital and Health. Statistics. Series 11-No. 162. DHEW Pub. No. (HRA) 74–1644. Health Resources Administration. Washington. 1973.

19 Proffit WR,. Fields HW Jr, Moray LJ. Prevalence of malocclusion and orthodontic treatment need in the United States: Estimates from the NHANES III survey. Int J Adult Orthod Orthognath Surg 1998;13(2):97–106.

20 Sanborn RT. Differences between the facial skeletal patterns of Class III malocclusion and normal occlusion. Angle Orthod 1955;25(4):208–21.

21 Dietrich UC. Morphological variability of skeletal Class III relationships as revealed by cephalometric analysis. Trans Europ Orthod Soc 1970;46:131–43.

22 Jacobson A, Evans WG, Preston CB, Sadowsky PL. Mandibular prognathism. Am J Orthod 1974;66(2):140–171.

23 Ellis E, McNamara JA Jr: Components of adult Class III malocclusion. J Oral Maxillofac Surg 42:295–305, 1984.

24 Guyer EC. Ellis E.D. III McNamara JA Jr, Behrents RG. Components of Class II malocclusion in juveniles and adolescents. Angle Orthod 1986;56(1):7–30

25 Bui C, King T, Proffit W, Frazier-Bowers S. Phenotypic characterization of Class III patients. Angle Orthod 2006;76 (4):564–9.

26 Staudt CB, Kiliaridis S. Different skeletal types underlying Class III malocclusion in a random population. Am J Orthod Dentofac Orthop 2009;136(5):715–21.

27 Williams S, Andersen CE. The morphology of the potential skeletal pattern in the growing child. Am J Orthod 1986;89(4):302–311.

28 Battagel J. The aetiological factors in Class III malocclusion. Eur J Orthod. 1993;15(5):347–370.

29 Tollaro I, Baccetti T, Bassarelli V, Franchi L. Class III malocclusion in the deciduous dentition, a morphological and correlation study. Eur J Orthod. 1994;16(5):401–408.

30 Chang HP, Liu PH, Yang YH, Lin HC, Chang CH. Craniofacial morphometric analysis of mandibular prognathism. J. Oral Rehab 2006: 33(3):183–93.

31 Reyes BC, Baccetti T, McNamara JA. An estimate of craniofacial growth in Class III malocclusion. Angle Orthod 2006;76 (4):577–584.

32 Choi Hj, Kim JY, Yoo SE, et al. Cephalometric characteristics of Korean children with Class III malocclusion in the deciduous dentition. Angle Orthod 2010;80(1):86–90.

33 Wolfe SM, Araujo E, Behrents RG, Buschang PH. Craniofacial growth of Class II subjects six to sixteen years of age. Angle Orthod 2011;81(2):211–216.

34 Kuntz TR, Staley RN, Bigelow HF, et al. Arch widths in adlts with Class I crowded and Class III malocclusions compared with normal occlusion. Angle Orthod 2008;78(4):597–603.

35 Uysal T, Sari Z. Intermaxillary tooth size discrepancy and mesiodistal crown dimensions for a Turkish population. Am J Orthod and Dentofac Orthop 2005;128(2):226–230.

36 Herren P, Jordi-Guilloud T. Quantitative determination of dental arch by polygon measurements in the ideal and anomalous arch. Schweiz Mschr Zahnheilk 1973;83(6):682–709.

37 Chen F, Terada K, Yang L, Saito I. Dental arch widths and mandibular-maxillary base widths in class III malocclusion from ages 10–14. Am J Orthod Dentofac Orthop 2008;133(1):65–9.

38 Braun S, Hnat WP, Fender DE, Legan HL. The form of the human dental arch. Angle Orthod 1998;68(1):29–36.

39 Basaran G, Hamamci N, Hamamci O. Comparison of dental arch widths in different types of malocclusion. World J Orthod 2008;9(1):e20–8.

40 Al-Khateeb SN, Alhija ESJA. Tooth size discrepancies and arch parameters among different malocclusions in a Jordanian sample. Angle Orthod 2006;76(3):459–65.

41 Chen F, Terada K, Wu L, Saito I. Dental arch widths and mandibular-maxillary base width in Class III malocclusions with low, average and high MP-SN angles. Angle Orthod 2007;77(1):36–41.

42 Sugawara J, Mitani H. Facial growth of skeletal Class II malocclusion and the effects, limitations, and long-term dentofacial adaptations to chincap therapy. Semin Orthod 1997;3(4):244–54.

43 Copray JCVM, Jansen HWB, Duterloo HS. Growth and growth pressure of mandibular condylar and some primary cartilages of the rat in vitro. Am J Orthod Dentofac Orthop 1986;90(1):19–28.

44 Peltomäki T, Kylämarkula S, Vinkka-Puhakka H, et al. Tissue-separating capactity of growth cartilages. Eur J Orthod 1997;19(5):473–81.

45 Björk A, Skieller V. Facial development and tooth eruption –An implant study at the age of puberty. Am J Orthod 1972;62(4):339–83.

46 McNamara JA Jr, Carlson DS. Quantitative analysis of temporomandibular joint adaptation to protrusive function. Am J Orthod 1979;76(6):593–611.

47 Araujo A, Buschang PH, Melo ACM. Adaptive condylar growth and mandibular remodeling changes with bionator therapy – an implant study. Eur J Orthod 2004;26(5):515–22.

48 Mouakeh M. Cephalometric evaluation of craniofacial pattern of Syrian children with Class III malocclusion. Am J Orthod Dentofac Orthop. 2001;119(6):640–649.

49 Angle EH. Treatment of Malocclusion of the Teeth. S.S. White Dental Manufacturing Co, Philadelphia, 1907.

50 Krenta B, Primožic J, Zhurov A, et al. Three-dimensional evaluation of facial morphology in children age 5–6 yeas with

a Class III malocclusion. Eur J Orthod 2014;36(2):133–9.

51 Miyajima K, McNamara JA Jr, Sana M, Murata S. An estimation of craniofacial growth in the untreated Class III female with anterior crossbite. Am J Orthod Dentofac Orthop 1997;112(4):425–34.

52 Baccetti T, Franchi L, McNamara JA Jr. Growth in the untreated Class III subject. Semin Orthod 2007;13(3):130–142.

53 Buschang PH, Jacob HB. Mandibular rotation revisited: What makes it so important? Semin Orthod 2014;20(4):299–315.

54 Dogan S, Oncag G, Akin Y. Craniofacial development in children with unilateral cleft lip and palate. Br J Oral Maxillofac Surg 2006;44(1):28–33.

55 Shetye PR. Facial growth of adults with unoperated clefts. Clin Plast Surg 2004;31(2):361–71.

56 Harvold EP, Tomer BS, Vargevik K, Chierici G. Primate experiments in oral respiration. Am J Orthod 1981;79(4) 359–72.

57 Eswarakumar VP, Lax I, Schlessinger J. Cellular signaling by fibroblast growth factor receptors. Cytokine & Growth Factor Reviews 2005;16(2):139–149.

58 Purushothaman R, Cox TC, Maga AM, Cunningham ML. Facial suture synostosis of newborn Fgfr1(P250R/+) and Fgfr2(S252W/+) mouse models of Pfeiffer and Apert syndromes. Birth Defects Res A Clin Mol Teratol 2011;91(7):603–9.

59 Hopkins GB, Houston WJB, James GA. The cranial base as an aetiological factor in malocclusion. Angle Orthod 1968;38(3):250–5.

60 Wexler MR, Sarnat BG. Rabbit snout growth. Effect of injury to septovomeral region. Arch Otolaryngol 1961;74:305–13.

61 Townend GC, Brown T. Heritability of permanent tooth size. Am J Phys Anthrop 1978;49(4):497–504.

62 Baydas B, Oktay H, Dagsuyu IM. The effect of heritability on Bolton tooth-size discrepancy. Eur J Orthod 2005;27(1):98–102.

63 Lavelle CLB. Maxillary and mandibular tooth size in different racial groups and in different occlusal categories. Am J Orthod 1972;61(1):29–37.

64 Sperry TP, Worms FW, Isaacson RJ. Speidel TM Tooth-size discrepancy in mandibular prognathism. Am J Orthod 1977;72(2):183–190.

65 Nie Q, Lin J. Comparison of intermaxillary tooth size discrepancies among different malocclusion groups. Am J Orthod Dentofac Orthop 1999;116(5):539–544.

66 Ta TA, Ling JYK, Hägg U. Tooth-size discrepancies among different occlusion groups of southern Chinese children. Am J Orthod Dentofac Orthop 2001;120(5):556–8.

67 Araujo E, Souki M. Bolton anterior tooth size discrepancies among different malocclusion groups. Angle Orthod 2003;73(3):307–313.

68 Fattahi HR, Pakshir HR, Hedayati Z. Comparison of tooth size discrepancies among different malocclusion groups. Eur J Orthod 2006;28(5):491–495.

69 Strujic M, Anic-Miloševic S, Meštrovic S, Šlaj M. Tooth size discrepancy in orthodontic patients among different malocclusion groups. Eur J Orthod 2009;31(6):584–9.

70 Wedrychowska-Szulc B, Janiszewska-Olszowska, Stepien P. Overall and anterior Bolton ratio in Class I, II, and III orthodontic patients. Eur J Orthod 2010;32(3):313–318.

71 Johe RS, Steinhart T, Sado N, et al. Intermaxillary tooth-size discrepancies in different sexes, malocclusion groups, and ethnicies. Am J Orthod Dentofac Orthop 2010;138(5):599–607.

72 Ostyn JM, Maltha JC, van't Hof MA,. van der Linden FPGM. The role of interdigitation in sagittal growth of the maxillomandibular complex in Macaca fascicularis. Am J Orthod Dentofacial Orthop 1996;109(1):71–8.

73 Brace CL. Occlusion to the anthropological eye. In: The Biology of Occlusal Development. JA McNamara Jr. (ed) 1977, Center Human Growth and Development, University of Michigan, Ann Arbor 179–209.

74 Begg PR, Kesling PC. Begg's Orthodontic Theory and Technique. 2nd edn., WB Saunders, Philadelphia, 1971.

75 Gregory WK, Hellman M. The dentition of Dryopithecus and the origin of man. In: Anthropological Papers of the American Museum of Natural History 1926;28:1–23.

SECTION II : III급 부정교합 치료: 문제와 해답

Section II: Class III treatment: Problems and solutions

Eustáquio Araújo, DDS, MDS
Center for Advanced Dental Education, Saint Louis University, St. Louis, MO, USA

턱의 돌출을 동반한 어린이의 골격 양상은 Bourdet[1]가 부정교합의 성향을 묘사한 1757년부터 보고되어 왔다. 1900년대 초반 Angle[2]은 Ⅲ급 부정교합을 모든 하악 치아가 하나의 소구치 너비 혹은 심한 경우 그 이상이 정상보다 근심으로 위치하는 교합으로 정의하였다.

이 장의 1절에서는 이러한 부정교합의 유병률에 대해서 문헌으로 보고된 바를 충분히 설명하였다[3~9].

교정학에서 Ⅲ급 부정교합은 종종 제일 어려운 역학적 문제로 분류된다. 게다가, 이것은 환자의 자존감을 낮추는 경향이 있다**(그림 7.16)**[10,11].

발달성 Ⅲ급 부정교합에 대한 비수술적 접근은 세심한 진단 과정과 치료 방법 및 시기에 대한 사려깊은 의사결정이 필요하다. 이 문제에 대해 광범위하게 연구되었음에도 불구하고, 저자들간의 의견 일치를 보이지 못하였다. 치료받지 않은 Ⅲ급 부정교합은 일반적으로 시간이 흐를수록 더 악화되며 이는 그림 7.17과 그림 7.18에서 잘 나타난다. 9세에서 경도나 중등도의 부정교합이라도, 16세에서는 더욱더 심해져서 수술을 동반하는 치료를 예상하게 된다. 만약 조기 교정/악정형 차단치료가 부정교합의 형성과정을 변화시킬 수 있다고 예견하는 것이 불가능하더라도, 각 환자에 대한 사려깊은 고찰은 임상가의 의무이다. Baccetti 등[12]과 Wolfe 등[13]이 Ⅲ급과 Ⅰ급 부정교합의 성장을 비교하여 분석한 연구에 의하면, Ⅲ급 부정교합이 성장 과정 동안 점점 심도가 증가하는 것이 명백하게 증명되었다.

Buschang은 Ⅲ급 부정교합의 발달에 대해 이 장의 서두에서 광범위하게 서술하였다.

미래에 비관적인 성장의 위험에도 불구하고, 조기 차단 치료할 이유가 있을까?

현재까지, 비수술적인 Ⅲ급 부정교합의 치료는 더 나은 치아 관계와 조화로운 안모 획득을 목적으로 부조화를 절충하는 것이 필수적이다. 이러한 치료는 혼합치열 초기에 시작하여, 하악이 더욱 시계방향으로 성장하도록 방향을 재형성할뿐만 아니라, 상악의 확장과 전방견인에 대한 충분한 시간과 유연성을 제공해준다**(그림 7.19)**.

정상 혹은 저발산형의 수직적 안모를 가진 환자가 조기 차단치료의 최대 수혜자가 된다. 과발산형의 안모와 성장 양상을 가진 환자들은 그들 문제의 심도가 줄어드는

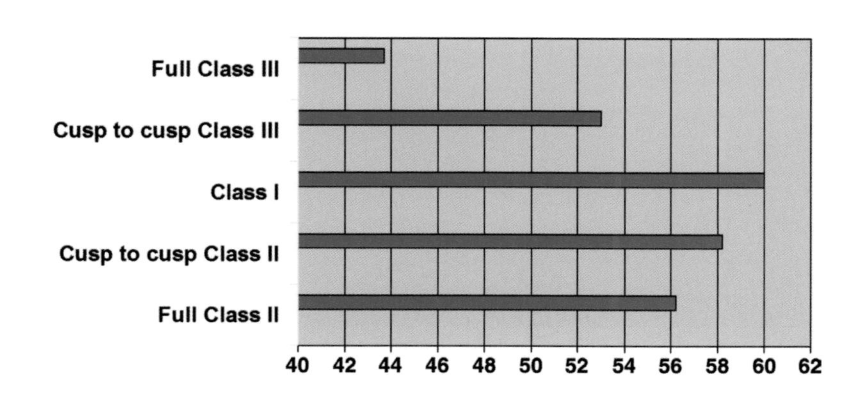

그림 7.16 자존감 평가(Graber와 Lucker[10].

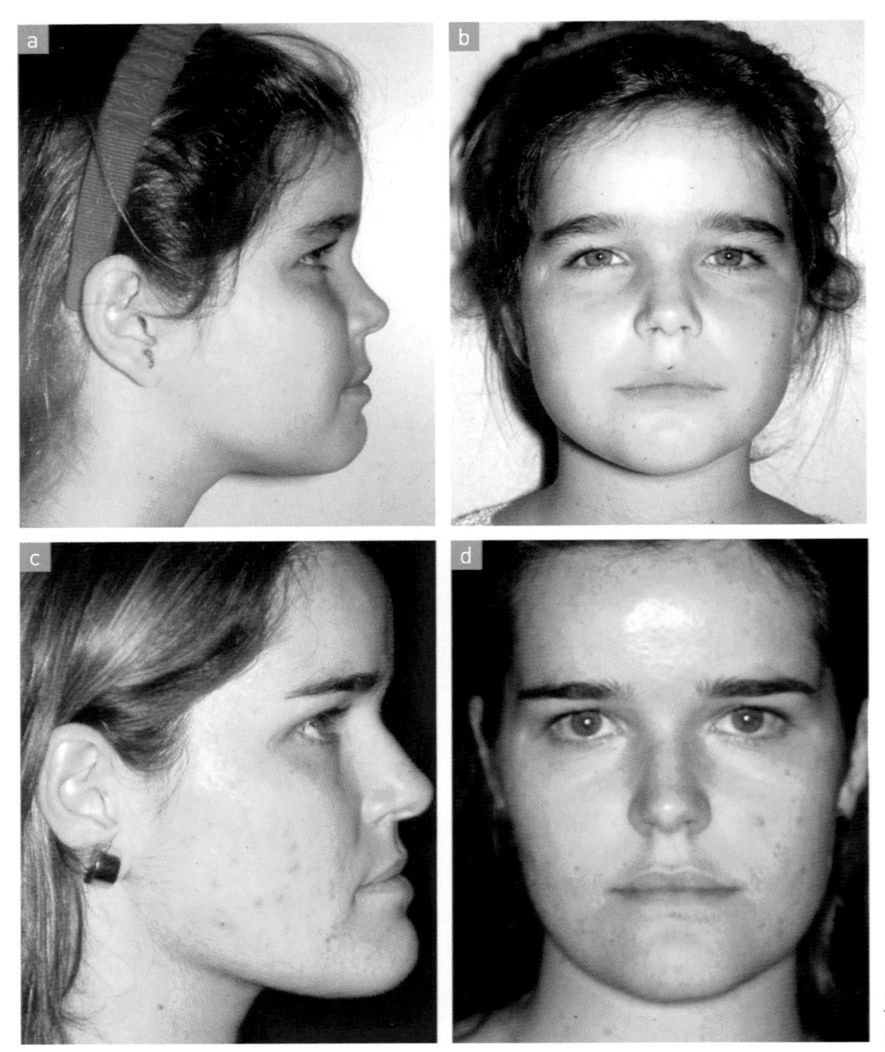

그림 7.17 치료 전 Ⅲ급, (a,b) 사춘기 전, (c,d) 사춘기 후.

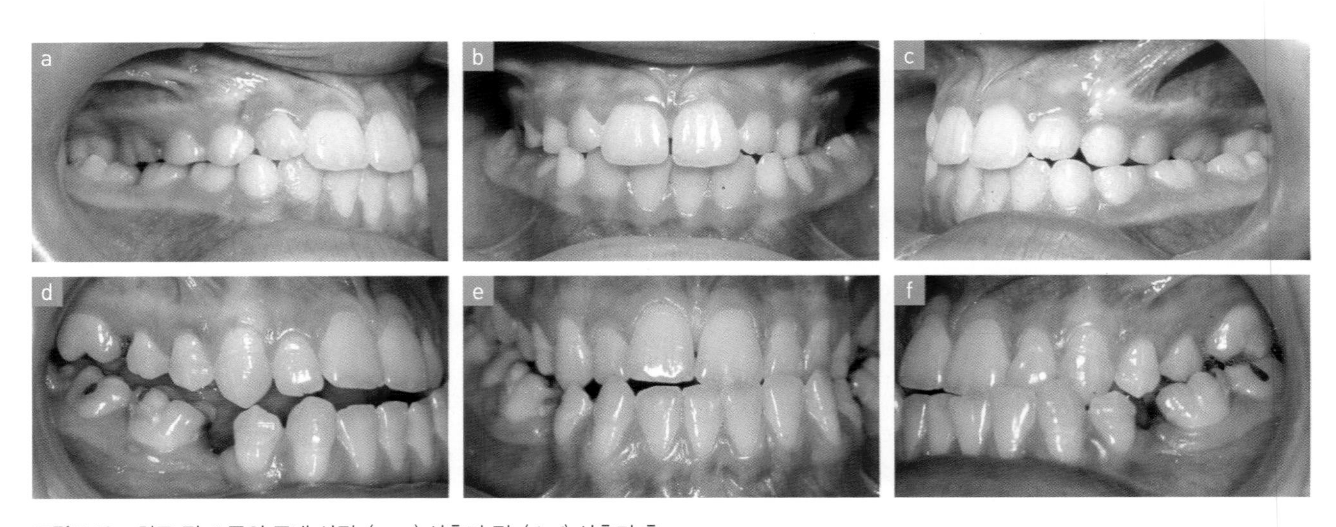

그림 7.18 치료 전 Ⅲ급의 구내 사진: (a~c) 사춘기 전, (d~f) 사춘기 후.

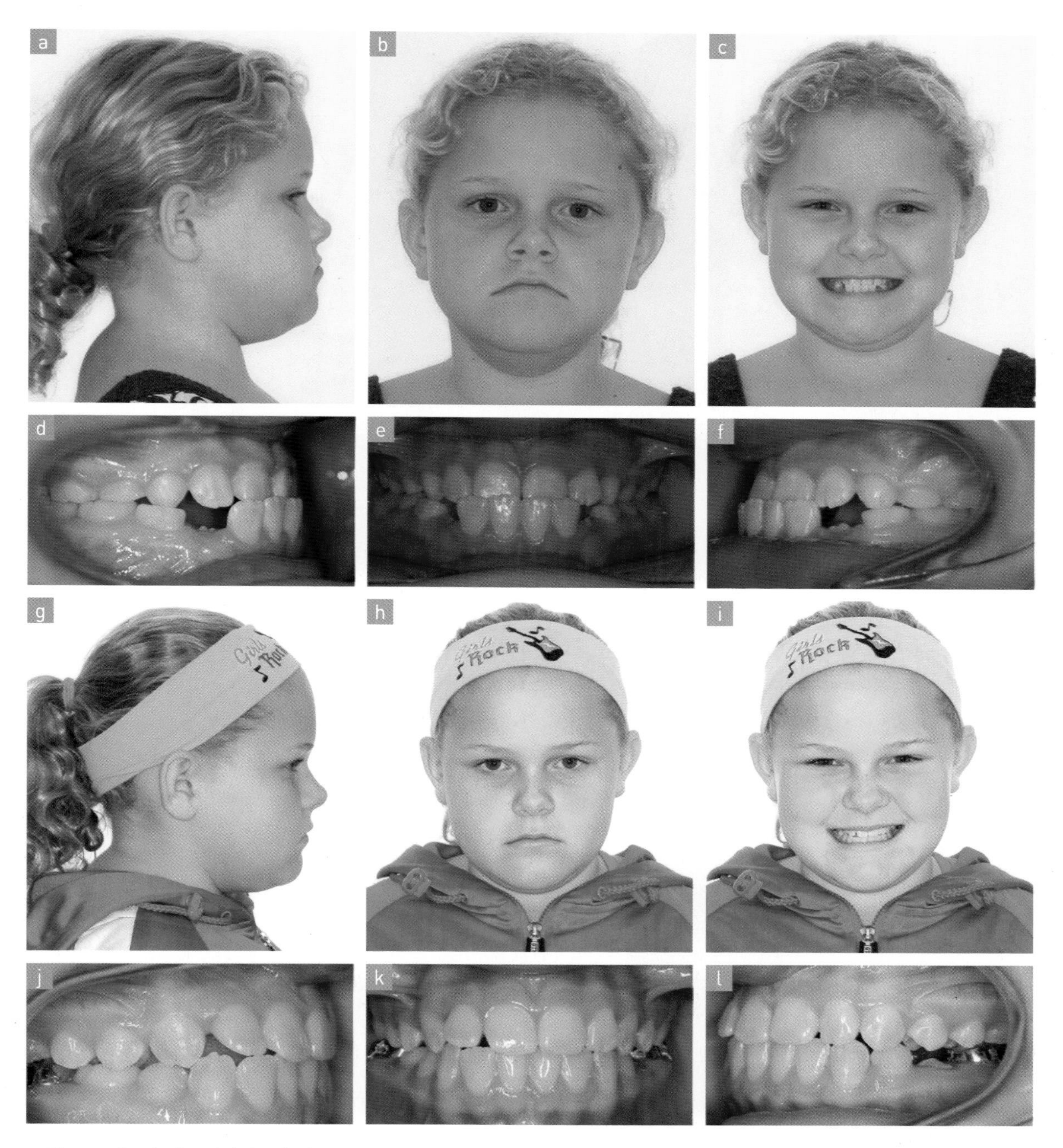

그림 7.19 (a~f) 치료 시작, (g~l) 치료 종료.

것을 경험하지만, 여전히 어떤 유형의 악교정 수술을 받아야 할 것이다.

Ⅲ급의 발달은 예측 불가능하고 중요한 변화들을 포함하고 있는데, 어떻게 우리가 조기 치료여부를 결정할 수 있는가?

이 질문에 대한 정답은 심리적인 사안들과 강하게 연관되어 있다. 차단치료는 자존감을 높여주고, 그것은 보통 더 높은 사회적 수용으로 이어진다. 왕따의 문제가 주요 사회적 장애으로 인식되고 있는데, "다른" 얼굴 모습의 사람들은 다른 사람들보다 좀 더 표적이 될 수 있다. Dion은 아이들이 "더 예쁜" 소녀들과 "더 귀여운" 소년들을 좋아한다고 하였다[14]. 오직 외모만을 기준으로, 매력적인

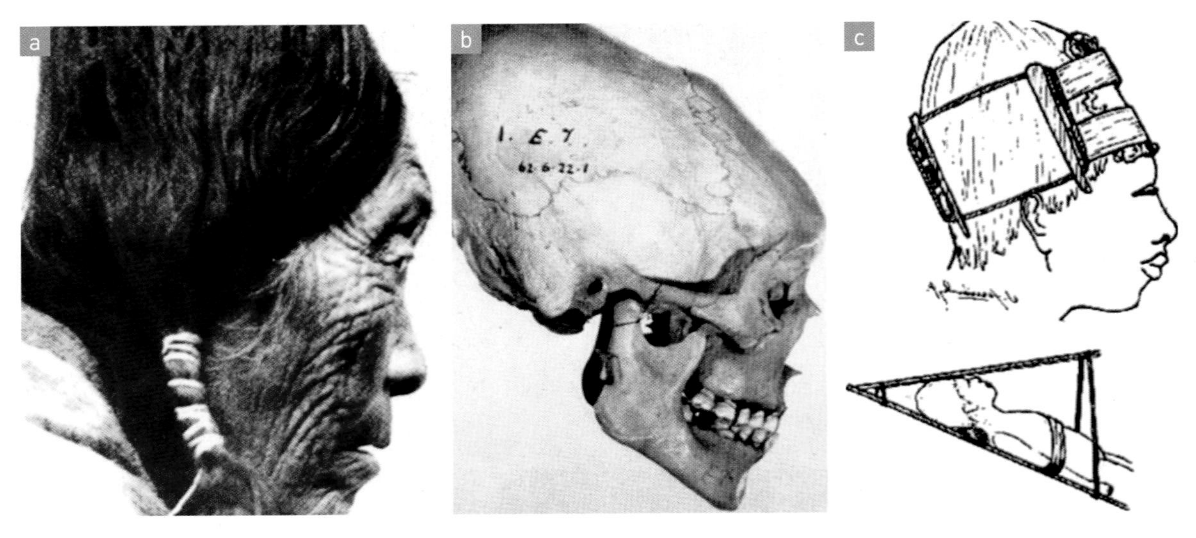

그림 7.20 의도적 두개골 변형(Peres-Marinez[16]).

아이를 친구로 고르고, 매력없는 아이들을 싫어한다고 표현하기도 한다. Albino도 "감정적인 행복은 안모 및 치아의 심미성과 직접적으로 연관된다"라고 강조하였다[11].

초기의 차단치료를 옹호하는 또 다른 이유는 가능한 빨리 올바른 기능을 재구축하기 위해서이다. 측방 또는 전방의 기능적 변위를 수반하는 치료하지 않은 조기 접촉은 비대칭적 성장과 원치 않은 방향으로의 성장을 피하기 위해, 되도록 발견되자마자 반드시 조기에 다루어져야만 한다. 성장은 예측 불가능할 수 있고, 조절되지 않을 때 더 큰 문제의 원인이 될 수 있다.

그림 7.21 금속 고리를 이용한 의도적 경부 신장? 태국 고대 풍습.

문제에 대한 논쟁은 근본적으로 Ⅲ급 부정교합에서 성장의 변화나 제한의 가능성에 초점이 맞춰진다. Sassouni[15]는 성장의 방향을 바꾸는 문화적이고 고대적 방법들에 대한 흥미로운 보고를 제시했다. 인간의 신체 부위 형태를 바꾸기 위해 악정형적인 장치들이 사용되었다[15,16](**그림 7.20, 7.21**).

이런 보고들은 시사하는 바가 많으며, 해결해야 할 질문의 수를 증가시킨다. 우리가 보는 성장의 변화는 어느 정도로 유전과 환경에 연관될까? 임상가들에 따르면, 우리는 환경적 또는 외부 요소들에 의해 영향을 받지만, 여전히 유전적 특성들을 조절할 수는 없다.

성장기 Ⅲ급 부정교합을 치료하는 프로토콜은 10가지의 요점들로 구성되고, 수년간, 애정을 담아 'Ⅲ급 부정교합의 십계명'이라 명명하였다: 1) 진단; 2) 의사소통; 3) 조기 차단치료; 4) 악정형적 상악 확장; 5) face mask 및/혹은 chin cup; 6) leeway 공간 조절; 7) 교정적 역학; 8) 마무리; 9) 유지; 10) 성장 재평가.

7.5 진단

진단에 영향을 미칠 수 있는 오류들을 최소화 하기 위해서 기록들을 매우 정확하게 보관해야 한다. 세부 사항들에 대해서 완벽한 주의를 기울여야 한다.

안모, 두부 계측, 치아 진단들은 임상에서 매일매일 반복되는 우리의 일상이다. 그러나, Ⅲ급 부정교합 환자에 있어서, 이러한 일상적 방식에 철저하고 세세한 기능적 진단과 의미 있는 유전적 조사를 필수적으로 추가해야 한다. 중심 교합(CO)과 중심위(CR)의 정확한 평가를 수반한 기능적 진단은 변위의 정도 결정에 매우 중요하고, 정확한 치료 계획 수립에 필요한 정보들을 제공한다. Ⅲ급 환자의 가족력 조사는 치료, 수술, 치료 결과 뿐만 아니라 이전 기록들을 평가하는데 매우 중요하다. 가능하다면 부모와 형/오빠, 언니/누나들을 조사해야 한다. 이런 가족 구성원들의 두부 계측 조사를 통해 부모의 성장 패턴과의 유사성에 관한 가치 있는 정보를 얻을 수 있고, 치료 계획 결정에 매우 유용하게 이용할 수 있다. 조금 더 교육적인 형태로 진단의 각 단계에 대해 소개하고자 한다.

7.5.1. 안모 진단

보통 안모 평가로 부조화의 근원에 대한 첫 번째 징후

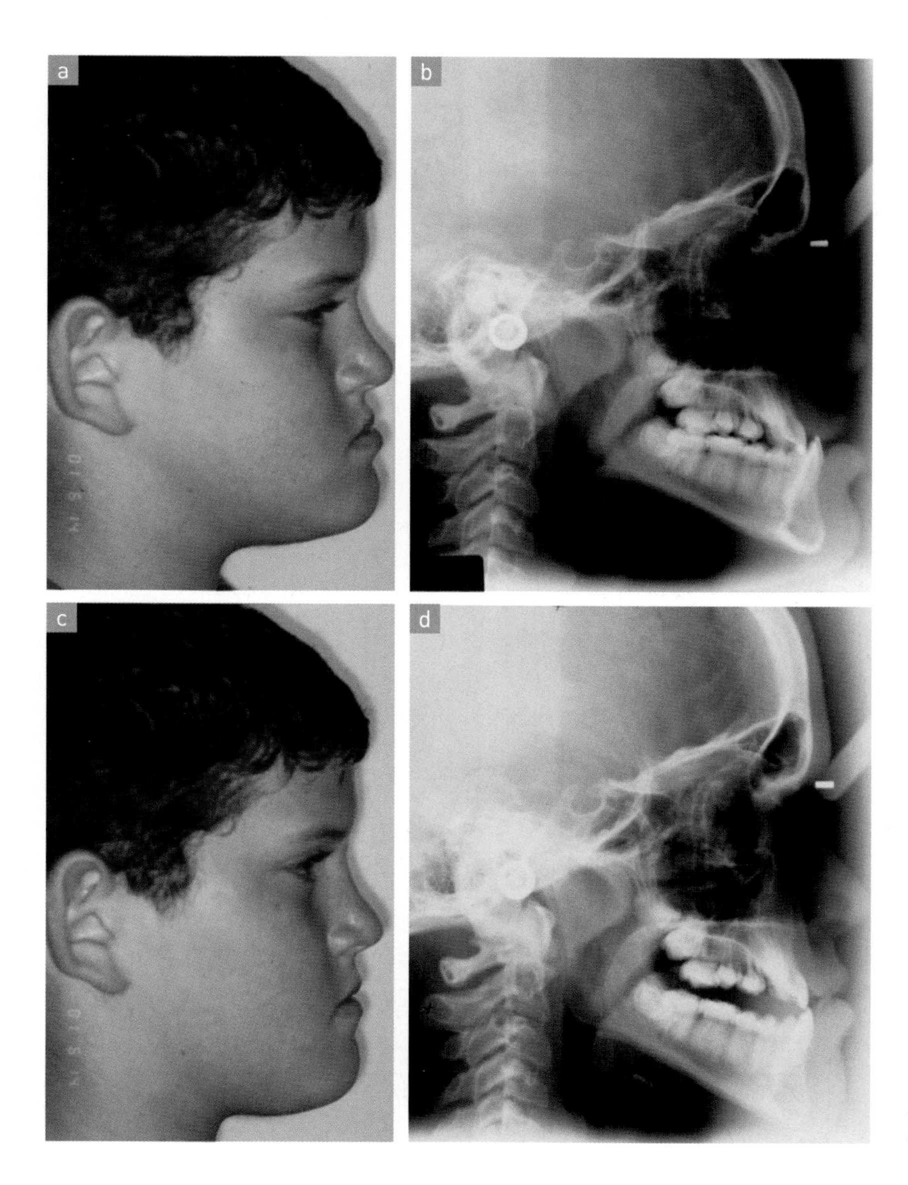

그림 7.22 치료 전의 안모와 측모두부 방사선 사진 : (a,b) CO, (c,d) CR.

들– 상악 후퇴, 하악 전돌 혹은 둘의 혼합 –을 알 수 있다[16]. 자연스러운 머리 위치는 바닥에 대해 시각 평면[15]이 평행한 위치이다.

Ⅲ급 부정교합의 경우, 영상 촬영이 CR과 CO에서 각각 한번씩 두번 이루어져야 한다**(그림 7.22)**.

7.5.2 두부 계측 진단

사용하는 분석법의 종류는 크게 중요하지 않은데, 모두가 골격적 부조화를 측정하는 전통적인 방법들을 포함하기 때문이다. 그러나, 몇몇 특별한 사항들은 다양한 분석으로 얻을 수 있다[17,18] **(그림 7.23)**.

두가지– CR과 CO –의 두부 계측 사진을 촬영하는 것이 강력하게 추천된다. Ⅲ급의 치료들은 골격적 부조화를 절충하려고 시도하기 때문에, 그림 7.22와 같이 CR과 CO에서의 두부 계측 평가는 앞으로 시행될 치료 절차들의 한계에 대해 규명하는 좋은 도구가 된다**(그림 7.22)**.

Ⅲ급 부정교합 절충 치료는 하악의 시계 방향 회전, 상악 전치의 전방 경사와 하악 전치의 후방 경사를 포함한다. 시계 방향 회전 및 전치들의 경사의 정도는 입술의 긴장을 유지하는 범위 내로 제한된다. 과도한 회전은 입술 밀폐를 손실시킬 수 있다.

7.5.3 치아 진단

완벽한 치아 진단은 임상 사진, 방사선 사진, 모형, 물리적 또는 디지털 자료들을 포함한다. 진단과 소통을 위해 좋은 기록들은 필수적이다.

치과 모형으로 악궁 및 악궁간 관계를 평가한다. 파노라마 사진으로 치아의 수, 기형, 선천적 결손이나 과잉치들을 평가한다. 이러한 자료들은 훌륭한 Bolton 분석과 필요할 경우 셋업을 위해 매우 중요하다[19-22].

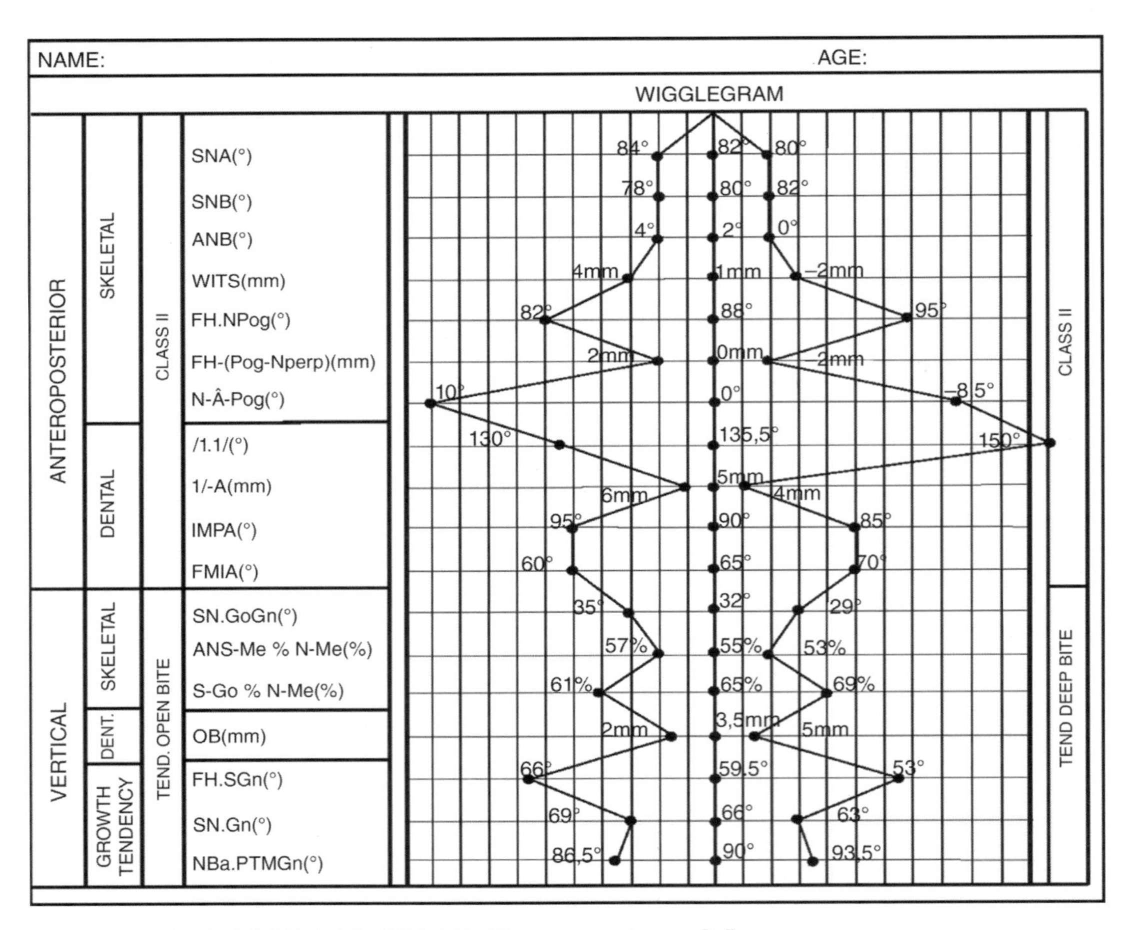

그림 7.23 각각의 분석으로부터 얻어진 측정치가 기입된 두부 계측 wigglegram(Amaral [17]).

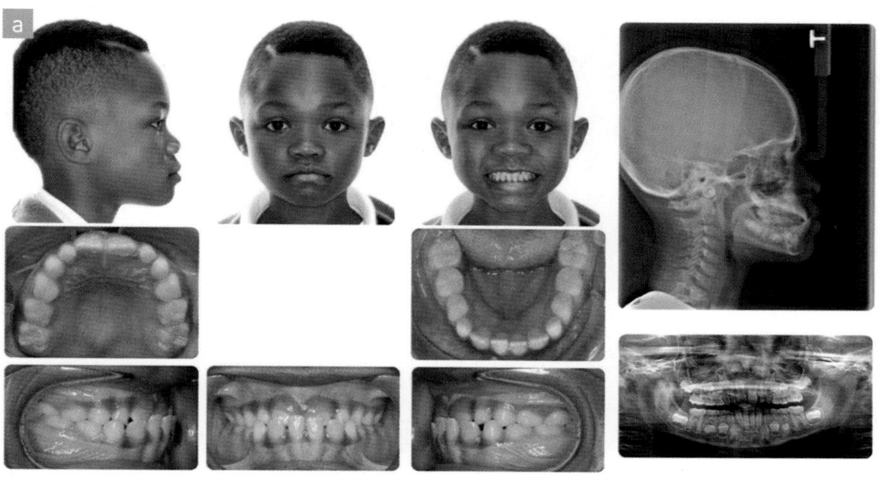

	Norms	Pre
SNA	82	89.8
SNB	80	91.1
ANB	2	−1.3
WITS	−1.0	−5.5
FMA	25	16.3
SN–GoGn	32	18.5
U1–SN	105	113.1
IMPA	95	96.1

그림 7.24 (a,b) 치료 전 기록.

악궁간 평가는 상악–대–하악의 관계를 수평적, 전후방적, 수직적으로 고려하여 모든 평면에서 변위의 심각도를 결정한다(그림 7.24).

7.5.4 기능적 진단

Ⅲ급 부정교합에서, 빈틈없고 자세한 기능적 진단을 평가에 추가하는 것이 필수적이다. 조기 접촉이 유치열과 혼합치열 모두에서 전형적으로 발견된다. 이러한 변위들이 지속되면 비대칭의 장기간 원인이 될 수 있을 것이다. 조기 접촉은 하악을 측방 뿐만 아니라 더욱 전방위치로 옮겨 놓을 수 있다. 하악의 기능적 이동을 동반하는 어떠한 반대교합이라도 조기에 치료되어야 한다.

가성-Ⅲ급 부정교합은 조기 접촉으로 인한 전치부 반대교합과 하악의 전방 변위로 특징 지어진다. 조기에 발견되어야 하며 즉시 치료되어야 한다. 보통 단기에서 중기간의 치료 기간이 필요하다(그림 7.25).

다른 매개 변수들이 결합된 더 심한 전방 이동은 하악의 전방 변위를 나타낸다. 이것은 Ⅱ급 기능성 장치가 하악 성장을 잘못된 방향으로 유발하여 부정교합을 발달시키는 것과 비교할 수 있다. 이 역학은 "영구적인 엑티베이터"의 개념과 비슷하여, 원하지 않던 성장 패턴을 자극하고 골격성 Ⅲ급 부정교합의 시작을 유발한다(그림 7.26).

유치열에서는, 어떠한 조기접촉이라도 제거하여 교합 평형을 이루어야 한다. 수정된 기능은 가능한 어린 나이에 재정착되어야 한다. 포괄적인 기능 평가는 의무적이다. 영상 자료가 가족들과의 소통을 원활하게 할 것이다.

7.5.5 유전적 진단

Ⅲ급 부정교합은 치의학에서 변이에 가장 취약한 성질을 가진다[23]. 중증의 치성–골격성 변이에서 유전적 연구는 큰 연관성을 보일 수 있다[24~26]. Krogman의 중요한 연구들[26]은 성장과 발달에서 유전의 역할에 대한 이해를 한층 더 높였다. 이 연구에서, "우리 정보의 원천인 수많은 환자로부터 얻어진 수치들의 신뢰도를 증가시키

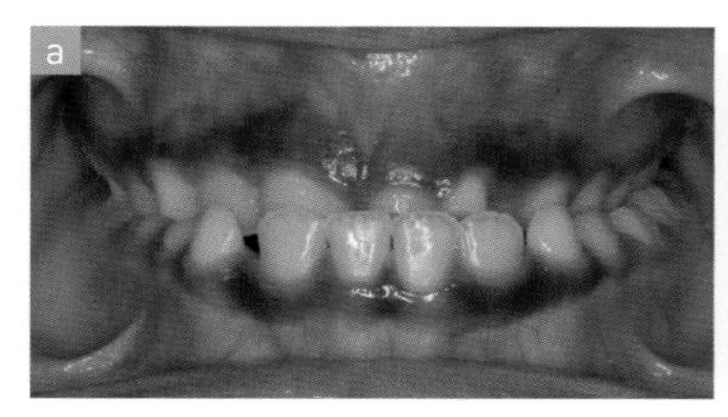

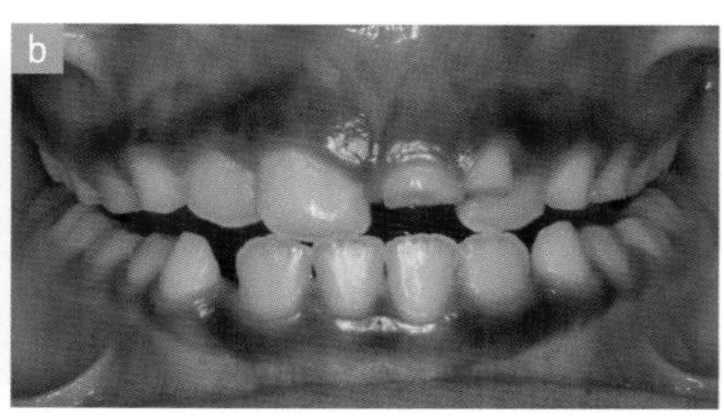

그림 7.25 교합 인기의 예시 (a) CO, (b) CR. CO와 CR에서 중심선 변위를 확인하라.

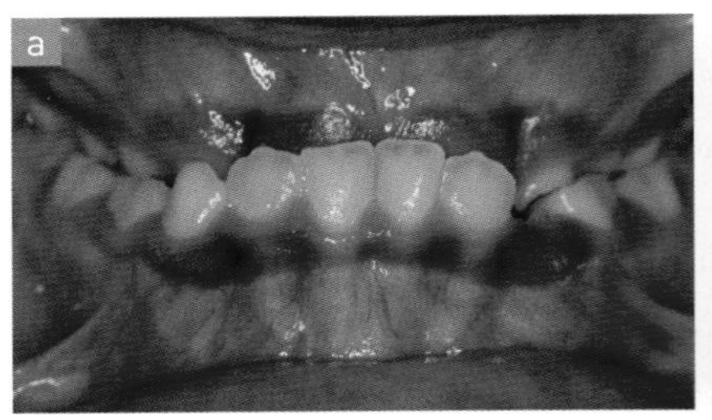

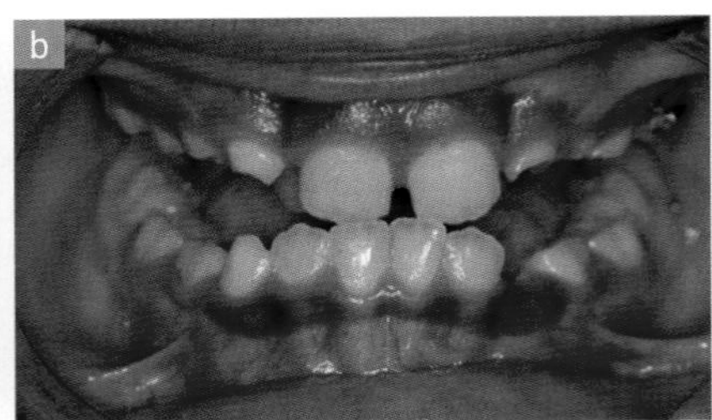

그림 7.26 바람직하지 않은 전방 이동 (a) CO, (b) CR.

기 위한 추가사항들은 환자들의 가족으로부터 얻어진 수치들을 철저하게 조사하는 것이다."라고 언급했다[27]. Brodie[28]는 "가족 내에서 개개인들이 성장에 호의적인지 아닌지 구별하는 것은 가족의 다른 구성원들을 조사함으로써 가능하다"고 하였다.

Mossey에 의해 수행된 지속적인 관찰과 연구들[29]에 근거하여, 그림 7.27에 제시된 비교 분석이 수행될 수 있다.

두개안면의 유전성은 유전자와 환경 모두에 의해 영향 받지만, 각각 요소의 공헌도를 정확하게 규명하는 것은 어렵다. 환자들에게 곧바로 차단치료를 하는 교수들에 의하면, 우리는 환경의 배우들이다. 조기 차단치료는 문제들의 심각성을 최소화 하려고 노력한다. 가족들의 치료 경험은 치료에 대한 좋은 참조가 된다. 그림 7.28의 사진들은 아이와 아버지 사이의 유사성을 표현하는 좋은 예시이다.

	MEASUREMENTS	PARENT	CHILD
ANGULAR	Gonial Angle		
	Facial Angle		
	Y-axis		
	SNA		
	SNB		
	ANB		
LINEAR	Corpus length		
	Ramus height		
	Total facial height		
	Upper facial height		
	Lower facial height		
	Maxillary length		
	Mandibular length		
	Overbite		
	Overjet		

그림 7.27 유전적 분석: 부모와 아이의 측모두부 계측 비교

7.6 의사소통

상담하는 동안, 가족에게 검사결과를 보여주고 가능한 치료방법들을 설명해준다. 모든 부분에서 돈독한 신뢰의 관계를 쌓고 치료의 모든 과정이 단일화 되는 것이 중요하다. 대화는 다정하고 솔직해야 하고 증거와 개연성에 중점을 두어야 한다. 의뢰한 치과의사와 연락하여 치료 진행 과정을 알려야 한다. 의사소통 과정은 다음 세가지 사항을 포함한다: 1) 차단치료의 필요성과 치료목표의 확립; 2) 성장과 협조도와 같은 변수로 인해 예후를 확단할 수 없는 것에 대한 충분한 설명; 3) 조절 불가능한 유전적 요소로 인한 차단치료 이후 재발이나 성장의 가능성. 진행과정과 사전동의에서 성장 완료 이후 2차 치료가 가능하다는 것을 명시해야 한다. 이러한 차단치료의 본질은 성장 및 변이 정도에 따라 달라지게 된다. 치료는 빠르고 덜 복잡하고 단순하게 진행될 수도 있고, 차단치료 이후 성장의 결과에 따라 수술이 필요하게 될 수도 있다.

사전 동의서에는 치료 단계, 치료 기간, 계속되는 유지관찰에 대한 내용을 포함해야 한다. 또한, 주기적으로 측모두부방사선 사진을 촬영하고 교정과에 내원하여, 유지에 관한 프로토콜을 진행해야 하는 점을 강조한다.

7.7 조기 치료

성장기 골격성 Ⅲ급 환자의 치료시기는 매우 중요하여

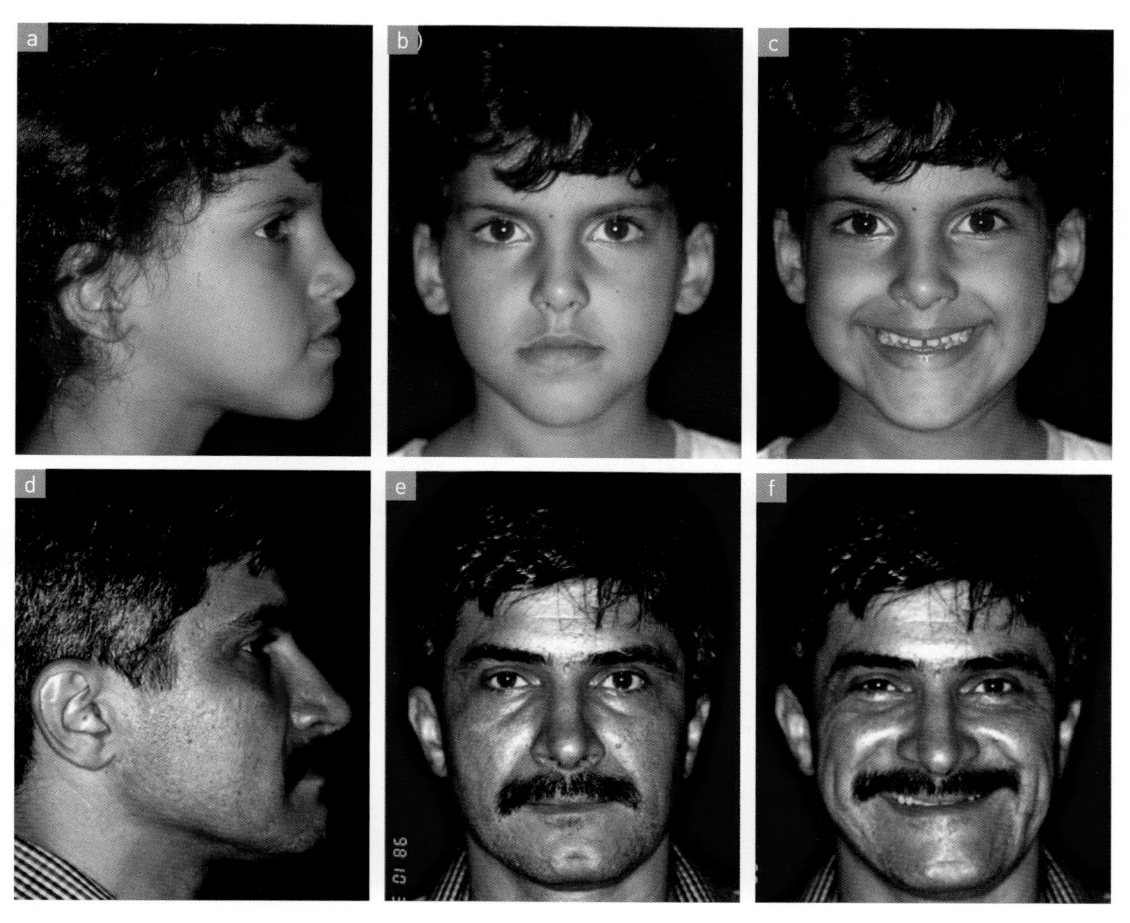

그림 7.28 아버지와 딸 간에 안모의 유사성.

치료 결과에 영향을 미친다. "조기"의 의미가 "때 이른(시기 상조의)"의 의미로 오해되어서는 안 된다. 실제로, 이때가 아마도 발달중인 부정교합에서 차단치료의 가장 적절한 시기이다.

골격성 Ⅲ급 부정교합에서, 횡적 폭경을 가장 먼저 다루어야 하는데 이는 일반적으로 상하악궁간 폭경 부조화가 존재하기 때문이다. 조화로운 악궁을 만들기 위한 차단치료가 중요하다. 많은 형태적 변화가 혼합치열기에서 이루어지며, 이 시기의 차단술식은 성공적일 수 있다. 그림 7.29 a–l은 조기 치료 과정을 보여준다.

7.8 악정형적 상악골 확장

상악골은 외모 및 안모의 조화로움에 큰 역할을 하므로 안면 발달 동안 상악골의 역할과 상악골 발달 동안 악정형력의 적용 가능성에 대해 이해하는 것은 매우 중요하다[30]. 상악골의 성장 과정은 조기 치료를 더 쉽고 효과적이도록 한다. 협소한 상악골 폭경은 유전적, 발생적, 환경적, 심지어 의원적 원인으로부터 기인한다[31].

급속 상악골 확장(Rapid Maxillary Expansion; RME)은 오늘날 교정에서 가장 흔히 쓰이는 치료 방법 중 하나이다. Angell은 1860년, 최초로 악정형적 효과로 악궁의 폭경을 획득하는 방법에 대해 언급하였으나[32], 1900년대 초반까지 그러한 방법은 널리 쓰이지 못했다.

1950년대에 이르러서야 미국의 교정임상가들 사이에서 RME의 사용이 확산되었다[33]. RME는 협소한 폭경의 상악골을 지닌 환자들에게서 횡적 폭경을 증가시키는 효과적이고 신뢰할 만한 방법으로 증명되었다. 상악골 확장은 교합의 조화를 위해 필수적인데, 특히 Ⅲ급 부정교

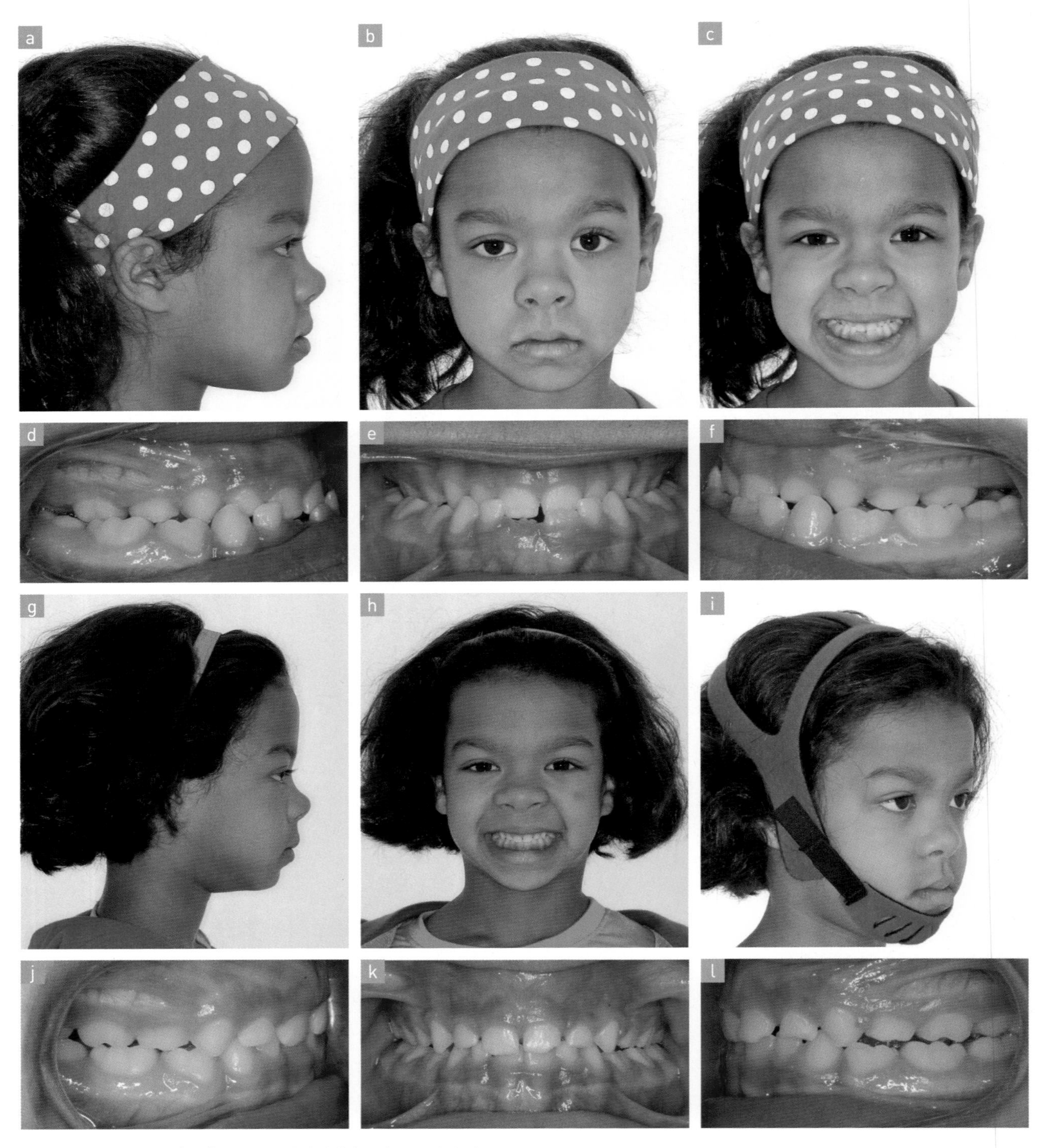

그림 7.29 조기 치료: (a~f) 1차 치료 시작시기, (g~l) 종료시기 및 soft chincup.

합에서 그러하다.

RME의 등장 이후, 장치를 고안하고, 개조하고 수정하여 원치않는 치아이동을 최소화하고 이로운 효과를 극대화시키도록 발전해왔다. 현재에는, 서로 다른 고정식 급속 확장장치가 고정원에 따라 다음과 같이 분류된다: 치아-지지, 순수한 골 지지, 또는 그 조합. 가장 흔히 사용되는 장치는 여전히 치아–지지형으로 밴딩이나 본딩으로 장착된다. 밴드형 확장장치는 2개 또는 4개의 지대 치에 합착되고, 완전 금속형–Hyrax–이거나, 구개에 아크릴 패드가 있는 종류–Hass–가 있다.

만약 환자가 혼합치열기이고 밴드형 장치를 선택했다면 2개의 구치부 밴드를 사용하는데, 교합면 지지부를 확장장치의 전방부에 위치시키고, 만약 제1유구치가 있다면 여기에 부착하게 된다. 전방부 지지부는 장치의 안정성을 증가시킨다. 4개의 밴드는 연령이 더 높은 환자에서 더욱 자주 사용되며, 구치와 소구치를 이용하거나 제1유구치가 밴드가 가능한 형태인 경우에는 사용하기도 한다. 조합형 장치는 2개의 밴드와 2개의 미니 스크류를 확장장치의 고정원으로 사용하는 것이다[34-36].

서로 다른 확장장치가 그림 7.30에 나와있다.

본딩형 확장장치는 많은 임상가들에 의하여 널리 받아들여지고 사용되고 있다. Jackscrew는 전형적으로 밴딩이나 본딩형 확장장치와 동일하다. 선택기준은 전문적인 선호도, 환자 협조도, 장치 안정성이다.

확장은 환자의 치열과 기저골 측면에서 유리할 뿐만 아니라, 비강의 확장 측면에서도 이익이 된다[34]. 상악골 확장은 상악을 전방으로 이동시키는 효과도 있어서, Ⅲ급 악골관계를 약간 개선시킬 수 있다. 상악골 확장은 반대교합뿐만 아니라 악정형적 견인이 필요한 경우에도 추천된다.

7.9 Face mask 및/혹은 chin cup 악정형 장치들

Face mask 치료법은 종종 구개 봉합부 확장장치와 함께 사용되고, 후퇴된 상악골을 전방 견인하고 전방 재위치를 촉진하기 위해 사용된다.

하악골이 과도하고 상악골의 크기와 위치가 정상인 경우, 비록 논란 중에 있으나, chincup 사용을 고려할 수 있다. 이 치료법은 크기가 과도한 하악골의 성장방향을 후방 및/혹은 하방으로 재설정하고자 하는 방법이다.

하악골 과성장과 상악골 성장 결핍이 같이 있는 경우, 교정의사는 face mask와 chincup을 동시에 사용할 수 있다. 이러한 경우, face mask를 먼저 사용할 것이 권고되며, 만약 선호된다면 Hickham chincup과 전방견인 장치를 사용할 것이 추천된다[35]. 이 치료법은 각각의 악골에 face mask와 chincup의 효과를 동시에 적용한다.

7.9.1 페이스 마스크(Face mask)

상악골 확장과 동반하여 이루어지는 상악골의 악정형적 전방견인은 오늘날 임상에서 널리 활용되고 있다. 이러한 치료 방법은 대개 혼합치열기의 Ⅲ급 환자에서 긍정적인 결과를 낳는다. 비록 그것이 널리 받아들여진다 하더라도 이 프로토콜의 효과에 대한 의견의 일치는 부족하

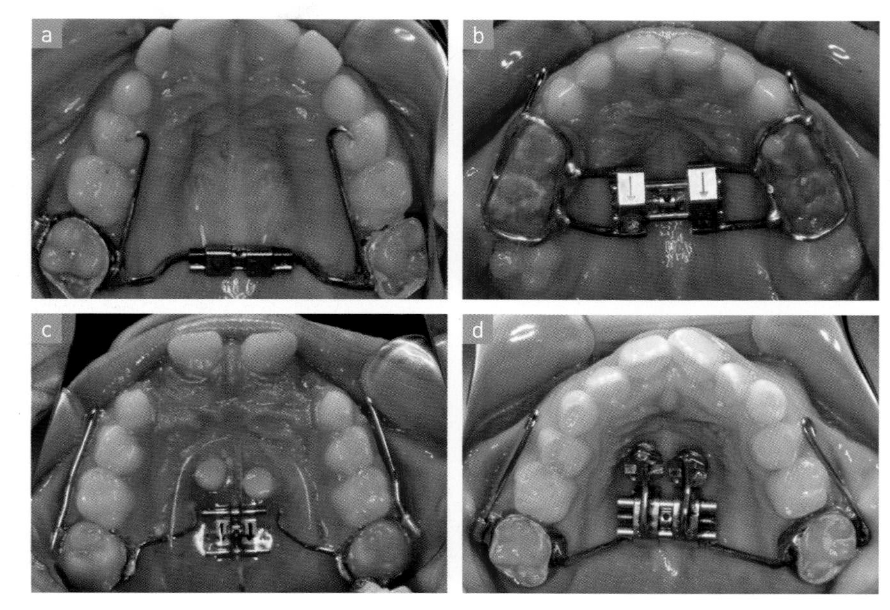

그림 7.30 구개부 확장장치: 상단 (a) 소형 확장장치, (b) 본딩형 확장장치. 하단 (c,d) 두 종류의 조합형 확장장치(MSI와 밴드형).

다. RME가 동반되거나 그렇지 않은 상악골 전방견인에 대해서는 아직 논쟁 중이다[36-40]. 최근, 조합형, 밴드형 장치, MSIs가 발표되었으나[37], 더 많은 연구가 필요하다.

만약 환자가 아직 환자가 7-8세 이하–더 나은 결과를 위해 추천되는 치료 연령–로 어리다면, 하루나 이틀에 1회 회전으로 확장을 느리게 시작한다. 이것은 치료에 대한 환자의 태도와 공격적인 프로토콜을 구축하지 않으려는 술자의 바람에 따라 달라지게 된다.

밴드형과 본딩형의 RPE의 선택 결정시, 2개 장치를 비교한 최근 문헌에 따르면 상악골 폭경 확장 효과는 두 장치가 동일한 것으로 나타났다[41]. 그러나, 하악골의 폭경에 대한 치료 목표에 따라 두 장치의 효과는 차이가 났다. 비록 상악골 확장량은 비슷하였으나, 치료하지 않은 하악궁에 대해서는 다른 결과가 나타났다. 밴드형 Hass 타입의 확장장치는 하악궁 폭경에 유의할 만한 증가가 대구치 부위에서 나타났다. 본딩형 확장장치에서는 하악궁 폭경이 안정적이거나 구치부간 폭경이 약간 감소하는 것으로 나타났다. 또한 혼합치열기에서 악궁 둘레와 깊이에서 유의할 만한 감소가 나타났다. 이것은 전방견인 페이스 마스크를 동반하는 부착형 상악골 장치를 통해 구치부 교두간 교합 제거를 수반하는 더 좋은 결과를 얻을 수 있다는 의미한다. 만약 페이스 마스크를 Hyrax, Haas, 조합형 장치와 함께 사용한다면, 하악궁에 아크릴 덮개나 Essix형 장치를 적용하여 유해한 교합 간섭을 막아준다.

가장 흔히 사용되는 유형의 페이스 마스크는 Petite, Delaire, 전방 견인용 고리가 있는 Hickham chincup이다. Soft chincup 또한 매우 유용한 장치이다**(그림 7-31)**.

Petite와 Delaire는 수많은 회사에서 쉽게 구매할 수 있다. Hickham은 주로 기성품이며 조정에 더 많은 체어타임이 소요된다.

전방견인 프로토콜은 광범위하게 문헌에서 다루어졌다 [38,39,42]. 우리는 하루 14-16시간 동안 초기에는 편측당 250g의 힘으로, 2주 후에는 400g의 힘으로 착용할 것을 추천한다. 그림 7.32는 힘의 작용점에서 추천되는 힘의 방향

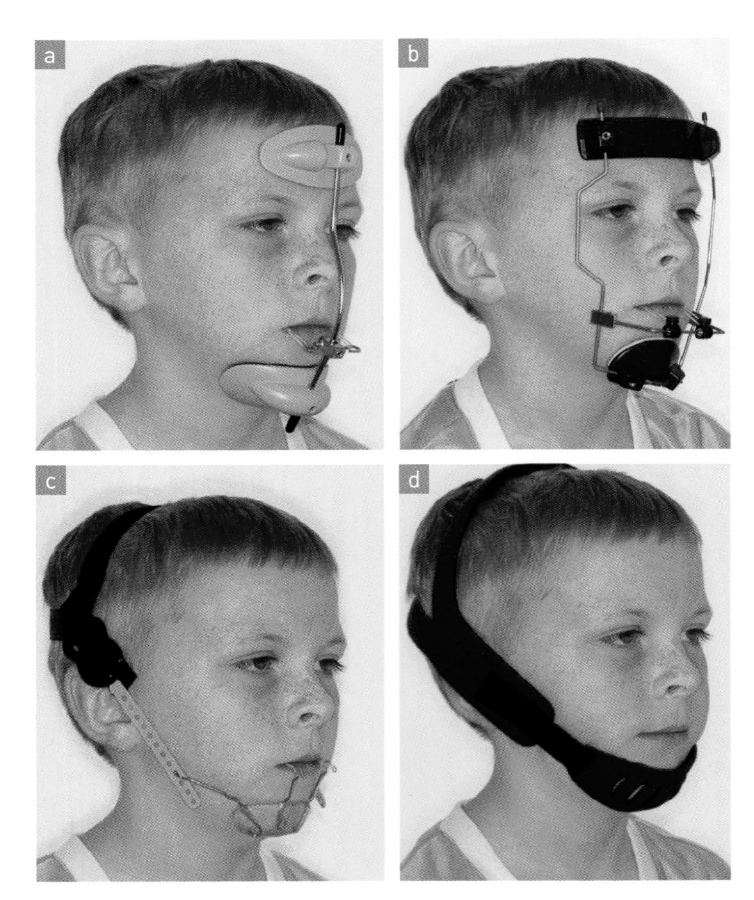

그림 7.31 좌측에서 우측으로 Petite(a), Delaire(b), Hickham(c), Soft chincup(d).

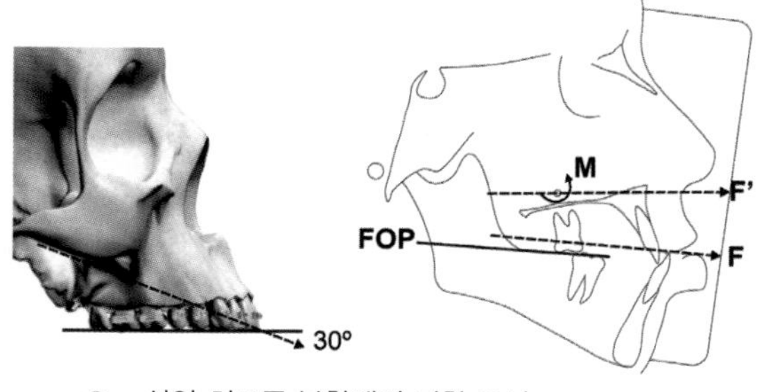

● = 상악 치조골 복합체의 저항 중심
F = 치열에 적용되는 견인력
F' = F = 저항 중심에서의 전방견인력
M = F(y) = 저항 중심에서의 경사 모멘트
FOP = 기능적 교합평면

그림 7.32 Face mask의 전방견인 방향.

을 나타낸다. 적용된 힘의 방향은 교합평면에 대해 30°에서 45° 방향이다. 치조–상악의 저항중심이 대개 제2소구치와 제1대구치의 상방에 존재한다는 것을 고려했을 때, 적용되는 힘은 동일한 부위를 지나는 것이 바람직하며, 이를 통해 상악골 복합체의 원치 않는 회전을 방지할 수 있다.

고무줄의 고정원인 상악골 확장장치의 협측 고리는 상악골과 페이스 마스크를 연결하여 전방견인을 할 수 있도록 한다. 이러한 고리들의 위치는 상악 견치 높이에 위치해야만 한다.

페이스 마스크 치료의 골격성 및 치성 효과는 치아-상악골 복합체의 전방견인(2~4mm), 상악골의 회전, 상악절치의 전방경사, 하악절치의 후방경사, 하악골의 시계방향 자동회전이다. 이러한 시계방향의 자동회전은 아마도, 골격성 Ⅲ급 부정교합의 효과적인 비수술적 절충치료에서 나타날 수 있는 가장 바람직한 하악골의 반응일 것이다.

상악골의 전방견인 기간은 10~12개월이어야 한다. 이 활성화 시기 후, 1차 치료의 유지기간 동안 2차 치료를 준비하면서, soft chincup(**그림 7.33**)을 밤에 착용(12시간/일)하는 것을 추천한다. 하악골에 완전–피개형 Essix 타입의 유지장치를 장착함으로써 교합간섭을 제거하고 chincup의 긍정적인 효과를 돕는다. Chincup과 함께, 개량형 Hawley 장치를 낮시간에 장착하도록 한다(**그림 7.33**). 만약 부정교합이 심하지 않다면, 일반적인 Hawley 장치가 처방될 것이다.

7.9.2 친컵(Chincup)

Chincup 치료에 대한 논쟁은 비록 현재에도 존재하지만 어느 정도 사라진 것으로 보인다[43,44]. 논란의 주된 원인은 악관절(TMJ)에 대한 악영향이다[45]. Chincup의 힘이 생리적이지 않으므로 부작용을 일으킬 수 있음을 주지해야 한다. Mitani[46]는 chincup 치료 환자의 35% 정도에서 초기 6개월동안 악관절에서의 잡음, clicking, 약간의 통증등이 발생한다고 하였다. 또한, 만약 chincup의 힘의 강도가 매우 크고 장기간 적용될 경우, 관절에 대한 부작용의 가능성은 더 증가하게 된다. 이러한 이유로 밤에만 착용하도록 하고, 만약 악관절 문제의 증상이 있는 경우 적용력을 감소시켜야 한다[44,46~49].

또 다른 연구보고에 따르면, 160명의 chincup 사용 환자 중 18%에서 유지기간 동안 악관절 장애가 나타났다.

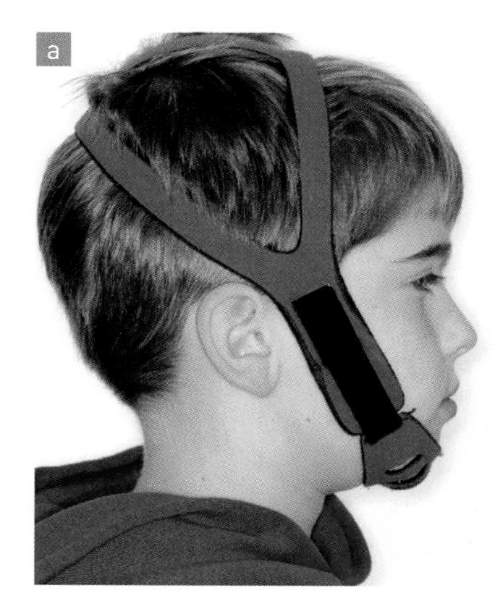

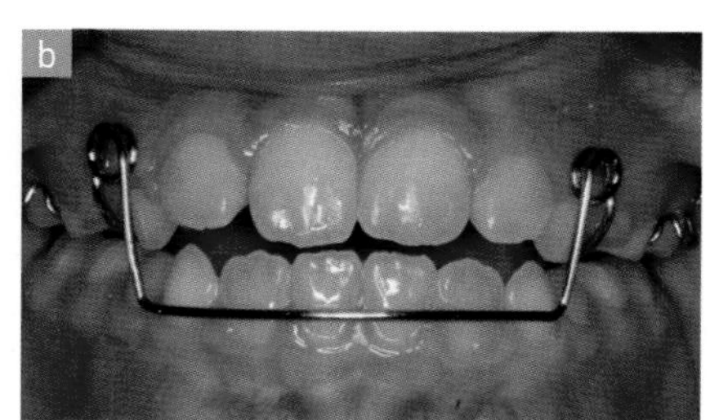

그림 7.33 Soft chincup(a)과 개량형 Ⅲ급 Hawley(b).

동일한 연구보고에서 치료받지 않은 어린이 중 10-25%에서 TMJ 장애가 있다고 하였다[49]. 따라서 chincup을 사용한 그룹에서의 악관절 장애 유병률은 정상범위 내에 있으며, chincup이 악관절 질환을 일으키는 것은 아니라고 보고하였다.

교정 문헌 중 일부는 chincup 치료의 문제점을 보고하는 반면 일부는 chincup은 부작용이 없다고 보고하고 있다[44,46,50-55].

Soft chincup(**그림 7.33**)은 더욱 부드러운 재질이며 우리는 soft chincup을 1차 교정치료 종료 후뿐만 아니라 성장이 잔존하는 경우 2차 교정치료 종료후의 유지장치로 사용하고 있다.

Chincup의 효과는 환자의 안모 유형에 따라 매우 다양하다. 과발산형 골격성 Ⅲ급 부정교합 환자는 비적응증인데 이는 장치가 긴 수직 패턴을 더욱 심화시키기 때문이다.

Chincup의 효과 중 하나는 gonial angle의 감소인데, 저발산형 환자에서 chincup의 사용은 단안모를 더 짧게 만들 수 있다.

Chincup 치료는 골격성 Ⅲ급 부정교합의 심도를 감소시키기 위한 과정으로 볼 수 있으나, 단일 사용으로는 부정교합을 수정할 수 없다. Chincup의 효과는 어린 연령에서 더욱 좋다. 또한 턱을 내미는 환자의 자세교정 장치로 사용될 수 있고, 잠재적으로 성장을 바람직하지 않게 유도할 수도 있다.

조기 차단치료가 도움이 되지 않을 지도 모르는, "나쁜" 골격성 Ⅲ급 환자들에서 나타나는 악골의 특징은 다음과 같다: 1) 예리한 chin angle을 수반한 돌출된 턱; 2) 길고 얇은 하악; 3) 큰 gonial angle과 가파른 하악평면; 4) 경사진 하악지평면(ramal plane); 5) 길고 얇은 condylar neck; 6) 좁은 하악지; 7) 측면에서 삼각형 형태로 보이는 corpus; 8) 심한 설측 경사를 동반한 하악 절치; 9) 가파른 두개저 각도와 폐쇄된 spheno-occipital 연골결합[36,44].

7.10 Leeway 공간 조절

제2유구치(E)가 교합의 발달에서 매우 중요하다는 것은 의심의 여지가 없다[56]. 또한 Gianelly는 E-공간을 적절하고 시기에 맞게 사용할 경우 비발치로 치료할 수 있는 증례가 많아진다고 하였다[57]. 이 공간을 정확하고 현명하게 사용시 얻는 이점은 매우 크다. 이는 1차, 2차 교정치료의 구분없이 해당되는 것이다. 심지어 2단계에 걸친 치료를 반대하는 사람들조차 이 부분에 대해서는 받아들인다. Ⅲ급 부정교합의 수정이나 차단치료에서, 하악궁내 여분의 공간은 치료에 유리하게 작용한다.

결론적인 프로토콜의 4개 "계명"은 영구치열 상에서의 2차 교정치료와 더욱 관련이 있다. 완벽한 치료를 위하여 각 사항에 대한 간략한 설명은 다음과 같다.

7.11 교정 역학

모든 치료 과정과 권장사항 이후에, 역학적 대안을 고려해야 한다. 교정의사는 중요한 치료 옵션에 직면하게 되고, 부정교합의 심도를 감소시키고 차단하여 추후 수정하여, 가능한 비수술적인 방법으로 치료할 수 있도록 일련의 치료계획을 수립해야만 한다.

많은 경우, 환자와 가족들은 절충적인 치료와 안정적이고 기능적인 치료결과를 얻기 위해서, 추후 영구치 발거가 필요할 수도 있음을 알아야 한다. 그러나, 일부 환자의 경우 치간면 삭제(interproximal reduction; IPR)를 동반하거나 동반하지 않은 상태에서 비발치로 접근하여 좋은 치료 결과를 얻는 것이 가능한 경우도 있다.

7.12 마무리 단계(Finishing)

좋은 마무리란 교합이 안정적으로 맞물리고, 유지 문제를 최소화 할뿐만 아니라 좋은 치료의 질을 의미한다. Haas에 따르면[33] 교합력 벡터와 구치부의 경사면은 교정 치료 후 유지를 더 좋게 할 수 있는 간섭(interference)을 유발한다고 하였다. 또한, 수평피개의 과수정이 가능한 경우, 이는 재발을 방지하는데 도움이 된다. 만약 하악에 과도한 Bolton 관계가 있는 경우 상악절치의 이상적인 공간분배가 중요한데, 이는 그림 7.34에 나타나있듯 Ⅲ급 부정교합에서 흔히 발견된다[19]

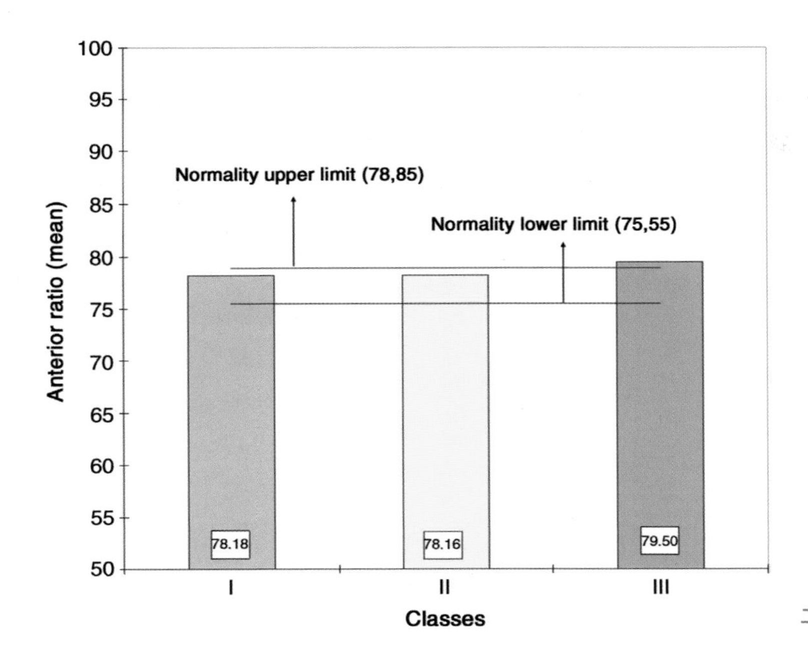

그림 7.34 서로 다른 교합형의 Bolton 관계.

7.13 유지

1차, 2차 교정치료 간의 유지 프로토콜은 앞서 언급하였다. Soft chincup과 하악의 교합면을 피개하는 플라스틱 장치를 함께 밤에 사용하고, 낮에는 일반형 혹은 개량형의 Hawley장치를 사용하는 것이 추천된다(**그림 7.33**).

포괄적인 2차 교정치료 후, 상악골 Wraparound Hawley 유지장치가 교합 접촉을 보존하는 데 효과적이고, 하악의 고정성 유지장치는 하악 치열궁을 보존하는 간단한 방법이다. 그러나, 가장 좋은 유지는 자연스럽고 안정적으로 잘 맞물리는 교합 관계이다.

7.14 성장 재평가

마지막 "계명"은 초기 고지에 입각한 동의이다. 성장 및 성장과 발육의 생리적 진행과정에 따라 나타날 수 있는 변화를 재평가하는 것이 중요하다. 순차적인 측모두부 방사선 사진을 중첩하여 평가한다. 상하악골을 하나의 단위로 중첩하는 것은 상악에 대한 하악의 위치 변화를 검토하는 믿을 만한 방법이다[58].

이러한 재평가를 통해서 교합관계가 유지되고 있는지, 추가적인 치료가 필요한지, 발치 혹은 비발치의 재치료가 필요한지, 심한 부정교합과 환자의 요구가 있는 경우 악교정 수술이 필요한지 등을 결정할 수 있을 것이다.

환자 1

첫번째 증례보고는 조기 차단치료의 중요성을 보여준다. 7세 남아가 부모님과 함께 소아치과로부터 의뢰되어 내원하였고, 교합을 평가하여 교정치료 시작시기를 알고자 하였다. 진단을 위해 모든 검사를 기록하였다. 안모는 다소 오목하였다. 측모두부 방사선 사진의 계측치는 발달성 Ⅲ급을 보였고, 전치부 반대교합, 편측성 구치부 반대교합, 명백한 CR/CO 부조화가 존재하였다(**그림 7.35**).

즉각적인 치료 시작이 추천되었고, inverted labial bow를 포함한 가철성 확장장치를 사용하였다. 6개월 내에 반대교합이 수정되었고, chincup을 밤에 사용하도록 하였다. 그 시기부터 환자는 유지장치없는 유지관찰의 단계로 접어들었고 취침시간동안 chincup 사용하였다(**그림 7.36**). 교합 발달과 함께, LLHA를 적용하여 제2유구치 소실 후

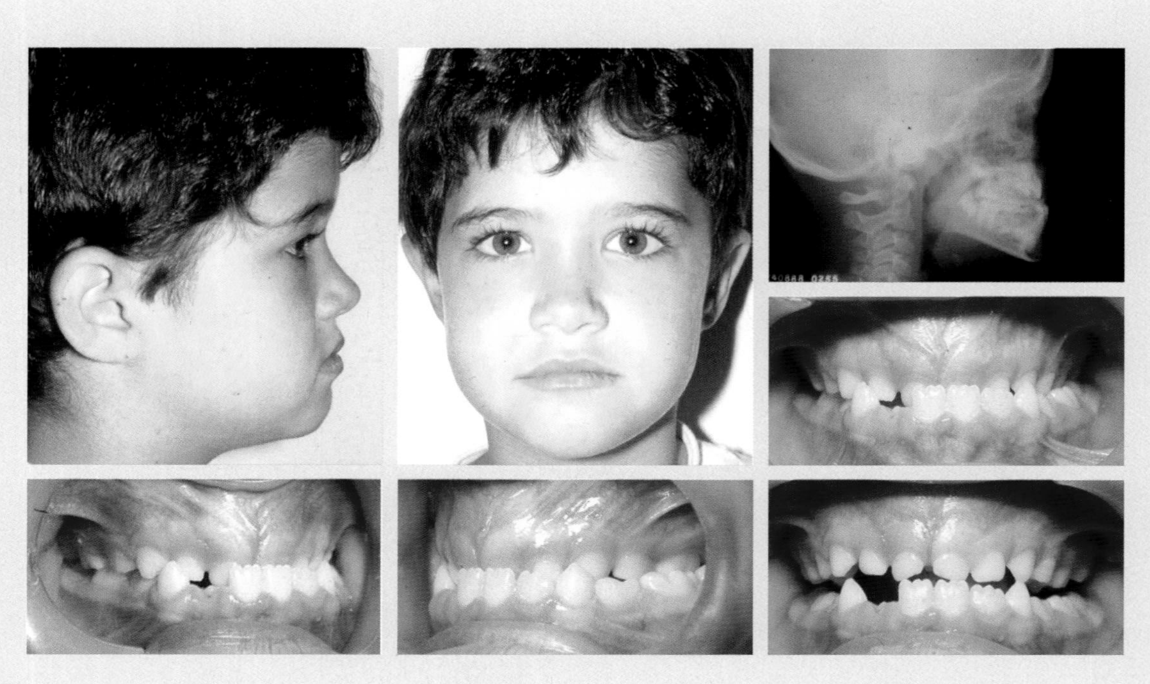

그림 7.35

의 하악구치 근심 이동을 방지하였다. 그림 7.37은 교합의 순차적인 발달과정을 LLHA 가 적용된 시점부터 치료 종료 시기까지 나열한 것이다.

영구치열이 완성되었을 때, 교정치료기간은 14개월이었다. 최종 평가 결과, 조화로운 안모, 견고한 Ⅰ급 교합, 4~6년 동안 매우 좋은 유지를 보인다. 그림 7.38은 치료 시작시기부터 종료까지를 보여주며, 그림 7.39는 4~6년 동안 각각의 유지상태를 보여준다. 치료 시작과 중간의 두부방사선사진 및 분석이 그림 7.40에 나타나 있다.

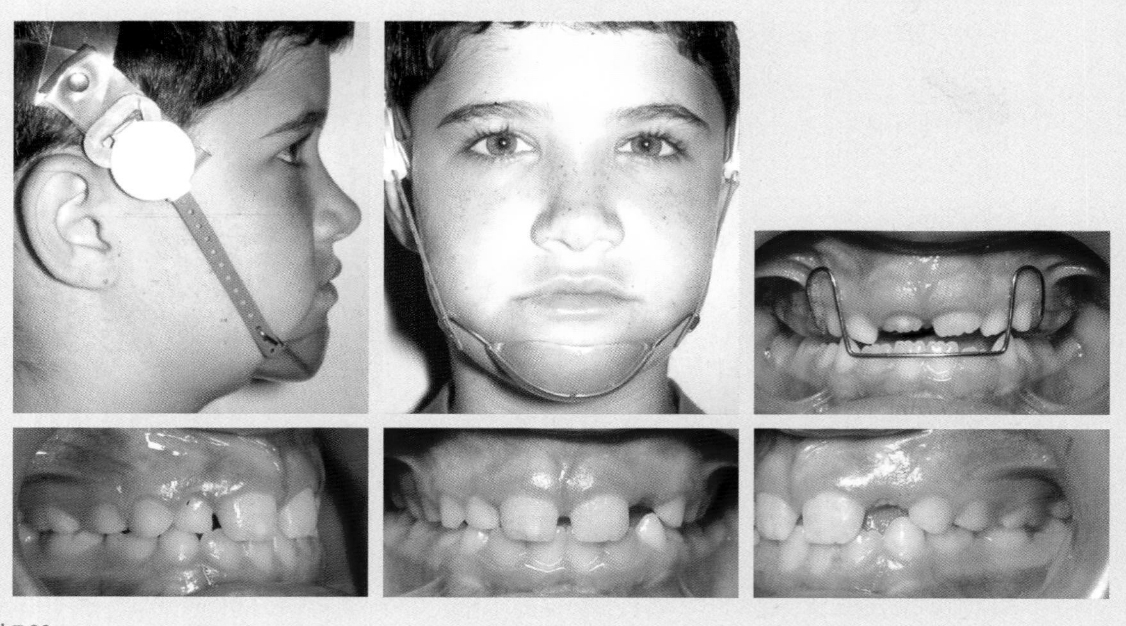

그림 7.36

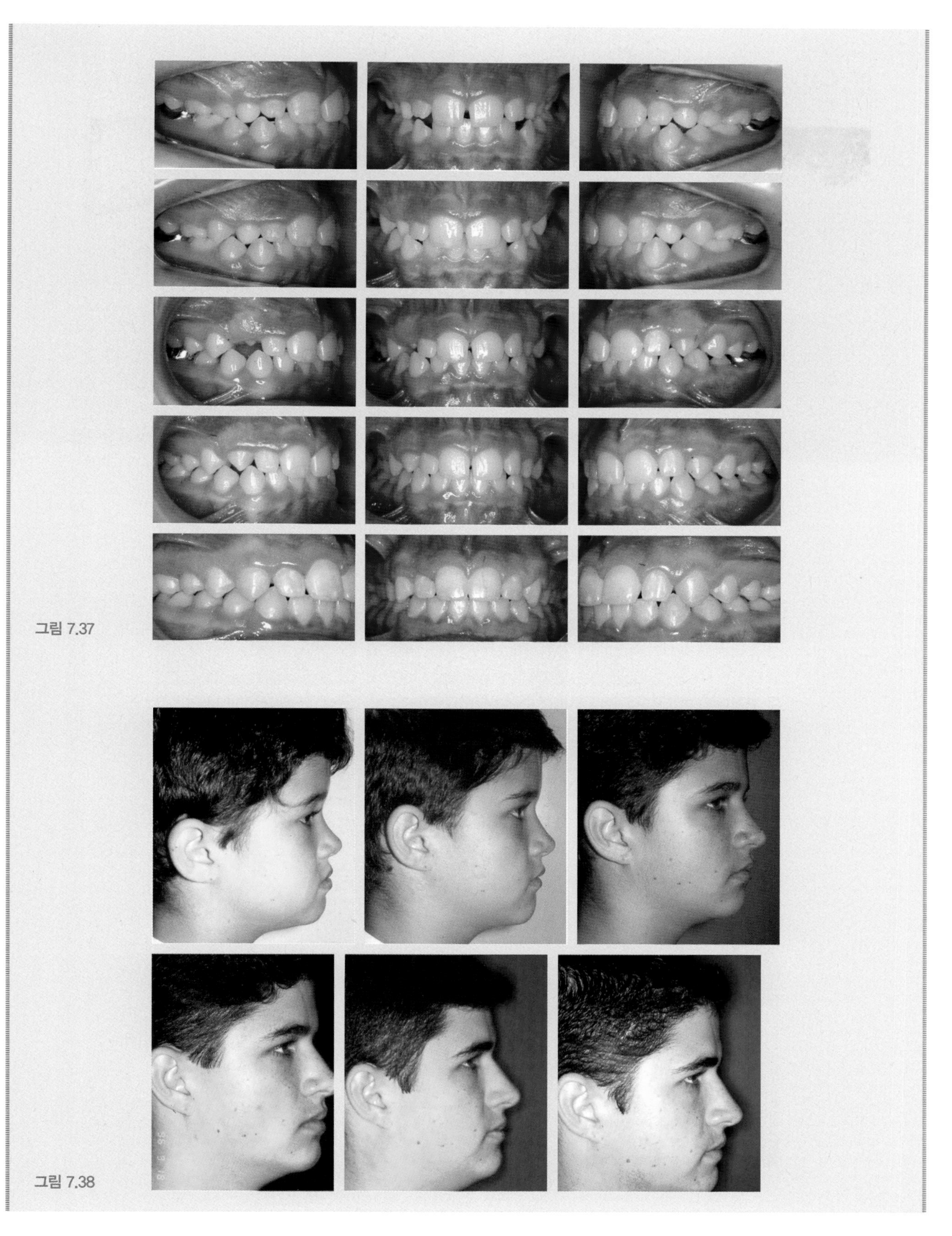

그림 7.37

그림 7.38

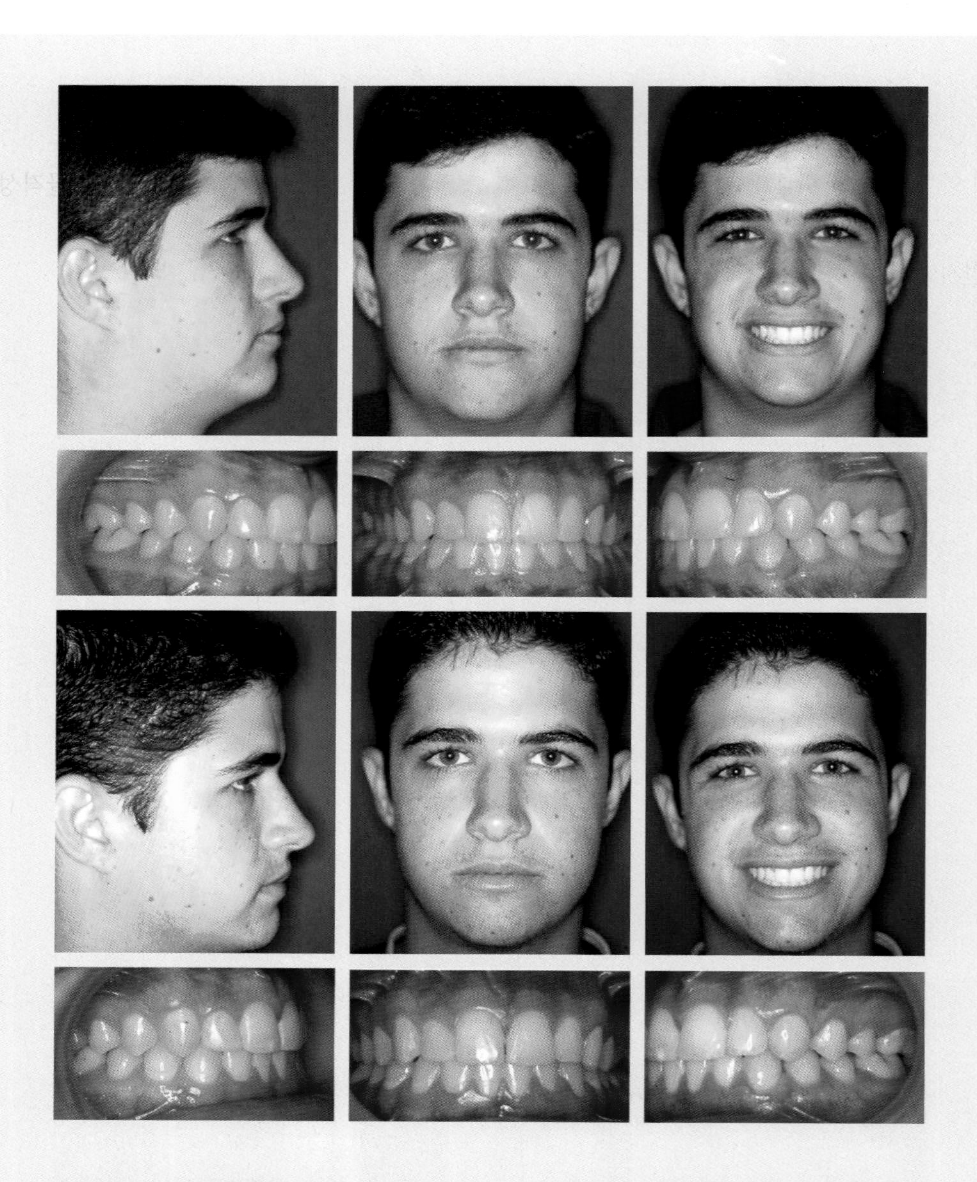

그림 7.39

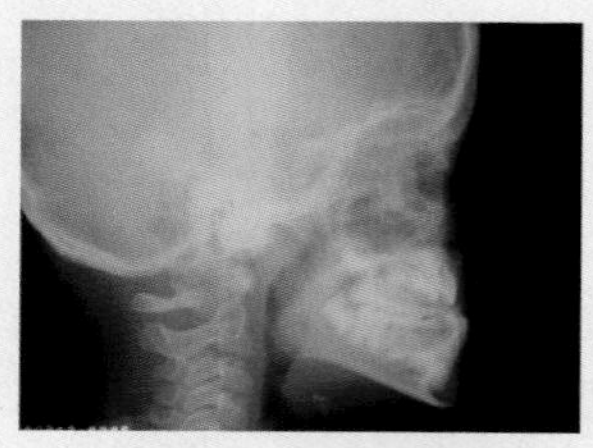

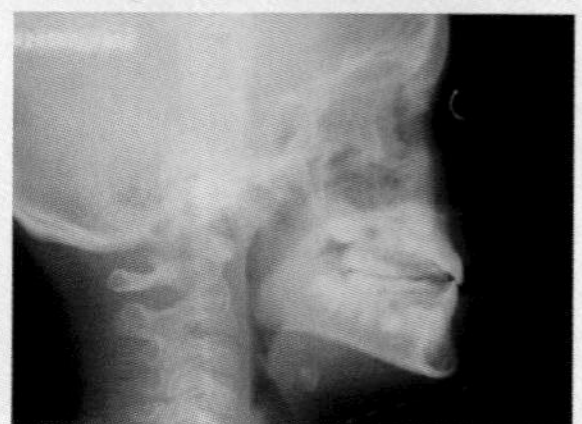

	Norms	Pre	Post
SNA	82	79.7	81.2
SNB	80	82.5	81.4
ANB	2	−2.8	−0.8
WITS	−1.0	−5.0	−4.3
FMA	25	23.5	23.6
SN–GoGn	32	27.3	30.7
U1–SN	105	104.4	105.6
IMPA	95	84.7	85.4

그림 7.40

환자2

12세 1개월 소녀로 "가능한 비수술적인 치료를 위해 이전에 치료를 담당했던 교정의"로부터 의뢰되었다. 그녀는 직선형의 안모, 완전한 반대교합, 몇 개의 유치를 가지고 있었다. 두부방사선 사진 분석 결과 골격성 Ⅲ급으로 진단되었다. 초진 기록이 그림 7.41에 나타나있다.

가족과 철저한 상담을 통해 우리는 예후의 불안정성과 미래에 수술적 가능성을 강조하면서 치료계획을 제시하였다. 1차 교정치료에서, 상악골을 확장하고 Hickam chincup으로 전방견인하기로 하였다. 4개월만에 상악골이 확장되었고, 양의 값의 overjet을 확보하였다.

잔존 유치를 발거한 후 다시 평가하여 하악 제1대구치를 발치하기로 하였다. 이런 발치 선택의 근거는 환자의 성장에 대한 불확실성이다. 이 증례에서 수술적인 방법을 배제하였기 때문에 하악 소구치를 보존하기로 하였다. 제3대구치의 상태를 건전히 보존하는 것이 매우 중요하다. 그림 7.43은 치료 20개월 경과 후 사진이며, 모든 발치 공간이 닫혀있다. 그림 7.44는 치료 종료후의 사진이고 그림 7.45는 유지 10년후의 사진이다.

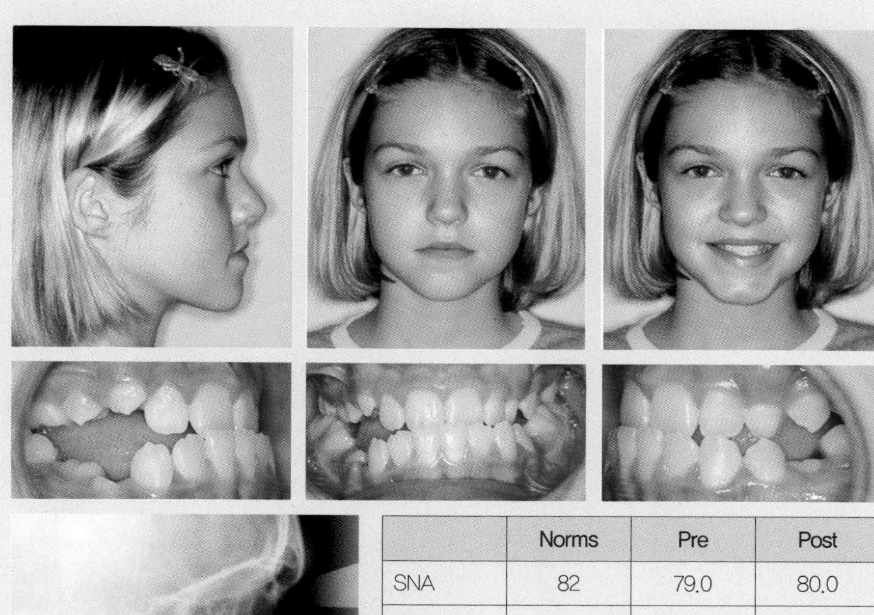

	Norms	Pre	Post
SNA	82	79.0	80.0
SNB	80	82.3	81.0
ANB	2	−3.0	−1.0
WITS	−1.0	−7.0	−5.0
FMA	25	26.0	23.0
SN−GoGn	32	32.0	28.0
U1−SN	105	104.0	109.0
IMPA	95	89.0	84.0

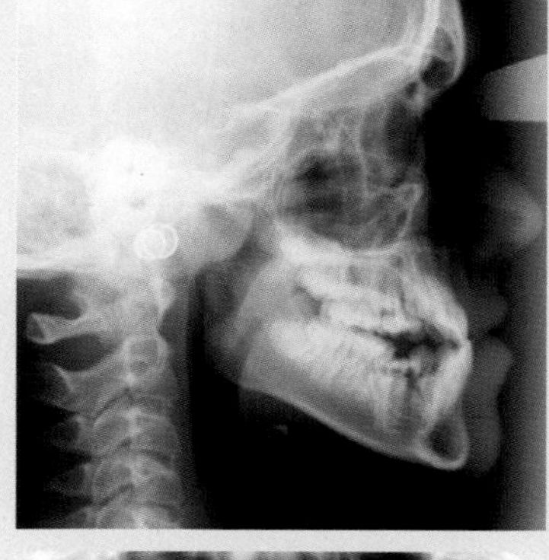

그림 7.41

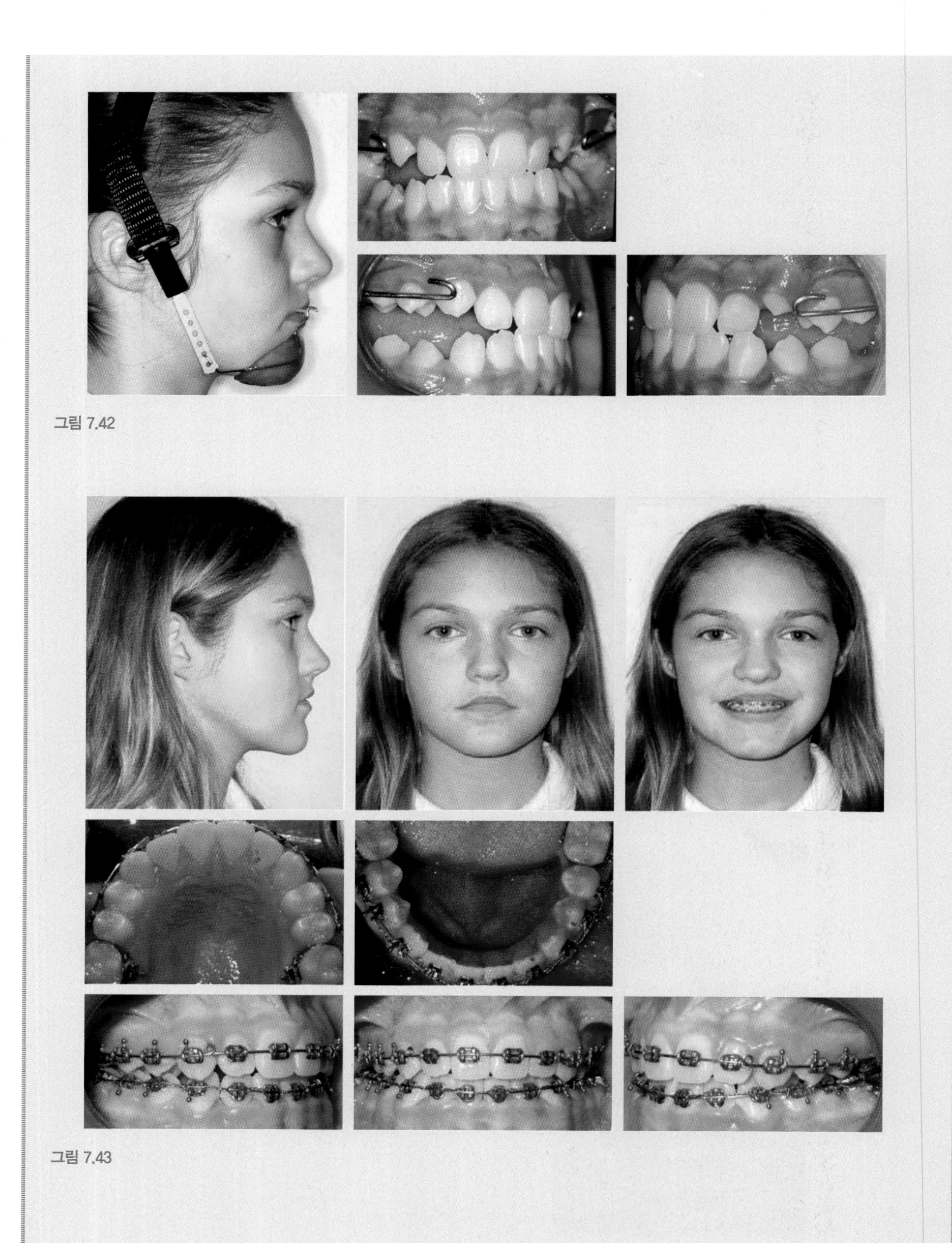

그림 7.42

그림 7.43

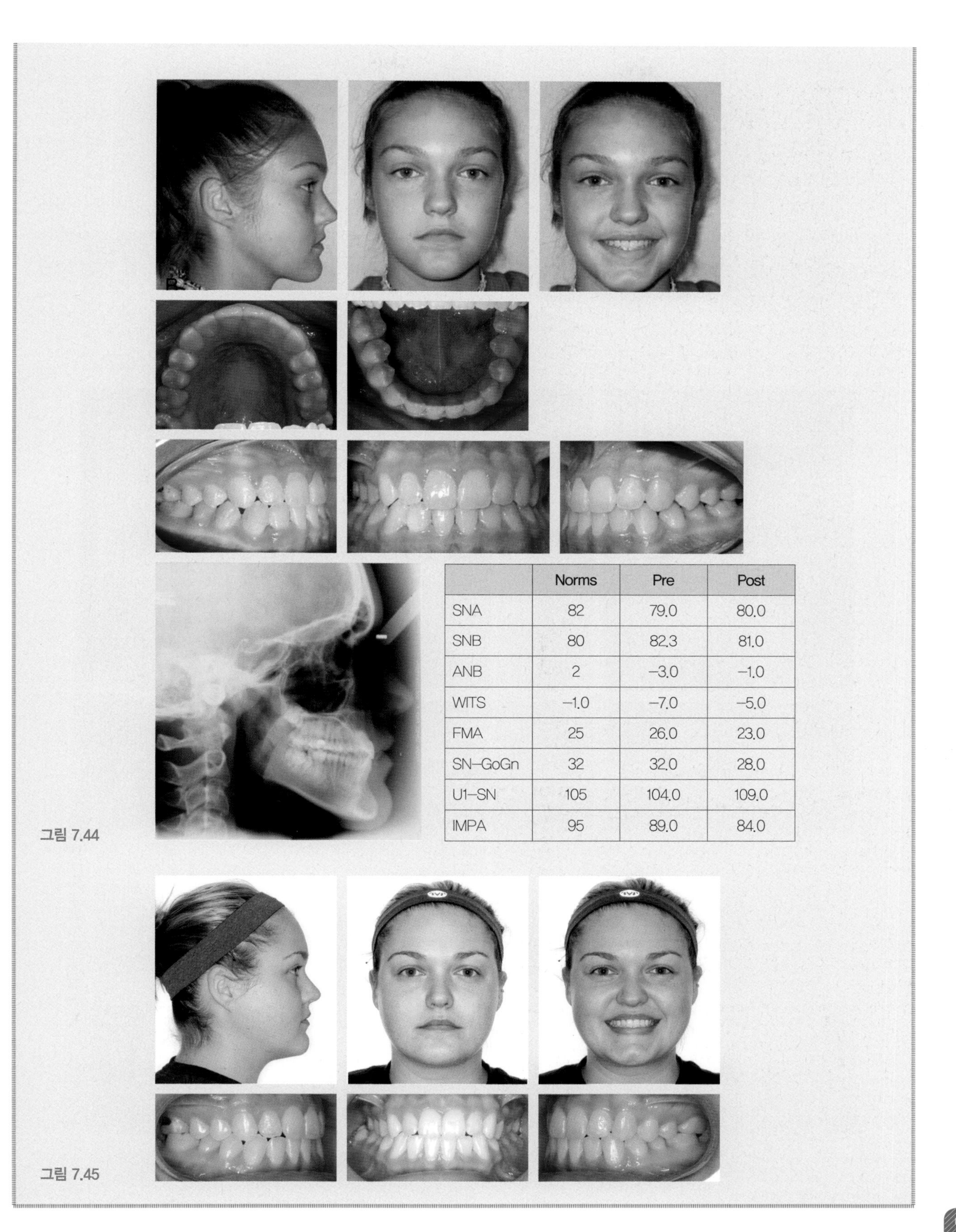

	Norms	Pre	Post
SNA	82	79.0	80.0
SNB	80	82.3	81.0
ANB	2	−3.0	−1.0
WITS	−1.0	−7.0	−5.0
FMA	25	26.0	23.0
SN–GoGn	32	32.0	28.0
U1–SN	105	104.0	109.0
IMPA	95	89.0	84.0

그림 7.44

그림 7.45

환자 3

6세 여아가 소아치과로부터 의뢰되었다. 순차적인 임상검사를 모두 시행하였다. 기능적 진단으로 소량의 조기 접촉을 보였고, 그림 7.28에서처럼 가족 분석을 통해 환자와 환자 아버지간에 유사성을 알 수 있었다. 환자는 초기 혼합치열기였으며 완전한 반대교합을 수반한 Ⅲ급을 보였다.

우선, RME를 적용하였고**(그림 7.47)**, chincup만을 이용하여 성장을 감독하였으며 그림 7.48에 순차적으로 정리하였다. 환자의 E번 치아가 소실될 때까지 이렇게 유지하였다. 그림 7.49에 두부방사선 사진의 1기 치료 시작과 종료 시점을 비교하는 중첩이 나타나 있다. 전악 고정식 장치를 적용하였고, 20개월 후 제거하였다**(그림 7.50)**. 그림 7.51은 18년 후의 상태를 나타낸다.

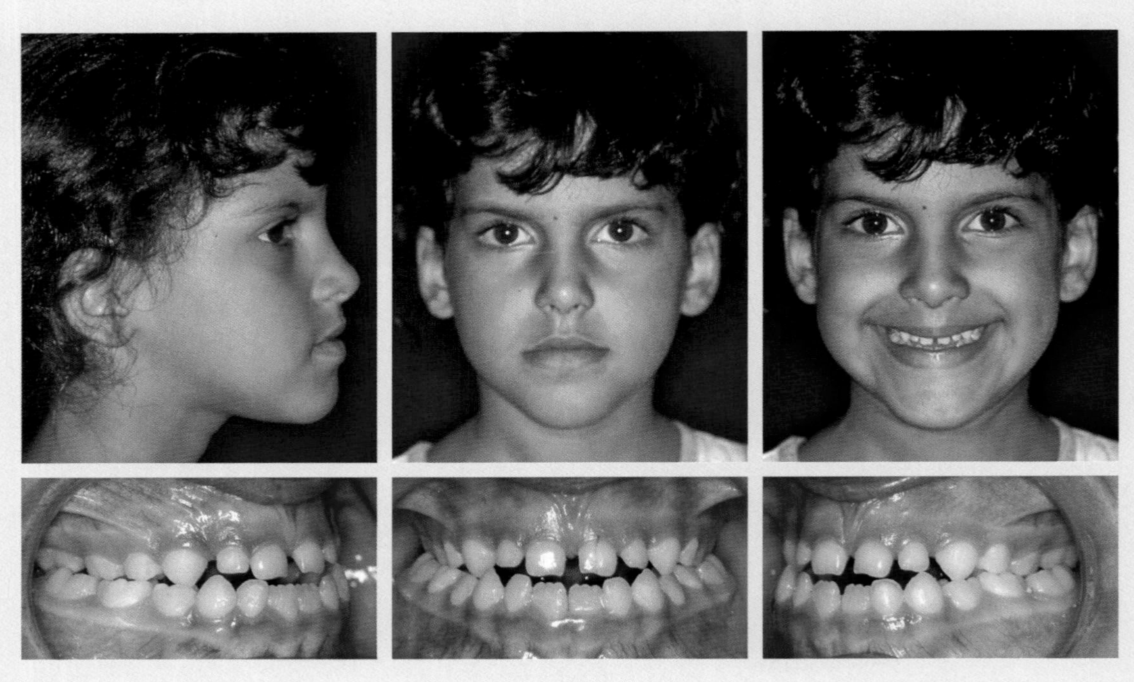

그림 7.46

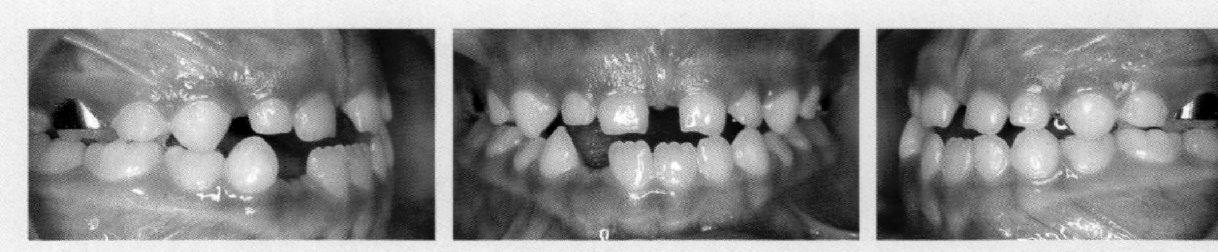

그림 7.47

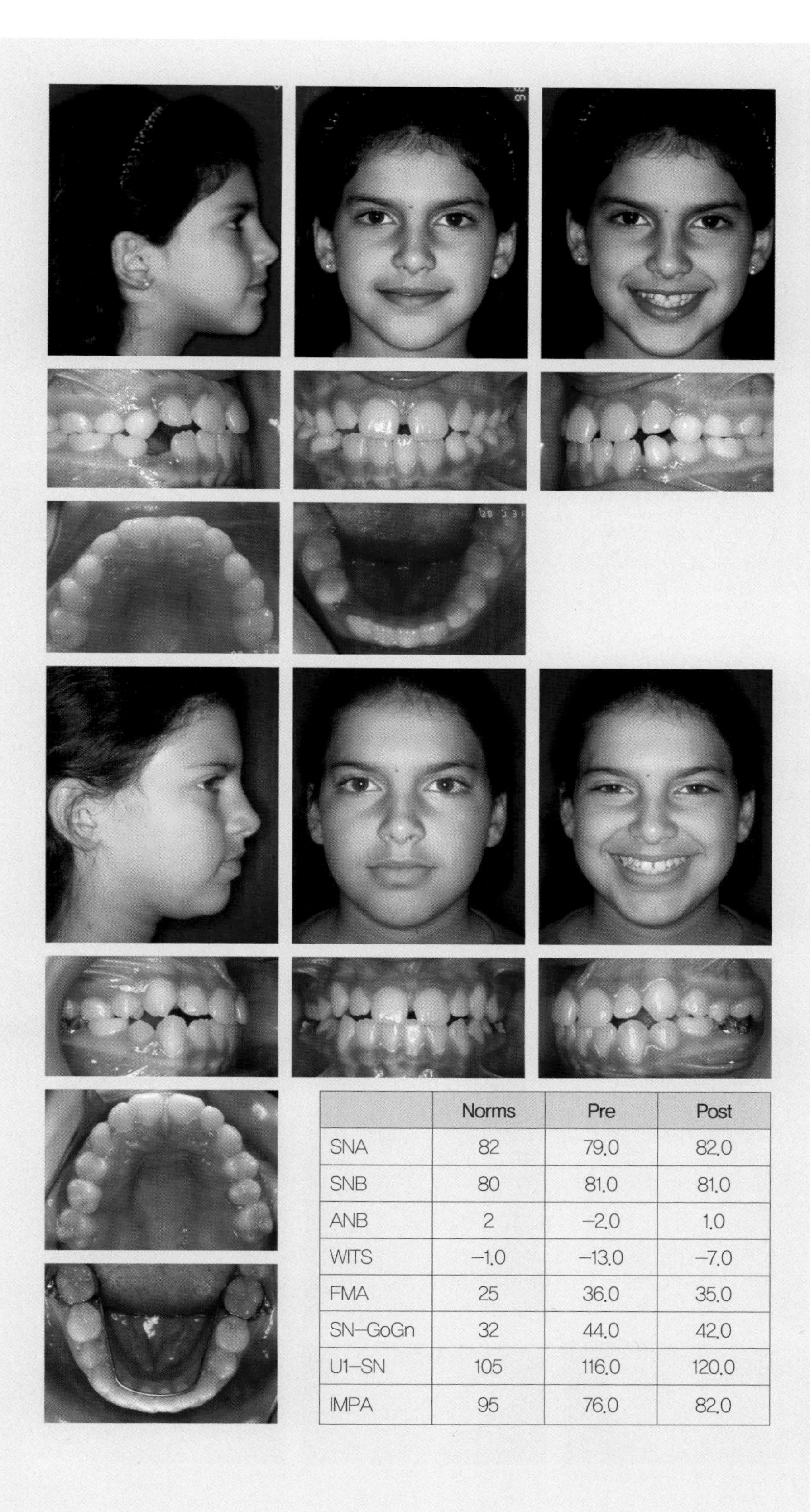

	Norms	Pre	Post
SNA	82	79.0	82.0
SNB	80	81.0	81.0
ANB	2	−2.0	1.0
WITS	−1.0	−13.0	−7.0
FMA	25	36.0	35.0
SN–GoGn	32	44.0	42.0
U1–SN	105	116.0	120.0
IMPA	95	76.0	82.0

그림 7.48

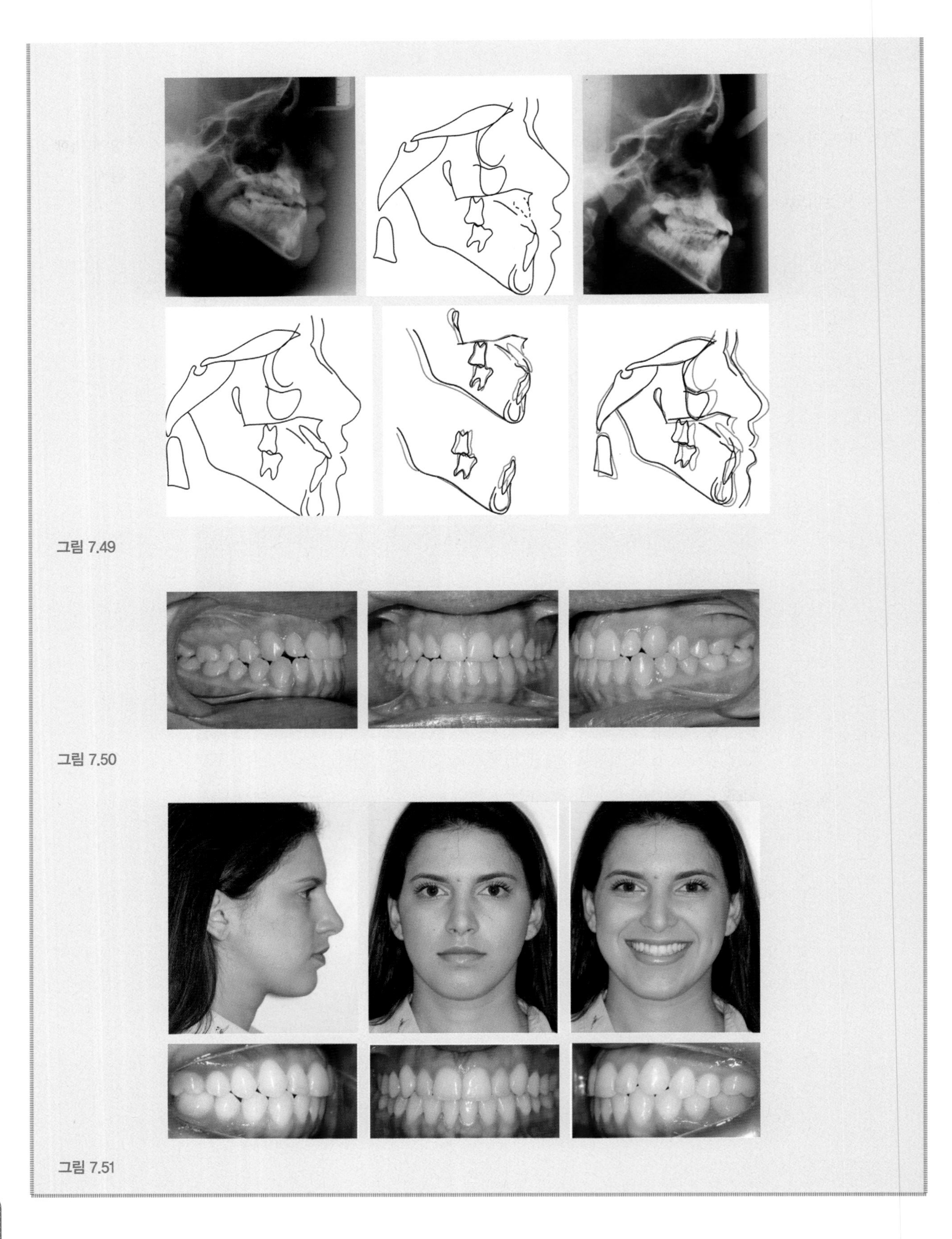

그림 7.49

그림 7.50

그림 7.51

환자 4

앞서 언급하였듯이, Ⅲ급의 조기 차단치료는 임상가로 하여금 성공하도록 만드는 요소 중 하나이다. 5세 9개월 환자가 그의 여자형제와 함께 내원하였고, 심각한 부정교합이 발견되었다. 가족들에게 부정교합의 심각성에 대해 설명 후 임상검사를 시행하였다. 그림 7.52는 내원 당시 안모와 치열 기록이다. 오목한 안모가 관찰된다. 환자는 후기 유치열기였다. 치열의 전후방적인 평가 결과 중증의 근심 계단 관계(mesial step)가 명백하게 관찰된다. 횡적으로 완전한 반대교합이 있고, 수직적으로 개방교합 발달중이다.

두부방사선 사진 분석결과, 골격성 Ⅲ급 부정교합으로 큰 음의 값의 Wits와 음의 값의 ANB를 보인다. 또한 과발산형으로 나타났다(**그림 7.53**). 하악의 기능적 이동은 보이지 않았고 가족들은 경미한 골격성 Ⅲ급의 패턴을 보였다.

본딩형 RME와 페이스 마스크를 동반한 상악골 전방견인을 하루 14시간 착용하기로 하였다. 6개월 후 긍정적인 결과가 나타났다(**그림 7.54**).

치료 11개월 후, 환자는 눈에 띄는 개선을 보였고, 확장장치를 제거하고 전방견인을 중단하였다. 환자에게 soft chincup을 유지장치로 주고 하루 12시간(밤시간)동안 착용하도록 하면서 불편하면 연락하도록 하였다(**그림 7.55**). 그림 7.53은 두 시기의 두부 방사선 사진 중첩결과를 보여준다.

절치의 맹출과 함께, 불규칙성이 감지되었고 2 X 4 장치를 이용하여 치아를 배열하였다(**그림 7.56**). 개량된 Hawley를 사용하여 낮시간 동안 장착하도록 하였다.

그림 7.57은 2차 교정치료 시작시점에 근접했을 때의 치료 진행상황을 나타낸다. E-공간을 유지하기 위해 사용한 LLHA를 주목하라.

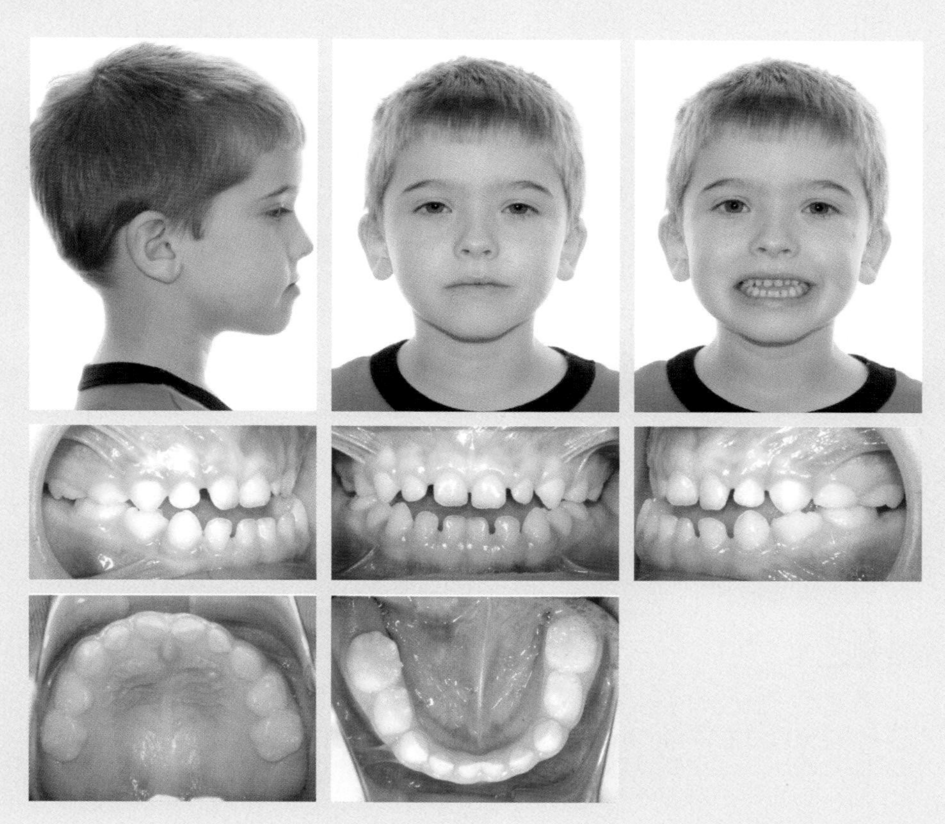

그림 7.52

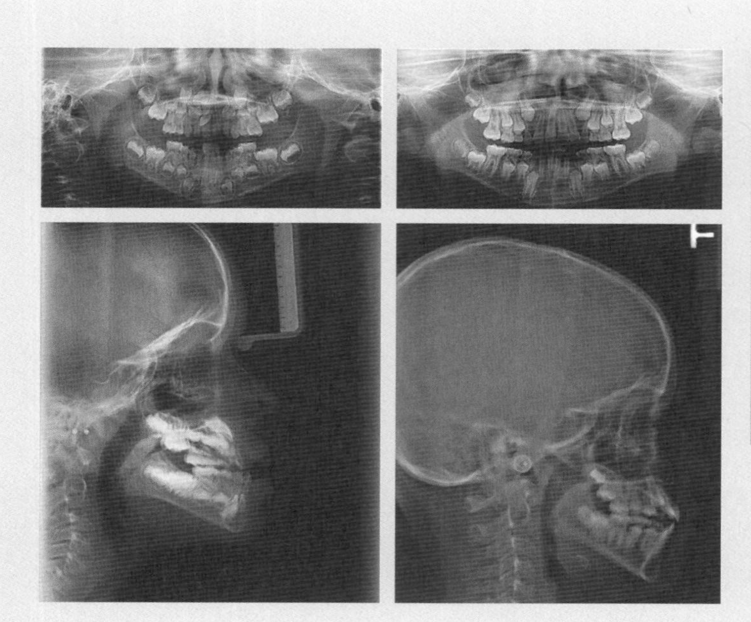

	Norms	Pre	Post
SNA	82	79.3	85.5
SNB	80	81.1	80.4
ANB	2	−1.7	5.1
WITS	−1.0	−9.5	−0.6
FMA	25	32.0	29.8
SN−GoGn	32	35.1	34.4
U1−SN	105	87.3	110.5
IMPA	95	80.9	92.0

그림 7.53

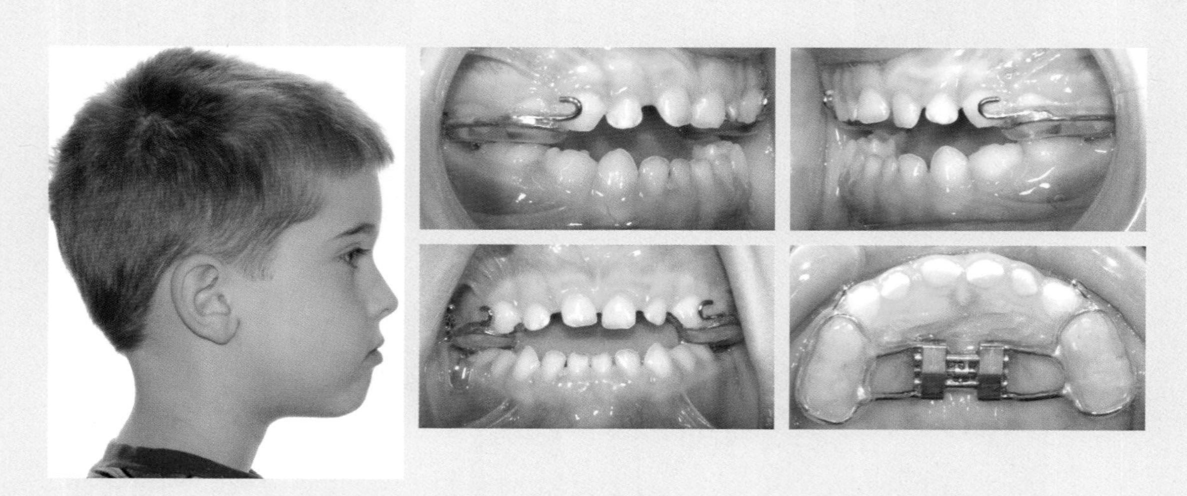

그림 7.54

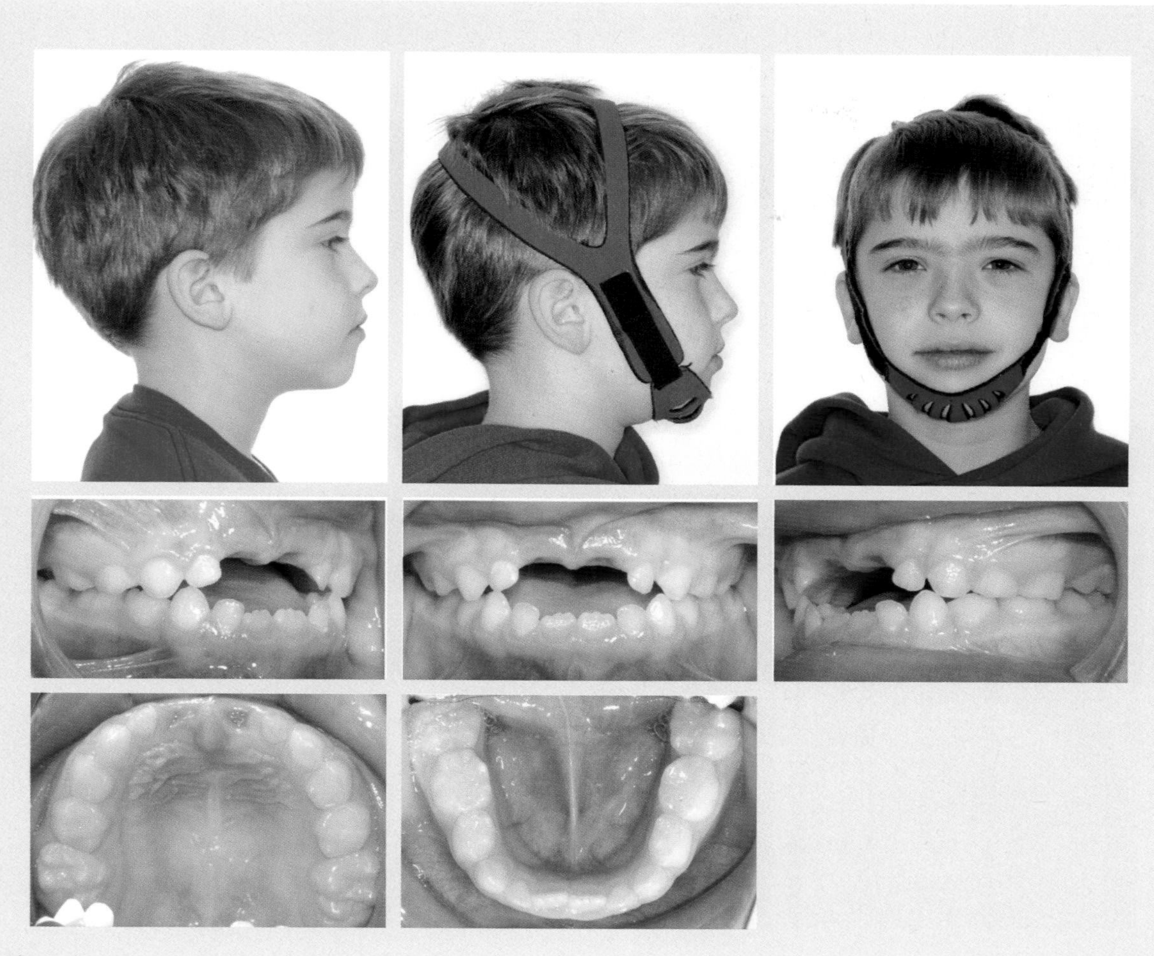

그림 7.55

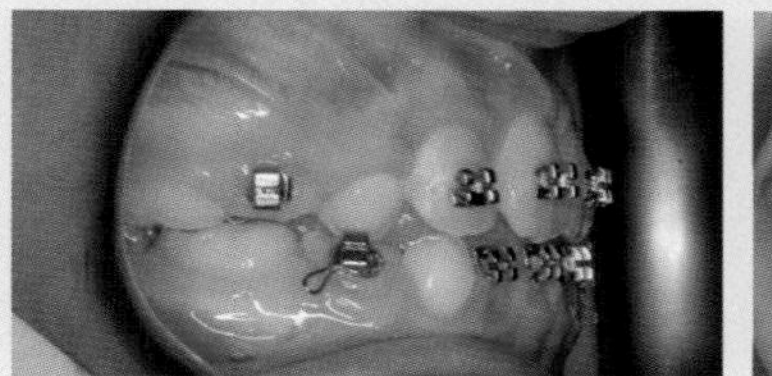
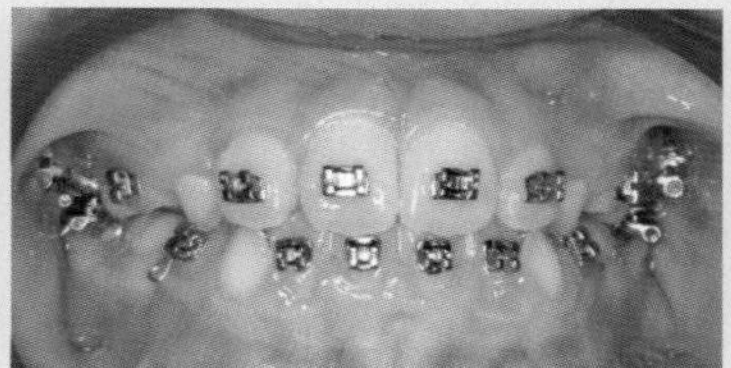
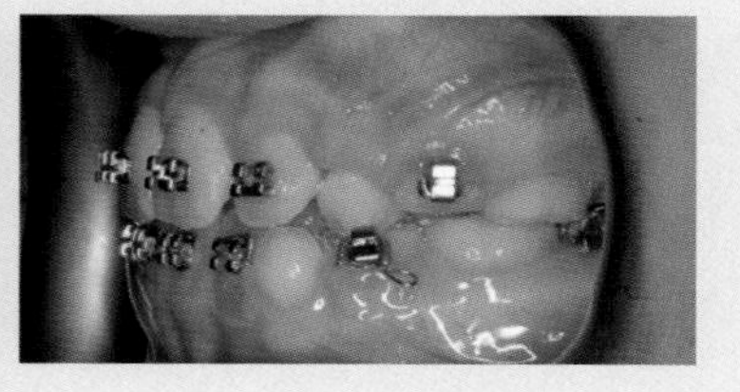

그림 7.56

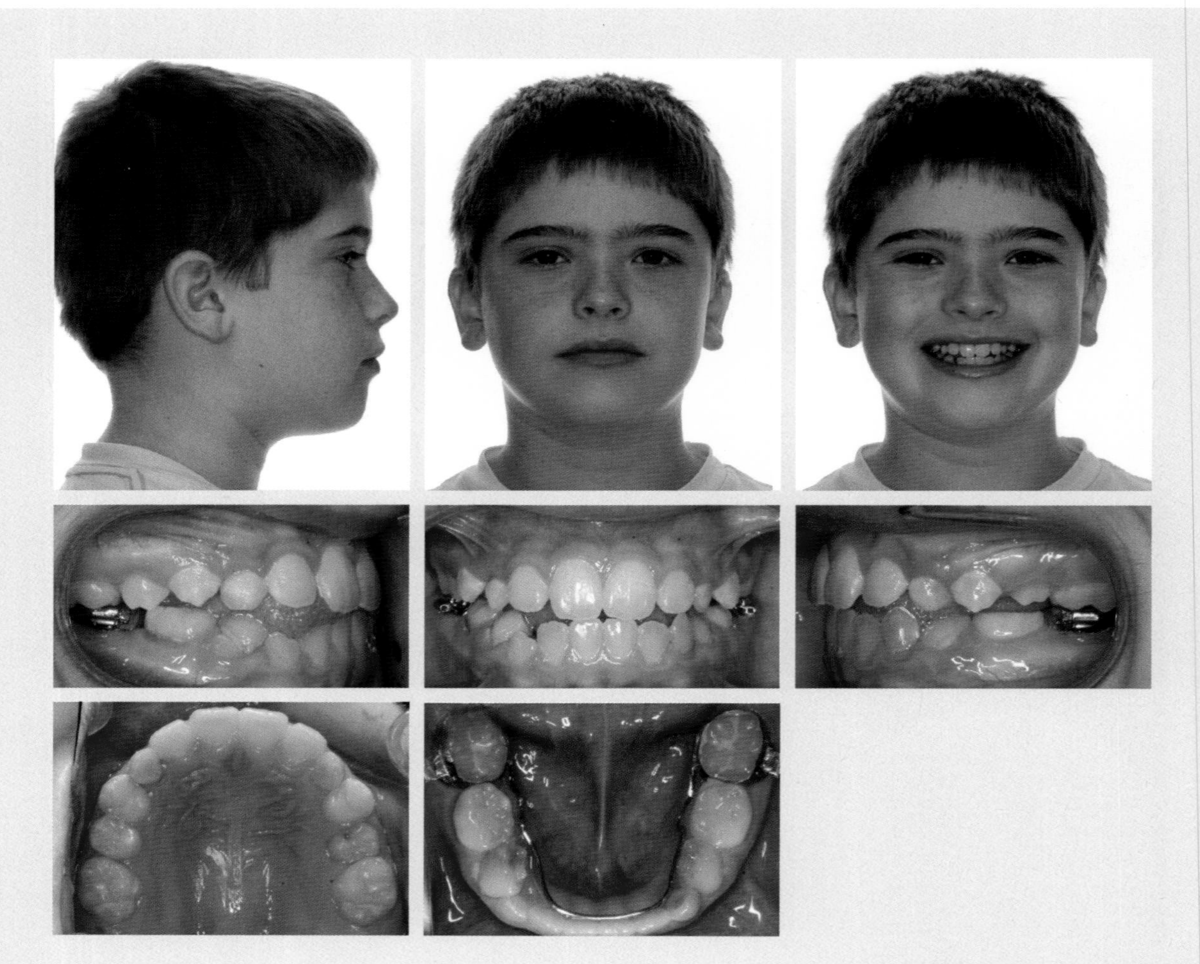
그림 7.57

환자 5

Ⅲ급 부정교합의 조기 차단치료의 새로운 접근법으로 좋은 안모를 보이지만 심각한 치성 반대교합을 가진 5세 여아의 치료를 소개한다. 사진들은 브라질의 Dr. Tarcisio Junqueira가 제공하였다(**그림 7.58**).

그림 7.59는 어린 나이에 사용된 장치들을 보여준다: 후방 및 전방 고리가 있는 상악 확장과 후방견인 장치를 제2유구치에 고정하고, 하악궁에는 견치 높이에 고리가 있는 견고한 플라스틱 덮개를 사용하였다. 치료 기간 동안 Ⅲ급 고무줄을 상악과 하악의 고리에 걸게 하였고, 저녁에는 페이스 마스크를 사용하게 하였다.

10개월 후, 수정이 이루어졌고 환자에게 chincup와 프랑켈 III 장치를 12시간 정도(밤시간) 장착하게 하였다(**그림 7.60**). 5년 후, 그림 7.61에서처럼, 교합은 안정적이며 환자는 2차 치료를 시작하기 위한 최적의 시간을 기다리는 중이다.

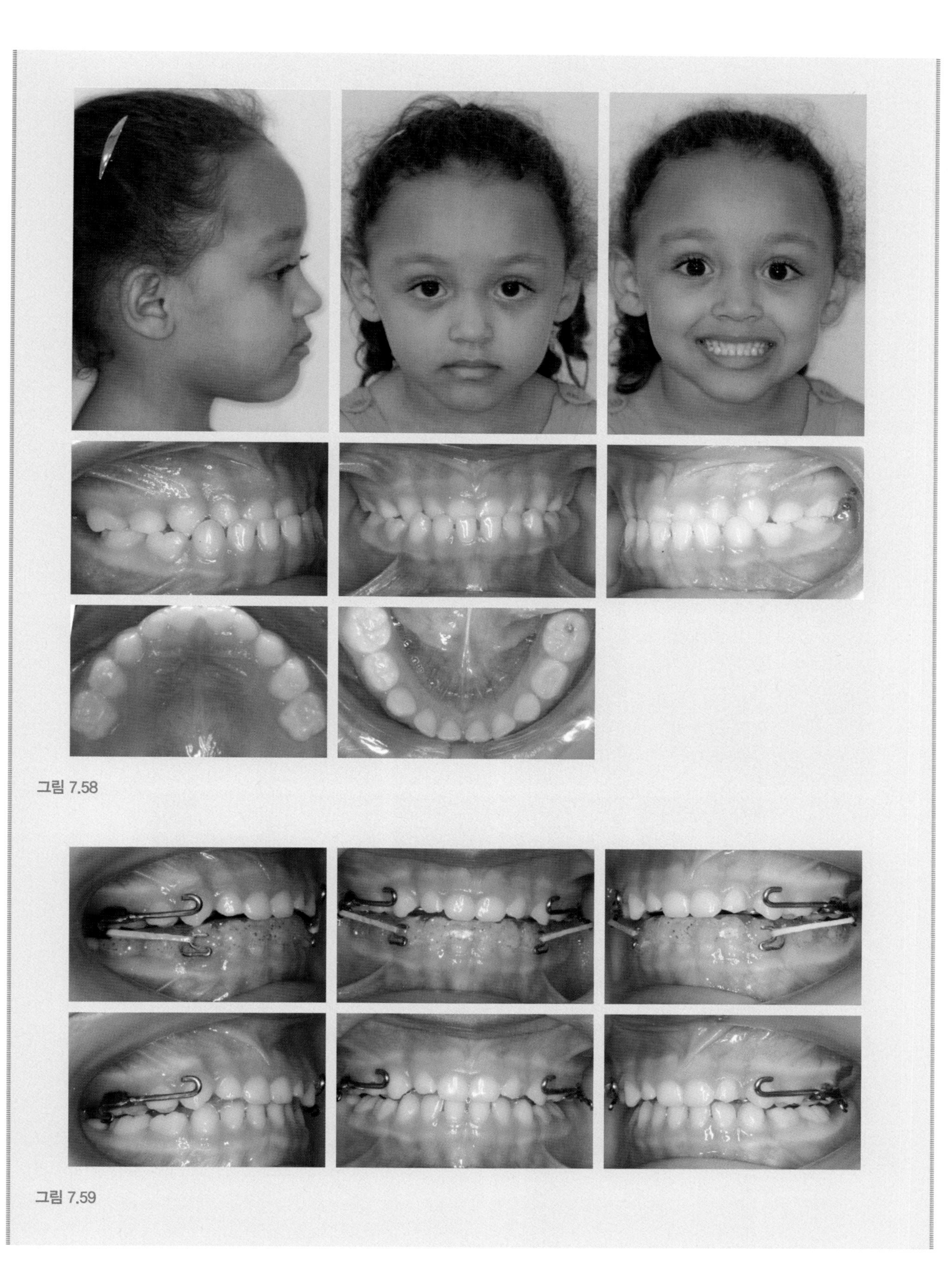

그림 7.58

그림 7.59

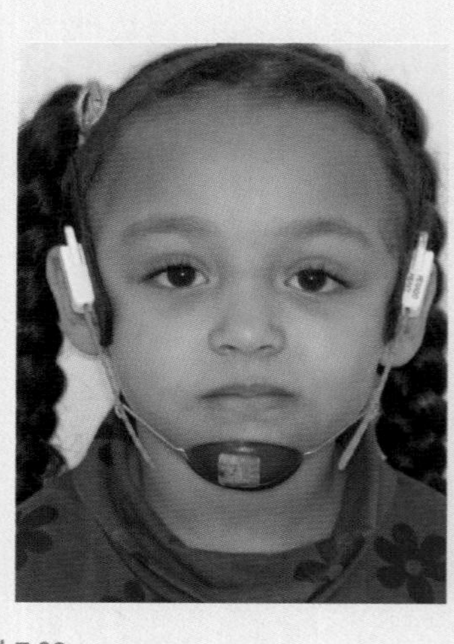

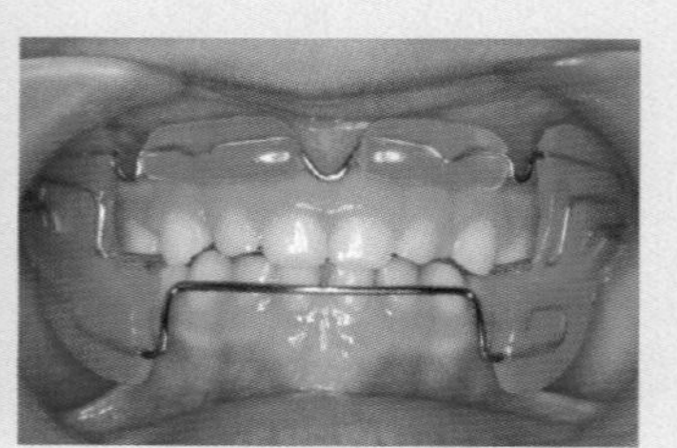

그림 7.60

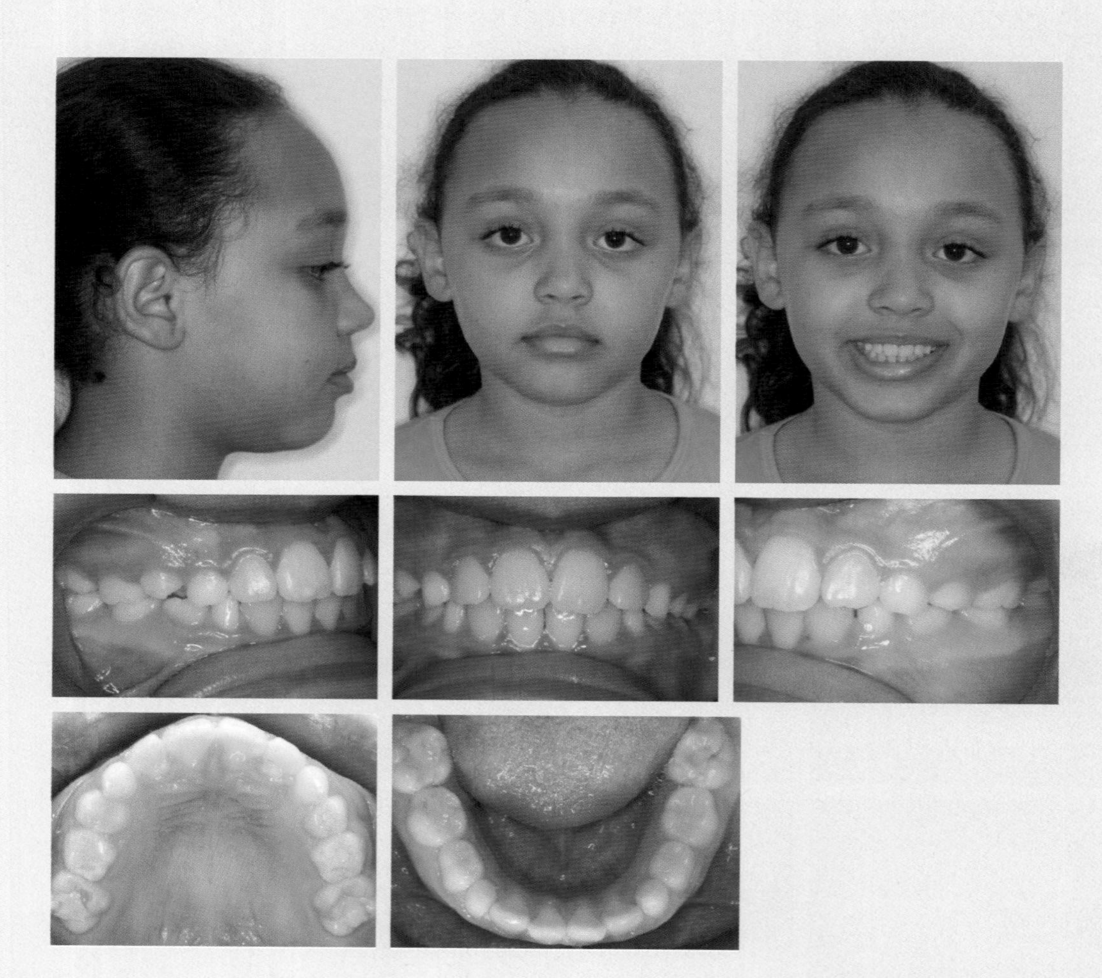

그림 7.61

환자 6

이번 8세 남아는 페이스 마스크에 협조적이지 않았기 때문에 단순한 구개 확장과 2 X 4 장치를 사용하였다. 초진 기록들은 Ⅲ급 구치부 관계와 가성 Ⅲ급을 특징으로 하는 전치부 반대교합을 보여준다**(그림 7.62)**. 장치 제거 시점에 양의 수직피개와 수평피개를 얻었다**(그림 7.63)**. 그림 7.64 a~f는 3년 유지를, 그림 7.64 g~l은 5년째 유지를 보여준다. 이 시점에서 다른 치료를 시행하지 않았다.

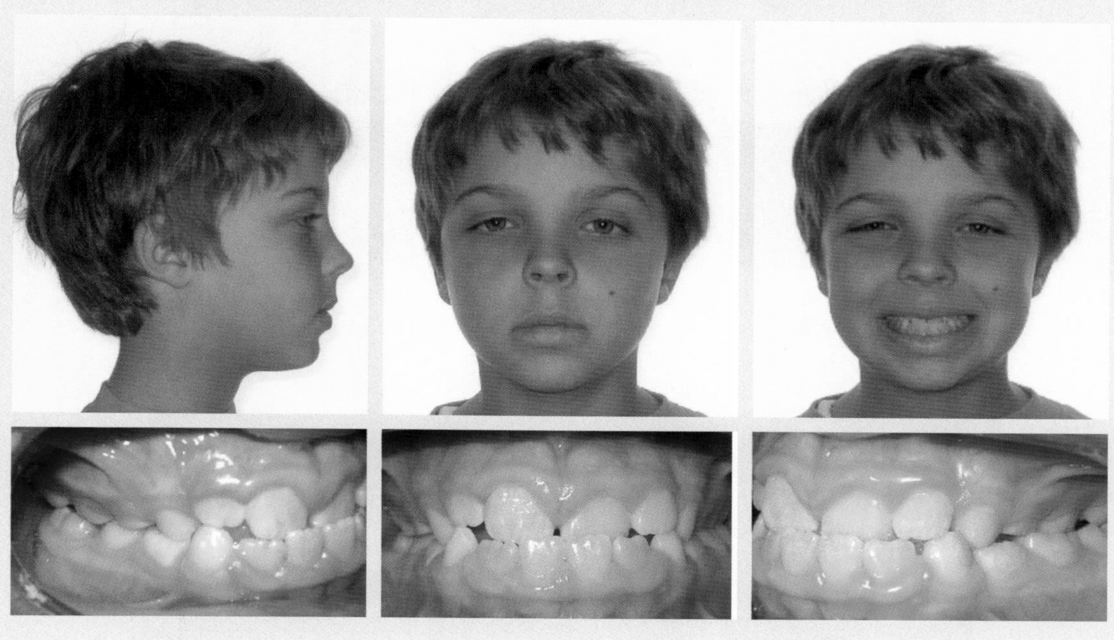

그림 7.62

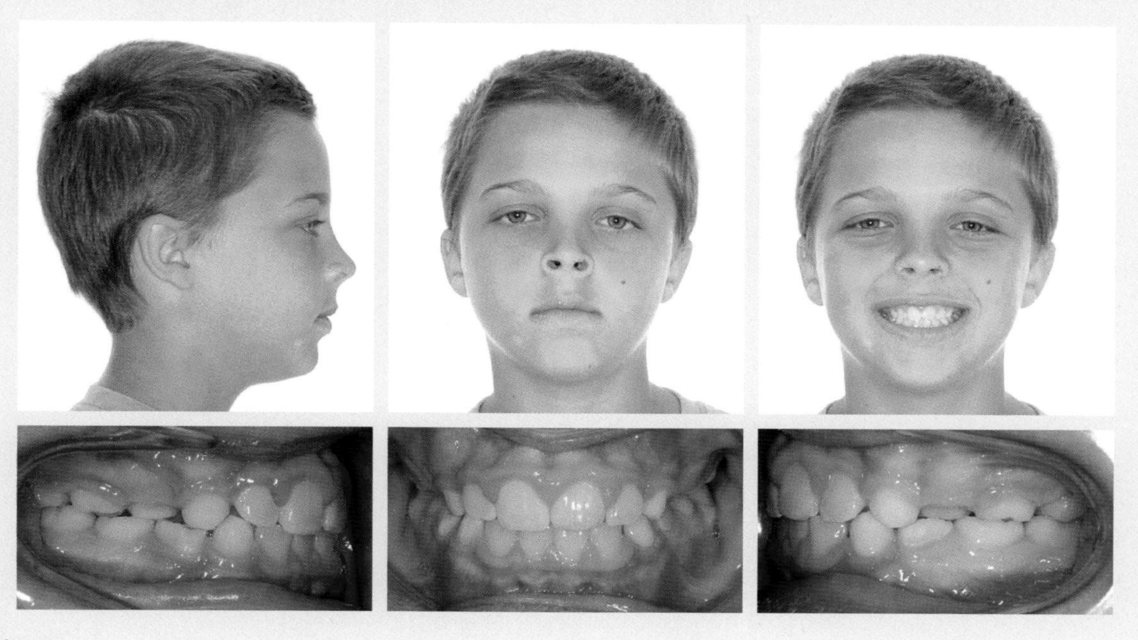

그림 7.63

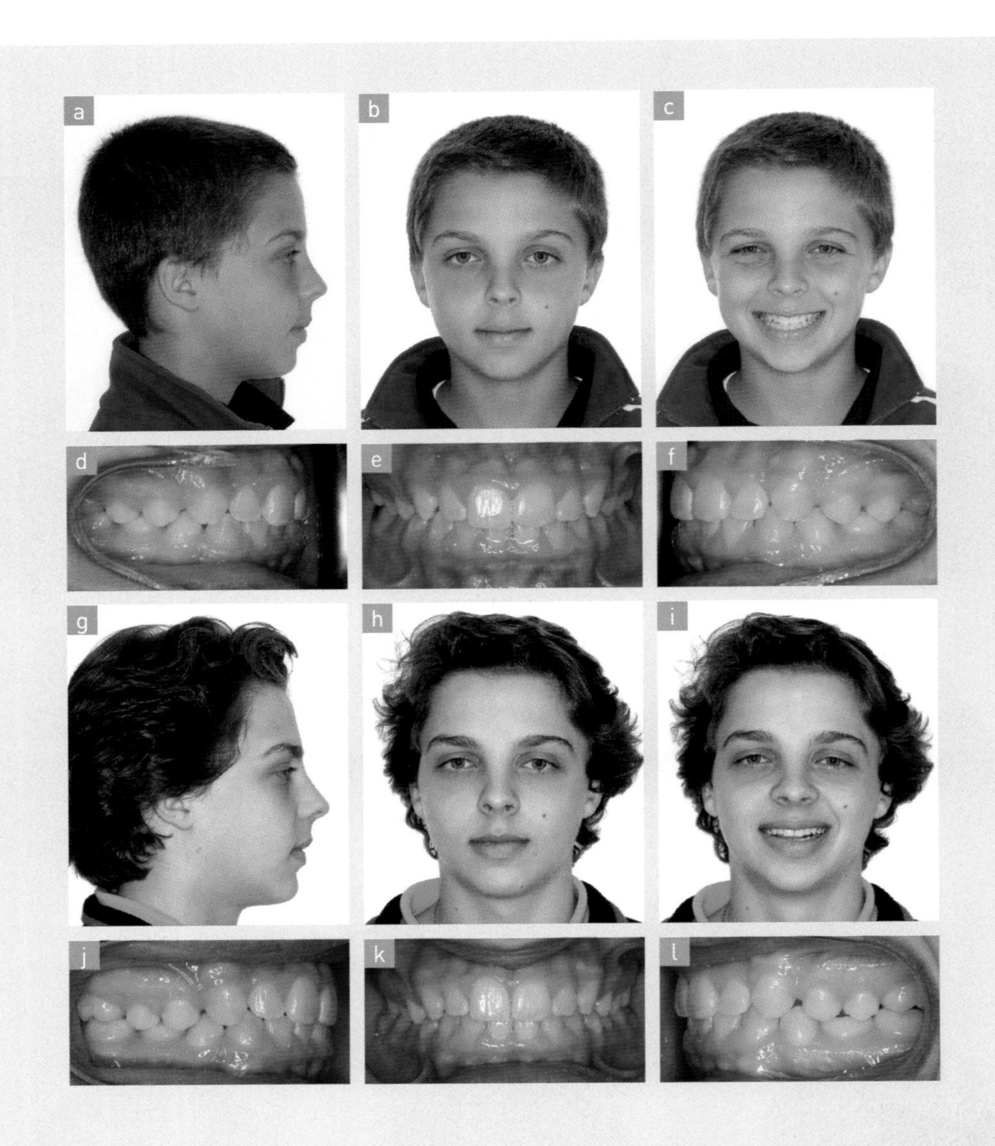

그림 7.64

환자 7

8세 10개월 남아가 "전치 반대교합"의 평가를 위해 내원하였다. 비록 즉각적인 차단치료가 필요할 정도로 치성 부정교합이 충분하였고 최소의 중앙안모부 후퇴가 있긴 하지만, 균형적인 안모를 보이고 있다. 치성 평가는 심각한 근심 계단 관계, 영구 측절치를 위한 공간이 없는 상악 총생, 좌측 구치부를 제외한 완전한 반대 교합을 보였다 (그림 7.65).

초진과 최종의 1차 두부방사선과 파노라마 평가는 그림 7.66에 보여진다.

추천되는 치료법은 본딩형 RME를 사용한 상악궁 확장과 후방 견인으로 구성된다. 확장이 끝나고 2 X 4 장치를 장착하여 그림 7.67처럼 상악 치아들을 배열하였다.

그림 7.68은 치료 시작으로부터 15개월을 보여주며, 결과는 훌륭하고 안정적이다.

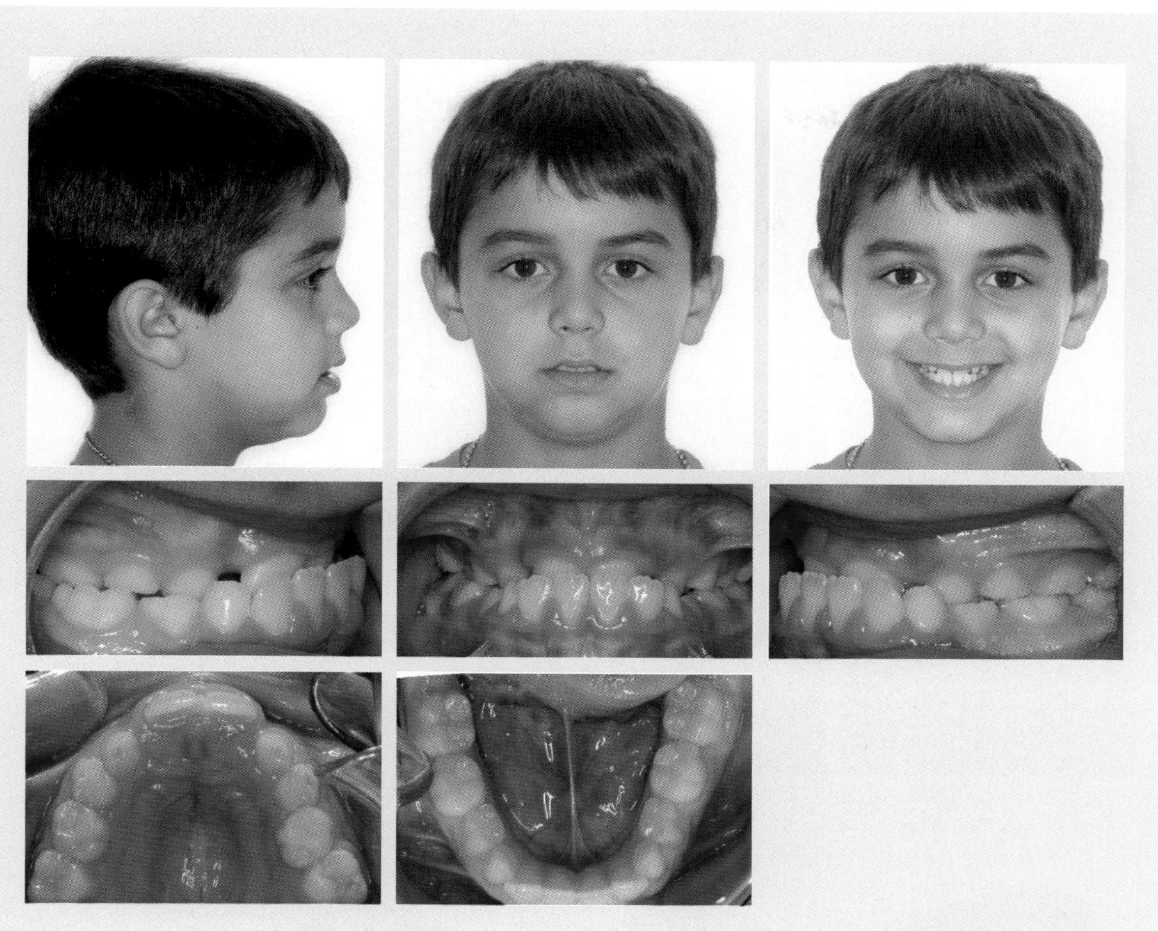

그림 7.65

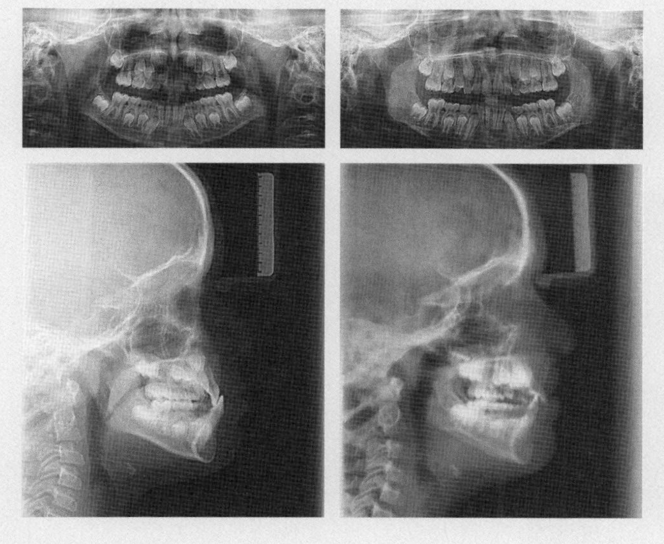

	Norms	Pre	Post
SNA	82	73.9	77.0
SNB	80	75.3	74.3
ANB	2	−1.4	2.7
WITS	−1.0	−3.2	2.6
FMA	25	28.9	32.8
SN−GoGn	32	34.2	40.4
U1−SN	105	80.2	107.6
IMPA	95	90.0	79.8

그림 7.66

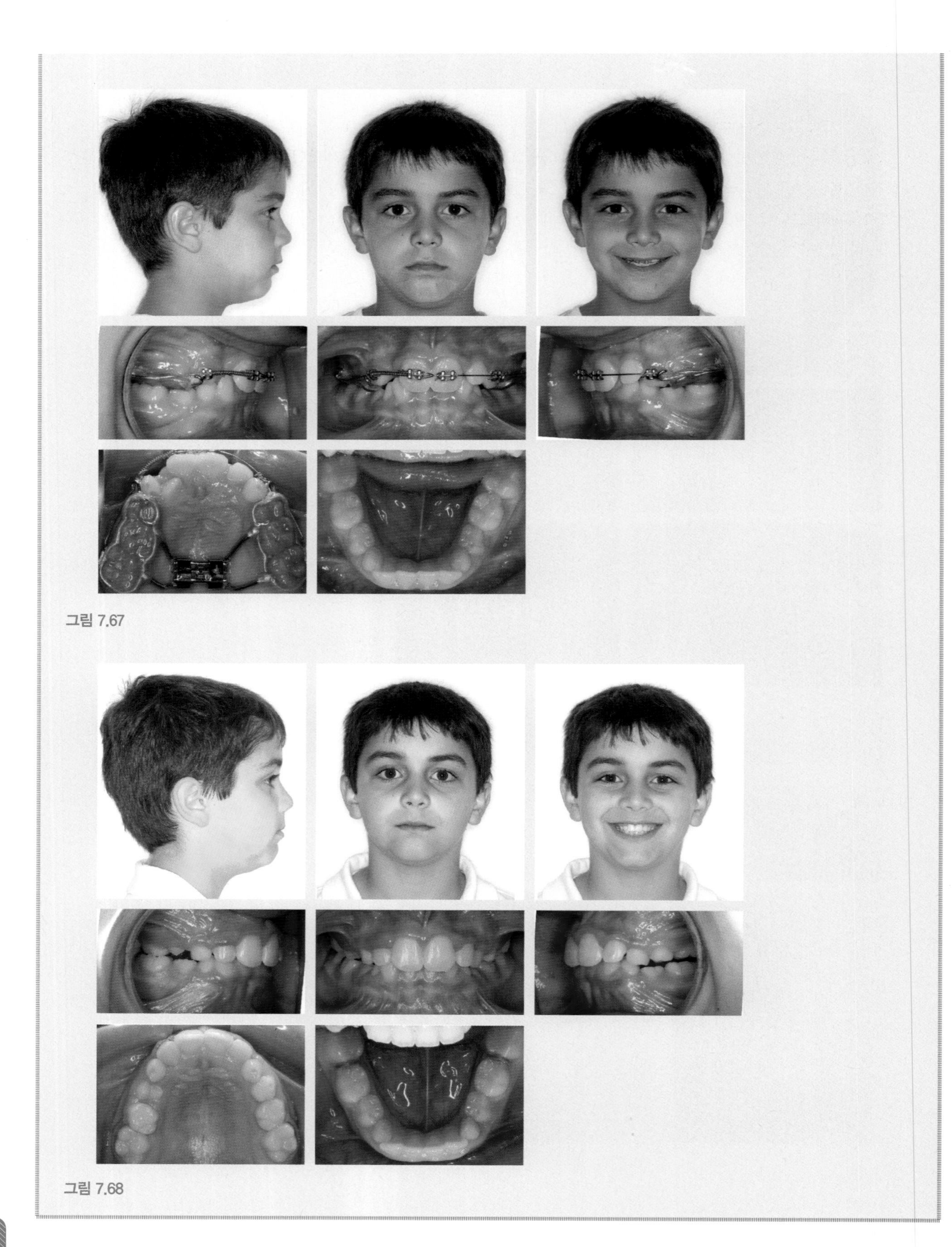

그림 7.67

그림 7.68

환자 8

5세 10개월 여아에 대한 초진 평가는 안정적인 안모를 가졌지만 유견치 조기접촉으로 인한 개방 교합을 보이는 치성 Ⅲ급 부정교합이었다(**그림 7.69**). 상악의 Schwarz 장치로 최초 확장이 시작되었다. 진행 기록들은 개선을 보이며(**그림 7.70 a~c**), 12개월 후에 반대교합이 조절되었다(**그림 7.70 d~f**). 이 시점에서 chincup 사용이 추천된다. 그림 7.71 a~e와 그림 7.71 f~j는 다른 두 시점에서 안모와 치열의 변화를 보여준다. 그림 7.72는 환자의 영구 치열을 보여준다. 그 시기까지 고정성 장치는 사용되지 않았다.

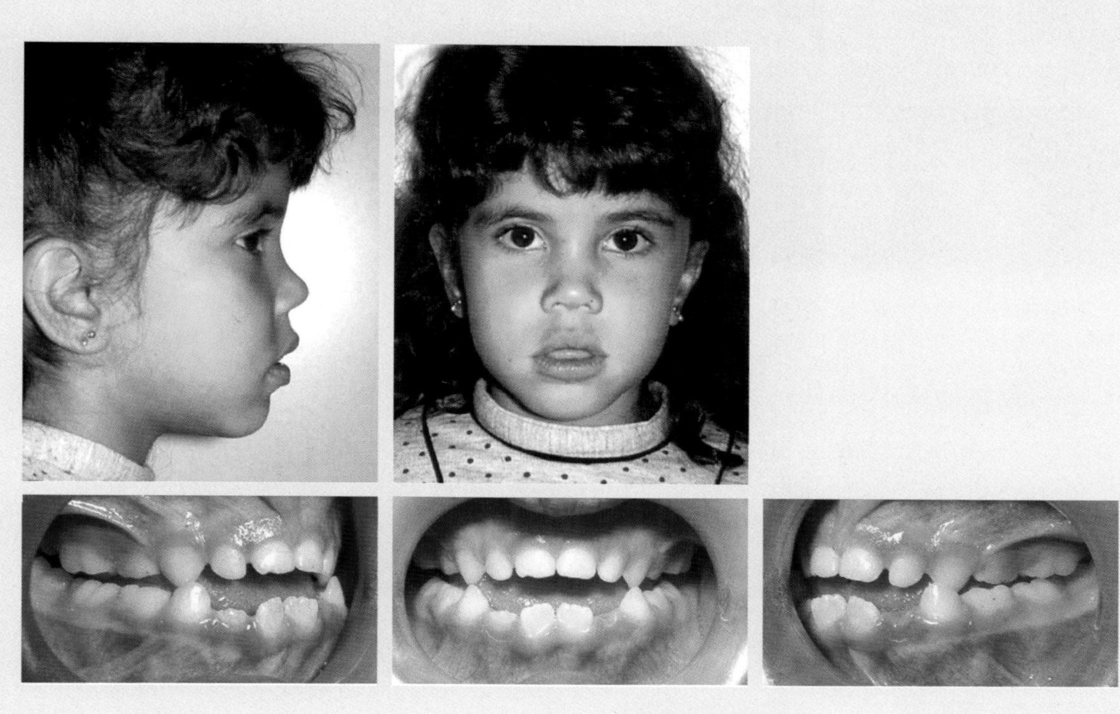

그림 7.69

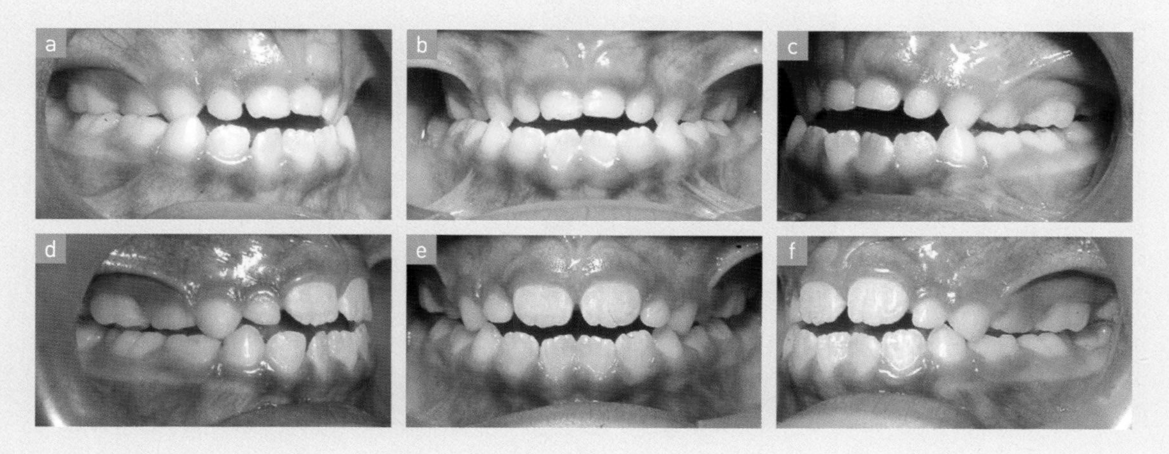

그림 7.70

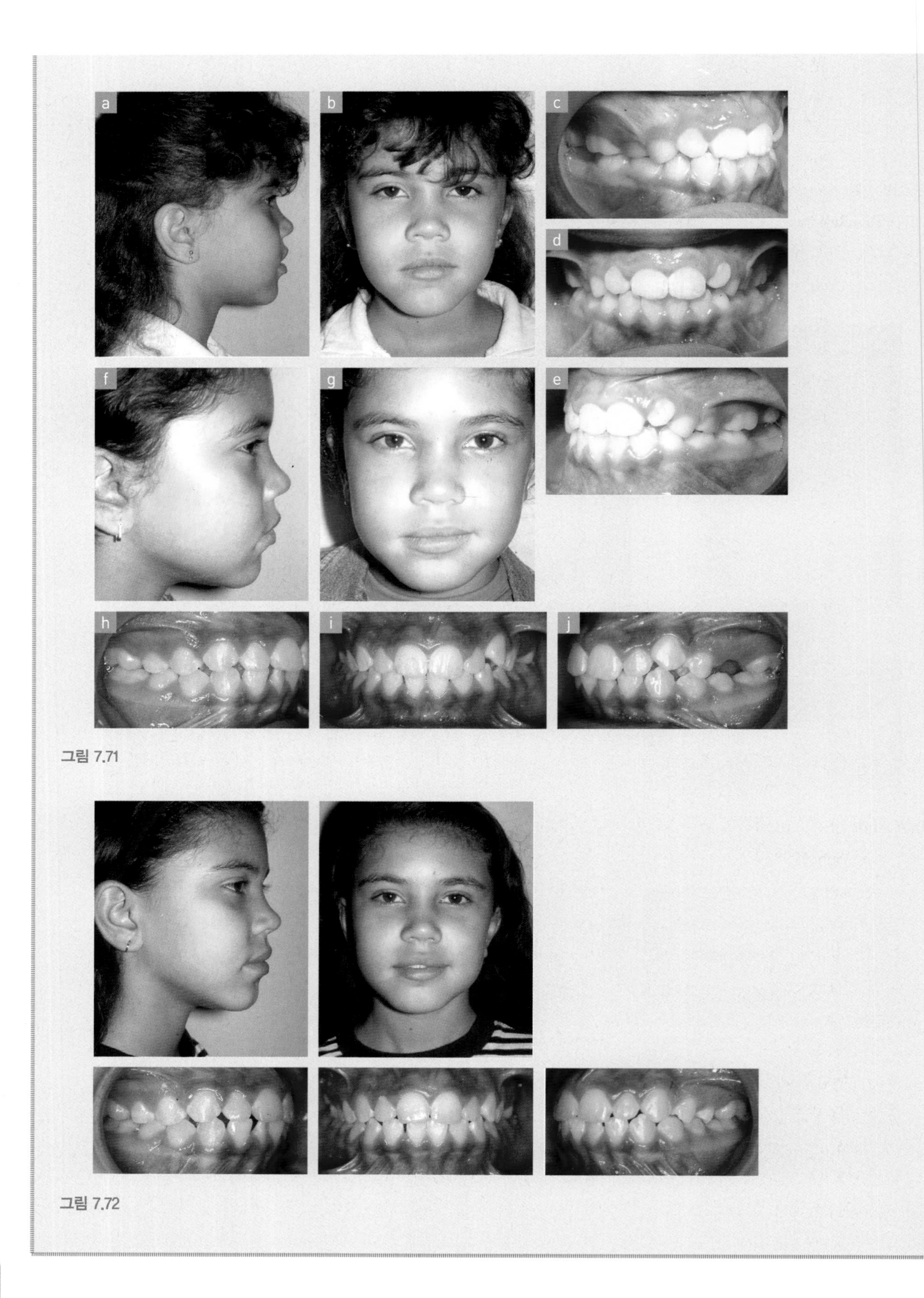

그림 7.71

그림 7.72

참·고·문·헌

1 Bourdet B. Research observation of all areas of the art of the dentist. Paris: Chez Jean-Thomas Herissant; 1757. 358 pp.

2 Angle EH. Classification of malocclusion. Dent Cosm 1899;41:248.

3 Huber RE, Reynolds JW. A dentofacial study of male students at the University of Michigan in the physical hardening program. Am J Orthod Oral Surg 1946 Jan;32:1–21.

4 Hardy D, Cubas Y, Orellana M. Prevalence of Angle Class III malocclusion: A systematic review and meta-analysis. Open J Epidemiol 2012;(2):75–82.

5 Watkinson S, Harrison JE, Furness S, Worthington HV. Orthodontic treatment for prominent lower front teeth (Class III malocclusion) in children. Cochrane Database Syst Rev 2013;9:CD003451.

6 Kelly J, Sanchez M, Van Kirk L. An assessment of the occlusion of teeth of children 6–11 years. Washington, DC: National Center for Health Statistics; 1973. DHEW Publication No. (HRA) 74–1617 1973.

7 Kelly J, Harvey C. An assessment of the occlusion of the teeth in youths 12–17 years, United States. US Dep Health Educ Welf Ed. 1977.

8 Proffit WR, Fields HW Jr, Moray LJ. Prevalence of malocclusion and orthodontic treatment need in the United States: estimates from the NHANES III survey. Int J Adult Orthodon Orthognath Surg 1998;13(2):97–106.

9 Mills LF. Epidemiologic studies of occlusion. IV. The prevalence of malocclusion in a population of 1,455 school children. J Dent Res 1966 Apr;45(2):332–6.

10 Graber LW, Lucker GW. Dental esthetic self-evaluation and satisfaction. Am J Orthod 1980 Feb;77(2):163–73.

11 Albino JE. Psychosocial factors in orthodontic treatment. NY State Dent J 1984 Oct;50(8): 486–7, 489.

12 Baccetti T, Franchi L, McNamara JA Jr. A. Growth in the untreated Class III subject. Semin Orthod 2007;13:130–42.

13 Wolfe SM, Araújo E, Behrents RG, Buschang PH. Craniofacial growth of Class III subjects six to sixteen years of age. Angle Orthod 2011 Mar;81(2):211–6.

14 Dion, KK. Young children's stereotyping of facial attractiveness. Dev Psychol 1973;9:183–8.

15 Sassouni, V. Dentofacial Orthopedics. Pittsburgh: C.O.T Publications,1971.

16 Janzen EK, Bluher JA. The cephalometric, anatomic, and histologic changes in Macaca mulatta after application of a continuous-acting retraction force on the mandible. Am J Orthod 1965 Nov;51(11):823–55.

17 Amaral, RL. Avaliação cefalométrica através de um Wigglegram: uma nova proposta [Literature]. [Belo Horizonte]: Pontifícia Universidade Católica de Minas Gerais, 1998.

18 Sassouni, V. Orthopedics in dental practice. St. Louis: C.V. Mosby, 1971.

19 Araújo E, Souki M. Bolton anterior tooth size discrepancies among different malocclusion groups. Angle Orthod 2003 Jun;73(3):307–13.

20 Bolton WA. The clinical application of a tooth size analysis. Am J Orthod 1962 Jul;48(7):504–29.

21 Nie Q, Lin J. Comparison of intermaxillary tooth size discrepancies among different malocclusion groups. Am J Orthod Dentofac Orthop 1999 Nov;116(5):539–44.

22 Sperry TP, Worms FW, Isaacson RJ, Speidel TM. Tooth-size discrepancy in mandibular prognathism. Am J Orthod 1977 Aug;72(2):183–90.

23 Salzmann JA. Genetic consideration in clinical orthodontics. Am J Orthod 1978 Oct;4(74):467–8.

24 Araújo EA. Hereditariedade em Ortodontia. In: Sakai, E. et al. Nova visão em Ortodontia e Ortopedia Facial. São Paulo: Soc Paulista de Ortodontia, 2000.

25 Harris JE, Kowalski CJ, Walker SJ. Intrafamilial dentofacial associations for Class II, Division 1 probands. Am J Orthod 1975 May;67(5):563–70.

26 Krogman WM. Child growth. Ann Arbor: University of Michigan Press, 1972.

27 Harris JE, Kowalski CJ. All in the family: use of familial information in orthodontic diagnosis, case assessment, and treatment planning. Am J Orthod 1976 May;69(5):493–510.

28 Broadie AG. On the growth pattern of the human head: from the third month to the eight year of life. Am J Anat 1941 Mar;68(2):209–62.
29 Mossey PA. The heritability of malocclusion: part 2. The influence of genetics in malocclusion. Br J Orthod 1999 Sep;26(3):195–203.
30 Proffit WR, Fields HW, Sarver DM. Contemporary Orthodontics. 4th edn. St. Louis: Mosby, Inc., 2007.
31 Betts NJ, Vanarsdall RL, Barber HD, et al. Diagnosis and treatment of transverse maxillary deficiency. Int J Adult Orthodon Orthognath Surg 1995;10(2):75–96.
32 Timms DJ. Emerson C. Angell (1822–1903), founding father of rapid maxillary expansion. Dent Hist Lindsay Club Newsl 1997 May; (32):3–12.
33 Haas AJ. The treatment of maxillary deficiency by opening the mid-palatal suture. Angle Orthod 1965 Jul;35:200–17.
34 Krebs A. Midpalatal suture expansion studies by the implant method over a seven-year period. Rep Congr Eur Orthod Soc 1964;40:131–42.
35 Hickham JH. Maxillary protraction therapy: diagnosis and treatment. J Clin Orthod JCO 1991 Feb;25(2):102–13.
36 Ngan P. Biomechanics of maxillary expansion and protraction in Class III patients. Am J Orthod Dentofac Orthop 2002 Jun;121(6):582–3.
37 Wilmes B, Nienkemper M, Ludwig B, et al. Early Class III treatment with a hybrid hyrax-mentoplate combination. J Clin Orthod JCO 2011 Jan;45(1):15–21; quiz 39.
38 Turley PK. Orthopedic correction of Class III malocclusion with palatal expansion and custom protraction headgear. J Clin Orthod JCO 1988 May;22(5):314–25.
39 Gautam P, Valiathan A, Adhikari R. Craniofacial displacement in response to varying headgear forces evaluated biomechanically with finite element analysis. Am J Orthod Dentofac Orthop 2009 Apr;135(4):507–15.
40 Vaughn GA, Mason B, Moon H-B, Turley PK. The effects of maxillary protraction therapy with or without rapid palatal expansion: a prospective, randomized clinical trial. Am J Orthod Dentofac Orthop 2005 Sep;128(3):299–309.
41 Miller CL, Araújo EA, Behrents RG, et al. Mandibular arch dimensions following bonded and banded rapid maxillary expansion. EJournal World Fed Orthod 2014;3:119–23.
42 Anne Mandall N, Cousley R, DiBiase A, et al. Is early Class III protraction facemask treatment effective? A multicentre, randomized, controlled trial: 3-year follow-up. J Orthod 2012 Sep;39(3):176–85.
43 Liu ZP, Li CJ, Hu HK, et al. Efficacy of short-term chincup therapy for mandibular growth retardation in Class III malocclusion. Angle Orthod 2011 Jan;81(1):162–8.
44 Mitani H. Early application of chincap therapy to skeletal Class III malocclusion. Am J Orthod Dentofac Orthop 2002 Jun;121(6):584–5.
45 Tanne K, Lu YC, Tanaka E, Sakuda M. Biomechanical changes of the mandible from orthopaedic chincup force studied in a three-dimensional finite element model. Eur J Orthod 1993 Dec;15(6):527–33.
46 Araújo EA. Interview with Hideo Mitani. Rev Dent Press Ortodon Ortop Facial 2002 May;5(3):1–6.
47 Fukazawa H, Mukaiyama T, Kurita T, et al. [Evaluation on facial pattern of early childhood patients with T. M. J. dysfunction occurred after anterior crossbite correction]. Nihon Ago Kansetsu Gakkai Zasshi 1989;1(1):66–78.
48 Mitani H, Fukazawa H. Effects of chincap force on the timing and amount of mandibular growth associated with anterior reversed occlusion (Class III malocclusion) during puberty. Am J Orthod Dentofac Orthop 1986 Dec;90(6):454–63.
49 Mukaiyama T, Fukazawa H,Mizoguchi I, Mitani H. [Prevalence of temporomandibular joint dysfunction for 6–10-year old Japanese children with chincap orthodontic treatment]. Nihon Kyosei Shika Gakkai Zasshi J Jpn Orthod Soc 1988 Jun;47(2):425–32.
50 Mimura H, Deguchi T. Morphologic adaptation of temporomandibular joint after chincup therapy. Am J Orthod Dentofac Orthop 1996 Nov;110(5):541–6.
51 Arat ZM, Akçam MO, Gökalp H. Long-term effects of chin cap therapy on the temporomandibular joints. Eur J Orthod 2003 Oct;25(5):471–5.

52 Deguchi T, Uematsu S, Kawahara Y, Mimura H. Clinical evaluation of temporomandibular joint disorders (TMD) in patients treated with chincup. Angle Orthod 1998 Feb;68(1):91–4.

53 Deguchi T, McNamara JA. Craniofacial adaptations induced by chincup therapy in Class III patients. Am J Orthod Dentofac Orthop 1999 Feb;115(2):175–82.

54 Deguchi T, Kuroda T, Hunt NP, Graber TM. Long-term application of chincup force alters the morphology of the dolichofacial Class III mandible. Am J Orthod Dentofac Orthop 1999 Dec;116(6):610–5.

55 Reynders RM. Orthodontics and temporomandibular disorders: a review of the literature (1966–1988). Am J Orthod Dentofac Orthop 1990 Jun;97(6):463–71.

56 Moreira RC, Araújo EA. Freqüência das exodontias em tratamentos ortodônticos realizados na clínica do Curso de Especialização em Ortodontia do Centro de Odontologia e Pesquisa da Pontifícia Universidade Católica de Minas Gerais. Rev Bras Ortod Ortop Dentofac 2000;3(2):49–53.

57 Gianelly AA. Treatment of crowding in the mixed dentition. Am J Orthod Dentofac Orthop 2002 Jun;121(6):569–71.

58 Araújo EA, Kim BJ, Wolf G. Two superimposition methods to assess Class III treatment. Semin Orthod 2007 Sep;13(3):200–8.

Chapter

08

특별 주제들

Special topics

SECTION Ⅰ: 습관 조절: 개방교합 치료에서 기능의 역할

Section I: Habit control: the role of function in open-bite treatment

Ildeu Amdrade Jr., DDS, MS, PhD[1] and Eustáquio Araújo, DDS, MDS[2]
[1]Department of Orthodontics, Pontificia Universidade Católica de Minas Gerais, Belo Horizonte, Brazil
[2]Center for Advanced Dental Education, Saint Louis University, St. Louis, MO, USA

심리학에서, 습관이란 특정 상황에 대한 반응으로 나오는 자동적인 행동 패턴이라고 한다. 이는 선천적으로 유전되거나 잦은 반복을 통해 후천적으로 획득될 수도 있고, 처음에는 의식적으로 나오다가 나중에는 무의식적으로 나오게 된다[1]. 미국소아치과학회(American Academy of Pediatric Dentistry)에 따르면, 구강 습관에는 손가락 빨기(digit-sucking), 젖병 빨기(pacifier), 입술 빨기 및 깨물기(lip–sucking and biting), 손톱 깨물기(nail–biting), 이갈이(bruxism), 자가 손상 행동들(self–injurious habits), 구호흡(mouth breathing), 혀내밀기(tongue thrusting)가 포함된다고 하였다.

구강 습관은 몇몇 환자들에게서 치아치조성 및/혹은 골격성 변형과 연관된 것으로 인식되어져 왔다. 치아치조성–골격성 변형의 정도는 특정 습관들의 빈도, 기간, 방향, 강도와 연관이 있다[2]. Brodie[3]에 따르면, 안면 성장의 패턴은 발달과정 초기에 이루어진다고 한다. 그러나, 구강 습관이 골격성 부정교합을 야기할 수 있다는 데에는 여전히 논란의 여지가 있다. 측모두부 방사선적 연구들에서는 대부분의 전치부 개방교합 환자들은 치아치조성 및 골격성으로 모두 증가된 수직고경을 보인다[4,5]. 이전 연구들에서는 지속적인 빨기 습관이 있을 때, 안면 과발산형이 발달 중인 부정교합의 형태나 심도를 바꿀 수 있다고 하였다[6]. 반면, 골격성 개방교합 환자들이라고 반드시 음의 수직피개를 가지는 것은 아니라고 한다[7].

8.1 수유성(Nutritive) vs. 비수유성(Non-nutritive) 빨기 습관들

빨기 습관은 신생아의 첫번째 조화로운 근육의 활동으로 볼 수 있다. 본질적으로 크게 두가지 형태의 빨기가 존재한다: 수유성 빨기(nutritive sucking)는 실제적인 필수 영양소를 제공하는 형태이고, 손가락이나 젖병 빨기와 같은 비수유성 빨기(non-nutritive sucking)는 신생아나 영유아기에서는 정상으로 여겨지고 접촉이나 안전에 대한 욕구 충족에 대한 필요성과 연관이 있는 것으로 보인다.

비수유성 빨기 습관과 치아치조성 기형과의 관련성은 광범위하게 연구되어 왔다[8~13]. 치아치조성 구조를 바꿀 수 있는 변화들로는 전치부나 구치부 개방교합, 정상 치아 위치 및 맹출의 방해, 증가된 수평피개, 큰 상악궁 깊이, 좁은 상악궁 넓이, 좁은 구개 깊이, 증가된 하악궁 넓이, Ⅱ급 부정교합, 반대교합 등이 있다.

비수유성 빨기 습관이 3세까지 지속되는 것은 정상이나, 3세 이후까지 지속된다면 유치열 말기 단계에 비정상적인 치아치조성 특징이 발달할 가능성이 증가하게 된다

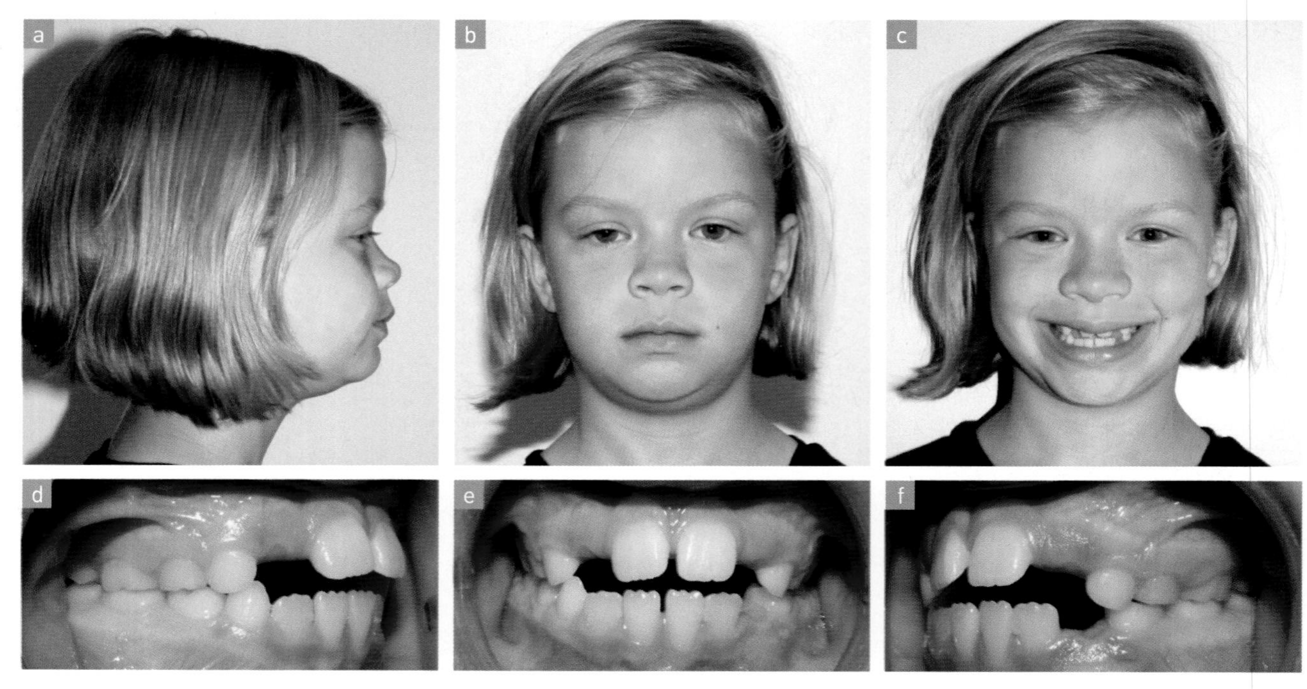

그림 8.1 손가락 빨기 습관을 가지고 있었던 9세 2개월의 여아

[14]. 이 습관이 전치의 맹출에 대해 기계적인 장애물이 되기 때문에, 혀의 전방 변위와 연관되고 지속적인 비수유성 빨기 습관은 종종 전치부 개방교합을 유발한다[15,16].

그림 8-1은 장기적인 손가락 빨기와 연관된 전형적인 사례를 보여준다. 이 어린이는 3세 이후에도 지속된 손가락 빨기를 보였고, 현재 전치부 개방교합과 Ⅱ급 견치 관계, 그리고 증가된 수평피개를 보인다.

손가락 빨기는 힘이 적용되는 방향과 손가락을 어떻게 악궁에 지지하느냐에 따라 달라지는데, 주로 엄지나 손가락이 하악 절치는 설측으로 상악 절치는 순측으로 밀게 된다. 더욱이, 하악은 하방으로 위치되어 구치가 더 정출되게 한다. 혀는 상악 구치부로부터 수직적으로 멀어지게 낮게 위치하게 되는 반면에, 볼의 압력이 증가하고(빠는 동안 협근의 수축) 악궁의 넓이를 조절하는 균형이 변화하게 된다.

8.2 혀의 생리학(Tongue physiology)

혀는 호흡, 저작, 연하, 발음과 같은 생리학적인 구강 기능에서 중요한 역할을 담당한다. 정상적인 연하 운동에서, 혀 끝은 상악 전방 치조정의 구개측에 위치하고, 혀의 중앙부분은 앞에서부터 뒤까지 점차적으로 올라간다[17]; 치아들은 연하 동안 구강주변 근육의 소량의 수축과 함께 가볍게 접촉하고, 이 때 혀 내밀기나 지속적인 전방 자세는 존재하지 않게 된다.

그러나, 대부분의 개방교합 환자에서, 연하의 과정 동안 구내 전방부를 밀봉하기 위해 혀 끝을 치조정과의 접촉 없이 전방으로 내밀게 되고, 이렇게 하여 음식이나 액체가 도망가지 않게 한다. 또한, 부서진 음식물 덩어리가 열려 있는 식도를 통해 이동한 후, 혀의 후방쪽에 느린 움직임이 있다. 정상적인 연하에서 혀의 운동은 혀의 각 부분들이 오직 상하로만 움직여 음식물을 밀어내게 된다[18,19].

8.3 혀 내밀기 및 혀의 전방 안정위

혀 내밀기는 영유아에서 주로 보이는 연하 양상이다[20]. 종종 연하의 정상적인 이행기에서 관찰되고, 성숙 연하 양상은 몇몇 정상적인 아동에서 3세 정도의 조기에 보여지기도 하나, 6세 전에는 주된 양상이 아니다.

혀 내밀기 습관은 연하시에 혀가 전치부와 접촉하는 상태이다[21]. 혀 내밀기의 가장 빈번한 징후는 혀의 전방 위치, 혀 내밀어 삼키기, 구강 주위 근육들의 수축(이순근 및 구륜근의 과다 활성), 협근의 과다 활성, 정상적인 연하에 필요한 가벼운 치아 접촉 없이 삼키기 등이다[22].

그러나, 혀 내밀기 연하는 너무나 짧은 순간에 발생하여 치아의 위치에 영향을 주기 어렵다. 연하시 치아에 대해 발생하는 혀의 압력은 기껏해야 1초 정도 지속된다. 하루 동안 1000번의 연하를 한다고 가정하면, 이는 고작 몇 분 동안 치아에 압력을 주게 되어, 평형에 영향을 미치기엔 충분하지 않다. 한편, 혀가 휴지 상태에서 전방에 위치하면, 이 압력은 훨씬 긴 시간 동안 작용하게 되고, 수직적 및 수평적으로 치아의 위치에 영향을 끼치게 될 것이다[23]. 혀의 전방 안정위가 지속되면 개방교합과 연관성을 갖게 되는 것으로 보인다; 그러나, 개방교합이 그의 원인인지 그로 인한 결과인지는 아직까지도 명확하지 않다.

8.4 습관 교정

손가락 빨기 습관의 교정은 그야말로 도전이다. 어린이들은 기본적으로 자신들의 구강 내로 손가락들을 밀어 넣으려는 욕구 및 필요성을 가지고 있고, 때때로, 이는 출생 전에 나타나기도 한다. 시작 시점에, 이 습관은 어린이들에게 상당한 기쁨과 편안함, 따뜻함을 제공해줄 수 있다. 그러나 나중에는, 이 습관은 고치기 힘들 정도로 진행되게 된다. 설사 이 습관이 불안감과 지루함을 달래줄지도 모르지만, 결국 더 복잡한 부정교합을 야기할 수 있다.

이전에도 언급했듯이, 비수유성 빨기 습관은 3세까지는 정상적이지만, 3세 이후에도 지속되면 유치열 말기에 원치 않는 치아치조의 변화를 발달시킬 확률이 증가된다.

8.4.1 임상가들은 언제, 어떻게 개입해야 할까?

임상가들은 여러 가지 중에서, 가장 먼저 해당 어린이의 인격, 가정 내에서의 관계 유형, 습관의 빈도 및 공격성에 대해 이해해야 한다. 습관의 기간, 방향, 빈도에 따라 치아치조 복합체는 다양한 방향으로 반응하게 된다.

이 중요한 모든 변수들에 주목한 후에는, 대부분 적극적으로 참여하지 않는 부모 앞에서 어린이와 진솔한 대화를 할 시간을 가진다. 임상가 자신과 어린이 사이에 신뢰를 바탕으로 한 강한 유대감 형성이 필요하다.

8.4.2 Araújo 접근법(The Araújo approach)

아라우조 접근법은 다음과 같은 간단한 질문들로 시작된다; 어떤 엄지/손가락을 빨길 좋아하니? 하루 종일 그러니? 학교에서도 그래? 보통, 우리가 이렇게 물어보게 되면, 어린이는 즉각 "물론 아니죠" 라고 대답한다. 그리고 이 때 우리는 우리가 왜 그러는지 알고 있다고 하면서, 어린이의 귀에 대고 "왜냐하면 좋든 나쁘든, 넌 너의 또래들 앞에서 창피하기 때문이지?" 하고 속삭인다. 보통 이 질문을 들으면 어린이는 고개를 끄덕인다. 이러한 초기 대화는 어린이와 믿음과 신뢰를 쌓을 수 있는 가장 긍정적인 방법이다.

제 2회전에서의 질문은 "그 조그마한 녀석(손가락)이 너의 입에 어떤 피해를 가져다 주는지 넌 알고 있니?"로 시작된다. 그러면서 대단히 충격적인 개방교합 모형을 보여주는 것이다. "습관을 고치고 싶니?"; "우리–나와 부모님–가 널 도와주면 어떨까?"; "넌 이 게임에서 이기고 싶니, 지고 싶니?" 그 이후에 손가락이 얼마나 약하고 어린이 자신이 얼마나 강한 존재인지에 대해 대화를 나누고, 다음의 프로토콜을 소개한다.

1 지속적으로 어린이에게 이 게임에서 이기길 원하고 있다는 것을 각인시킨다. 우리는 손가락 빨기에 대해 "NO"라고 말하는 것을 상기시켜주는 스티커를 개발하여 어린이들을 돕고 있다**(그림 8.2a)**. 어린이에게 도처에 스티커를 붙여놓게 하고, 같은 그림의 포스터를 주어 그들 침실 벽에도 붙이도록 한다. 여자 아이들의 경우, 어머니에게 자녀의 특정 손가락의 손톱에 주로 빨간색 매니큐어를 칠해주도록 하고, 아이들에게 손톱의 빨간 매니큐어를 볼 때마다 "내가 널 물리칠 거야"라고 반복하여 말하도록 한다**(그림 8.2b)**. 남자 아이들에게도 프로토콜은 같지만, 매니큐어를 손톱에 칠하는 대신, 그림 8.2c와 같이 작은 얼굴을 그리도록 주문하고 손가락을 물리칠 수 있도록 한다. 성공의 열쇠는 "내가 널 물리칠 거야"라고 모토이다.

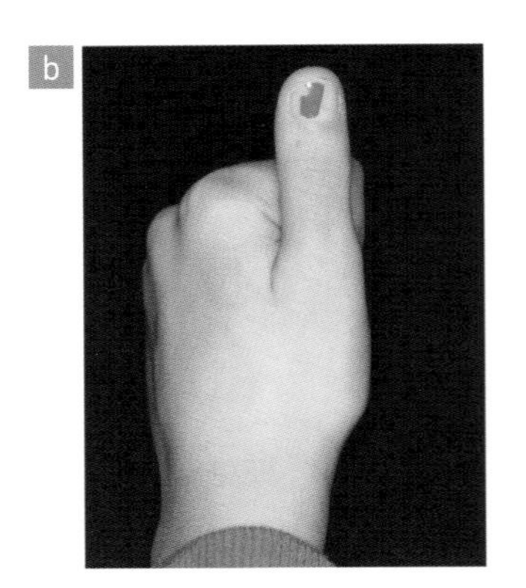

그림 8.2 습관 조절의 reminder

2 집에서, 우리는 부모들에게 아이를 가까이 지켜보도록 부탁하고, 만약 자녀가 손가락을 빨려고 할 때, "손가락 빼!" 라고 외치기 보다는 부드러운 어조로 "네가 손가락을 빨려고 하면 얘기해달라고 했었지" 라는 식으로 얘기하여 상기시키도록 한다.
3 잠자리에 들 때, 부모가 아이의 손가락에 밤을 무사히 보내기 위한 일종의 "수호신(guardian)" 테이프를 감아주고 특별한 경우에는 설압자에 작은 얼굴을 그린다 **(그림 8.2c)**. "내가 널 물리칠 거야"라는 말은 이미 그들의 무의식적인 행동의 한 부분이다.
4 마지막이자 가장 중요한 것으로, 습관을 고친 손가락을 알지네이트로 인상 채득하여, 석고를 부은 뒤, 베이스를 쌓고 최종적으로 다듬어 트로피를 만든다**(그림 8.3)**. 드디어 환자가 자신의 전투에서 승리했을 때, 사진과 칭찬과 함께 트로피를 수여하는 의식을 치뤄주고, 트로피를 집으로 가져가게 한다. 이러한 경험은 어린이 인생 최초의 중대한 자기극복 전투가 될 것이다.

결론적으로, 손가락 빨기 습관을 고치기 위해 스퍼(spur)나 블루 그래스(blue grass) 장치와 같은 기계적 방법

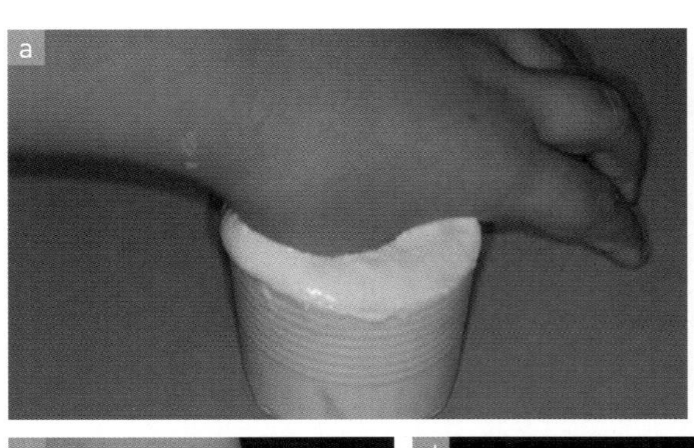

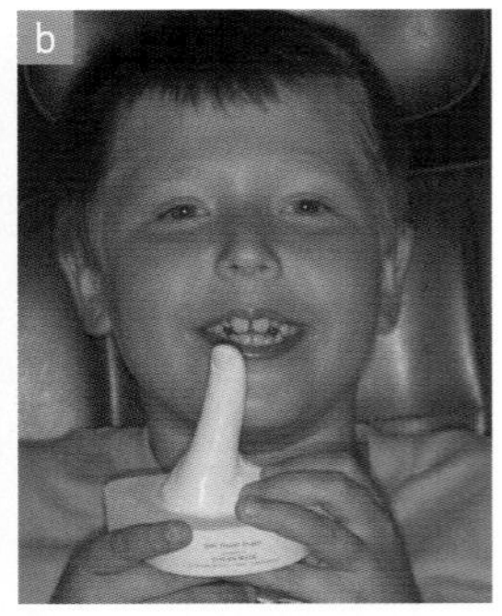

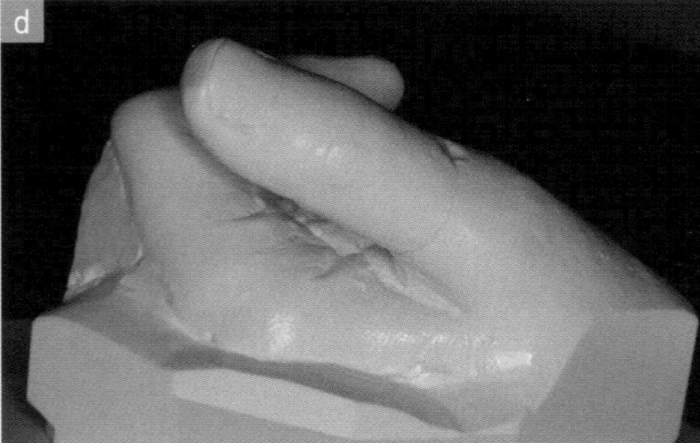

그림 8.3 (a–d) 트로피의 준비과정

을 쓰기 전에, 위에서 말한 아라우조 접근법을 추천한다. 성공했을 때, 이러한 경험은 해로운 습관을 고칠 뿐만 아니라, 환자와 의사간의 긴밀한 유대 관계를 형성하게 된다.

8.5 치료

전치부 개방교합의 원인은 다인성이고, 골격, 치아, 연조직에 복합적으로 영향을 미칠 수 있다. 전치부 개방교합의 병인에는 많은 논란이 있지만, 개방 교합이 수반된 부정교합은 성공적으로 치료하기도 적절하게 유지하기도 어렵다는 것에 대해서는 공통된 의견을 가진다. 몇몇 연구들은 전통적인 교정 장치 및/혹은 악교정 수술로 치료된 개방 교합 증례들의 상당한 재발을 보고해 왔다[24,25]. 게다가, 지속된 구강 습관이 있는 경우, 교정치료의 어려움은 증가하게 되고, 개방 교합이 지속되는 경우, 교정 치료 후 더 쉽게 재발된다.

개방 교합의 수정에서, 치료의 성공은 새로운 교합에 대한 혀의 적응에 달려 있다.

유치열기에서 개방 교합을 치료하기 위해 교정 장치를 사용하는 것은 적응증이 되지 않는다. 이 시기에 빨기 습관을 고치면 대부분 개방 교합이 자연스럽게 수정되고, 정상적인 입술과 뺨의 압력으로 치아가 원래의 위치로 되돌아가게 된다. 그러나, 과발산형의 환자에서 상악의 골격적 부조화로 개방교합이 발생했다면, 자연적인 개방교합의 수정은 일어나지 않는다. 그러므로, 발생한 치아의 변위를 극복하기 위한 교정치료가 불가피하며, 이상적인 치료시작 시기는 혼합치열기가 될 것이다.

개방교합을 치료하고 저작 기능을 개선하기 위한 치료 전략은 다양하게 제시되었다. 근기능적 요법, 기능성 장치, 전정 쉴드(vestibular shield), spur가 있거나 없는 tongue crib 등이 다양한 성공을 보이며 적용되어 왔다[26~30]. 혼합치열기에서는 6장에서 기술한 악정형적 치료방법 외에도, 비정상적 습관과 연관된 개방 교합의 경우 습관 교정이 필수적이며, 이를 위해 환자/부모와의 상담, 행동-조정 요법, 필요하다면 발음 치료가 이루어지고, 종종 교정치료와 함께 진행되기도 한다.

다양한 교정 치료들 중에서, tongue spur는 혀의 움직임과 기능을 변화시키면 전치부 개방 교합을 수정하고 치료 결과의 안정성을 증가시킨다는 이론에 근거하는, 효율적인 방법으로 알려져 있다[29,31]. Spur는 1927년에 혀의 잘못된 위치를 수정하기 위한 치료적 접근으로 처음 고안되었다[32]. 이것은 학습 과정을 시작하는 침해수용반사(nociceptive reflex)를 일으킨다는 발상인데, 이 경우에서는 새로운 생리학적인 혀의 안정위 및 연하 방법에 대한 근신경계의 구축을 만들고자 하는 것이다. 이전의 근전도 연구들은 가시가 혀 끝의 감각수용기를 자극할 수 있고, 이를 통해 새로운 신경 배열과 새로운 운동 경로가 형성되고, 결국 혀의 위치에 영향을 줄 수 있다고 밝혔다[33,34]. 새로운 혀의 양상이 영구적으로 대뇌에 각인되고, 이러한 사실은 개방 교합 치료에서 혀 위치의 영구적인 변화와 증가된 안정성을 뒷받침하였다[35].

그림 8.4는 12개월간 하악의 설측 spur만을 사용하여 개방 교합을 치료한 증례이다.

더 나아가, tongue spur의 생리학적인 효과 및 상대적인 효능, 구강 습관을 가진 어린이들의 다른 유형의 치료들을 연구하였고, 습관 교정에 있어서 tongue spur가 가장 효과적이었다[36]. 심리적 치료 및 교정 장치 단독으로는 습관 교정에 유의한 영향을 끼치지 않았다. Tongue spur 치료가 많은 긍정적인 결과를 가져왔음에도 불구하고, 이 장치는 일부 교정의사뿐만 아니라, 환자, 부모, 언어병리학자, 심리학자들의 반발에 직면해왔다. 이러한 반발은 이 장치가 짜증의 원인이 되기도 하고, 불편감을 유발할 수 있으며, 환자의 공간을 침범하기 때문에 환자나 부모들이 거부한다는 생각과 관련이 있다.

그러나, 생각보다 많은 환자나 부모들이 tongue spur 치료를 잘 받아드리고 있다[37]. 이러한 긍정적 결과는 장치를 설명하는 태도와 연관된 것으로 보인다. 발음과 저작 기능이 약화되는 것은 tongue spur의 가장 일반적인 기능적 문제점이다. 그러나, 이러한 불편감은 일시적이며 평균 10일 정도 지속된다. 게다가, 환자와 부모의 tongue spur 치료에 대한 반응은 다른 기능성 또는 고정성 교정 장치들을 평가할 때와 크게 달라 보이지 않는다[38-40].

성공적인 두 가지 증례를 그림 8.5와 그림 8.9에 나타내었다.

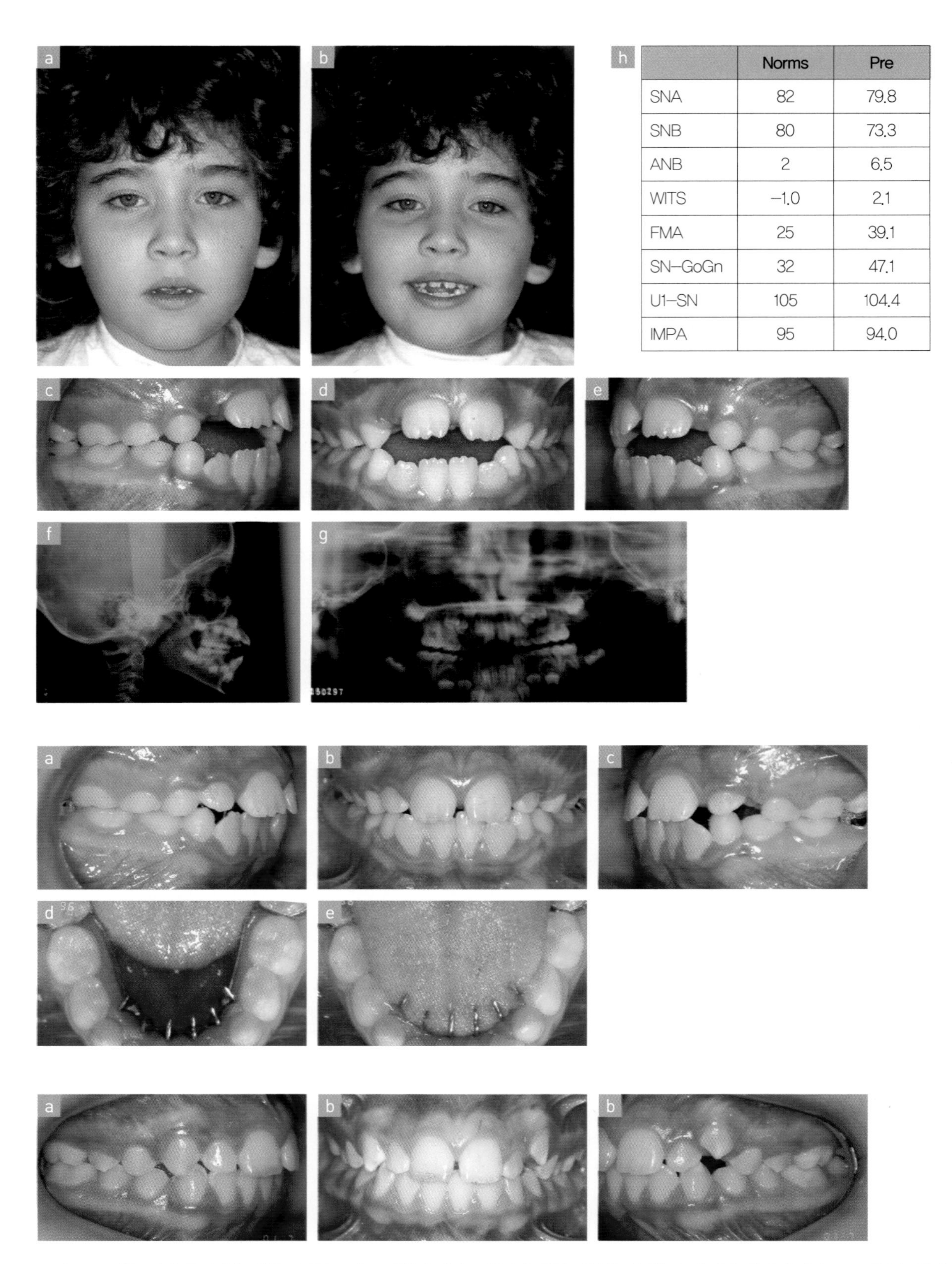

	Norms	Pre
SNA	82	79.8
SNB	80	73.3
ANB	2	6.5
WITS	−1.0	2.1
FMA	25	39.1
SN–GoGn	32	47.1
U1–SN	105	104.4
IMPA	95	94.0

그림 8.4 가족 치과 주치의에 의해 의뢰된, 5세 10개월의 여아로 상단에 초진 기록을 수록했다. 손가락 빨기 습관이 보고되었다. 환자에게 유해한 구강 습관에 대해 의식하도록 하는 첫 번째 단계 이후, 12개월간 하악에 spur를 달고 장착하여, 개방 교합이 닫혔다(중앙). 하단은 2년 뒤, 2차 치료 전 환자의 모습.

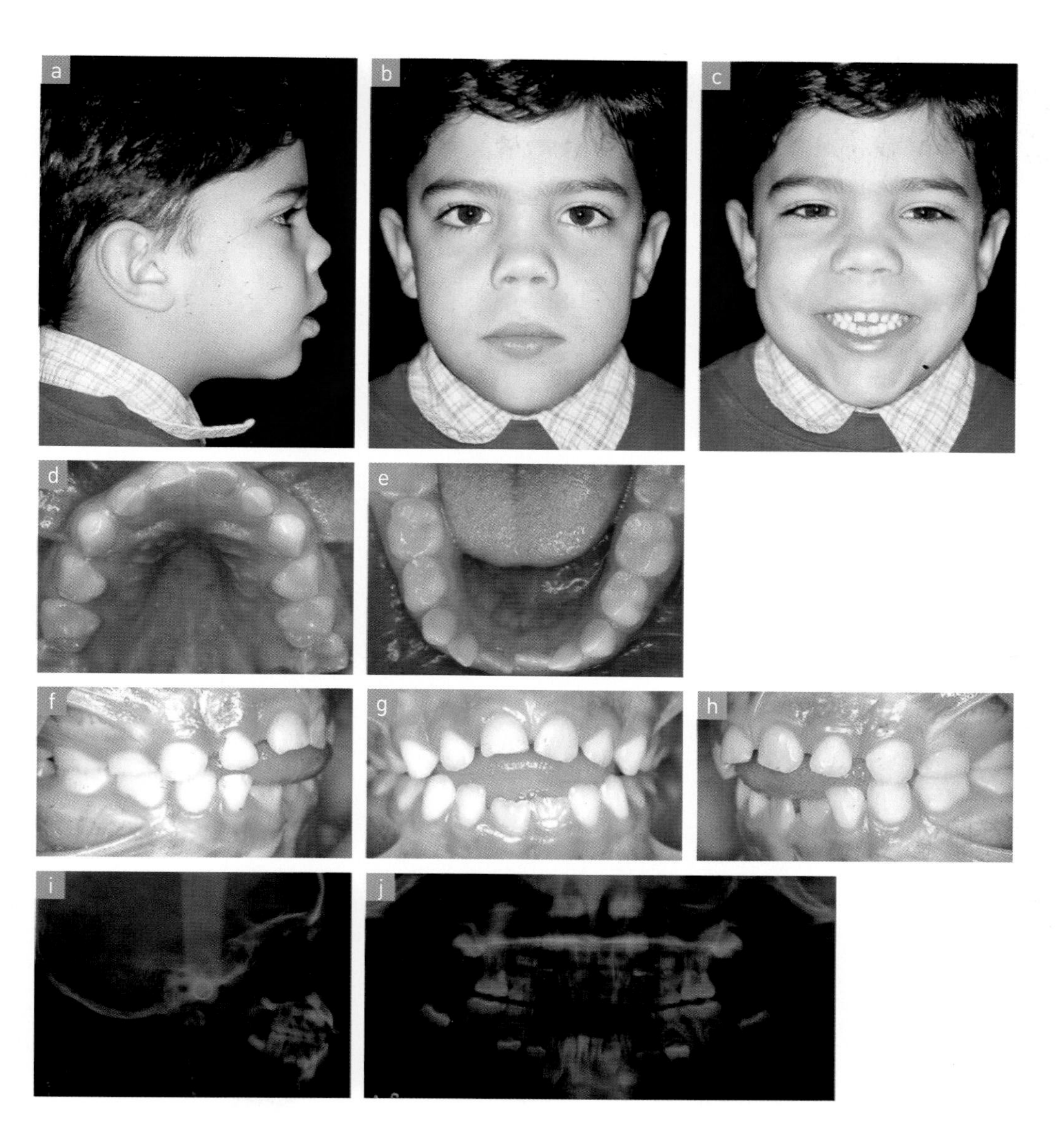

k

	Norms	Pre
SNA	82	81.8
SNB	80	74.9
ANB	2	6.9
WITS	−1.0	1.0
FMA	25	37.6
SN–GoGn	32	44.2
U1–SN	105	103.2
IMPA	95	83.7

그림 8.5–8.8 5세 6개월의 남아로 손가락 빨기에 의한 중증의 개방교합을 가지고 있었다. 아라우조 접근법을 적용하고, 이후 상악에 spur를 장착하였다. 그림 8.5는 초진 기록을 보여준다. 그림 8.6은 습관이 조절된 이후이고, 확장 장치 및 spur를 장착한 모습이다. 그림 8.7은 1년 후 결과이며, 그림 8.8은 18년 후의 환자의 모습.

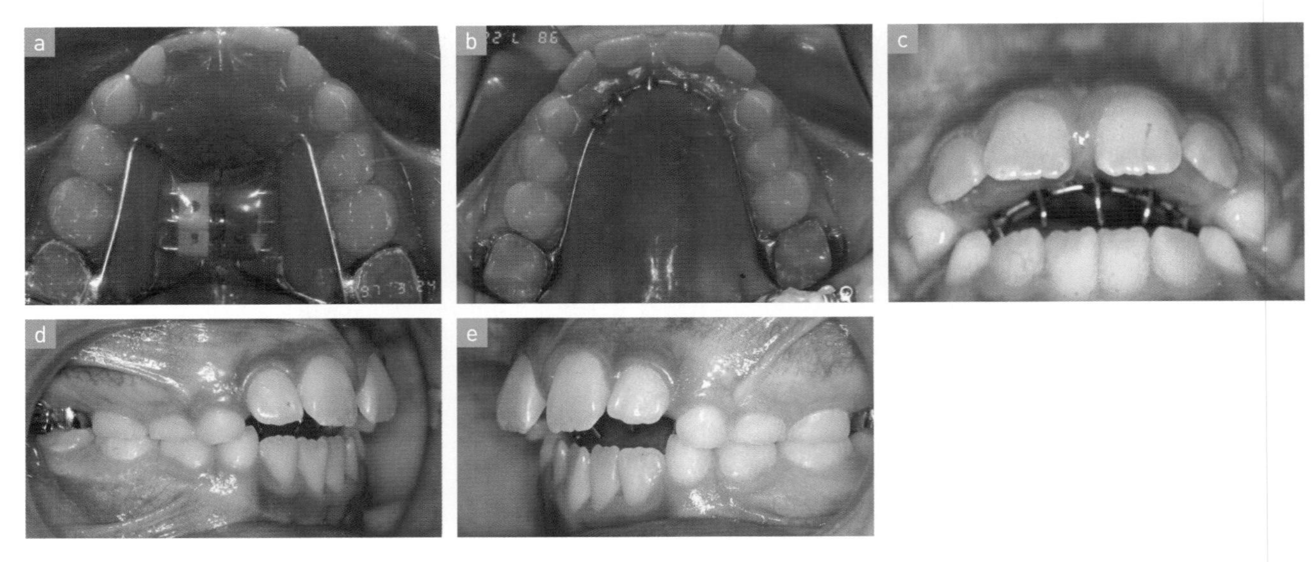

그림 8.6

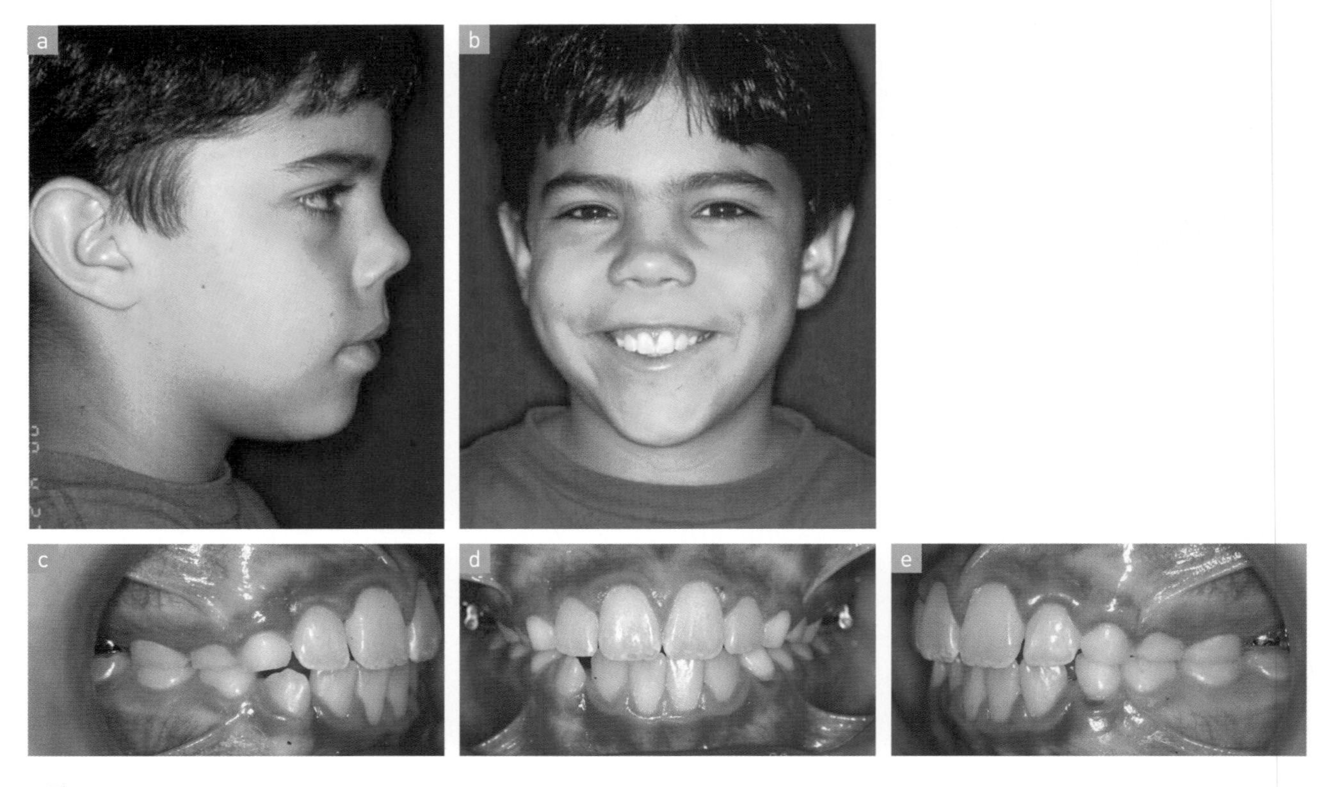

그림 8.7

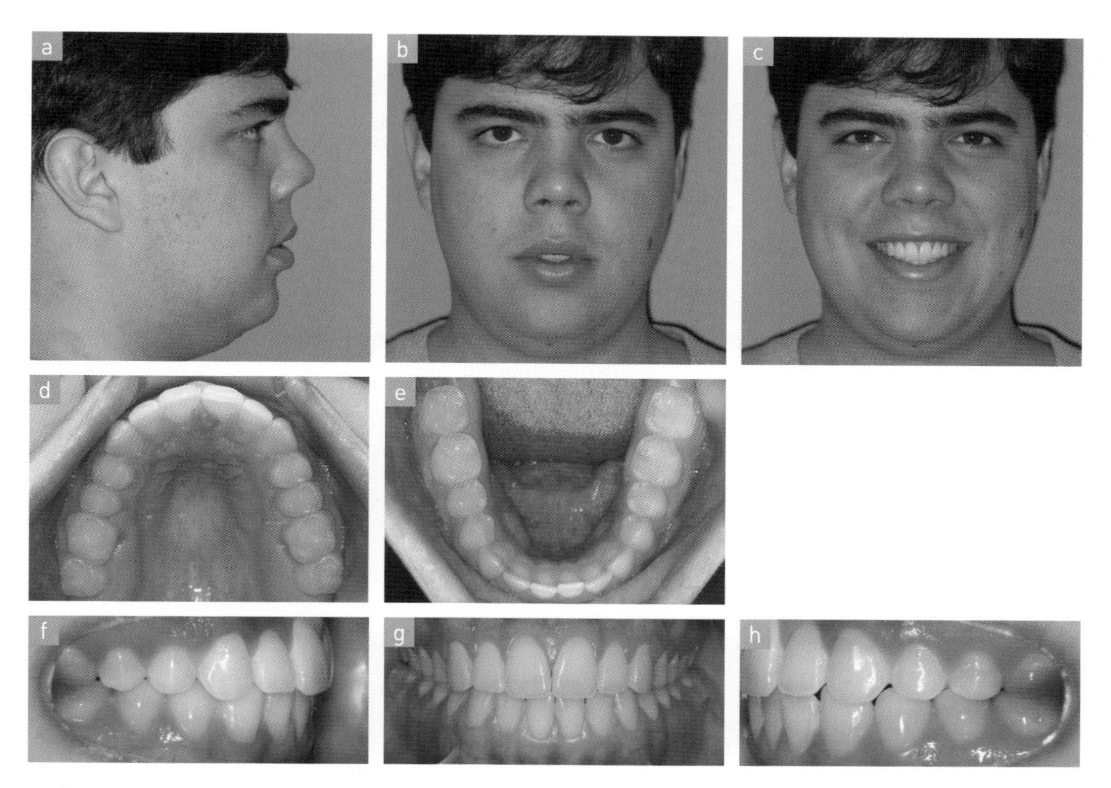

그림 8.8

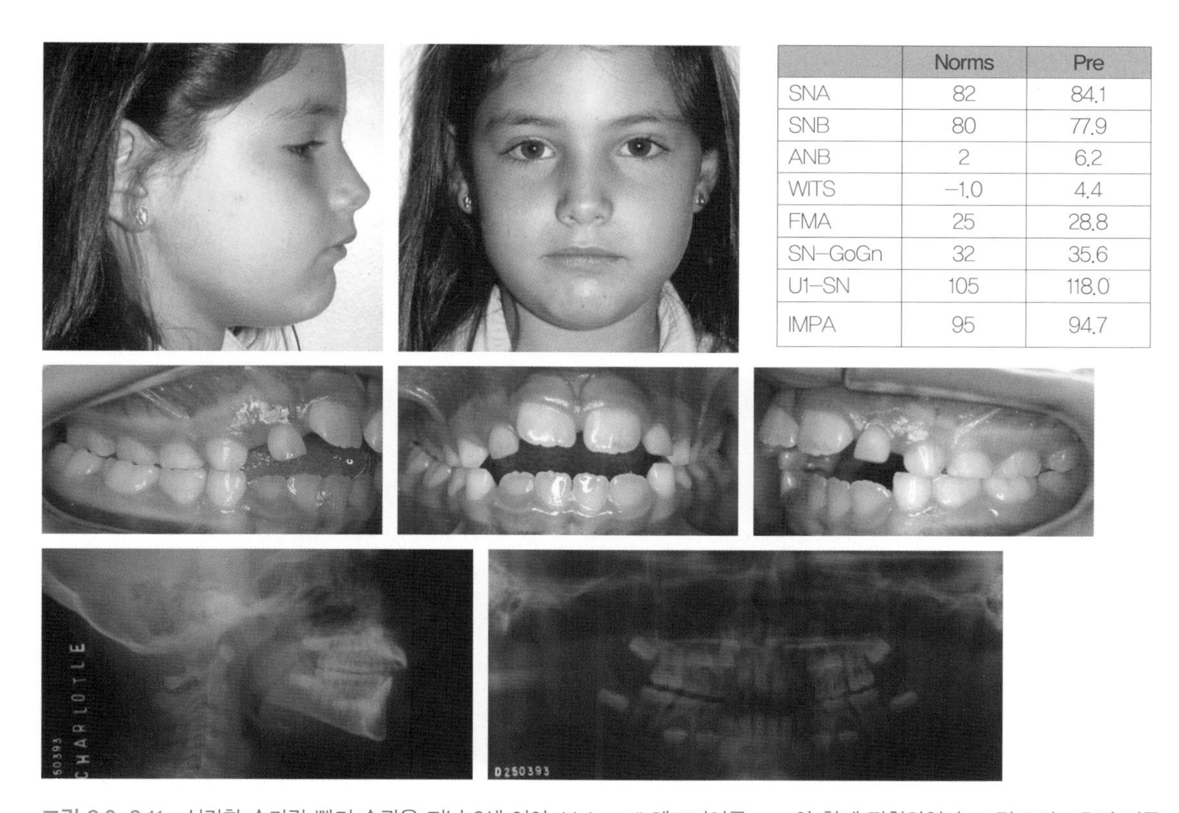

	Norms	Pre
SNA	82	84.1
SNB	80	77.9
ANB	2	6.2
WITS	−1.0	4.4
FMA	25	28.8
SN−GoGn	32	35.6
U1−SN	105	118.0
IMPA	95	94.7

그림 8.9–8.11 심각한 손가락 빨기 습관을 지닌 6세 여아. high–pull 헤드기어를 spur와 함께 장착하였다. 그림 8.9는 초진 기록; 그림 8.10은 15개월 후, 그림 8.11은 20개월 후.

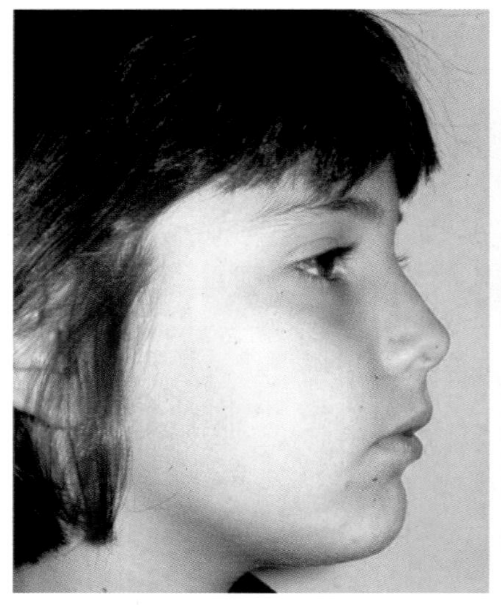
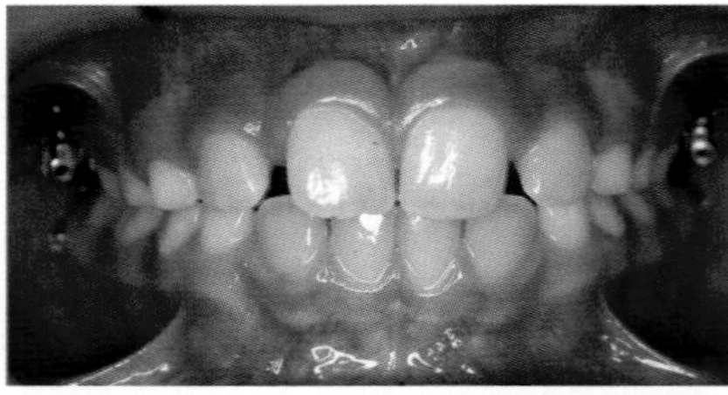
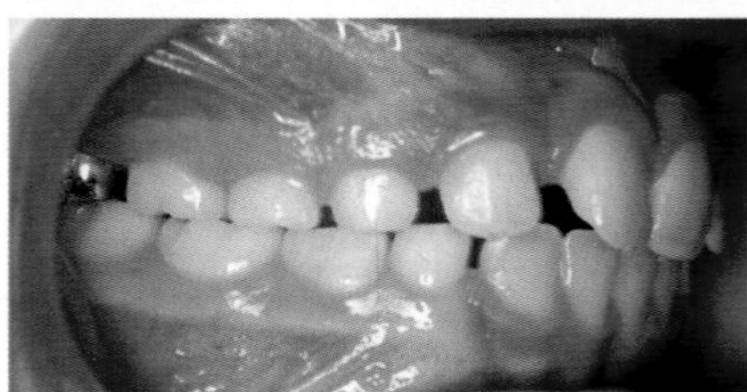
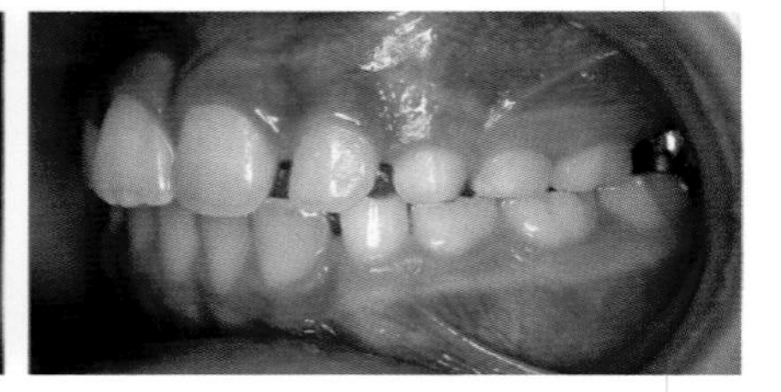

그림 8.10

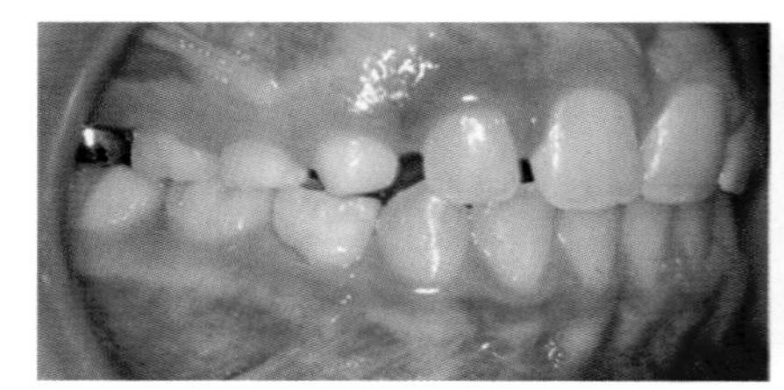
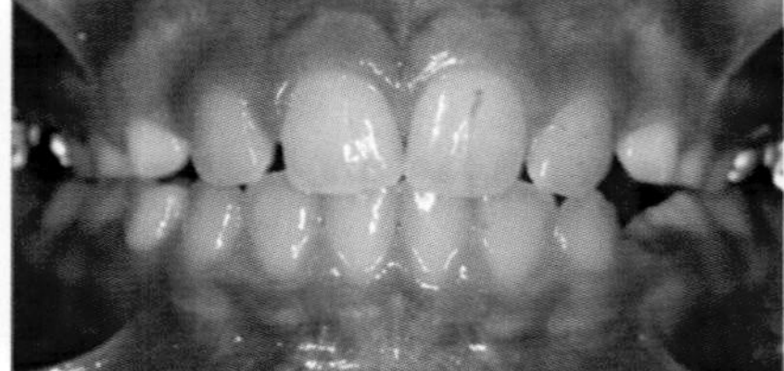
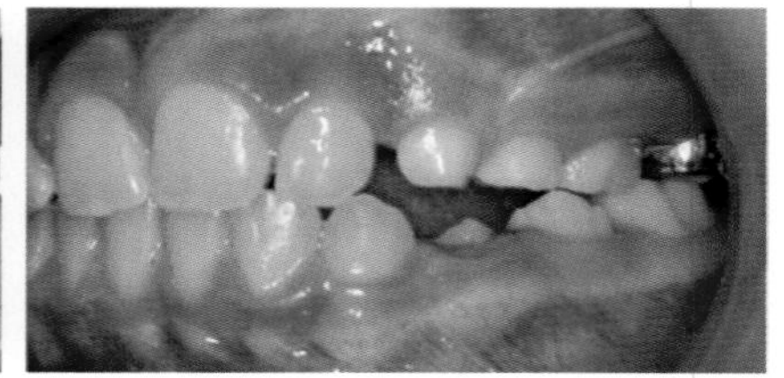

그림 8.11

참·고·문·헌

1 Wood W, Neal, DT. A new look at habits and the habitgoal interface. Psychological Review 2007;114(4):843–863.

2 Nowak AJ, Warren JJ. Infant oral health and oral habits. Pediatr Clin North Am 2000;47(5):1034–66.

3 Brodie AG. On the growth pattern of the human head from the third month to the eighth year of life. Am J Anat 1941;68:209–62.

4 Nahoum HI. Vertical proportions and the palatal plane in anterior open-bite. Am J Orthod 1971;59:273–82.

5 Cangialosi TJ. Skeletal morphologic features of anterior open bite. Am J Orthod 1984;85:28–36.

6 Cozza P, Baccetti T, Franchi L, et al. Sucking habits and facial hyperdivergency as risk factors for anterior open bite in the mixed dentition. Am J Orthod Dentofacial Orthop 2005;128:517–9.

7 Dung DJ, Smith RJ. Cephalometric and clinical diagnoses of open bite tendency. Am J Orthod Dentofacial Orthop 1988;94:484–90.

8 Adair SM, Milano M, Lorenzo I, Russell C. Effects of current and former pacifier use on the dentition of 24- to 59-monthold children. Pediatr Dent 1995;17:437–44.

9 Fukata O, Braham RL, Yokoi K, Kurosu K. Damage to the primary dentition from thumb and finger (digit) sucking. ASDC J Dent Child 1996;63:403–7.

10 Farsi NMA, Salama FS. Sucking habits in Saudi children: prevalence, contributing factors and effects on the primary dentition. Pediatr Dent 1997;19:28–33.

11 Ogaard B, Larrson E, Lindsten R. The effect of sucking habits, cohort, sex, intercanine arch widths, and breast or bottle feeding on posterior crossbite in Norwegian and Swedish 3-year-old children. Am J Orthod Dentofacial Orthop

1994;106:161–6.
12 Lindner A, Modeer T. Relation between sucking habits and dental characteristics in preschool children with unilateral cross-bite. Scand J Dent Res 1989;97:278–83.
13 Modeer T, Odenrick L, Lindner A. Sucking habits and their relation to posterior cross-bite in 4-year-old children. Scand J Dent Res 1982;90:323–8.
14 Warren JJ, Bishara SE. Duration of nutritive and nonnutritive sucking behaviors and their effects on the dental arches in the primary dentition. Am J Orthod Dentofacial Orthop 2002;121:347–56.
15 Larsson E. The prevalence and aetiology of prolonged dummy and finger-sucking habits. Eur J Orthod 1985;7:172–6.
16 Katz CR, Rosenblatt A, Gondim P.P. Nonnutritive sucking habits in Brazilian children: effects on deciduous dentition and relationship with facial morphology. Am J Orthod Dentofacial Orthop 2004;126:53–7.
17 Logemann JA. Manual for the Videofluorographic Study of Swallowing. 2nd ed. Austin, Texas: Pro-ed, 1993.
18 Kahrilas PJ, Lin S, Logemann JA, et al. Deglutitive tongue action: volume accommodation and bolus propulsion. Gastroenterology. 1993;104:152–162.
19 Fujiki T, Takano-Yamamoto T, Noguchi H, et al. A cineradiographic study of deglutitive tongue movement and nasopharyngeal closure in patients with anterior open bite. Angle Orthod 2000;70(4):284–9.
20 Dixit UB, Shetty RM. Comparison of soft-tissue, dental, and skeletal characteristics in children with and without tongue thrusting habit. Contemp Clin Dent 2013;4(1):2–6.
21 Hanson ML, Barnard LW, Case JL. Tongue-thrust in preschool children. Am J Orthod 1969;56:60–9.
22 Peng CL, Jost-Brinkmann PG, Yoshida N, et al. Comparison of tongue functions between mature and tongue-thrust swallowing: An ultrasound investigation. Am J Orthod Dentofacial Orthop 2004;125:562–70.
23 Proffit WR, Henry W. Contemporary Orthodontics, Mosby, Inc, Saint Louis, 2000.
24 Lopez-Gavito G, Wallen TR, Little RM, Jondeph DR. Anterior openbite maloclusion: a longitudinal 10-year postretention evaluation of orthodontically treated patients. Am J Orthod 1985;87:175–186.
25 Denison TF, Kokich VG, Shapiro PA. Stability of maxillary surgery in openbite versus nonopenbite malocclusions. Angle Orthod 1989;1:5–10.
26 Stability of anterior openbite treated with crib therapy. Angle Orthod 1990;60:17–24.
27 Fadel Bmiethke RR. The orthodontic treatment of open bite with dysfunctions and habits. Orthodontics 1994;8:23–34.
28 Klocke A, Korbmacher H, Hahl-Nieke B. Influence of orthodontic appliances on myofunctional therapy. J Orofac Orthop 2000;61:414–20.
29 Justus R. Correction of anterior open bite with spurs: long-term stability. World J Orthod 2001;2:219–31.
30 Shapiro PA. Stability of open bite treatment. Am J Orthod Dentofacial Orthop 2002;121:566–8.
31 Graber, MT. The “three M’s”. Muscles, malformation and malocclusion. Am J Orthod 1963;49:418–450.
32 Rogers AP. Open bite cases involving tongue habits. Int J Orthod 1927;13:837.
33 Schwestka-Polly R, Engelke W, Hoch G. Electromagnetic articulography as a method for detecting the influence of spikes on tongue movement. Eur J Orthod 1995;5:411–417.
34 Yashiro K, Takada K. Tongue muscle activity after orthodontic treatment of anterior open bite: A case report. Am J Orthod Dentofactial Orthop 1999;115:660–6.
35 Meyer-Marcotty P, Hartmann J, Stellzig Eisenhauer A. Dentoalveolar open bite treatment with spur appliances. J Orofac Orthop. 2007;68(6):510–21.
36 Haryett RD, Hansen FC, Davidson PO, Sandilands ML. Chronic thumb-sucking: the psychologic effects and the relative effectiveness of various methods of treatment. Am J Orthod 1967;8:569–585.
37 Araujo EA, Andrade Jr. I, et al. Perception of discomfort during orthodontic treatment with tongue spurs orthodontics, Fall 2011;12(3):260–7.
38 Surge HG, Klages U, Zentner A. Pain and discomfort during

orthodontic treatment: causative factors and effects on compliance. Am J Orthod Dentofacial Orthop 1998b;6:684–691.

39 Sergl HG, Zentner A. A comparative assessment of acceptance of different types of functional appliances. Eur J Orthod 1998a;5:517–524.

40 Johnson PD, Cohen DA, Aiosa L, et al. Attitudes and compliance of pre-adolescent children during early treatment of Class II malocclusion. Clin Orthod Res 1998;1:20–28.

SECTION II: 맹출 편위

Section II: Eruption deviations

Bernardo Q. Souki, DDS, MSD, PhD[1] and Eustáquio Araújo, DDS, MDS[2]
[1]Department of Orthodontics, Pontifical Catholic University of Minas Gerais, Belo Horizonte, Brazil
[2]Department of Orthodontics, Center for Advanced Dental Education, Saint Louis University, St. Louis, MO, USA

8.6 맹출 편위

구강 내에서 치아가 골내의 발달 부위에서 기능적 위치로 이동하는 과정은 복잡하고, 그 기전도 완전히 파악되지 못했다[1,2]. 치아 맹출은 하나의 기능적 조직과 연관되기에는 너무 복잡하며, 유전적, 환경적 요인이 맹출 과정에 영향을 끼친다는 증거가 있다. 이 이론은 가정이고, 맹출 중인 치아 내부나 주변의 거의 모든 조직이 이 과정에 필수적이라는 것을 의미한다[1]. 따라서 치주인대, 치수의 증식, 상아질 형성, 치낭도대(gubernaculum dentis; 법랑질 기관과 구강상피 사이의 연조직 연결) 수축에서의 치근 성장 변화 모두는 이 과정에서 필수적이라고 고려된다[3].

교정과와 소아치과 영역에서, 임상가는 성장기 환자의 맹출 편위를 자주 다루게 된다. 맹출 편위의 조기 진단은 최적의 시기에 치료를 시작하고 미래의 합병증을 최소화하기 위해 중요하다고 여겨진다[4]. 치아 맹출과 관련 있는 대부분의 장애는 과도기(transitional stage) 동안에 발생한다. 교합 발달 도중에 발생할 수 있는 주요 맹출 편위와 이를 다루는 방법을 아는 것은 2장에서 제시되었던 예방교정과 차단교정(PIOM)의 효과적 임상 관리를 위해서 필수적이다.

맹출 편위는 다음과 같이 분류될 수 있다: a) 지연된 치아 맹출, b) 치아 맹출의 순서 변화, c) 이소(ectopic) 맹출, d) 치아 유착.

지연된 치아 맹출 (DTE): 유치 맹출과 영구치 맹출이 일어나는 가장 일반적인 나이는 다양한 민족의 남아와 여아 모두에서 잘 알려져 있다. 특정 치아의 기대되는 평균 맹출 시기보다 2년 이상 벗어나고(맹출의 연대기적 기준) 치근이 맹출에 따라 적절하게 형성될 때(최종 길이의 2/3), 임상가는 정상적인 치아 맹출에 불리하게 영향을 미치는 요인을 찾아야 한다. 영구치의 출현은 여아에서 좀 더 빠르고[5], 맹출 시간 사이의 차이는 평균 4-6개월 정도이다. 여아의 이른 영구치 맹출은 더 이른 성숙의 시작을 의미한다[5]. 그러나 유전적, 민족적, 개인적인 요소들 또한 맹출에 영향을 준다[3]. 4장에서 언급된 것처럼, 유전적인 요인 또한 치아 발생과정에서 중요한 역할을 한다. 일반적인 치아 발달 지연은 가족력뿐만 아니라 증후군을 가진 환자에서 자주 발견된다. 다양한 기전은 유전적 장애와 관련되어 치아 맹출 지연(DTE)을 설명한다. 골 흡수에서의 결손, 세포성 백악질에서 변화, 과잉치의 존재는 증후군과 연관된 치아 맹출 지연의 원인이 된다. 치아 맹출을 조절하는 유전자의 존재는 시사되어 왔고, 그것의 “지연된 시작”은 “유전된 맹출 지연”에서 치아 맹출 지연의 원인이 된다. 물리적 장애물 또한 단일 치아에 관련된 치아 맹출 지연의 일반적인 국소적 원인이다. 과잉치, 치아종(odontoma), 부족한 악궁 길이는 치아 맹출 지연과 관련된 가장 흔한 물리적 장애물이다. 점막 장벽, 반흔 조직, 종양 또한 치아 맹출 지연과 연관될 수 있다[6].

맹출 순서의 변화: 유치 맹출 순서의 편위는 자주 일어나지만 맹출 장애는 드물다. 그러나 영구치는 일관된 맹출 순서를 가지고 있으며, 정상으로부터의 편위는 임상적 중요성을 지닌 맹출장애를 일으킨다. 영구치열의 맹출 순서 변화로 악궁 길이가 감소되고 악궁 내 공간 문제가 발생할 수 있다. 임상가는 영구치의 가장 일반적인 맹출 순서(5장 참조)를 알아야 하고, 조심스럽게 교합 발달의 다양한 단계를 관찰해야 한다. 적절한 공간 관리에 대한 감독을 동반한 유치의 발치는 맹출 순서를 정상화하는데 도움이 된다.

이소 맹출: 치아가 정상적인 경로를 따르지 않는 맹출 장애를 말한다. 유치열에서는 극히 드물게 발생한다. 그러나 영구치열에서 이소 맹출은 매우 흔하게 볼 수 있다. 가장 흔하게 영향을 받는 치아는 상악 제1대구치와 견치이고, 그 다음으로는 하악 견치, 하악 제2소구치, 상악 측절치이다. 악궁 길이 부조화와 구치부 총생으로 인해, 제2대구치나 제3대구치가 잘못된 방향으로 맹출되는 것을 예상할 수 있다. 이소 맹출 중인 치아의 교정은 안정적인 교합 발달을 위해 중요하고, 차단 교정 치료의 중요한 구성요소 중 하나이다. 임상가는 이소 맹출 중인 영구치의 성공적인 관리를 위해 효과적인 치료 방법을 선택할 수 있다.

강직: 치아 강직은 뼈와 백악질의 융합으로 특징지어지고, 교합에 큰 영향을 끼치는 치아 맹출의 점진적인 기형으로 간주된다. 침하치(submerged teeth)는 맹출 후 치아가 유착되고 악골 성장에 따라 지속적인 맹출 잠재력을 유지하는 능력을 잃어버린 임상적 상태를 말한다. 유치에서 영구치보다 더욱 빈번하게 강직이 발생한다. 그 비율은 하악 치아 강직에 대해서는 10배까지도 차이가 나고, 상악 치아 강직도 2배 정도 차이가 난다. 거의 모든 강직 치아는 유구치 또는 대구치이기 때문에, 치아 유착의 위치는 잘 한정된 것처럼 보일 수 있다. 치료 방법은 강직된 치아가 유치인지 영구치인지, 시작된 시기, 진단 시기, 영향 받은 치아의 위치에 따라 달라진다.

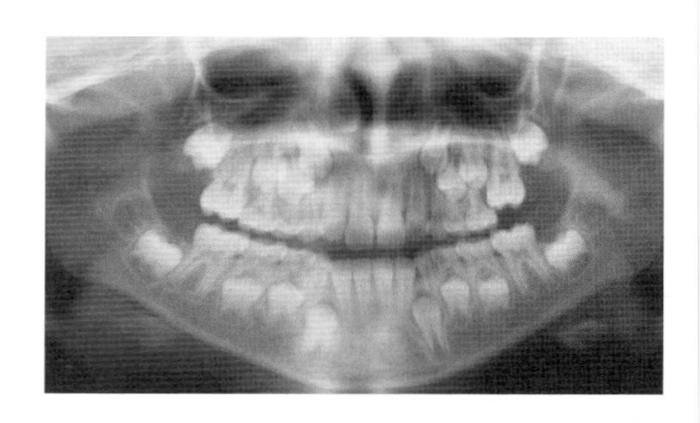

그림 8.13 양측 상악 제1대구치의 이소 맹출. 우측 대구치는 jump 타입을 보여준 반면, 좌측은 hold 타입을 보여준다. 양측 상악 제2유구치의 치근 흡수가 관찰된다.

강직된 유구치의 체계적 문헌고찰[7]은 다음과 같은 결론을 보여 준다: 그들은 가볍거나 경도에서 중등도의 점진적인 저위교합(infraocclusion)을 나타낸다. 강직된 유구치의 보존적 관찰이 필요하다. 만일 후속 영구치의 맹출 경로가 변화하거나, 강직된 유구치가 심각하게 저위교합되고 인접치아가 기울어서 후속 영구치의 맹출을 방해하거나, 두 가지 모두 해당하는 경우, 발치를 고려해야 한다. 강직된 구치는 6개월 이내 자연적으로 탈락되기도 한다; 그러나 치아 탈락이 더욱 지연된다면, 악궁 길이 감소, 교합 간섭, 구부러진 치

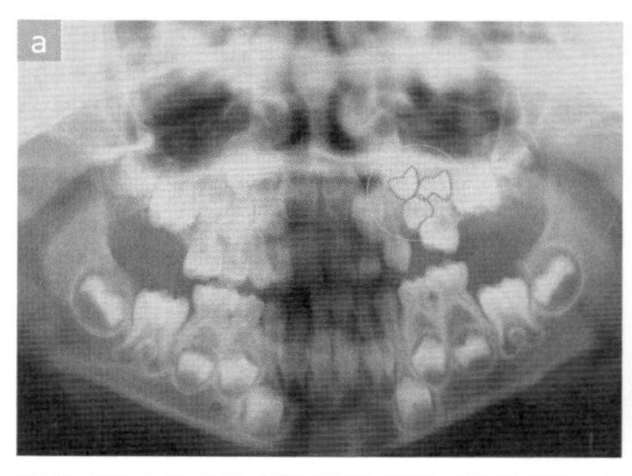

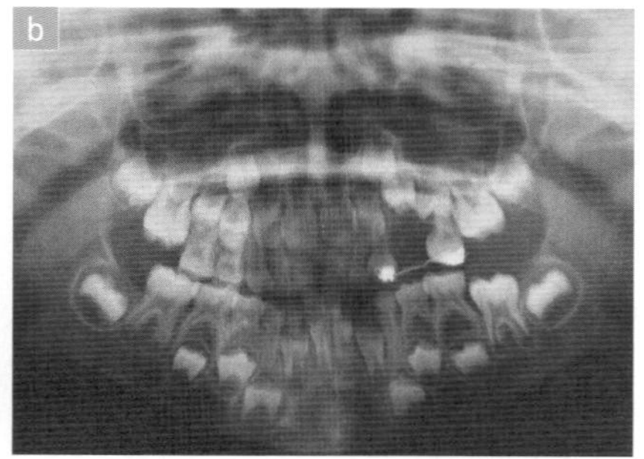

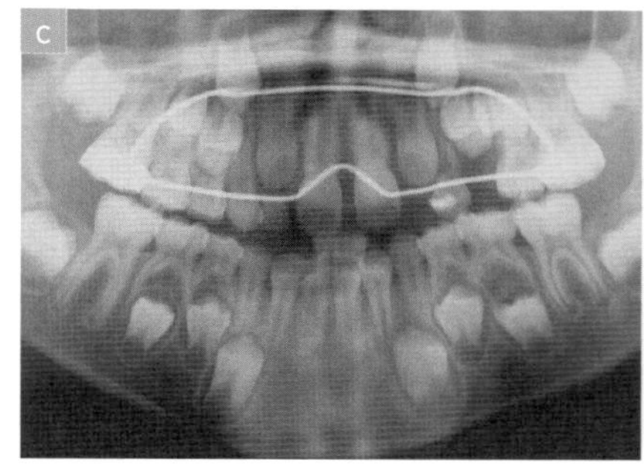

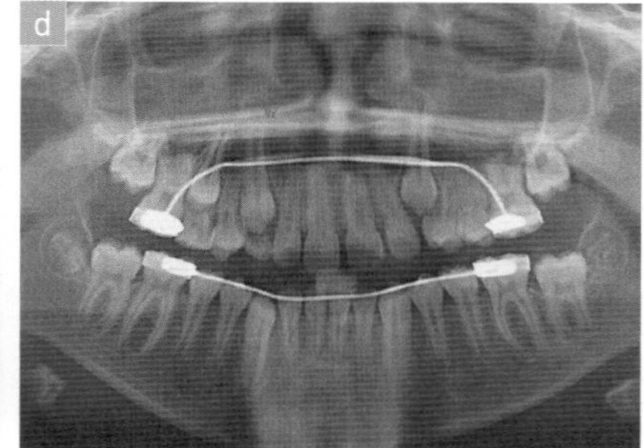

그림 8.12 a) 2단계, 4세 6개월 여아로 맹출 실패를 동반한 상악 제1유구치의 저위교합을 가지고 있다. 계승치인 제1소구치는 상방으로 변이되고 악궁 길이가 감소되어 있다. b) 공간 회복과 좌측 상악 제1유구치 발치 12개월 후, 제1소구치의 위치가 개선되었다. c) 7세 6개월, 제1소구치가 더 좋은 위치에 있는 것을 관찰할 수 있다. d) 12세 환자에서 제1소구치가 반대측 치아와 대칭적으로 맹출된다.

근, 후속 영구치의 매복이 발생할 수 있다. 강직된 유구치는 초기 6개월까지 면밀하게 관찰되어야 한다. 만약 자연적으로 탈락되지 않는다면, 지연된 치아탈락으로 인한 악궁 길이 감소, 치조골 결손, 후속 영구치의 매복, 교합간섭 등이 나타날 수 있으므로, 강직된 유구치는 제거되어야 한다.

최근, 저위교합 치아를 "맹출의 일차적 실패(primary failure of eruption; PFE)"의 범주로 분류해야 한다는 제안이 있었다[8].

맹출의 일차적 실패는 맹출 결손으로 간주되며, 맹출의 완전한 실패 또는 명백한 국소적, 전신적 원인 요인이 없는 조기 맹출의 중단을 말한다. 치아 맹출 실패와 연관된 상태를 명확한 이해하는 것은 어렵지만 증거는 강력한 유전적 기반을 제안한다. 불행하게도, 영향받은 치아를 관리하기 위한 교정적 이동 시도는 실패할지도 모른다.

8.7 맹출 편위와 차단교정(PIOM): 치아 발달의 각 단계에서 가장 자주 발생하는 맹출 방해는 무엇인가?

교합이 발달하는 동안, 몇몇 맹출 방해는 각 치아 발달 단계에서 더욱 잘 나타난다. 1단계는 유치열의 맹출로 대표된다. 우리는 2~7단계까지 가능한 방해를 보여줄 것이다.

8.7.1 2단계 - 유치열의 완성

유치열 기간의 성숙 기간 동안(3-5세), 맹출 편위는 거의 드물다. 그러나 치아 강직이 나타날 수 있고, 강직 시작 시기에 따라 적절한 악궁 발달에 실질적인 위협이 될 수 있다는 것을 간과해서는 안된다. 유구치 강직의 조기 시작(5세 이전)이 있다면 특별히 관심을 가져야 한다. 분명한 수직적 골 결손을 동반하는 심각한 경우에는 강직된 치아를 발거하고, 공간 유지장치(space maintainer)를 장착하도록 한다. 일반적으로, 조기 저위교합된 유구치는 악궁 길이 감소를 동반한다. 후속 영구치의 맹출을 수용할 수 있는 적절한 공간 관리가 필요하다(**그림 8.12**).

8.7.2 3단계 - 제1 대구치의 맹출

문헌에서 널리 서술되는 상악 제1대구치의 이소 맹출은, 연구 집단에 따라 2~6%의 다양한 유병률을 보여준다. Harrison Jr.와 Micha[9]는 제1대구치의 이소 맹출 분류를 제안하였다. jump 타입(자가 수정(self-correction)이 이루어짐)은 더 높은 발생률을 가지고, 반면 hold 타입(자가 수정이 일어나지 않음)은 덜 빈번하다(**그림 8.13, 8.14**).

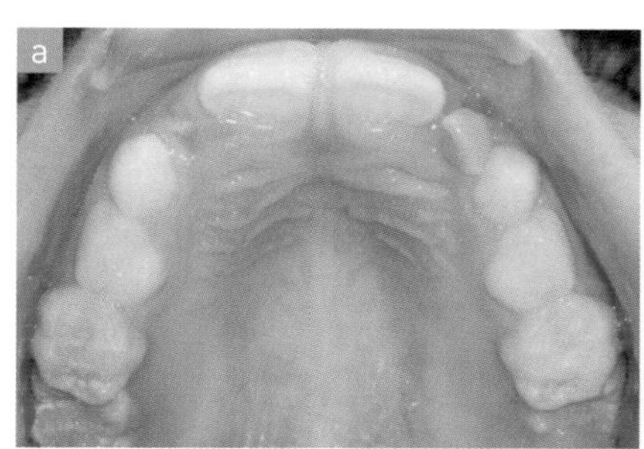

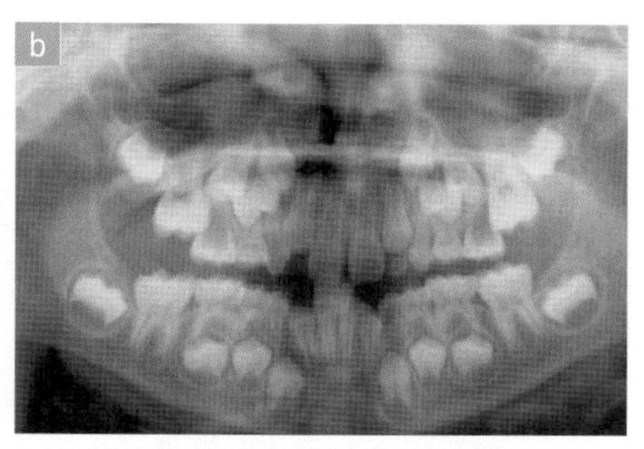

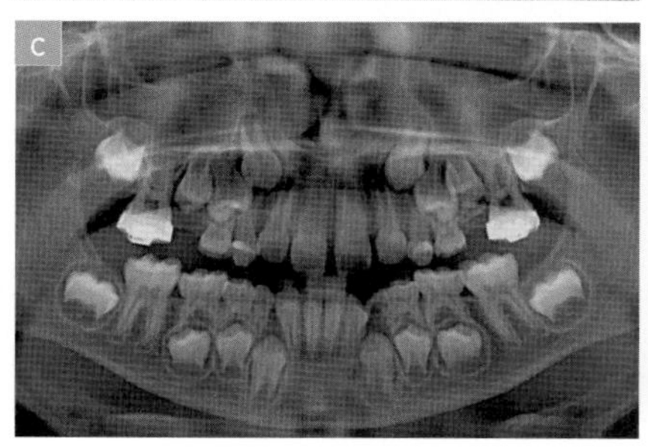

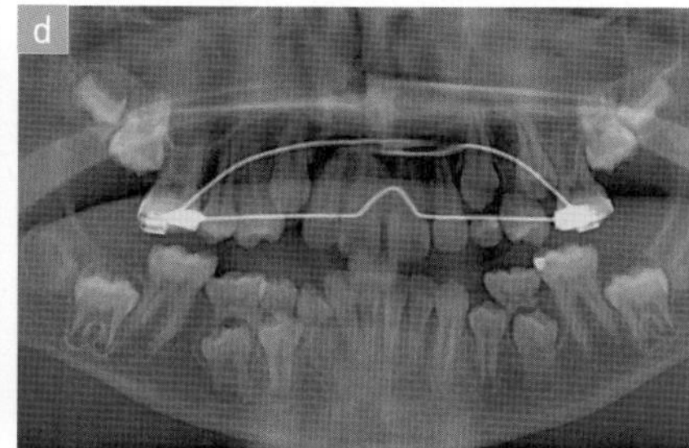

그림 8.14 a) 8세 여아로 상악 제1대구치의 양측성 이소 맹출을 보인다. b) 상악 제2유구치의 백악질과 상아질의 심각한 흡수. c) 상악 제2유구치 발치 후, 헤드기어를 이용한 상악 제1대구치의 원심화시키고 8개월, Ⅰ급 구치 관계가 만들어졌다. d) 고정성 구개 장치를 이용한 공간 유지. 우측 상악 제2소구치는 이용 가능한 공간에 수동적으로 맹출되었다. 좌측 상악 제2소구치의 맹출로가 막혀 있고, 치아를 배열하기 위해 고정성 교정 장치를 필요로 했다.

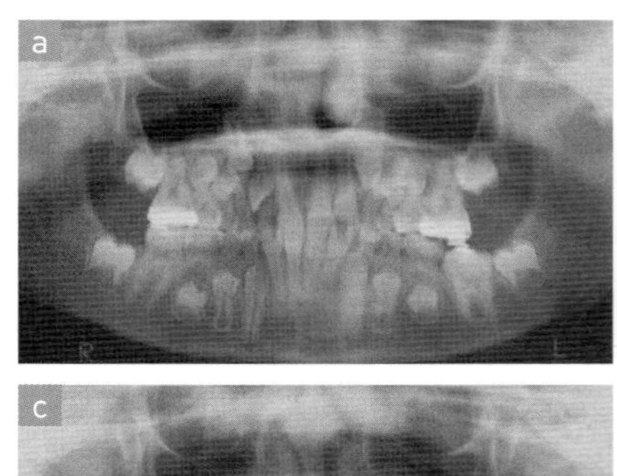
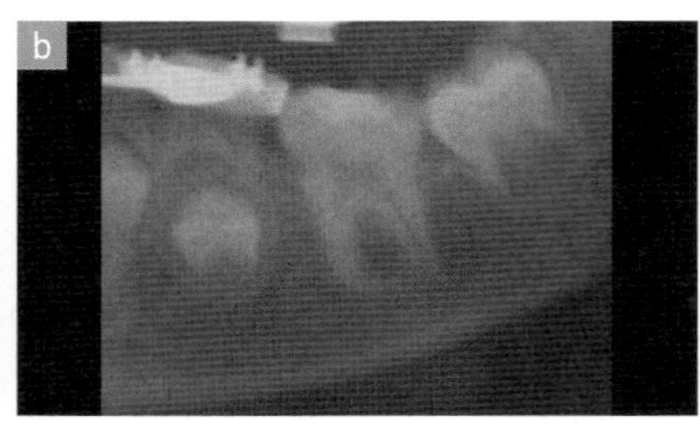
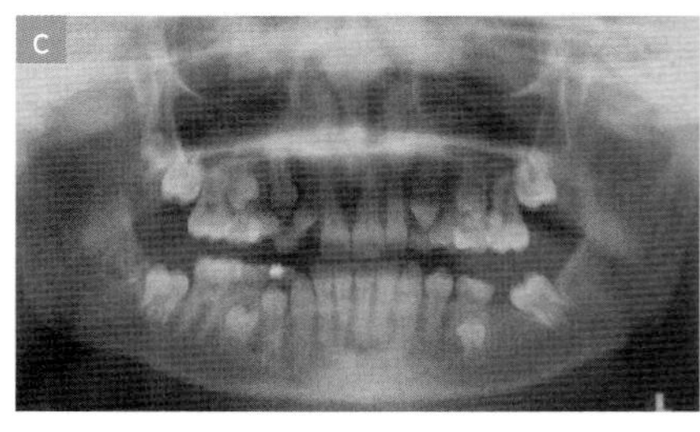
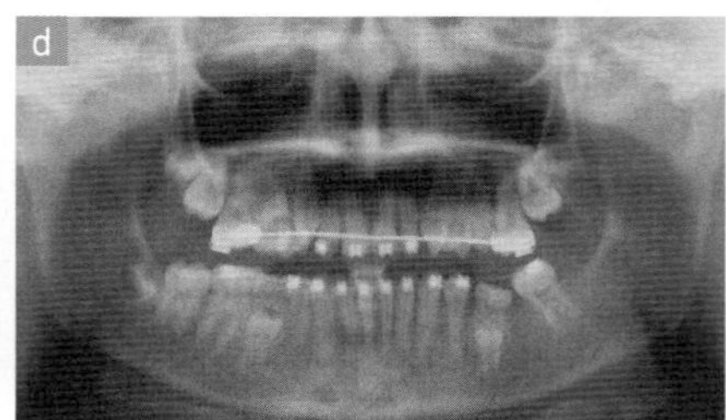
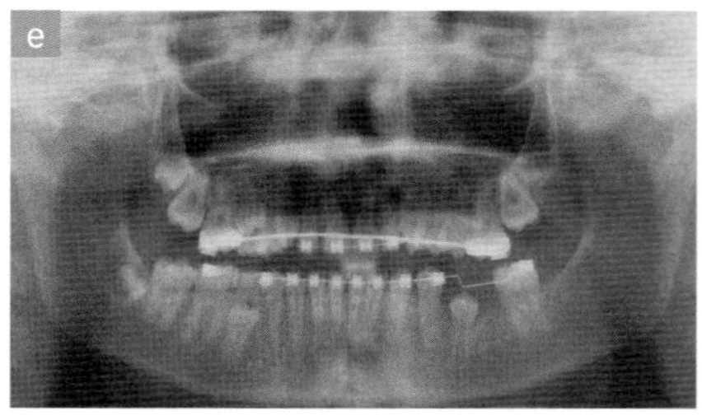

그림 8.15 a) 7세 여아로 침하된 하악 좌측 제1대구치를 가지고 있다. 이전 교정 치료에서는 악간 고무줄을 이용하여 정출시키려고 하였다. 그러나, 상악 좌측 대구치의 정출만이 발생하였다. 침하된 하악 대구치는 교정적으로 이동하지 않았다. b) 18개월 간에 걸친 악궁간 교정장치로 탈구를 시도하였다. 치아의 이동이 관찰되지 않았기 때문에, 강직된 대구치의 발거가 요구되었다. c) 인접 하악 제2대구치는 두드러진 근심 경사를 동반하여 맹출되었다. d,e) 교정적으로 제2대구치를 직립시켰다. 치료 계획은 발치된 대구치의 보철적 수복을 위한 공간 관리를 포함하였다.

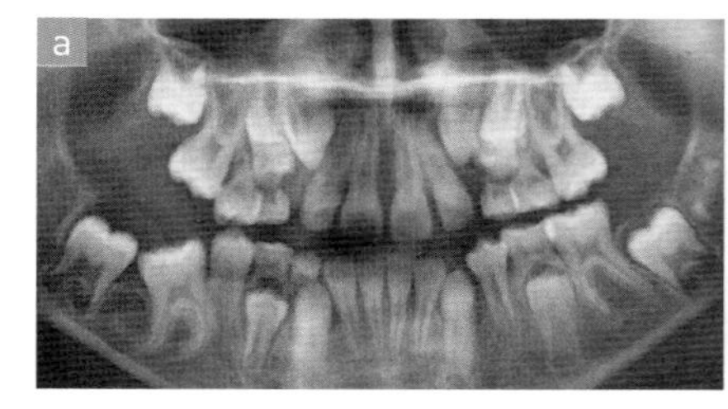
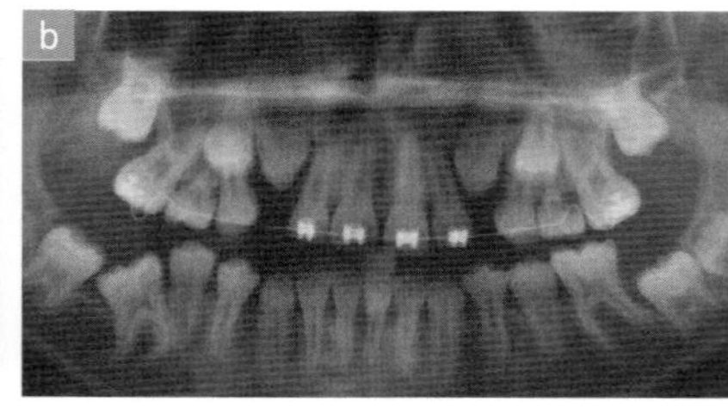
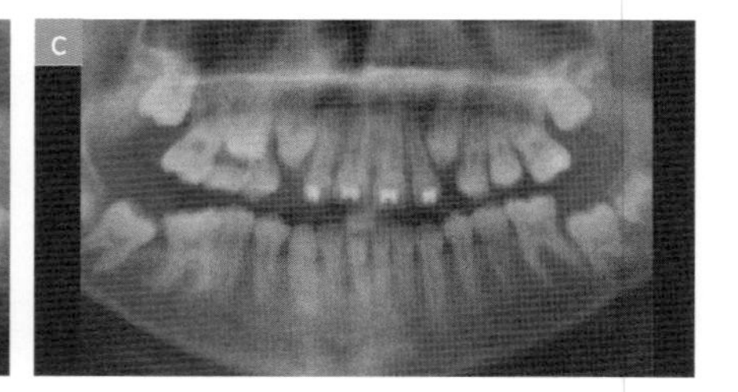

그림 8.16 a) 8세 3개월의 남아로 하악 우측 제1대구치가 맹출하지 않았다. 파노라마 방사선사진의 기준으로 침하치에 해당된다. 제1대구치의 강직이 진단되었고 발치가 적응증이다. 환자의 보호자가 발치를 거부하였고, 비침습적인 치료를 요구하였다. 상악궁의 공간과 교합 유도를 관리하기 위해 1차 교정치료를 진행하였다. b) 교정치료 시작 18개월, 인접 하악 제2대구치가 침하치 상방으로 맹출 이동하는 것이 방사선 사진으로 확인되었다. 환자에게 새로운 발치 제안을 하였다. 이런 상황에서의 예후는 불량하다. 환자의 부모는 여전히 발치를 거부하였다. c) 12개월 후, 파노라마 방사선사진을 통해서 침하치의 위치가 개선될 가능성이 없음을 확인할 수 있다.

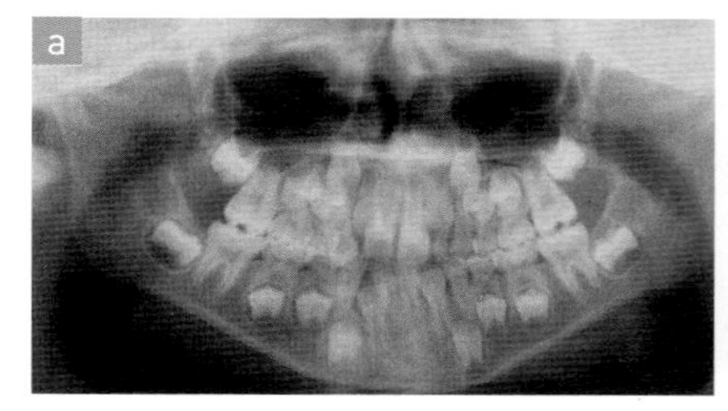
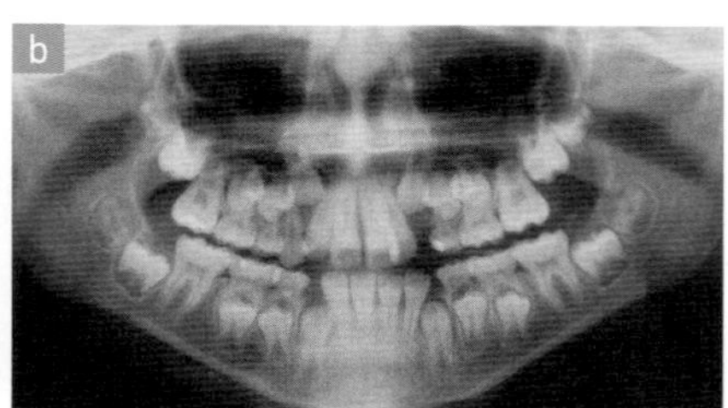

그림 8.17 a) 8세 여아로 중증의 공간 부족을 보이고 있다. 하악 영구 전치가 완전히 맹출할 수 있는 공간이 없다. 하악 우측 측절치가 가려져 있다. b) 하악 유견치 발치 12개월 후, 하악전치가 맹출되었고, 적절히 배열되었다. 악궁 둘레 길이의 손실을 피하기 위해 lip-bumper를 활성시켜 사용하였다.

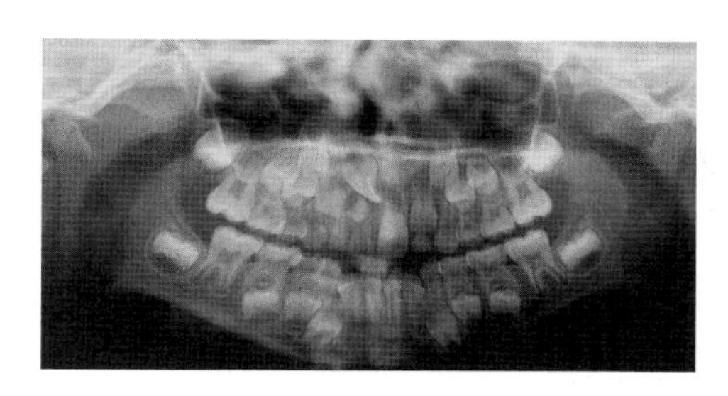

그림 8.18 상악 좌측 영구 중절치가 맹출하고 10개월 후, 상악 우측 영구 중절치가 맹출할 징후가 없다. 7세 9개월 남아의 파노라마 사진에서 정상적인 맹출을 가로막고 있는 과잉치의 존재를 볼 수 있다.

하악 제1대구치 맹출의 일차적 실패(**그림 8.15, 8.16**)는 더욱 드물다(<0.05%). 이것이 발생하면 그 예후는 불량하다. 강직은 매우 잘 진행될 것 같다. 이런 증례의 대부분은 교정적 이동이 가능하지 않기 때문에, 저위교합된 치아의 발치가 필요하고, 교정적 탈구와 같은 대체적인 방법은 몇몇 성공 사례에도 불구하고 새로운 시나리오로 구축되기 매우 힘들다[10].

8.7.3 4단계 - 영구절치의 맹출

상악 전치의 지연된 맹출은 치아와 얼굴의 심미성에 대해 큰 영향을 줄 수 있다. Yaqoob 등[11]은 광범위한 참고문헌과 함께 맹출되지 않은 상악 전치의 관리에 대한 최신 지침을 발표하였다. 전치의 지연된 맹출의 가장 빈번한 원인은 비정상적 치아/조직 비율(**그림 8.17**), 과잉치의 존재(**그림 8.18, 8.20**), 치은 섬유화(**그림 8.19**) 등이 있다.

8.7.4 5단계 - 하악 견치와 제1소구치의 맹출

하악 영구견치는 벗어난 맹출 패턴을 추정할 수 있다. 신중한 관찰로 개입치료 여부를 결정한다. 그림 8.21과 그림 8.22는 하악 영구견치의 이소 맹출에 대한 부적절한 관리와 적절한 관리의 예를 보여준다. 제1소구치 또한 이소 맹출 패턴을 추정할 수 있는데, 파노라마 사진을 관찰하여 치료하는 데에 도움을 얻도록 한다. 대부분의 시간은 유구치 발거와 악궁 길이 관리에 소요된다. 그러나 교정의사는 소구치 형성 지연이 드물지 않은 것이고 장기간 관찰이 최선의 접근이라는 것에 대한 경계를 늦추어서는 안된다(**그림 8.23**).

8.7.5 6단계 - 제2소구치의 맹출

제2소구치의 무형성은 교정 환자에서 종종 발견된다. 또한 치관과 치근의 형성 지연도 흔히 발견된다(**그림 8.24**).

8.7.6 7단계 - 상악 견치와 제2대구치의 맹출

교정의사, 소아치과의사, 일반치과의사는 매일같이 상악 견치 맹출 경로의 편위와 마주하게 된다. 진단이 늦어지면 비가역적인 손실이 초래될 수 있으나(**그림 8.25**), 심각하게 벗어난 상악 견치는 교정적으로 적절한 위치로 이동시킬 수 있다(**그림 8.26, 8.27**). 교정의사는 또한 제2대구치의 매복 위험성을 알아야만 한다(**그림 8.28, 8.29**).

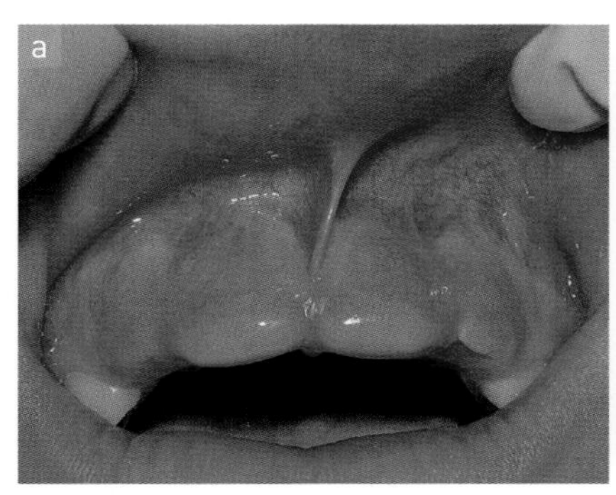

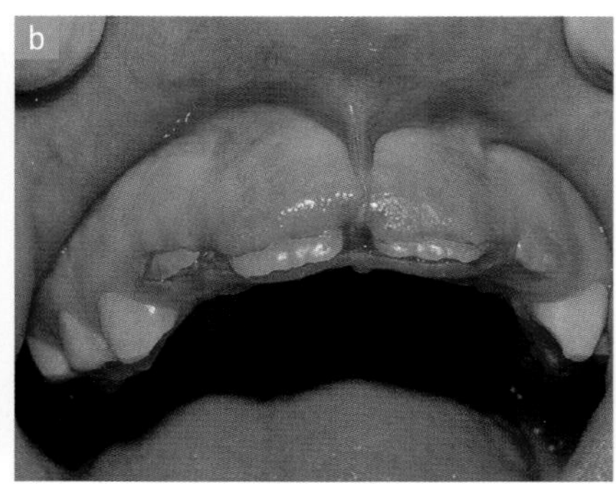

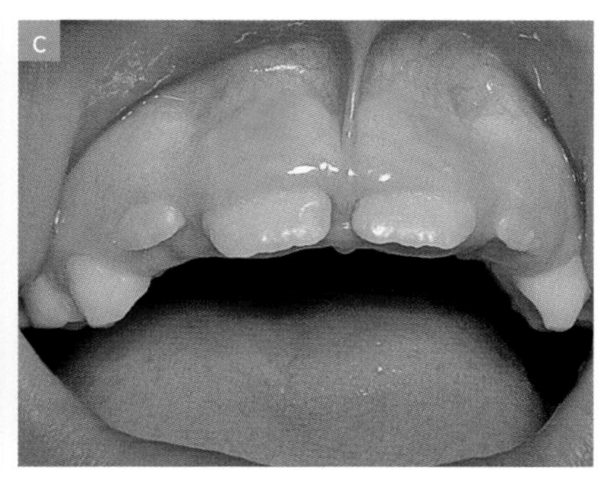

그림 8.19 a) 9세 10개월 여아로 상악 절치의 맹출이 지연되고 있다. 촉진으로 국소적 치은 섬유화를 확인할 수있다. 상악 유중절치는 16개월 전에 탈락되었으나, 후속 영구치가 치은 섬유화에 의해 방해받고 있다. 방사선학적 검사로 치근 형성이 적절하게 이루어짐을 볼 수 있다. 다른 물리적 장애물은 관찰되지 않았다. 맹출 지연으로 심리적 걱정도 큰 상태이다. b) 반흔조직절제술을 시행하였다. c) 외과적 수술 10일 후, 전치부는 활동적으로 맹출하고 있다.

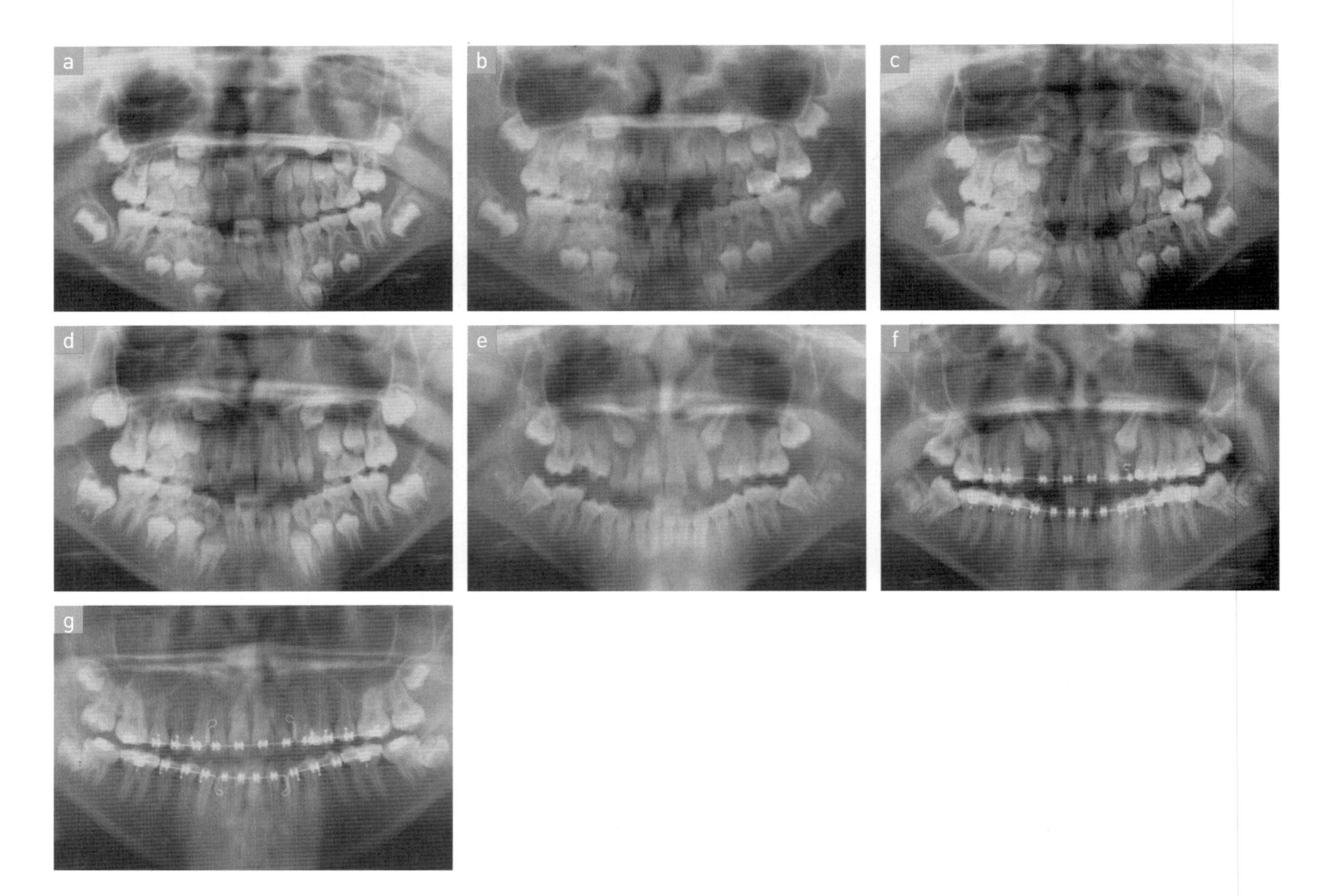

그림 8.20 a) 5세 9개월 여아의 파노라마 방사선사진에서 과잉의 상악 좌측 측절치와 유측절치가 관찰된다. 상악 좌측 중절치는 반대편 우측 중절치에 비해서 다른 위치로 변위되어 있다. 또한 상악 좌측 제1대구치도 이소 맹출 되었다. 2개의 상악 좌측 유측절치(정상 유치와 과잉치)를 발거하여, 후속 측절치의 맹출을 향상시키고 이소 맹출된 중절치를 개선하고자 하였다. b) 좌측 유측절치의 발치 12개월 후, 상악 좌측 중절치 위치가 많이 개선되었다. 상악 유중절치는 발거되지 않았다. c) 7세 9개월에, 과잉 상악 측절치는 아직 발거되지 않은 상태였다. 방사선학적 검사에서 2개의 상악 좌측 측절치(정상 치아와 과잉치)가 해부학적으로 유사하여, 조기 발치 결정을 어렵게 만들었다. 어느 치아를 발거할 것인가에 대한 결정은 치아가 완전히 맹출할 때까지 기다린 후, 해부학적 형태와 색깔을 확인하여 결정하기로 하였다. d) 9세에, 2개의 좌측 측절치가 맹출하였고, 더 근심 측에 있는 치아를 발거하기로 하였다. 이 결정에는 치관의 색깔이 주된 기준으로 작용하였다. e) 과잉의 상악 좌측 측절치 발치 24개월 후(11세), 남은 상악 좌측 측절치의 자발적인 근심 이동이 일어나지 않았다. f) 12세에, 상악 좌측 측절치를 교정적으로 이동하였다. 상악 견치를 외과적으로 노출하여, 교정적 견인을 시행하였다. g) 교정치료 22개월 후, 하악 제2대구치가 세워졌고, 공간은 폐쇄되었다. 상악 전치부의 개선을 위한 artistic bending이 필요하다.

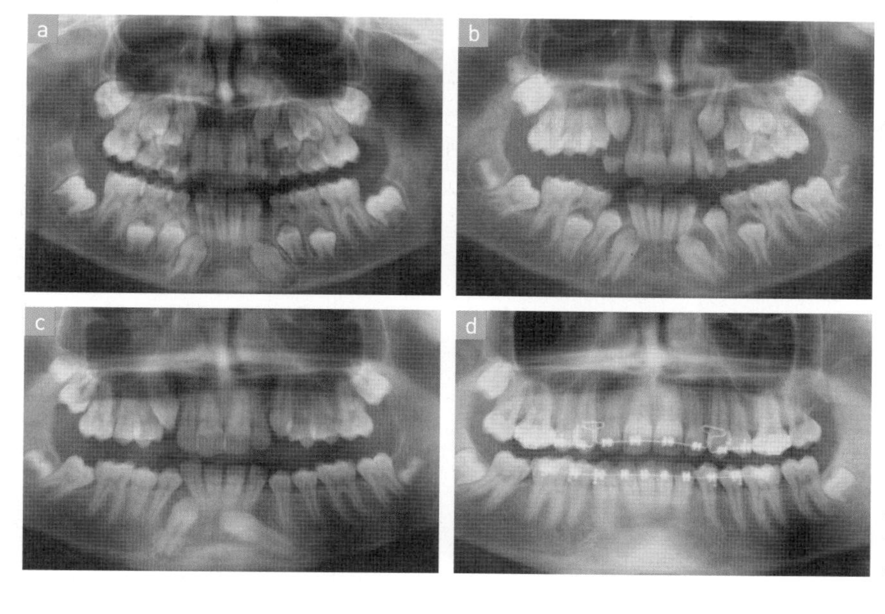

그림 8.21 8세 남아가 하악궁에 심각한 공간 부족을 가지고 있다. 하악 영구 전치의 맹출과 배열을 위해 하악 유견치를 조기에 발거하였다. 그러나, 그 당시 악궁 길이 보존을 위한 공간 관리가 진행되지 않았다. b) 9세에, 하악 좌측 견치가 두드러진 근심 경사를 보였으나, 이소 맹출된 견치의 자발적인 자가-수정을 기대하면서 적극적인 교정치료를 제안하지 않았다. c) 11세에, 하악 좌측 견치의 근심 이동이 더 악화되었다. 심각한 공간 부족과 전치부의 돌출이 관찰되어, 제1소구치 발치 후 교정치료가 필요하게 되었다. 이 단계에서, 가족은 소구치 발치를 거절하였다. d) 12개월 후, 하악 좌측 견치의 위치는 더욱 더 악화되었다. 하악 좌측 견치, 하악 우측 제1소구치, 상악 제1소구치를 발거하기로 결정하였다. 좋은 교두간 관계와 공간 폐쇄를 달성하기 위해서 전악 브라켓 부착 치료가 필수적이었다.

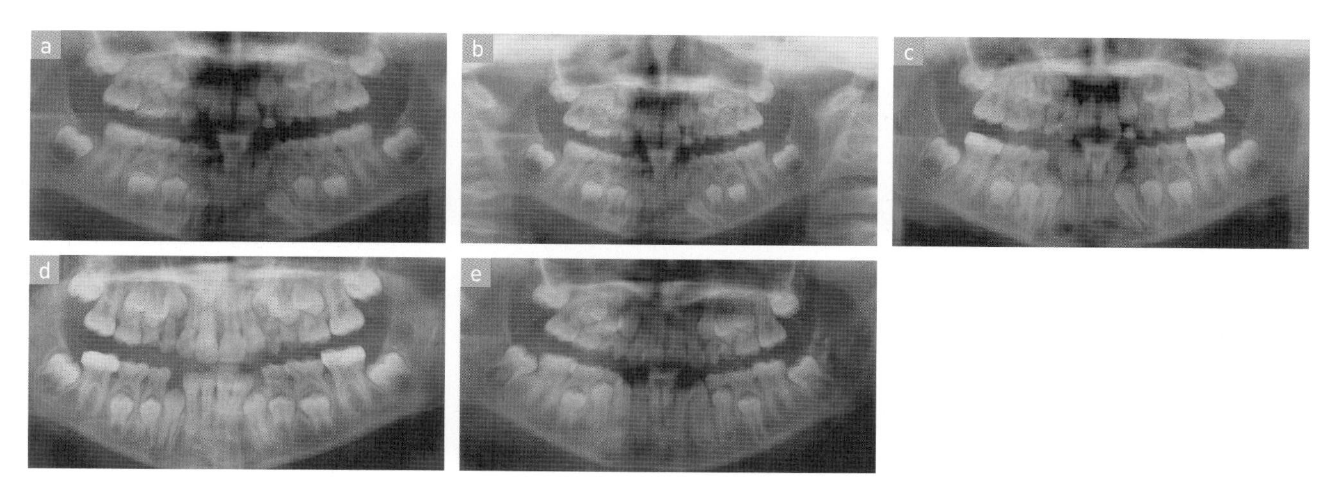

그림 8.22 a) 7세 여아로 파노라마 사진에서 하악 좌측 견치의 근심 경사가 증가되어 있다. b) 6개월 후, 인접 측절치에서 치관의 원심 경사가 더 증가하였다. 소아치과의사는 파노라마 사진을 다시 촬영하였고, 하악 좌측 견치가 좌측 측절치의 치근을 향해 이동하고 있음을 확인할 수 있었다. c) 하악 양측 유견치를 발거하고 활성화한 lip-bumper를 4개월간 사용한 후, 좌측 견치의 맹출 양상이 향상되는 것을 볼 수 있었다. d) 교정치료 8개월 후, 하악 우측 견치와 비교했을 때 좌측 견치가 더욱 대칭적이 되었다. e) 10세에, 양측 하악 견치가 맹출하였다. 맹출 편위에 대한 조기 교정치료는 효과적이었다.

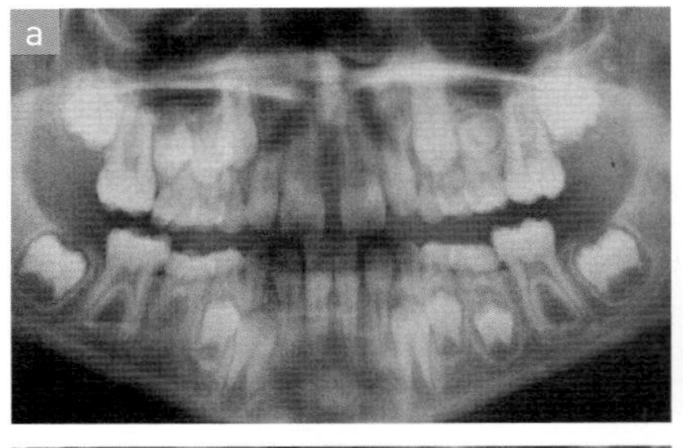
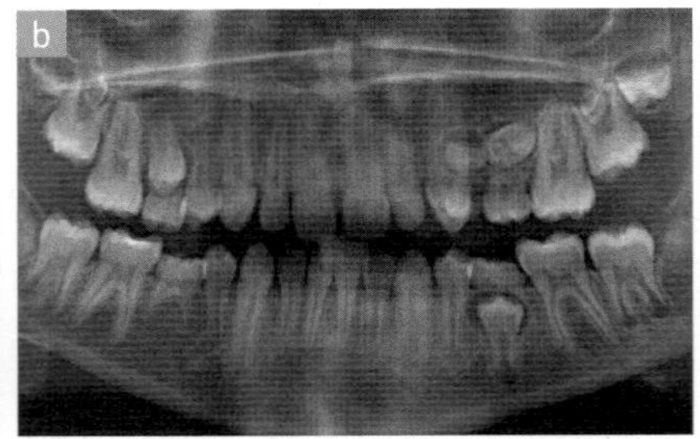
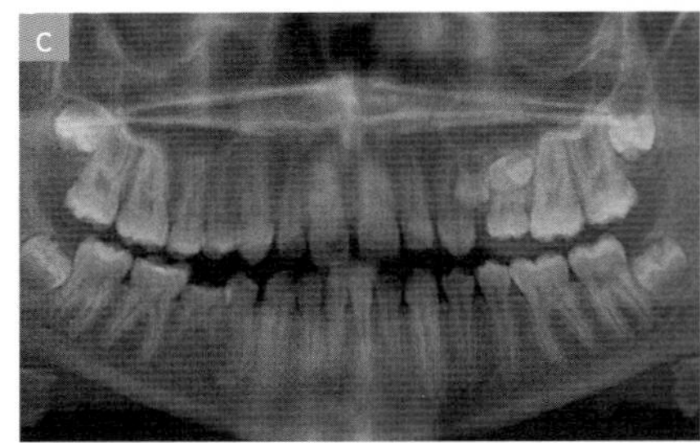
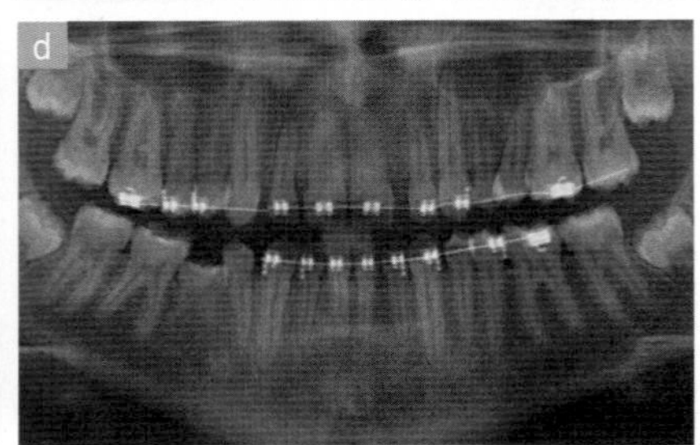

그림 8.23 a) 9세 남아로, 파노라마 사진상 하악 우측 제2소구치와 상악 좌측 제1소구치의 치배가 없었다. b) 4년 후, 13세에, 상악 좌측 제1소구치가 발달하기 시작했다는 것을 발견하였으나, 상당히 지연되어 있음이 분명하다. c) 15세에, 상악 좌측 제1소구치는 여전히 상당히 지연된 발달을 보이고 있었다. 교정치료가 보철치료와 함께 진행되어야 했기 때문에 해당 치아의 발거는 보류하였다. 환자의 보호자는 이 치료 방법을 강력하게 거절하였다. 하악 우측 제2소구치의 무형성은 명백하였다. d) 18세에, 상악 좌측 소구치들이 적절한 치관과 치근의 해부학적 형태를 가지고 맹출되었다. 최종 치료 계획은 하악 우측에 공간을 폐쇄하여 최종적으로 우측에 Ⅲ급 구치 관계를 목표로 하는 포괄적인 교정 술식을 포함하였다. 임시 고정원 장치(TAD)를 사용하여 정중선의 적절한 조절과 함께 하악 공간 폐쇄를 도모하였다. 가족은 보철 치료가 필요하지 않다는 것에 만족하였다.

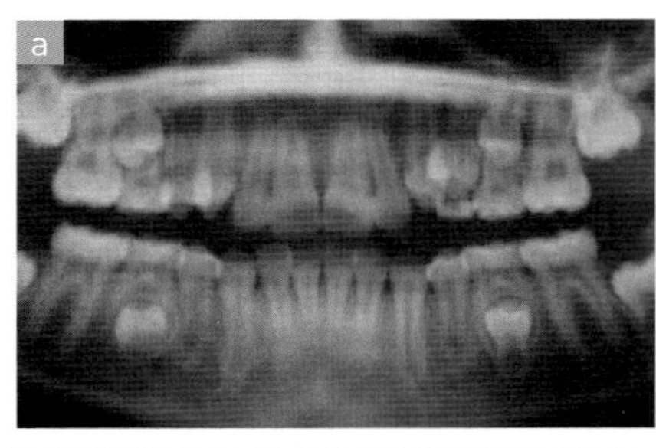
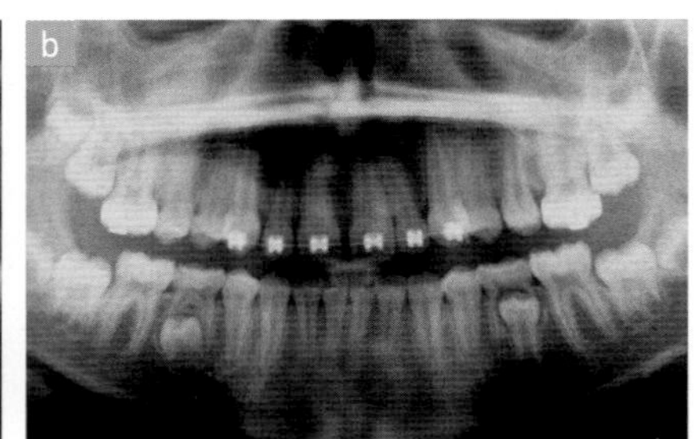
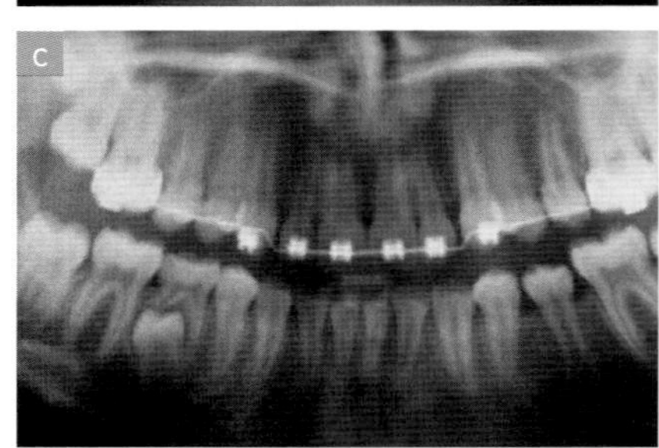
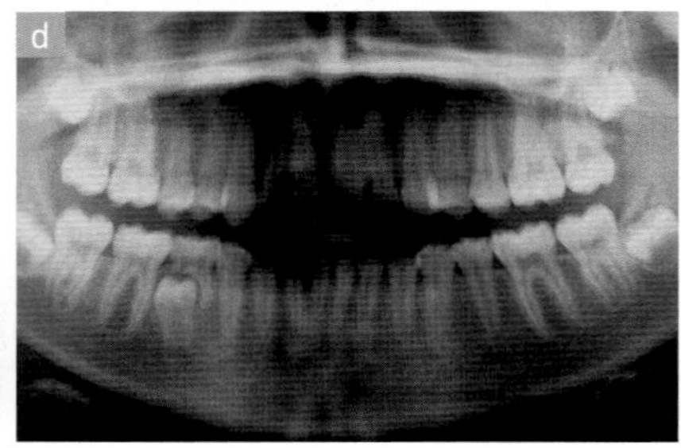
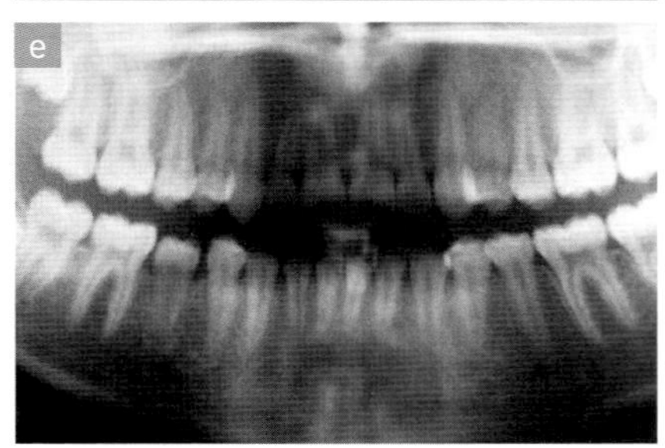

그림 8.24 a) 11세 여아로, 파노라마 사진에서 하악 제2소구치의 발달이 지연되고 비대칭적인 발달을 보여줬다. b) 13세에, 하악 좌측 제2소구치는 치근 형성이 상당히 발달하였으나, 우측 제2소구치는 약간의 발달만 진행되어 치근 형성이 지연되고 있었다. c) 14세에, 하악 좌측 제2소구치가 맹출하였다. 하악 우측 제2소구치의 치근이 좀 더 형성되었지만, 여전히 활동적인 맹출 단계와는 거리가 멀었다. d) 15세에, 하악 우측 제2소구치의 치근은 절반 정도가 형성되었고, 활동적인 맹출 단계에 있었다. e) 마지막으로 17세에, 하악 우측 제2소구치가 맹출하였다. 치근첨이 여전히 열려있다.

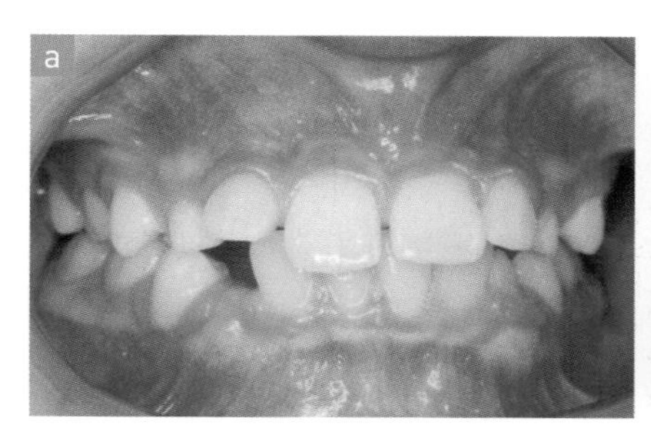

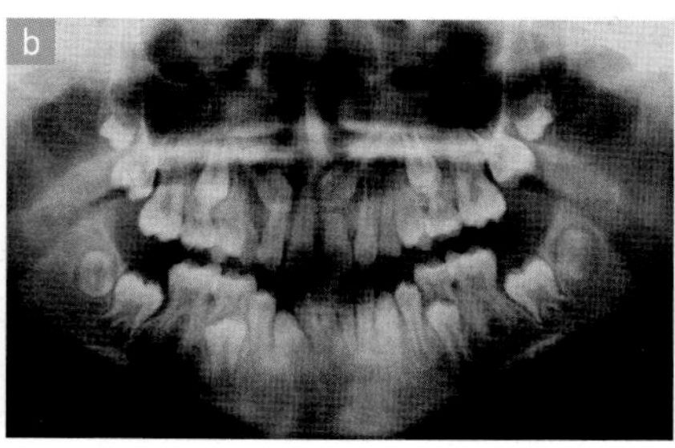

그림 8.25 11세 남아의 구내 전면 사진과 파노라마 사진에서 이소 맹출된 상악 견치를 볼수 있다. 상악 측절치가 비대칭적으로 위치하였다. 상악 견치의 이소 맹출 경로에 대한 보상으로 측절치의 치관이 원심 순측 방향으로 이동하였다("미운 오리 새끼"). 한편, 좌측 중절치가 상당히 흡수되어 있었다.

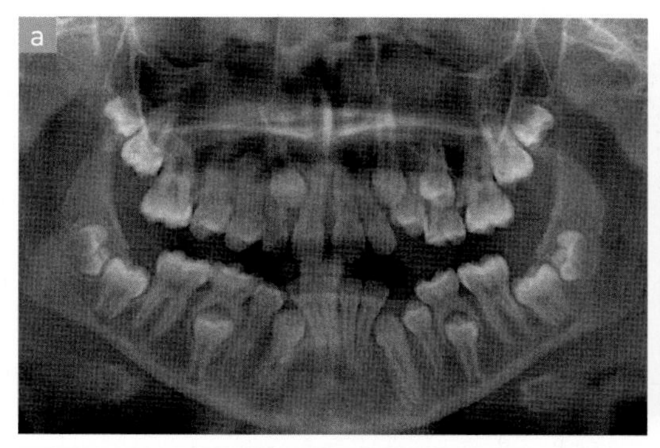

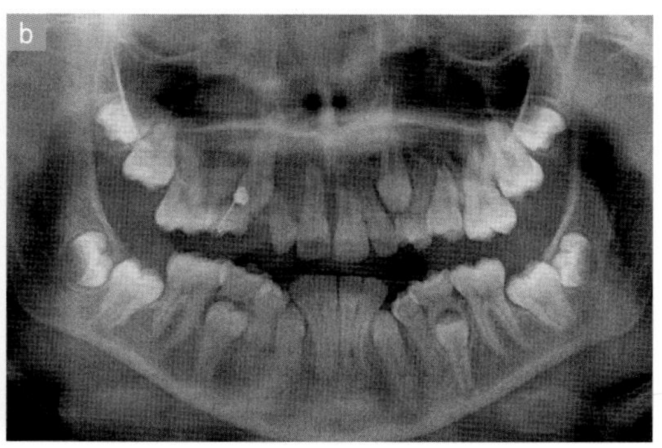

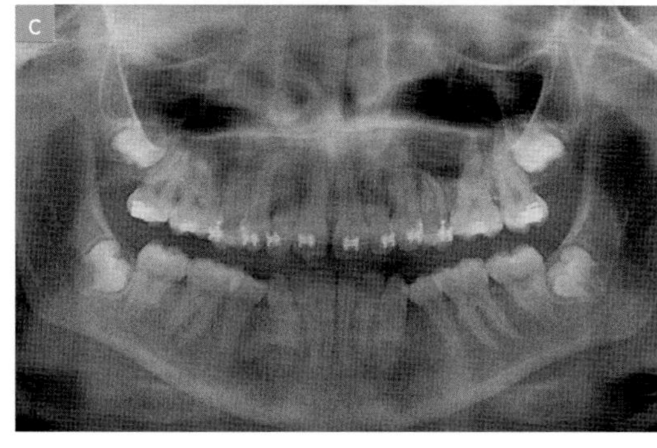

그림 8.26 a) 11세 여아로 상당한 공간 부족과 이소 맹출된 상악 우측 견치를 가지고 있었다. b,c) 치료 계획으로는 4개의 제1소구치를 발거하고 이소 맹출된 상악 우측 견치를 교정적으로 견인하기로 하였다. 상악 우측 제1소구치를 먼저 발거하였고, 가철성 장치를 사용하여 이소 맹출된 견치의 견인을 진행하였다. 남아 있는 제1소구치들은 견치의 견인이 완성된 후에 발거하였다.

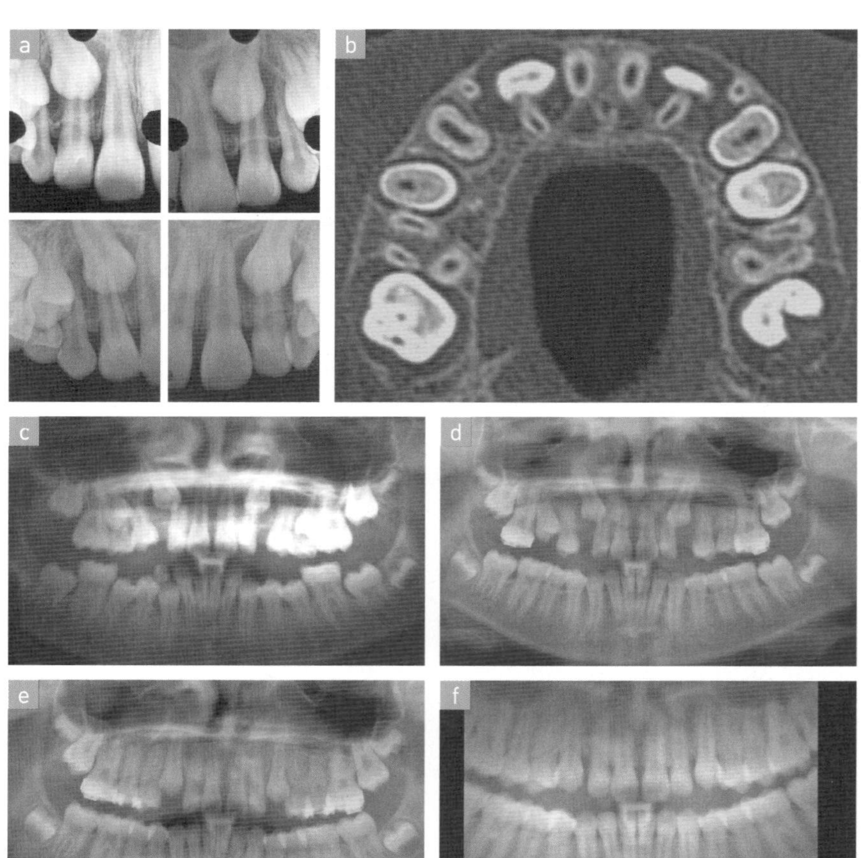

그림 8.27 a,b) 11세 여아로, 치근단 방사선사진과 CT사진에서 이소 맹출된 상악 견치를 가지고 있다. 상악 제1유구치와 유견치를 발거하고, 급속구개확장 장치를 사용하였다. c) 발치 12개월 후, 상악 견치 위치가 자발적으로 개선되었다. 이 시점에서, 악궁 길이를 향상시키고 상악 견치 맹출을 위한 추가적 공간을 얻기 위해 경추 헤드기어를 사용하였다. d) 헤드기어 사용 8개월 후, 12세 8개월에, 상악 견치 위치가 추가적으로 개선되었다. e,f) 양측 상악 견치의 자발적 맹출은 차단치료 30개월 후에 달성되었다.

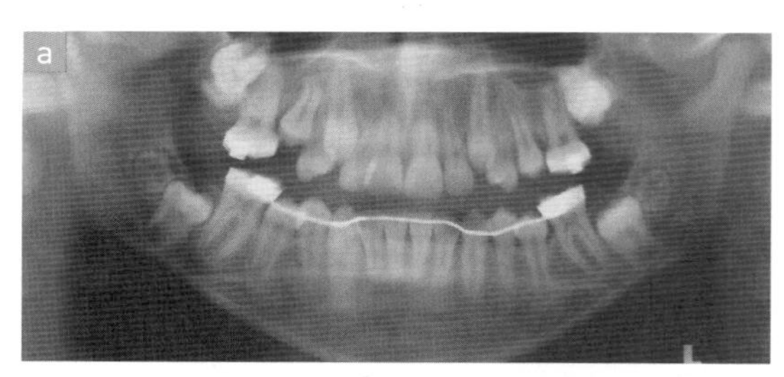

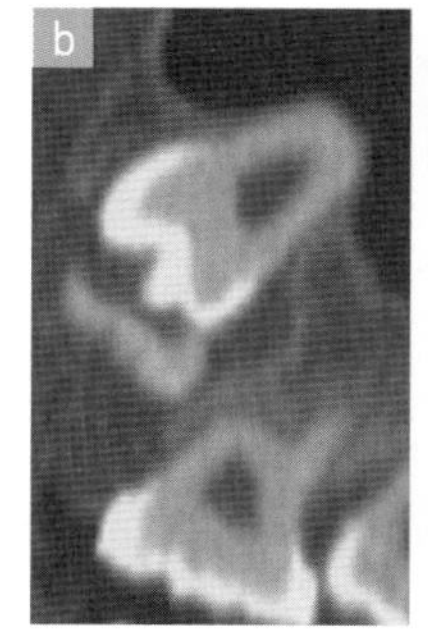

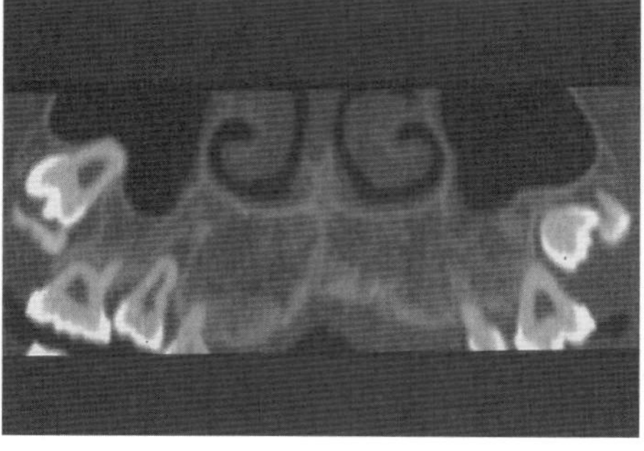

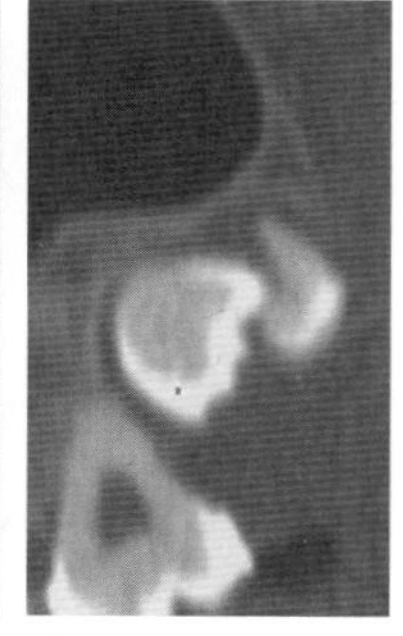

그림 8.28 a) 11세 남아로 파노라마 방사선 사진에서 방사선 불투과성 덩어리가 상악 우측 제2대구치의 맹출을 방해하는 것을 볼 수 있다. 상악 좌측 제2대구치에 대한 명백한 방해는 확인되지 않았다. b) 그러나, 같은 달에 촬영한 CT를 통해서, 상악 제3대구치의 치배가 양측성으로 인접한 제2대구치의 맹출을 방해하고 있음을 확인할 수 있었다. 상악 제2대구치의 지연된 맹출을 조사할 때는 인접한 제3대구치의 위치 평가를 포함해야 한다. 제3대구치 평가를 위해 추후에 새로운 CT 검사를 고려해야 한다.

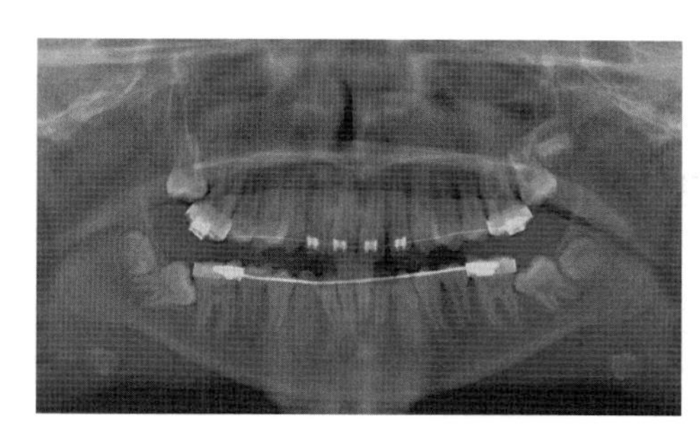

그림 8.29 하악 제2대구치 매복은 하악 설측 고정 장치(LLHA)를 이용한 교정적 공간관리와 관련이 있다. 혼합치열기에서 하악 악궁 둘레를 유지하는 목적으로 사용하는 교정 장치는 하악 제2대구치의 맹출 방해 가능성을 증가시킬 수 있다. 교정의사는 주의깊게 환자들을 관찰해야 한다.

참 · 고 · 문 · 헌

1 Marks, SC, Schroeder, HE. Tooth eruption: theories and facts. Anat Rec 1996;245:374–93.

2 Wise, GE, King, GJ. Mechanisms of tooth eruption and orthodontic tooth movement. J Dent Res 2008;87:414–34.

3 Nanci, A. Ten Cate's Oral Histology: development, structure, and function. 8th edn. Saint Louis: Elsevier Mosby 2013.

4 Loriato, LB, Machado, AW, Souki, BQ, Pereira, TJ. Late diagnosis of dentoalveolar ankylosis: impact on effectiveness and efficiency of orthodontic treatment. Am J Orthod Dentofacial Orthop 2009;135:799–808.

5 Gron, AM. Prediction of tooth emergence. J Dent Res 1962; 41:573–85.

6 Peedikayil, FC. Delayed tooth eruption. e-journal of Dent. 2011;1:81–6.

7 Tieu, LD, Walker, SL, Major, MP, Flores-Mir, C. Management of ankylosed primary molars with premolar successors: a systematic review. J Am Dent Assoc 2013;144: 602–11.

8 Ahmad, S, Bister, D, Cobourne, MT. The clinical features and etiological basis of primary eruption failure. Eur J Orthod 2006;28:535–40.

9 Harrison Jr., LM, Michal, BC. Treatment of ectopically erupting permanent molars. Dent Clin North Am 1984; 28:57–67.

10 Smith, CP, Al-Awadhi, EA, Garvey, MT. An atypical presentation of mechanical failure of eruption of a mandibular permanent molar: diagnosis and treatment case report. Eur Arch Paediatr Dent 2012;13:152–6.

11 Yaqoob, O et al. Management of unerupted maxillary incisors. Available at: https://www.rcseng.ac.uk/fds/publicationsclinical-guidelines/clinical_guidelines/documents/ManMax Incisors2010.pdf.

12 Rubin RL, Baccetti T, McNamara JA, Jr. Mandibular second molar eruption difficulties related to the maintenance of arch perimeter in the mixed dentition. Am J Orthod Dentofacial Orthop. 2012;141:146–152.

SECTION Ⅲ: 어린 환자에서 제2소구치의 결손을 위한 전략

Section III: Strategies for managing missing second premolar teeth in the young patient

David B. Kennedy, BDS, LDS (RCSEng), MSD, FRCD(C)
Faculty of Dentistry, University of British Columbia, Vancouver, BC, Canada

이번에는 치아의 위치, 성별, 지리적 구역에 따라 선천적 치아 결손의 빈도가 어떻게 다른지에 대해 다뤄보고자 한다[1]. 치아결손의 빈도 범위는 3.2~7.6%로, 제3대구치를 제외하고 하악 제2소구치가 가장 흔한 결손치이며, 그 뒤로 상악 측절치, 상악 제2소구치 순서이다[1]. 여성에서의 발생률이 남성보다 1.37배 높다[1]. 대륙간의 차이는 북아메리카 백인(Caucasian)에서 빈도가 줄어들며, 유럽인과 호주인들에서는 빈도가 증가한다[1]. 결손치아를 가지고 있는 사람들의 83%는 1개 혹은 2개의 영구 결손치를 가지고 있다[1]. Kokich 등은 성인에서 차후의 임플란트 수복을 위한 인공치 공간을 확보하는 방법을 설명했다[2]. 그러나, 이번에는 계승 제2소구치가 없을 때 제2 유구치의 반응과 어린 아이에서 이를 위한 대안에 대해 검토할 것이다.

8.8 일반적인 개념

포괄적인 진단 기록들을 통해 환자를 공간의 모든 면에서 평가하고, 문제목록을 설정하여, 치료 대안들과 피험자 동의서로 이어지도록 한다[3]. 유구치의 치관, 치근, 수복 상태, 교합면 수준에서 결합부위에 치조골 지지 등의 상태는 고려가 필요한 요소들이다[4]. 선천적으로 결손치를 갖고 있는 어린 환자가 있을 때, 임상가는 유치를 유지할 것인가, 공간이 생기더라도 뽑을 것인가를 결정하기 위해 몇 가지 질문을 해야 한다[5]. 그 질문들은 다음과 같다[5]: 결손치가 존재한다면 어떻게 할 것인가? 이를 뽑고 발치공간을 폐쇄함으로서 부정교합이 잘 치료될 수 있을까? 유구치가 얼마나 오래 유지될 수 있을까?

적은 량의 총생, 깊은 수직피개, 후퇴된 전치, 감소된 전방 하안면 고경, 평평한 하악평면각을 가지고 있는 경우는 보통 비발치에 의해서 최적으로 치료된다[5]. 따라서, 이런 경우, 만약 제2유구치가 좋은 치근 구조를 가지고 있고 저위교합(infraocclusion)이 없는 상태라면, 제2유구치는 가능한 한 오래 지속되어야 한다[5]. 잔존하는 하악 제2유구치의 치아인접면을 삭제하여 결손된 제2소구치의 근원심거리와 유사하게 만들어 준다[2]. 이 전략은 치수의 크기, 제2유구치의 치근 만곡도, 제1대구치와 제1소구치의 근접도에 의해 제한된다[5]. 잔존 제2유구치의 근원심 폭경을 감소시키지 않으면, Ⅰ급 견치 교합을 갖더라도 구치부는 교두간(cusp-to-cusp), 끝부분(end-on) 혹은 교두반(half-cusp)의 Ⅱ급 교합관계를 갖게 된다[5]**(그림 8.30)**. 대안적인 전략은 구치와 견치의 Ⅰ급 교합을 유지하기 위해 상악궁의 공간을 남겨 두는 것이다**(그림 8.31)**. 구치나 정중선 비대칭, 돌출된 치열, 양악 전돌, 얕은 수직피개, 전치부 개방교합, 증가된 안면고경을 수반한 총생이 심한 환자들은 종종 발치와 발치 공간 폐쇄로

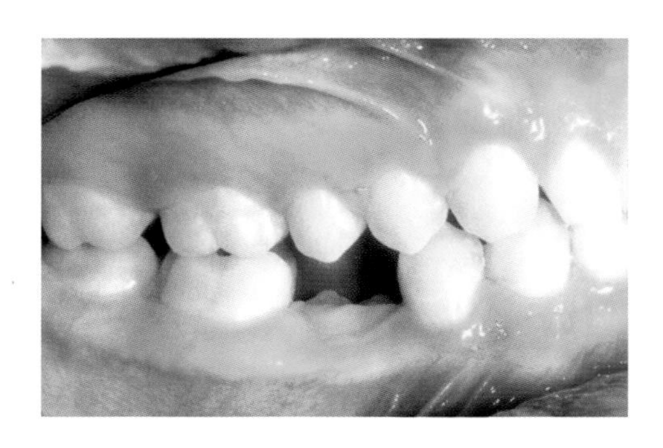

그림 8.30 저위교합된 잔존 유구치가 교합, 치조골 지지를 약화시키고 수복물의 제작을 어렵게 한다.

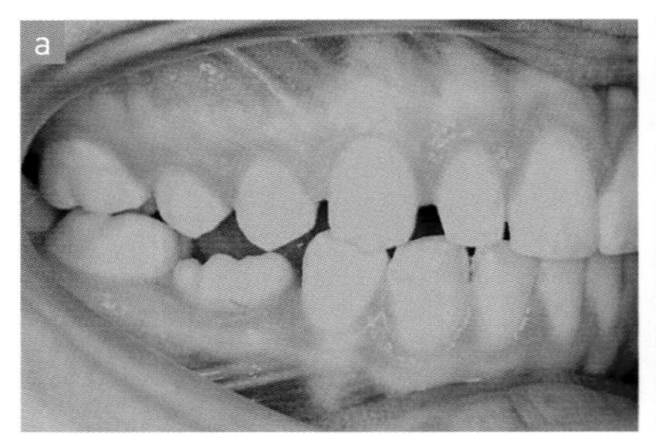

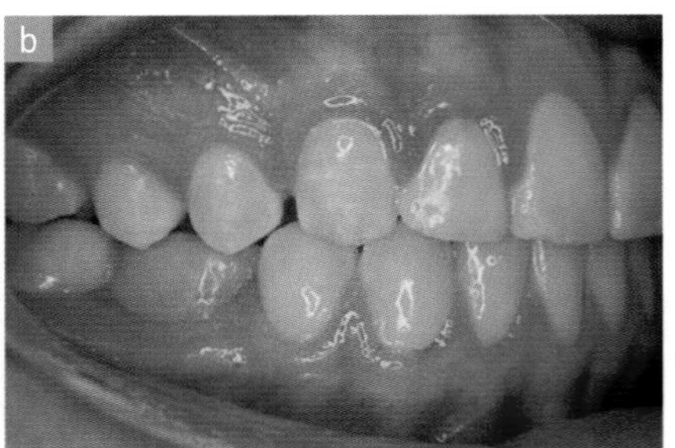

그림 8.31 상악궁의 남겨진 공간은 유지되고 있는 유구치의 수복을 통한 1급 구치 및 견치 관계를 허락한다.
a) 수복 전.
b) 수복 후.

치료되는 것이 최상이다.

결손된 제2소구치의 공간을 유지하기 위한 결정을 내릴 때, 제2유구치의 관리를 고려해야 한다[5]. 적절한 원칙을 고수하지 못하면, 결손치의 교합과 치조제 부위가 붕괴되고, 추후 보철 수복의 질이 저하된다[5]. 대조적으로, 만약에 결손치 공간을 폐쇄하기로 결정했다면, 중요한 목표는 전치들을 정확한 장소에 위치시키는 것이다[5]. 이를 실패하면 과도한 절치부 견인을 초래하여 안모의 심미성을 약화시키게 된다.

8.9 제2유구치의 수명, 흡수 그리고 저위교합

임상가는 잔존 유구치의 예상 수명과 저위교합 여부를 고려해야 한다[5]. 잔존 유구치의 유지는 수복 문제, 치근 흡수, 점진적인 저위교합 때문에 실패할지도 모른다[5]. 어린이에서 계승치가 없는 제2유구치에 광범위한 수복처치가 있을 때, 유구치의 수명에 의문을 가져야 한다.

8.9.1 흡수

Rune과 Sarnas[4]는 유지하기로 결정되었던, 123개의 계승치가 없는 잔존 제2유구치의 수명에 대해 조사했다. 26%의 상악 제2유구치가 흡수로 소실되었고 저위교합은 없었다. 잔존 하악 유구치의 거의 절반은 평균 5년 정도의 관찰 기간동안 치근 흡수가 진행되었다. 그러나, 유사한 연구에서, 15년의 관찰 기간 동안 26개의 제2유구치 중 23개에서 치근이 흡수되지 않았다[6]. 결과적으로, 제2유구치는 정상 예상 탈락 기간을 넘어 15년까지 유지되었다[6].

Bjerklin과 Bennett[7]은 진행중인 가벼운 치근 흡수 경향이 있는 59개의 제2유구치를 가진 10세~20세의 환자를 조사했다(**그림 8.32**). Sletten 등[8]은 잔존 제2유구치가 있고 제2소구치가 결손된 성인들(36~48세)에서 치근 흡수는 무시해도 될 정도라고 보고하였다. 이 표본은 하악 치아에 비해 상악 제2유구치의 유지가 예상보다 적었고, 이는 Rune과 Sarnas[4]와 유사하다; 그들은 하악 유구치가 상악 대합치보다 더 오래 유지될 것이라고 시사했다[4,6,8]. 이 연구들[4,6~8]은 좋은 예후를 보이고 "생존자(survivors)"가 되는 제2유구치의 경우 유지하는 쪽으로 결정한다는 것을 반영할 것이다. 만약 잔존 제2유구치가 치근흡수나 저위교합없이 성인기에 도달한다면, 그 다음엔 이 치아들이 수십년간 또는 최소 고정성 브릿지의 기대 수명까지는 지속될 수 있다고 예상되어, 교정의사는 안심하게 된다.

8.9.2 저위교합

저위로 교합되는 잔존 제2유구치와 결손된 계승치의

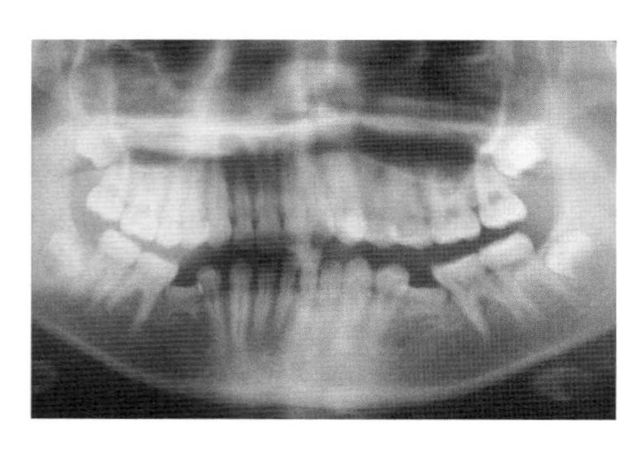

그림 8.32 파노라마 사진은 인접치의 경사, 공간 상실, 치근 흡수를 보이는 저위결합된 유구치의 효과들을 보여준다.

관계에 대해 연구되어 왔다[4,6,7,10-12]. 하악 제2유구치가 상악 제2유구치(0%)보다 더 저위교합(31%)되는 것으로 보인다[4]. Bjerklin과 Bennett은 59개의 잔존 제2유구치의 45%가 저위결합을 보인다고 하였다; 그러나 55%는 10년간의 후속조사 기간 동안 미미한 저위교합을 보였다[7]. 강직을 진단하는 가장 좋은 방법은 침강(submergence), 타진반응에 둔한 소리, 인접치아와 비교하여 경사진 방사선상 각진 골 높이의 3화음(triad)을 보는 것이다[2]. 이 경사진 결함은 인접 치아는 맹출하고 잔존 유구치는 가라앉았다는 것을 의미한다[2].

저위교합은 인접 치아의 보상적 맹출로 인한 골격 성장으로 확대되게 된다. 그러므로, 강직과 저위교합이 일찍 발생할수록, 문제가 일어날 가능성 역시 증가한다[12-15]. 저위교합된 유구치에 인접한 치아의 경사에 의한 공간 소실은 leeway 공간에 의한 정상적인 소실보다 더 크게 발생한다[13]. 저위교합된 유구치에 인접한 치아는 심하게 쓰러지고**(그림 8.32)** 수직적 맹출의 감소를 보인다[14]. 편측성 증례에서, 정중선은 강직과 저위교합된 유구치가 있는 방향으로 편위된다[14].

강직된 유구치가 저위교합까지 되면, 유구치의 수술적 제거는 더욱더 어려워진다. 이로 인해 추후의 보철 치료 시 수직적 협설적 치조골 높이가 부적절해진다**(그림 8.30, 8.32)**. 오늘날의 환자들의 우식률이 낮아져서 결손치를 임플란트-지지 크라운으로 치료하길 선호하게 되었다. 따라서 미래의 임플란트 식립에 적절한 골을 유지하기 위해 모든 노력을 기울여야 한다[5].

8.10 발치된 유구치의 치조제

계승치가 없는 하악의 유구치를 발거하면, 그 이후 작은 소실을 포함하여 모든 협설 치조제 흡수의 3/4이 3년 안에 발생한다[16]. 이런 골 흡수에도 불구하고, 미래의 임플란트 식립을 위한 충분한 골이 존재하게 된다[16]. 그러므로 혼합치열기에서 영구치열기로 이행되는 경우를 관리할 때, 저위교합 부분이 광범위한 수술적 발치에 의해 골지지가 약화된 부분까지 연장되어서는 안된다**(그림 8.30, 8.32)**. 유구치의 교합면이 인접치아의 최대 풍융부 하방으로 낮아지기 전에 차단치료를 시행하는 것이 마땅하다. 골 성숙과 같이 일어나는 인접치의 보상성 맹출로 치간골이 교합면쪽으로 성장하기 때문에, 임플란트 식립을 위한 수직적 치조제 부피는 보통 충분하다**(그림 8.34~8.36)**.

8.11 전체적인 치아건강과 비용

결손된 제2유구치의 공간을 폐쇄했을 때와, 브릿지 혹은 임플란트 지지 크라운을 위해 공간을 유지했을 때의 환자의 치주 건강에 관한 장기간 연구는 유효성이 없다. 그러나, 측절치가 결손된 경우, 견치를 중절치 옆으로 이동시켜 상악 측절치의 결손 공간을 닫은 환자보다 결손된 측절치 공간을 브릿지를 위해 남겨둔 환자가 치주건강이 더 좋지 않았다[17,18]. 이 두 연구 사이에 20년이 넘는 수복 치과학의 진보가 있었음에도 불구하고, 이런 결과는 바뀌지 않았다[17,18]. 따라서 결손된 측절치 연구들에 기초하여 환자들이 경험하는 브릿지와 같은 보철 수복을 적게 받을수록 치주건강이 좋아질 것이다[17,18].

공간을 폐쇄하기로 치료 계획을 수립하면, 환자는 교정 치료비용만 부담하면 된다. 공간을 열려있는 채로 남겨 두고 제2유구치가 소실되었거나 소실될 예정이고 보철적으로 대체된다면, 환자는 교정 치료 비용, 수복 전단계 비용, 수복 비용, 수복물의 향후 유지비용이 든다. 선천적으로 결손된 치아의 수가 증가할수록, 수복전 교정치료에 더해서 잠재적인 수복물로 대체되면서 비용 역시 증가한다[1,5]. 따라서 가능하다면, 치주건강을 향상시키고 전체적인 비용을 줄이기 위해서 공간 폐쇄 치료 계획을 고려해야 한다. 더불어, 공간 폐쇄 치료 계획은 유지장치의 장착으로 완벽해진다.

8.12 증례들(Case histories)

다양한 증례들을 통해 제2소구치가 결손된 어린 성장기 환자들을 관리하기 위해 선택 가능한 치료법들을 보여주고자 한다.

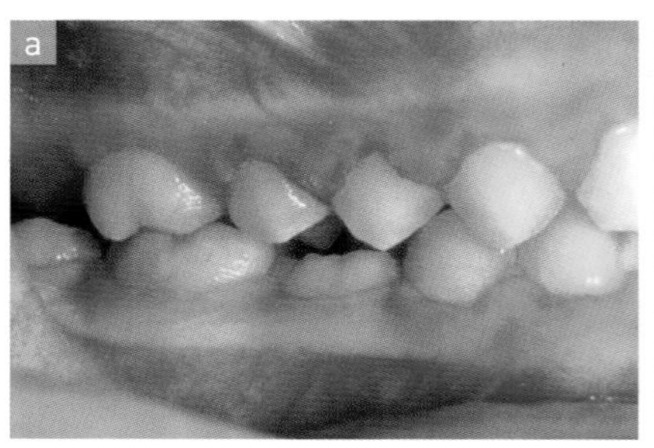

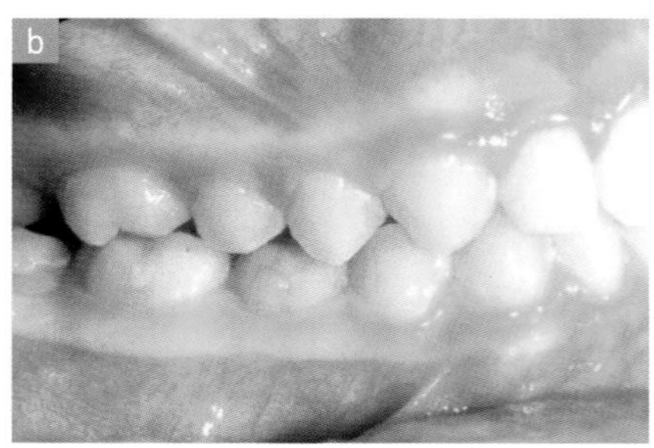

그림 8.33 a) 약간 저위교합된 잔존 유구치의 근원심 너비를 감소시켰다. b) 수복적 축조가 치간의 온전함과 교합면을 유지한다.

잔존 유구치: 필요에 따라 삭제 혹은 축조 – 비발치 치료계획에서, 유구치를 결손된 제2소구치와 유사한 치아 너비로 만들기 위해 치간을 삭제하여 유지해야 한다 **(그림 8.33a)**. 유구치가 강직되어 있고 미래의 성장이 제한적일 뿐만 아니라 저위교합이 있다면, 교합면을 높여 수복하여 치간 접촉을 온전하게 유지하고 대합치의 정출과 인접치의 경사를 방지한다 **(그림 8.33b)**. 단기 축조는 복합레진(composite resin)으로 할 수 있다. 온레이와 크라운을 이용한 장기 수복적 축조 **(그림 8.31)** 는 잔존 유구치의 장기간의 예후가 결정될 때까지 연기되어야 한다.

잔존 유구치의 발거, 공간을 유지하여 보철적으로 수복 – 비발치적 접근에 해당되지만, 상당한 강직이 존재하고 저위교합 및/혹은 유구치의 치근 소실이 있다면, 유구치를 발거하고 그림 8.34~36에서 보여지는 것처럼 공간은 추후의 보철적 수복을 위해 유지되어야 한다. 강직된 유구치를 남겨두면 추후에 수복해야 할 위치의 치조골이 약화된다. 치료 전 기록들 **(그림 8.34)** 에서 약간의 총생, 계승되는 제2소구치가 없는 잔존 하악 제2유구치의 저위

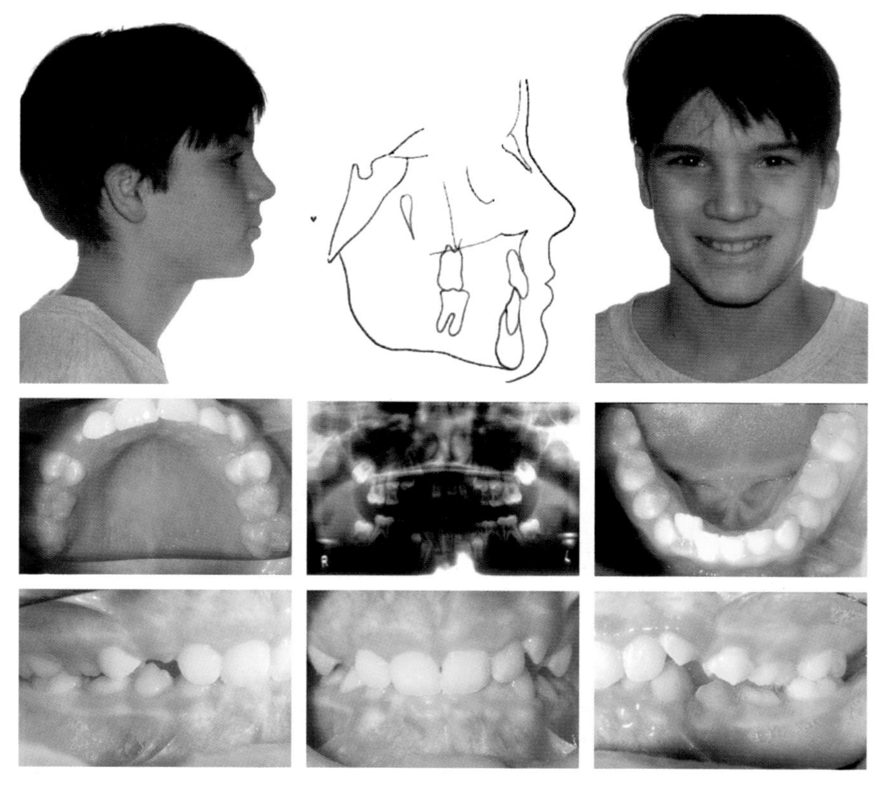

그림 8.34–8.36 하악 제2소구치의 결손을 동반한 Ⅰ급의 깊은 수직피개 교합; 제2유구치를 수복을 위한 공간을 남겨두기 위해 발거했다. 8.34) 치료 전 기록.

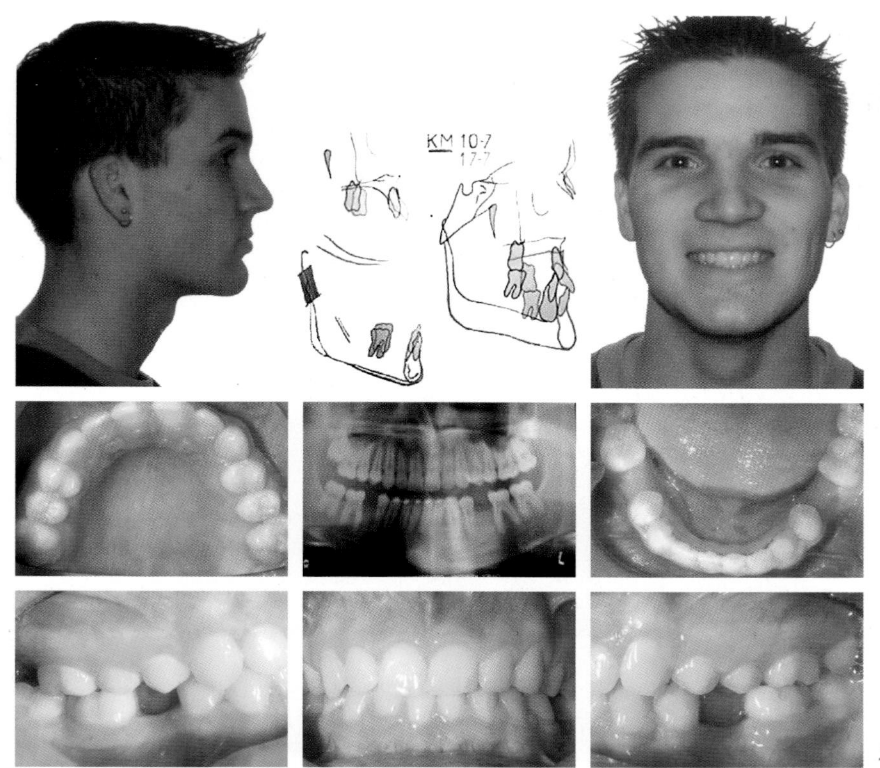

그림 8.35 치료 후 기록

교합, 깊은 수직피개, 후퇴된 전치부를 볼 수 있다. 비발치로 치료하기로 계획하였다. 저위교합된 유구치는 저위교합이 너무 커지기 전인 10세 때 발거하였고 설측 호선 유지 장치를 장착하였다. 영구치열기에서 임플란트-지지 크라운 치료가 시행될 때 고정성 장치를 통한 비발치 치료를 진행하였다(**그림 8.35**). 유구치를 발거하였음에도 불구하고, 인접치의 보상적 정출로 인해 치간골이 교합면 쪽으로 성장하였기 때문에 치조제의 상태는 임플란트에 적

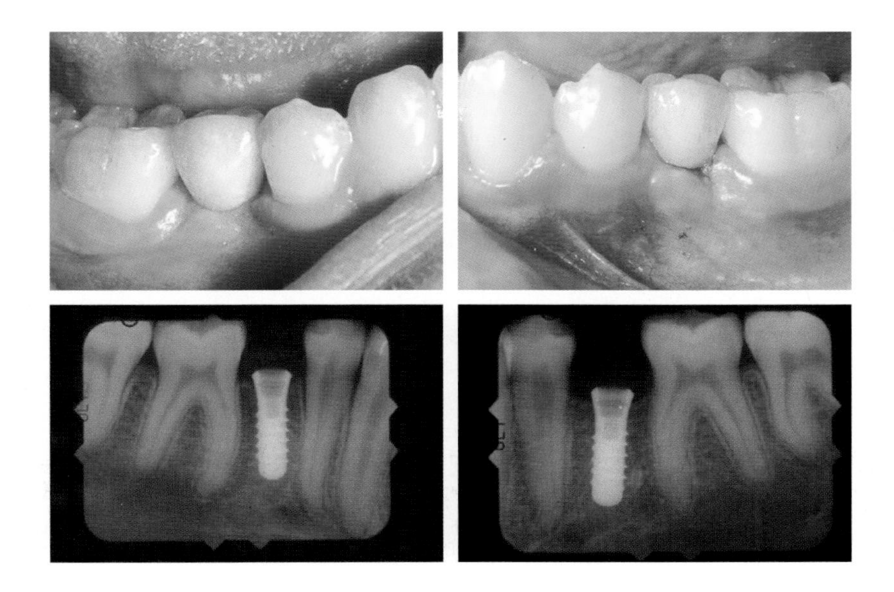

그림 8.36 임플란트-지지 크라운

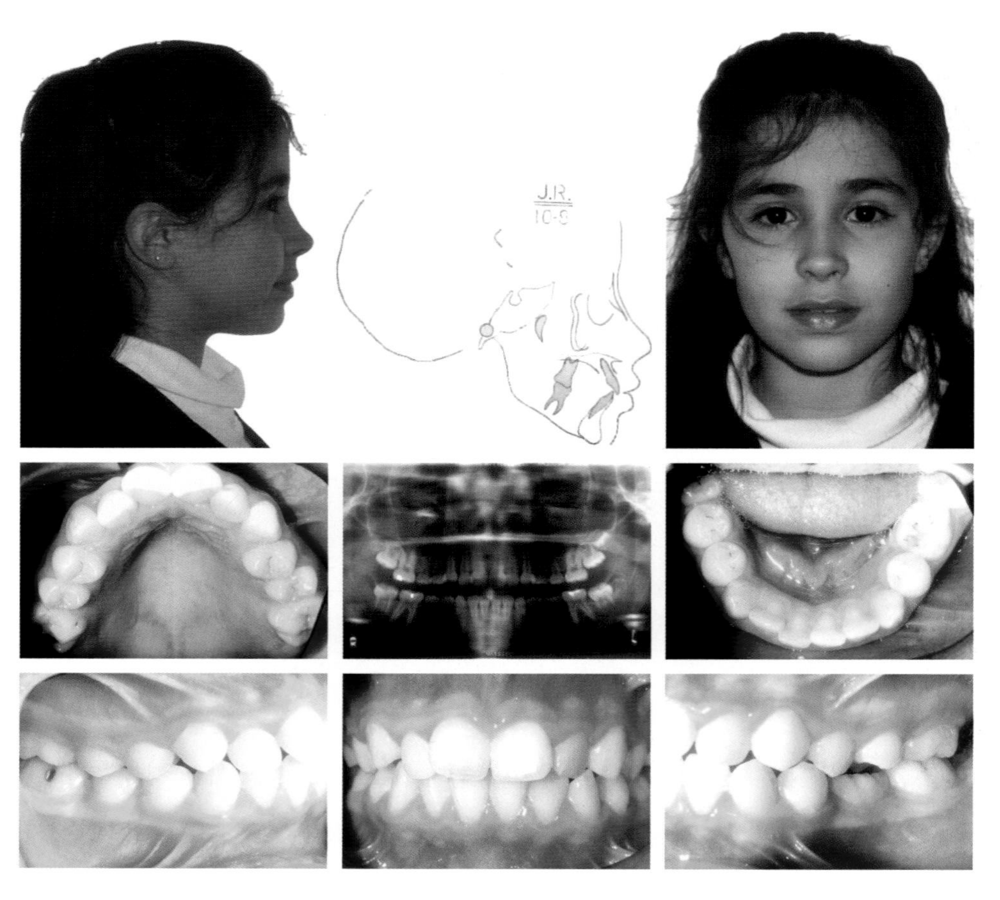

그림 8.37–8.38 제2소구치의 발거로 치료한, 하악 좌측 제2소구치의 결손을 동반한 Ⅰ급 총생 부정교합.
8.37) 치료 전.

합하였다. 비성장기인 경우, 우식률이 낮은 환자에서 가장 좋은 수복 치료는 임플란트–지지 크라운이다**(그림 8.36)**. Debonding하기 전에, 방사선 사진을 촬영하여 임플란트 식립에 적절한 공간과 만족스러운 치근 만곡도를 확인한다. 교정의사와 수복을 담당한 의사 사이의 협력으로 적절한 인공치(pontic) 너비를 결정하고, debonding, 유지, 수복적 치료의 조화를 확정한다. 연속된 측모 방사선계측 사진을 중첩하여 임플란트 식립 전 안면 성장이 중단되었는지를 확실하게 확인한다. 성장중인 경우, 메릴랜드 브릿지(Maryland bridge), 가철성 임시 의치, 고정성 와이어 유지장치를 임시 수복물로 사용할 수 있다. 이런 환자를 위한 대안적 치료 계획은 하악궁에 골성 고정원 장치(temporary anchorage device; TAD)를 식립하여 Ⅲ급 구치 관계와 Ⅰ급 견치 관계로 구치를 전진시키는 것이다. 불행하게도 이런 치료방법은 상악 제2대구치의 대합치가 없어지기 때문에 정출이 야기된다.

제2유구치 발거와 조기 영구치열기에서 공간 폐쇄 – Ⅰ급 총생 부정교합에서 제2소구치가 결손이고 공간이 닫혀있다면, 제2유구치를 발거할 수 있다. 다른 소구치는 적절한 대칭성을 유지하기 위해 발거할 수도 있다. 그림 8.37은 하악 좌측 제2소구치가 결손된 가벼운 총생이 있는 Ⅰ급 부정교합을 보여준다. 전치 위치가 조금 엎드리고 있고, 하악평면각은 평균보다 가파르다. 계승치가 없는 하악 좌측 제2유구치와 다른 모든 제2소구치를 발거했다. 최종 기록에서 보이듯이, 최소한의 절치 견인으로 공간을 폐쇄하였다**(그림 8.38)**. 그림 8.38의 중첩에서 보이는 처럼, 급격한 하악평면각으로 인해서 영구대구치의 근심 이동이 촉진된 것도 도움이 되었다.

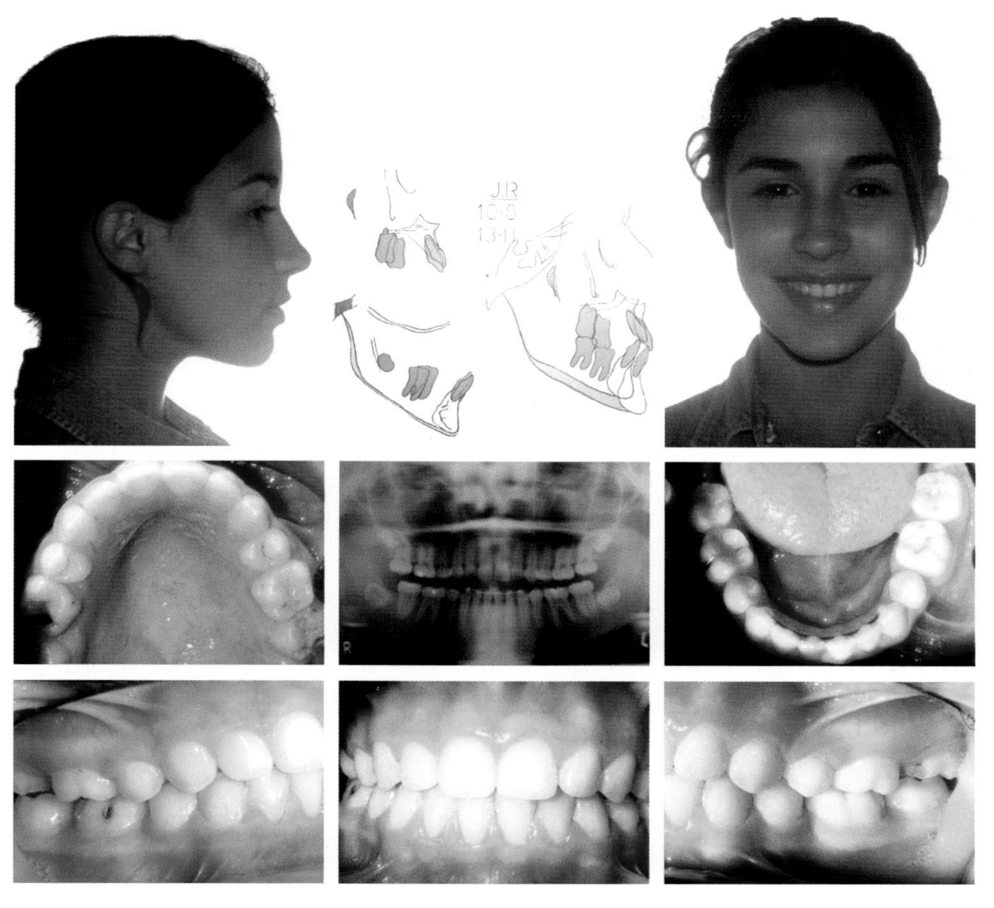

그림 8.38 치료 후

혼합치열에서 유구치 발거와 공간 폐쇄/변형된 연속 발치술(modified serial extraction) - 총생과 결손치를 가진 환자는 변형된 연속발치술의 대상이 될 수 있다. 변형된 연속발치술은 결손치가 있는 사분악의 유치 발거를 포함하고 있다. 그림 8.39는 선천적으로 상악 우측 제2소구치가 결손되고 총생과 Ⅰ급 부정교합을 가지고 있는 혼합치열을 보여주고 있다. 상악 우측 제2유구치는 강직으로 인해서 저위교합을 보이고 있다. 또한 깊은 수직피개와 상악 협착도 존재한다. 1단계 치료의 목표는 연속발치를 통해서 총생을 해소하고 상악 우측 구치의 위치와 상악 치아 정중선을 조절하는 것이다. 상악 우측 유구치를 발거하고 Nance 공간 유지 장치를 장착해서 상악 치아 정중선과 상악 제1 대구치의 위치를 조절한다. 다른 세 개의 사분악에서는 제1소구치를 맹출과 동시에 발거한 후 연속적인 치아 이동을 시행한다. 그동안, 총생이 있는 상악 우측 견치와 제1소구치는 유구치가 발거된 공간으로 원심이동시키고, 상악 정중선과 우측 대구치를 그림 8.40처럼 고정시킨다. 그 다음, 상악 확장을 수반하는 고정성 장치를 이용하여 치료를 완성한다**(그림 8.41)**.

총생과 선척적인 하악 제 2소구치 결손의 Ⅱ급 혼합치열기에서도 그림 8.42에서 보이는 것과 같이 변형된 연속발치술을 사용할 수 있다. 개념적으로, 이 계획은 상악 제1소구치와 계승치가 없는 하악 제2 유구치를 발거하여 총생과 Ⅱ급 부정교합을 다루는 것이다; 이것은 Ⅱ급 교합 치료에 대한 "절충적 접근"을 제공한다. 보통 영구치열에서는 발치를 한 후 고정성 장치를 장착하지만, 발치 시점을 조절해서 혼합치열 시기에 발치를 시행할 수도 있다. 이러한 경우에는, 하악 제2유구치를 발거하여 하악 제

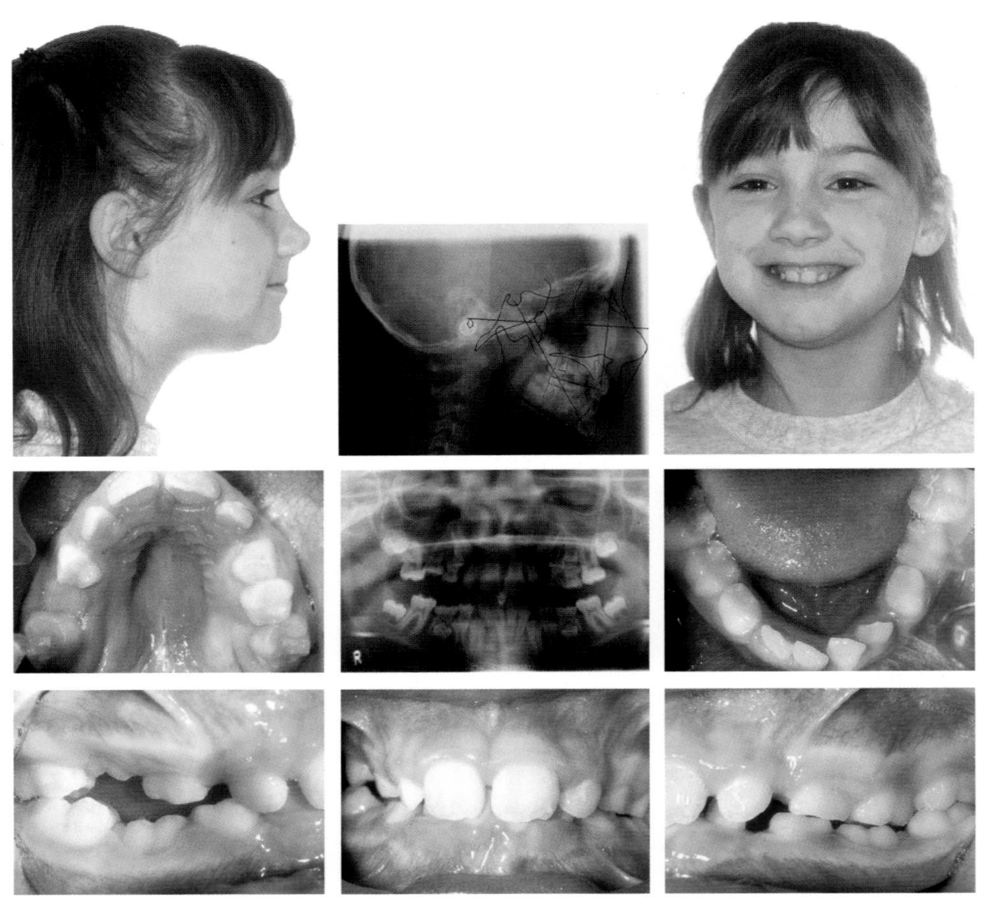

그림 8.39–8.41 상악 우측 제2소구치가 결손되고 총생이 있는 Ⅰ급 부정교합.
8.39) 치료 전.

1대구치의 전방 이동을 돕고 Ⅰ급 교합이 생기도록 돕는다**(그림 8.43)**. 하악에서 발치시기를 조절하여 좌측을 먼저 발치하고 우측을 나중에 발치하면서 정중선 부조화를 자발적으로 해결할 수 있다**(그림 8.43)**; 상악을 발치하지 않으면 견치 관계는 여전히 Ⅱ급 관계로 남게 된다. 상악 제1소구치는 고정성 장치 치료 기간 동안 고정원의 역할을 하기 때문에 발거를 보류한다. 하악궁의 치아 이동 후 정중선, 배열, 대구치 Ⅱ급 교합관계 수정에서 뚜렷한 개선을 보여준다**(그림 8.43)**. 2단계 치료는 상악 제1소구치를 발거하고, 상악 견치를 후퇴시키고 통상적인 고정성 장치를 사용하여 Ⅰ급 교합을 완성시키는 동안 Nance 유지 장치를 사용한다**(그림 8.44)**.

영구 계승치가 없는 제2유구치를 발거하는 적극적인 발치 계획은 총생이 없거나 최소한의 총생이 존재하는 8세나 9세의 혼합치열기에서 추천된다[19,20]. 후방 치열이 근심이동하여 자발적으로 공간을 폐쇄하는 것이 목적이다[19,20]. 총생이 없는 Ⅰ급 부정교합 환자에서 제2유구치 발거 이후 거의 50%에서 1년 안에 자발적인 공간 폐쇄가 관찰되었다[21]. 4년 후, 상악의 90%와 하악의 80%에서 발치 공간이 폐쇄되었다[21]; 상악에 0.9mm, 하악에 2.0mm의 공간이 아직 남아있다[21]. 하악 제2유구치의 너비가 9mm라는 걸 고려하면, 이런 접근으로 기계적인 공간 폐쇄의 양을 줄일 수 있다. 발치 부위에서의 tipping은 대구치보다는 소구치에서 주로 일어난다. 대부분의 tipping은 유구치 발거 1년 안에 일어난다. 이 총생없는 Ⅰ급 부정교합에서 최소한의 절치 견인을 통한 공간폐쇄를

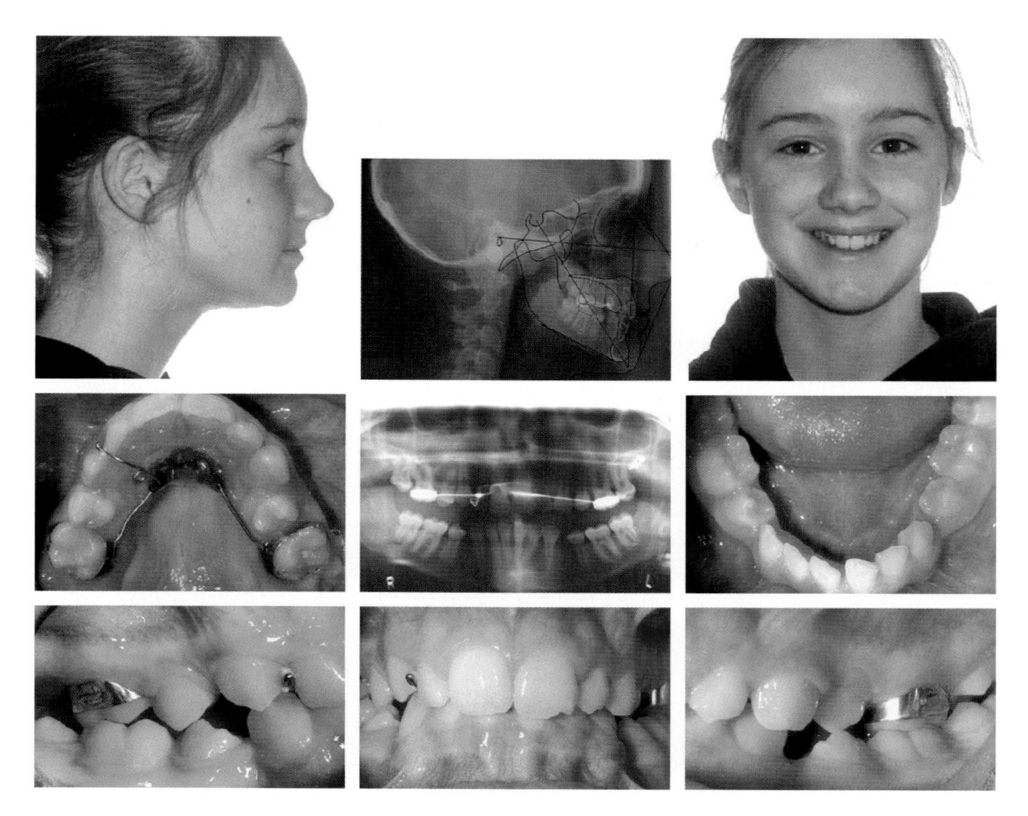

그림 8.40 상악 우측 제2유구치와 다른 제 1소구치 발거 후.

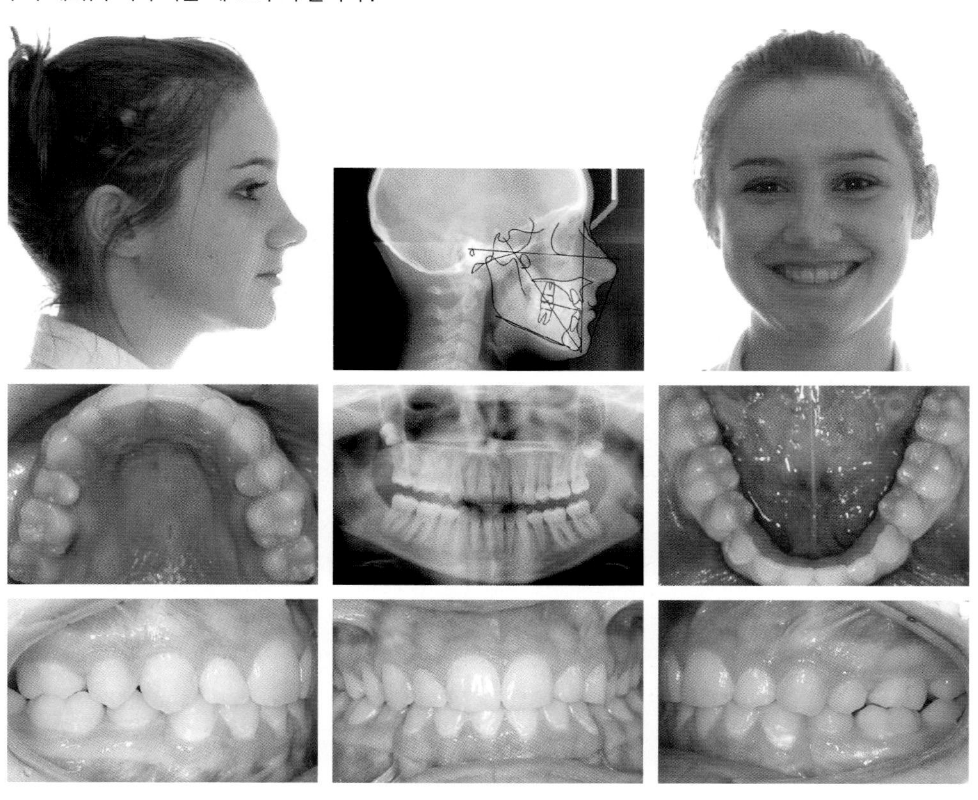

그림 8.41 최종 결과

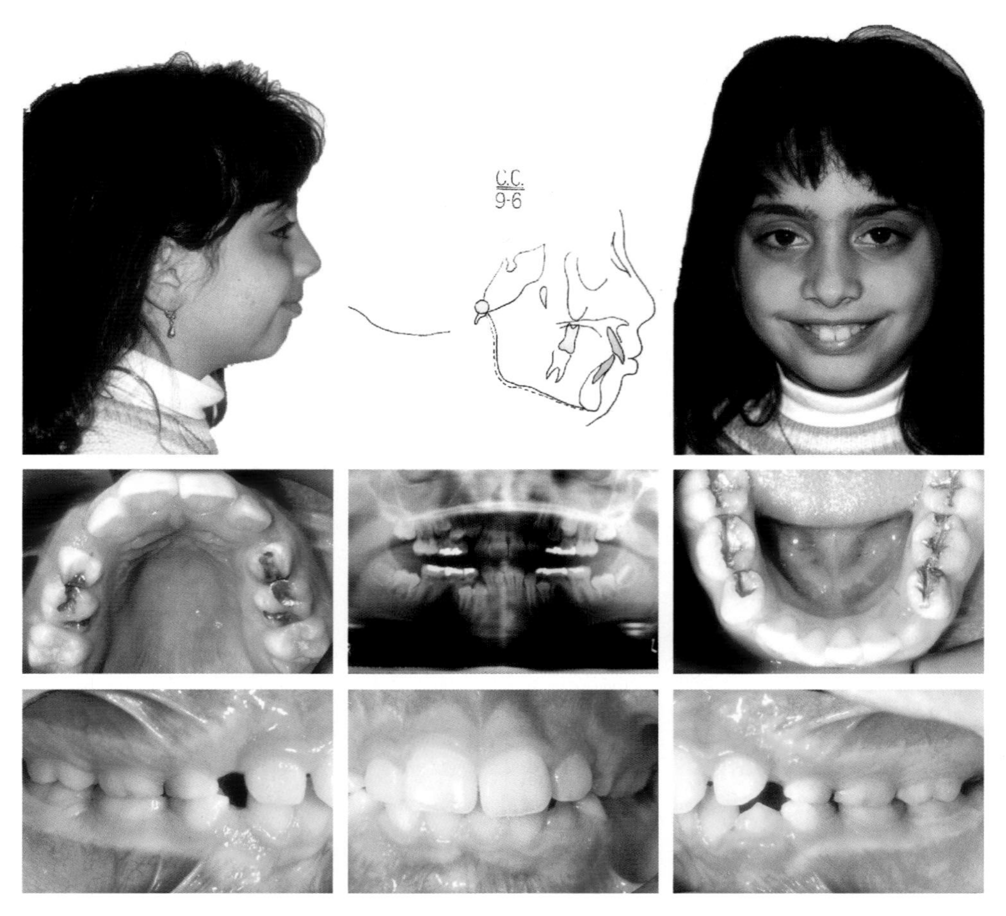

그림 8.42–44 총생과 하악 제 2소구치가 선천적으로 결손된 Ⅱ급 1류 혼합 치열.
8.42) 치료 전.

보여주는데 이는 후방치열의 전방이동을 암시한다[21]. 이 조기 발치 계획에 대한 대안은 하악 구치를 전방 견인하는데 페이스 마스크[2]나 골성 고정원 장치(TAD)를 이용하는 것인데 둘 다 치료비용과 시간을 증가시킨다.

공간 폐쇄 치료 계획은 자발적인 공간폐쇄가 일어나기 때문에, 미래의 보철치료 필요성을 제거하고 고정성 장치를 장착하는 시간을 줄여준다. 게다가, Ⅱ급 미케닉에 대한 부정적인 결과와 전치 견인 역시 감소한다. 이 방법의 단점은 발치 공간 주변 치아의 경사, 치조제의 협설방향 수축, 하악 제1소구치의 후방 이동이다[21]**(그림 8.46)**.

그림 8.45는 선천적으로 모든 제2소구치가 없고 최소한의 총생을 가지고 있는 8세의 혼합치열 Ⅰ급 부정교합이다. 상악 제2유구치는 광범위하게 수복되어 있는 상태이고 절치의 위치는 그다지 누워있지 않다. 흥미롭게도, 환자의 어머니 역시 동일한 교합을 가지고 있으며 결손된 4개의 제2소구치를 브릿지로 치료받으면서 상당한 불편함을 경험하였다. 그래서 어머니는 딸을 위해 공간을 폐쇄하는 치료를 진행하길 원했다. 모든 제2유구치를 8세에 발거한 후, 절치의 후방이동을 최소화하면서 후방치열이 근심으로 이동하도록 5년간의 치아이동 기간을 가졌다**(그림 8.46)**. 그림 8.46의 진행 기록은 발치 공간의 대부분이 구치의 근심이동과 회전으로 자발적으로 닫히는 것을 보여준다. 또한 소구치의 회전과 원심이동도 나타난다. 발치 부위 인접치의 tilting은 하악에서 더 심각하지만 절치의 후퇴가 최소화되었다**(그림 8.46)**. 그리고 고정성 장치를 18개월 미만으로 장착하였다**(그림 8.47)**. 이 적극적

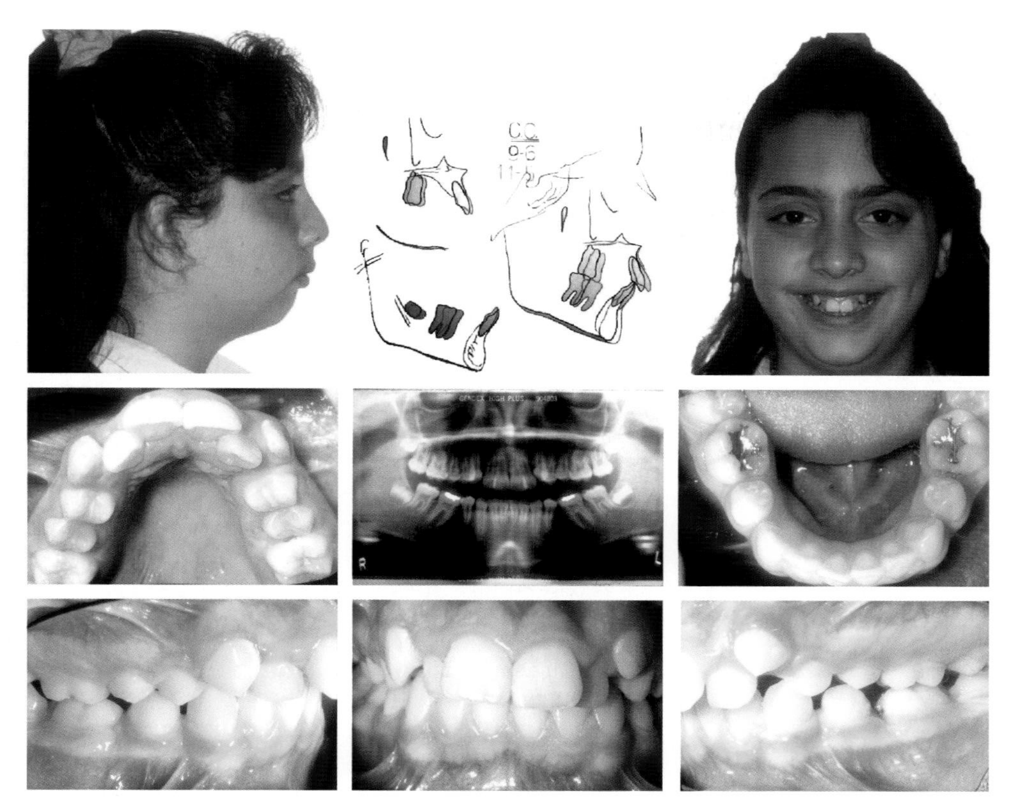

그림 8.43 하악 제2유구치 발거 후 진전된 상태. 정중선 부조화와 구치부 II급 교합 관계에서의 개선에 주목하라.

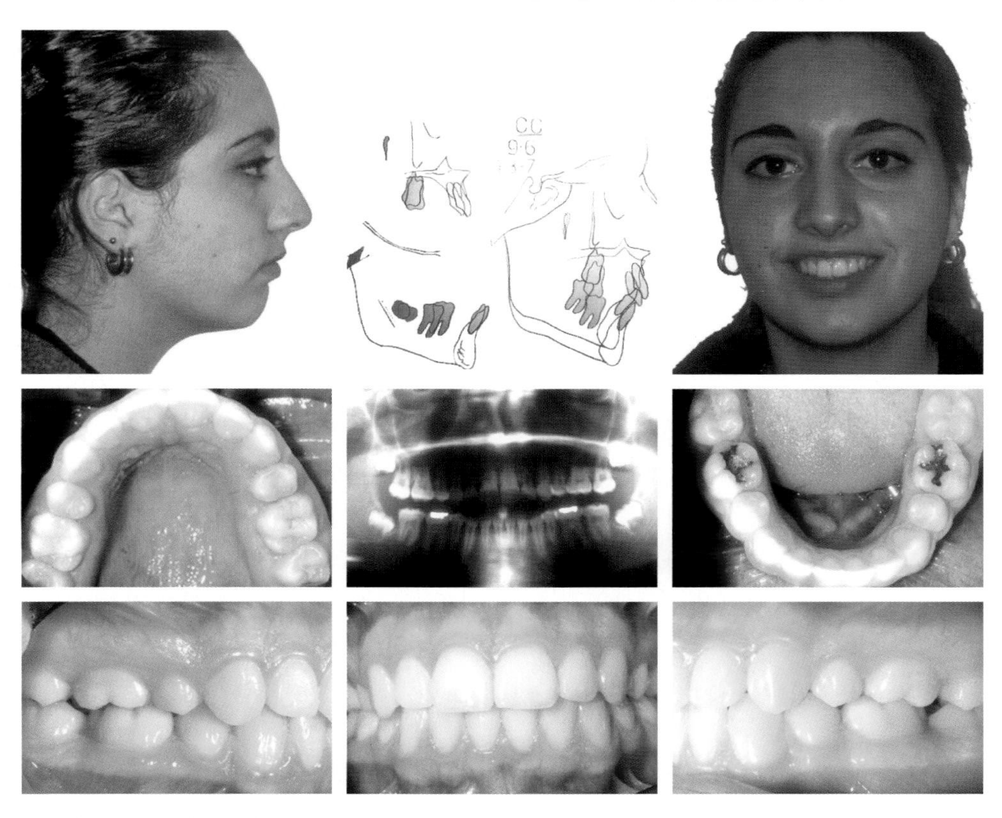

그림 8.44 최종 결과, 상악 제1소구치를 발거한 후 고정성 장치 장착.

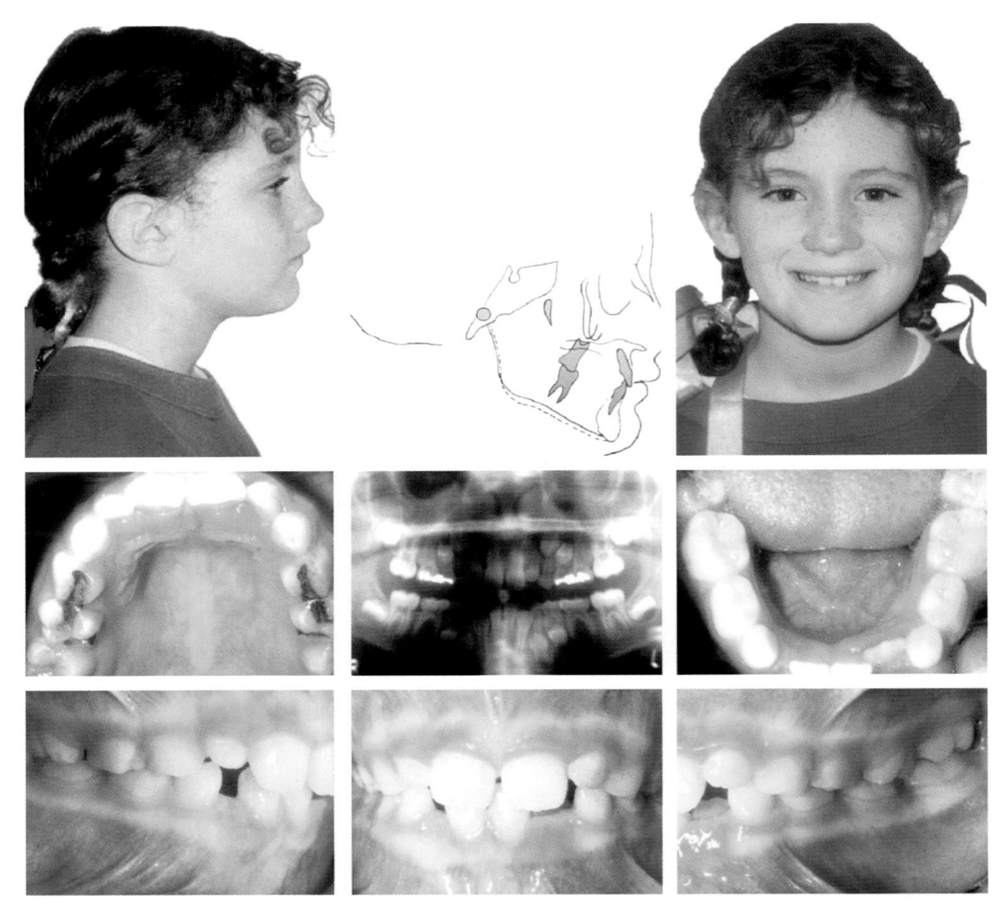

그림 8.45–47 최소한의 총생을 가진 Ⅰ급 부정교합. 모든 제2소구치의 결손; 제2유구치를 발거하여 공간을 폐쇄.
8.45) 치료 전.

인 혼합치열에서의 차단치료는 추후에 보철로 소구치를 대체할 필요성이 줄어들었고, 교정치료 기간도 단축되었으며 원하지 않는 절치의 후퇴를 감소시켰다.

자가이식(Transplant) - 이식을 고려해볼 수 있는 몇 가지 경우가 있다. 그 중 하나는 결손치와 총생이 동시에 나타나는 경우이다[22](**그림 8.48**). 총생을 관리하기 위해서, 한 악궁에서 소구치를 발거해야 할 수도 있다. 만약 반대편 악궁에 결손치가 존재한다면, 자가 치아이식을 고려해 볼 수 있다[23]. 그림 8.48a는 하악 총생, 상악 양쪽 측절치 및 상악 우측 제2소구치의 결손, 잔존된 상악 우측 제2유구치 치근 흡수를 보여준다. 하악 제1소구치를 발거하고, 하악 좌측 제1소구치를 상악 우측 제2소구치 공간에 치근의 2/3가 발달했을 때 이식하였다(**그림 8.48b**). 이식 후, 근관의 일부가 석회화되었지만 치근 발달은 계속 진행되었다(**그림 8.48c**). 그 후 고정성 장치를 장착하여 치료를 완성하였다. 소구치 자가이식은 10년 이상의 기간동안 성공적이나 치수문제나 강직이 일어날 수 있다[22].

제2소구치가 결손된 환자에 대한 두번째 이식 계획은 상악 소구치를 발거하고(모든 상악 소구치가 존재할 때) 그 후 하악궁으로 이식하는 것이다. 그림 8.49a는 저위교합의 제2유구치, 상악 및 하악 제2소구치 결손, 견치가 반교두(half cusp) 교합인 Ⅱ급 관계를 보여준다. 제2유구치를 발거하고 상악 좌측 제2소구치를 결손된 하악 소구치 소켓(socket)으로 이식한다(**그림 8.50**). 부가적인 교정치료를 통해서 모든 상악 공간을 폐쇄하여 Ⅰ급 견치 관계와 Ⅱ급 구치 교합관계를 가지게 하였다(**그림 8.51**). 치근 발

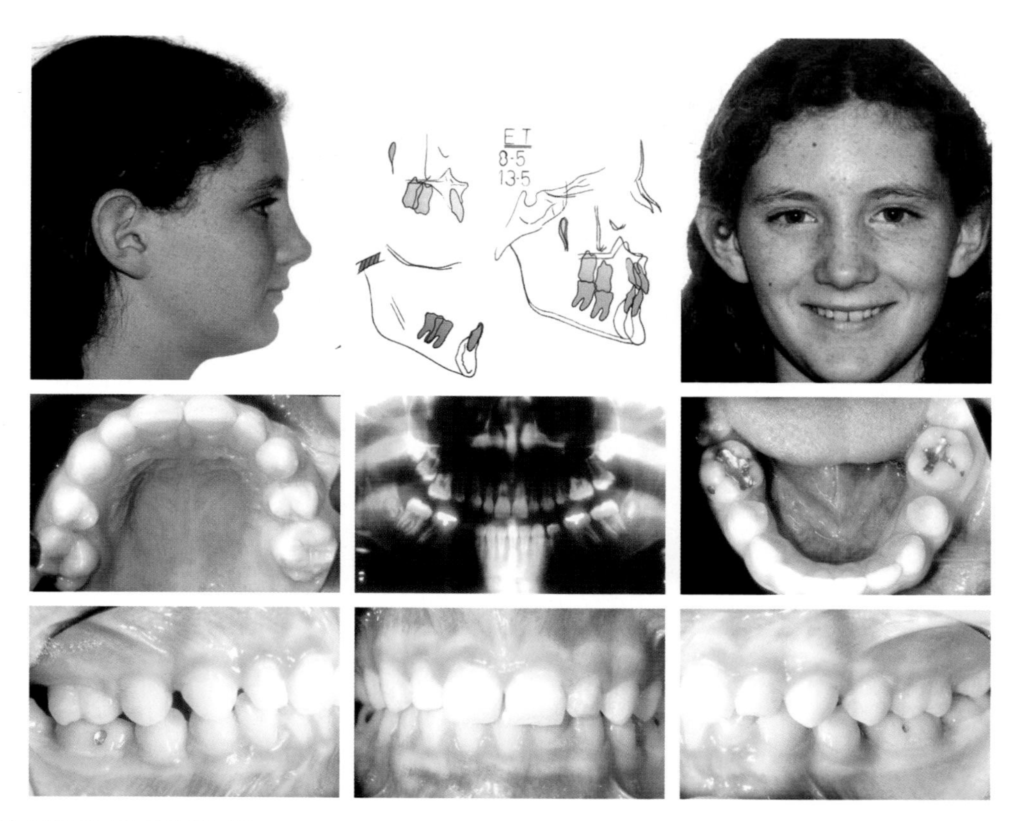

그림 8.46　진행 상황(5년간의 치아이동 후).

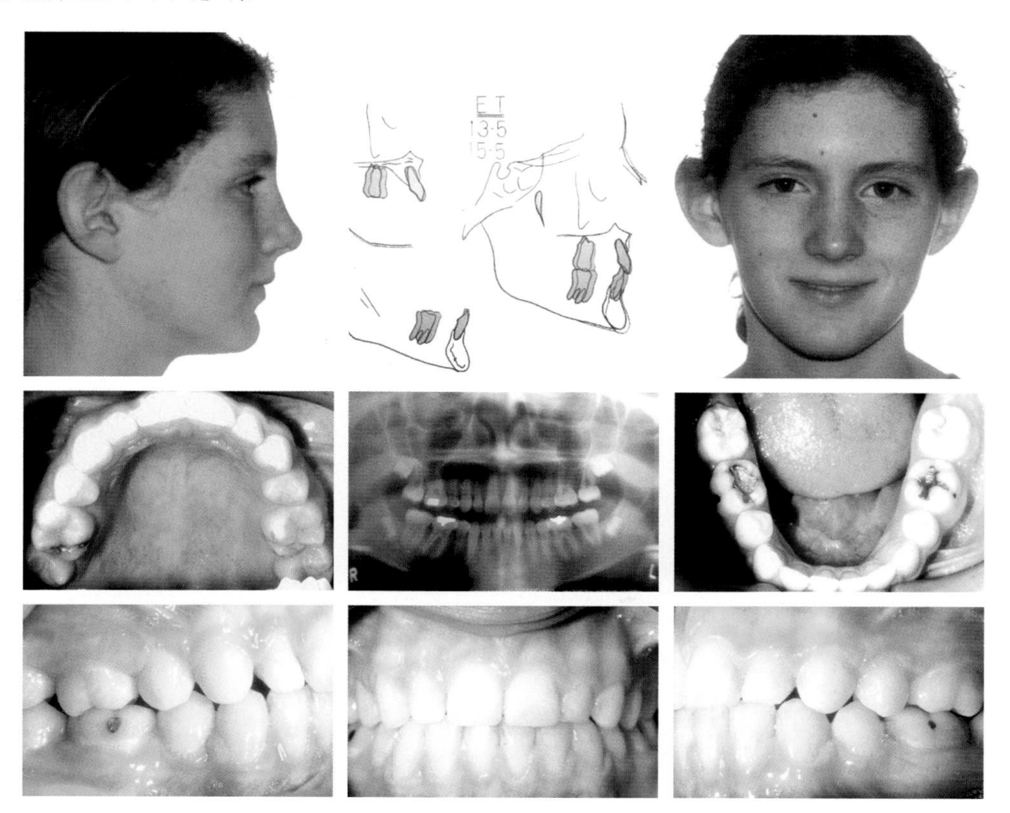

그림 8.47　최종 결과.

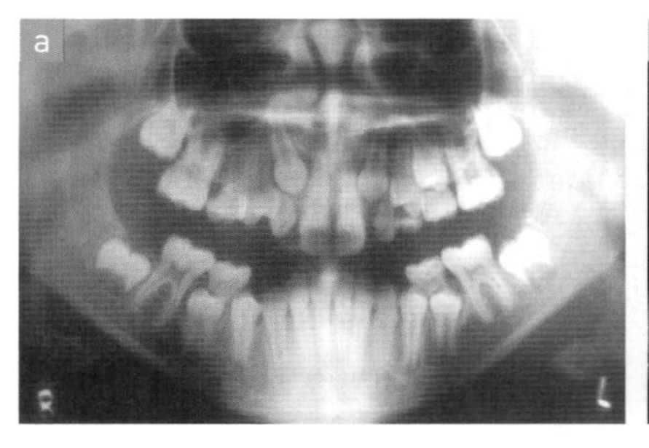

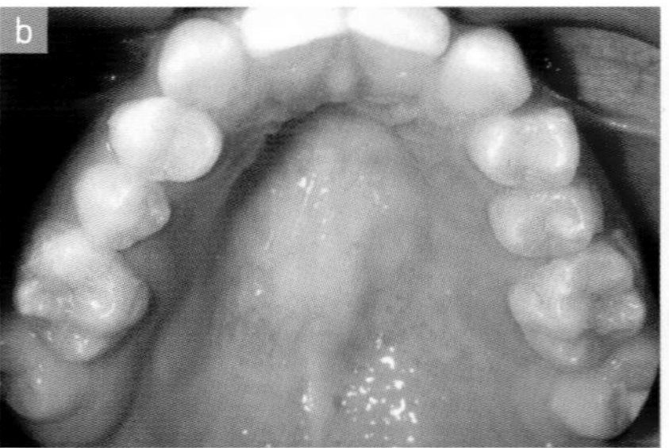

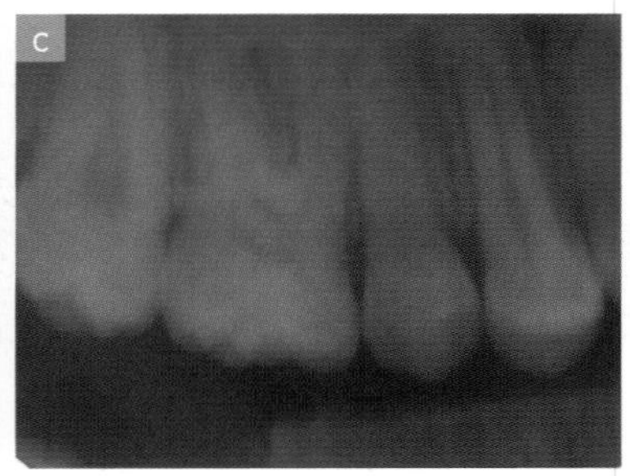

그림 8.48 I 급 총생.
a 파노라마 방사선사진에서 하악 총생과 결손된 상악 측절치와 우측 제2소구치을 확인할 수 있다.
b 하악 좌측 제1소구치를 상악 우측 제2소구치 자리로 이식. 임상 사진.
c 치료 후 이식 부위의 치근단 방사선 사진.

달이 2/3에서 3/4만큼 이루어졌을 때의 소구치를 사용하는 것이 이식에 좋다.

8.13 요약

계승치가 없는 제2유구치의 치근 흡수와 강직의 빈도와 결과에 대해서 정리하여 보았다. 어린 환자를 위한 다양한 치료 전략을 증례와 함께 설명하였다. 제2소구치가 결손된 성장중인 어린이를 치료하는 것과 관련된 2개의 주요한 원리가 있다. 하나는 비발치 접근법을 선택할 때 치조제를 약화시키지 않고 결손치를 위한 정확한 공간을 확립하는 것이다. 두 번째 원리는 발치 치료에서 공간을 폐쇄할 때 하악 절치 위치를 잘 유지하는 것이다. 제2유구치를 조기에 발치하는 것이 이 목표를 달성하는 데에 도움을 준다.

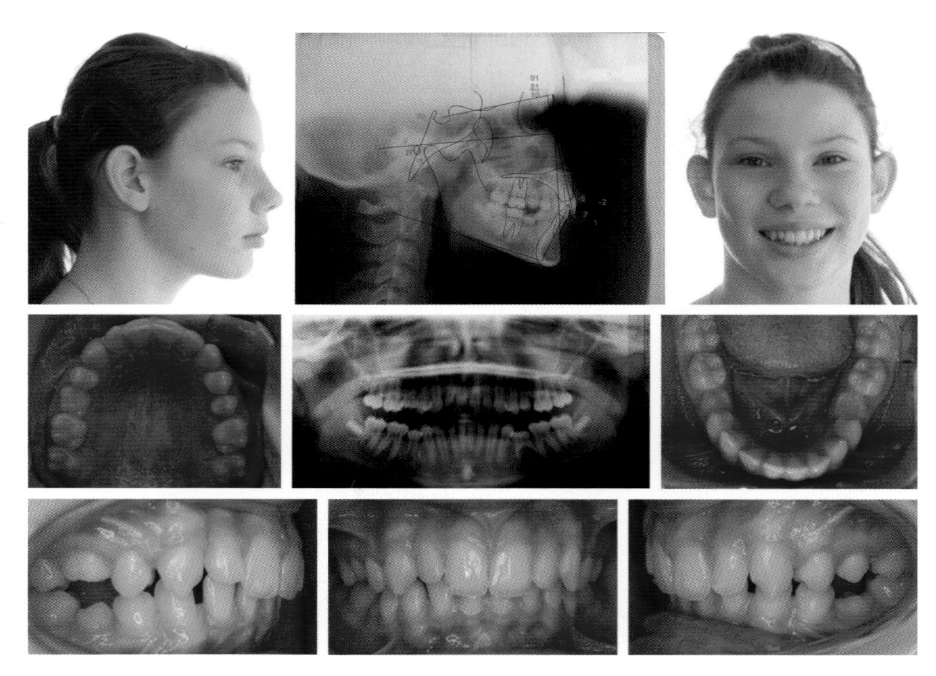

그림 8.49–51
8.49) 치료 전 기록으로 II급 관계의 견치와 상악 우측, 하악 좌측 소구치가 없는 것을 보여준다.

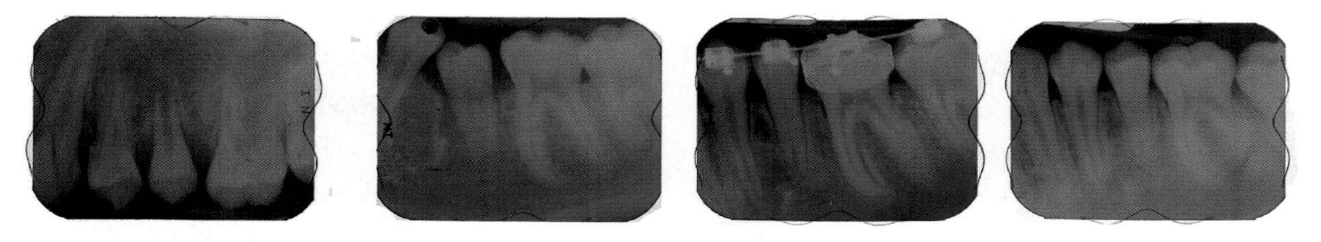

그림 8.50 상악 좌측 제2소구치를 결손된 하악 소구치 자리에 이식된 것을 보여주는 방사선사진.

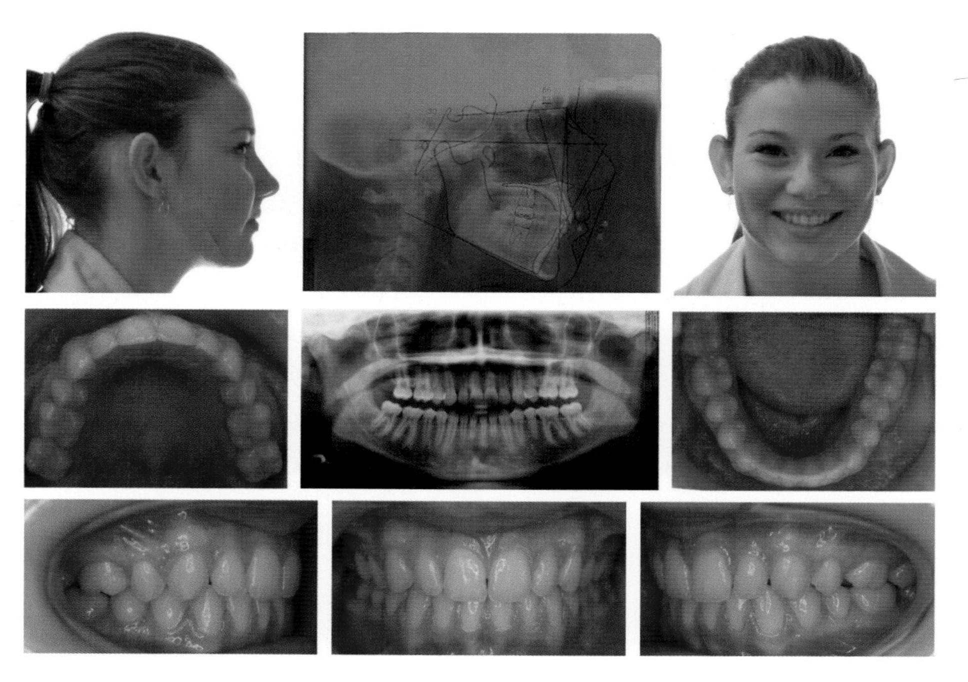

그림 8.51 II급 구치 관계를 보여주는 치료 후 기록.

참 · 고 · 문 · 헌

1 Polder BJ, Van'thof MA, Van der Linden FPGM, Kuijpers-Jagtman AM. A meta-analysis of the prevalence of dental agenesis of permanent teeth. Community Dent Oral Epidemiol 2004;32:217–26.

2 Kokich VG, Kokich VO. Congenitally missing mandibular second premolars: Clinical options. Am J Orthod Dentofacial Orthop 2006;130:437–444.

3 Profitt WR, Ackerman JL, Fields HW. Diagnosis and treatment planning in Orthodontics. In: Contemporary Othodontics, 2nd edn. St. Louis, CV: Mosby; 1993, 139–225.

4 Rune B, Sarnas KV. Root resorption and submergence in retained deciduous second molars. Eur J Orthod 1984;6:123–13.

5 Kennedy DB. Review: Treatment Strategies for ankylosed primary molars. Eur Arch Ped Dent 2009;10:201–210.

6 Hansen K, Kjaer I. Persistence of deciduous molars in subjects with agenesis of the second premolars. Eur J Orthod 2000;22:239–243.

7 Bjerklin K, Bennett J. The long term survival of lower second primary molars in subjects with agenesis of the premolars. Eur J Orthod 2000;22:245–255.

8 Sletten DW, Smith BM, Southard KA, et al. Retained deciduous mandibular molars in adults. A radiographic study of long term changes. Am J Orthod Dentofac Orthop

2004;124:625–630.

9 Scurrin MS, Bader JD, Shugars DA. Meta-analysis of fixed partial denture survival; prostheses and abutments. J Prosth Dent 1998;79:459–464.

10 Ruprecht A, Wright GZ. Ankylosis with and without oligodontia: Report of seven cases. J Can Dent Assoc 1967;9:444–447.

11 Kurol J, Thilander B. Infraocclusion of primary molars with aplasia of the permanent successor. Angle Orthod 1984;54: 283–294.

12 Brearle LJ, McKibben DH. Ankylosis of primary molar teeth. J Dent Chil 1973;90:54–63.

13 Becker A, Karnei-Rèm RM. The effects of infraocclusion Part I: Tilting of the adjacent teeth and local space loss. Am J Orthod 1992;102:256–264.

14 Becker A, Karnei-Rèm RM. The effects of infraocclusion Part II: The type of movement of the adjacent teeth and their vertical development. Am J Orthod 1992;102:302–309.

15 Becker A, Karnei-Rèm RM, Steigman S. The effects of infraocclusion Part III: Dental arch length and midline. Am J Orthod 1992;102:427–433.

16 Ostler MS, Kokich VG. Alveolar ridge changes in patients with congenitally missing mandibular second premolars. J Prosth Dent 1994;71:144–149.

17 Nordquist GG, McNeill RW. Orthodontic vs. restorative treatment of the congenitally absent lateral incisor – long term periodontal and occlusal evaluation. J of Period1975;46:139–143.

18 Robertsson S, Mohler B. The congenitally missing upper lateral incisor. A retrospective study of orthodontic space closure versus restorative treatment. Eur J Ortho 2000;22:697–710.

19 Joondeph DR, McNeill RW. Congenitally absent second premolars:an interceptive approach. Am J Orthod 1971;59:50–66.

20 Lindquist B. Extraction of the deciduous second molar in hypodontia. Eur J Orthod 1980;2:173–181.

21 Mamopoulou A, Haag U, Schroder U, Hansen K. Agenesis of mandibular second premolars. Spontaneous space closure after extraction therapy: a 4-year follow up. Eur J Orthod 1996;18:589–600.

22 Jonsson T. Sigurdson TJ. Autotransplantation of premolars to premolar sites. A long term follow up study of 40 consecutive patients. Am J Orthod Dentofacial Orthop 2004;125:668–675.

23 Kennedy, DB. Autogenous Tooth Transplants for the Pediatric Dental Patient: Report of three cases. Pediatric Dent 2013;35:E113–E119.

SECTION Ⅳ: 소구치 자가이식의 원리와 기술

Section IV: Principles and techniques of premolar autotransplantation

Ewa Monika Czochrowska, DDS, PhD[1] and Pawel Plackwicz, DDS, PhD[2]
[1]Department of Orthodontics, Medical University of Warsaw, Poland
[2]Department of Periodontology, Medical University of Warsaw, Poland

전통적인 보철수복물, 특히 치과용 임플란트는 성장완료 전 금기사항이므로 결손치를 가진 성장기 환자의 기능 재건은 제한적이다[1]. 대안적인 해결책은 다음과 같다:

- 유치의 보존
- 고정성 부분 의치(레진-강화 콤포짓 또는 세라믹 브릿지)
- 교정적 공간 폐쇄
- 치아의 자가이식(autotransplantation).

이 선택사항의 각각은 장점과 단점이 있고, 종합적 치과팀이 방법을 찾아보고, 환자의 요구조건의 상당부분을 해결할 수 있는 치료방법을 선택해야 할 책임이 있다.

치아의 자가이식은 자신의 구강 내에서 치아를 이동시키는 외과적 치아이동이고, 수명이 긴 자연치를 제공한다는 점에서 잠재력이 있으므로 매력적인 치료방법이다[2]. 최고의 공여치아는 발달 중인 소구치이다. 이 치아들은 90% 이상의 사례에서 수술 후 성공적인 회복을 겪었다고 보고되고 있다[3-5]. 성공적인 회복에 기여하는 중요한 인자는 다음과 같다:

- 상대적으로 좋은 수술적 접근 - 악궁의 중간에 위치
- 적절한 형태 - 단근치, 끝이 뾰족하고 상대적으로 짧은 치근이 발치에 용이
- 치은연하 위치 – 종종 맹출 전 이식

이 요인들은 수술 동안 공여 치아의 외상 위험성을 감소시키고, 특히 공여치아로 사용되는 사랑니와 매복 견치의 이식과 비교했을 때 더 예측 가능한 결과를 얻을 수 있다. 소구치는 교정적 이유로 발치되는 경우가 많으므로 이 치아들의 이식은 전반적인 치료계획 가능성에 포함될 수도 있다.

공여 치아의 크기는 구내 방사선사진을 통해 평가할 수 있으나, 이미 손상받은 상악 전치부로의 소구치 이식과 같은 어려운 케이스에서 cone-beam CT(CBCT)를 사용하여 보다 정확하게 형태를 평가할 수 있다. CBCT는 수여부의 공간 준비에서 사용될 수 있는 공여 치아의 복제물을 만드는 데에도 도움이 된다[6].

전형적인 성장기 환자의 소구치 이식을 위한 적응증은 다음과 같다[7].

8.14 하악 제2소구치의 선천적 결손을 동반한 Ⅱ급 부정교합

만약 현재 진행된 치근흡수나 치아우식이 없다면, 건강한 유구치의 보존을 고려될 수 있으나[8], 종종 강직과 진행된 저위교합을 볼 수 있다[9]. 만약 인접치가 기울고, 대합치가 정출하는 것과 같이 두드러진 국소 치아 변위가 발생한다면, 치조골 발달 장애가 존재하기 때문에 후속 식립 과정이 잠재적으로 위태로워질 수 있다**(그림 8.52)**. 일반적으로 Ⅱ급 부정교합이고 하악 제2소구치가 선천적 결손인 환자는 하악전치의 원치 않은 후퇴가 발생할 수 있기 때문에, 하악궁에서 교정적 공간 폐쇄를 진행해서는 안된다. 교정적 공간 폐쇄 동안 도움을 얻기 위해 임시 고정원 장치(TAD)를 사용할 수 있으나, 이 치료 접근법은 특히 하악 치열궁에서 치아 이동을 잘 조절해야 하고, 시간이 많이 소요된다. 그러므로 만약 상악 치열궁이 소구치 발치 적응증에 해당된다면, 이 치아들을 선천적 하악 소구치 결손을 대체하기 위한 자가이식에 사용할 수 있다. 자가이식 수술 이후 교정적으로 상악 치열궁의 공간을 폐쇄하고, 제일 바람직한 치아접촉을 제공하게 된다.

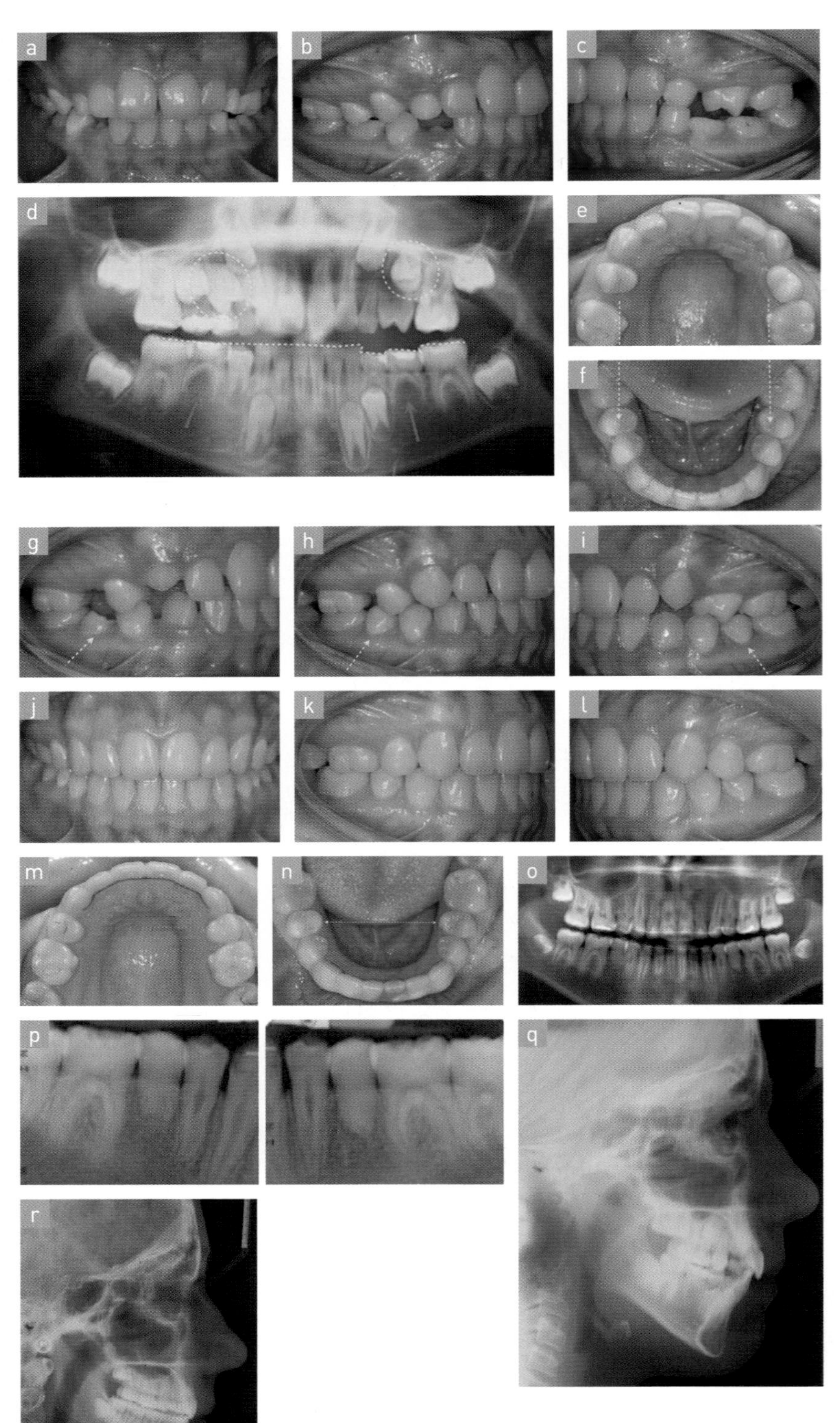

그림 8.52 11.5세 여아로 교정적 치료를 원하였(a~d). 파노라마 방사선 사진을 통해 하악 제2소구치가 선천적 결손이라는 것을 알 수 있다(d, 화살표). 임상검사에서 좌측 유구치의 저위교합을 확인하였다. 환자의 어머니 또한 하악 제2소구치의 선천적 결손을 가지고 있었고, 그녀는 자녀 치아의 진행된 저위교합을 걱정하였다. 맹출되지 않은 상악 제2소구치(d, 원)를 자가이식하여 하악의 결손치를 대체하였다(e, f, 화살표). 12개월 후(g)에 이식된 소구치 맹출이, 18개월 후(h,i)에 치아관계의 자발적 교정이 관찰되었고, 그 때 교정치료가 시작되었다. 안정적인 교합과 정상적인 치아접촉이 디본딩 후 1년동안 지속되었다(j~n). 치료후 방사선 사진에서 저위교합과 병적 경조직이 관찰되지 않았다(o~p). 환자의 안모는 치료 후 변화되지 않은 채로 유지되었다(q: 치료 전, r: 치료 후).

8.15 상악 전치부의 외상성 소실

소실된 전치는 성장기 환자에서 소구치 이식의 가장 중요한 적응증으로 간주된다. 전치부 치아가 소실되면, 항상 환자와 보호자는 크게 걱정하게 되고 즉각적인 치과 치료로 해결하길 원한다. 교정적 공간 폐쇄나 치아 이식은 자연적이고 생물학적 대체물로 결손치를 대체할 수 있는 유일한 치료 방법이고, 어린이의 경우에도 성공적으로 적용될 수 있다. 다른 교정적 해결책은 이 선택사항들 각각을 고려해야 하고[10], 결손치 부위에서 치열궁 길이 감소(교정적 공간 폐쇄) 또는 공간 보존의 필요성(치아 이식)도 고려해야 한다. 치아 이식에는 이용 가능한 공여 치아가 필요하고, 치아 이식은 포괄적인 교정치료 계획의 일부여야 한다. 정상적인 Ⅰ급 교합 환자에서 상악 전치부가 외상성으로 소실되면, 발치가 계획되지 않았던 소구치의 자가이식을 고려할 수 있다. 이 술식은 전치부 대체물에의 필요성이 큰 증례에서 대안이 된다**(그림 8.53)**. 이런 증례에서, 안정적인 교합을 얻기 위해서 보상적인 발치**(그림 8.53f)**나 임시 고정원 장치 사용을 고려해야 한다. 가급적이면, 공여 치아는 결손치가 있는 분악을 제외한 다른 분악에서 선택해야 한다. 교정적 공간 폐쇄와 치아 이식의 조합은 2개 이상의 상악 전치가 결손된 성장기 환자에서 실행 가능한 치료 선택 방법 중 하나이다[4].

8.16 다수의 무형성증을 동반한 불균등한 치아 분포

다수치의 무형성증을 동반한 환자에서 소구치 자가이식 치료는 환자의 이용가능한 공여 치아의 수가 제한적이기 때문에 선택하기 어려운 치료 방법이다. 최선의 후보는 치열궁의 한쪽에는 총생이 다른 쪽에는 결손치가 있는 환자이며, 이런 경우 교정적 공간 폐쇄는 금기증이다. 한쪽 악궁에 치아 무형성증을 가진 환자에 대한 치아이식에서, 영향 받지 않은 치열궁의 양측 2개의 소구치만 오직 공여치로 선택되어야 한다. 좋은 증례는 상악 측절치와 상악 제2소구치의 무형성증을 가진 어린 환자이다. 가능한 계획은 결손된 상악 소구치를 하악 소구치의 자가이식으로 대체하고 상악 전치부와 하악 치열궁에서 교정적 공간 폐쇄를 하는 것이다[2].

치아이식을 수행하기 전, 환자의 나이, 결손치의 수와 위치분포, 유치의 존재와 상태, 교합, 안모, 환자의 희망 등의 요인들을 고려하여 개인에 알맞게 신중히 평가되어야 한다.

8.17 수술

치근 형성이 불완전한 소구치를 이식할 때는, 치근의 중요한 부분이 발달 중인 연조직으로 구성되어 있기 때문에, 수술 과정 중에 부드럽고 조심히 다루어 외상을 피하고 치유능력을 최대화해야 함을 명심해야 한다.

8.18 마취의 선택(국소 Vs 전신)

일반적으로 치아 이식은 국소마취 하에 수행되지만, 마취의 종류는 수술에 대한 환자의 태도 및 건강 상태, 술자의 선호도, 예상되는 수술 종류 및 시간, 환자 협력의 평가에 의해 결정된다. 수술 동안 환자와의 상호작용은 매우 도움이 된다. 어린이에게 시행되는 발달 중인 소구치의 치아이식은 술자의 뛰어난 상호작용 능력이 종종 요구된다. 게다가, 전신 마취(기도삽관)를 위해 필요한 장비와 환자 머리의 움직임이 제한되기 때문에 더 어린 환자의 구강 부위 수술을 진행하는데 어려움을 만들 수 있다. 반대로, 수술이 어린 환자에게 상당한 스트레스를 야기하고, 불안해하는 어린이가 진행 과정을 방해하거나 비가역적으로 전 치료계획에 악영향을 미칠 수도 있다. 술전에 환자 및 부모와 충분히 협의하여 마취 방법을 선택하는 것이 최적의 결정을 내리는데 도움이 될 것이다. 수술 시간은 공여 치아의 치근 발달 단계 및 치열궁에서의 위치, 요구되는 술전 준비, 수여부의 위치에 따라 달라진다. 수술 팀의 이전 경험 또한 중요한 요인이 된다. 일반적으로, 상악이 하악보다 주변 해면골의 양이 더 많고 협측 치조골판이 더 얇기 때문에, 상악 소구치가 하악 소구치에 비해 제거하기 더 쉽다. 공여 치아가 교합면에 가깝게 위치

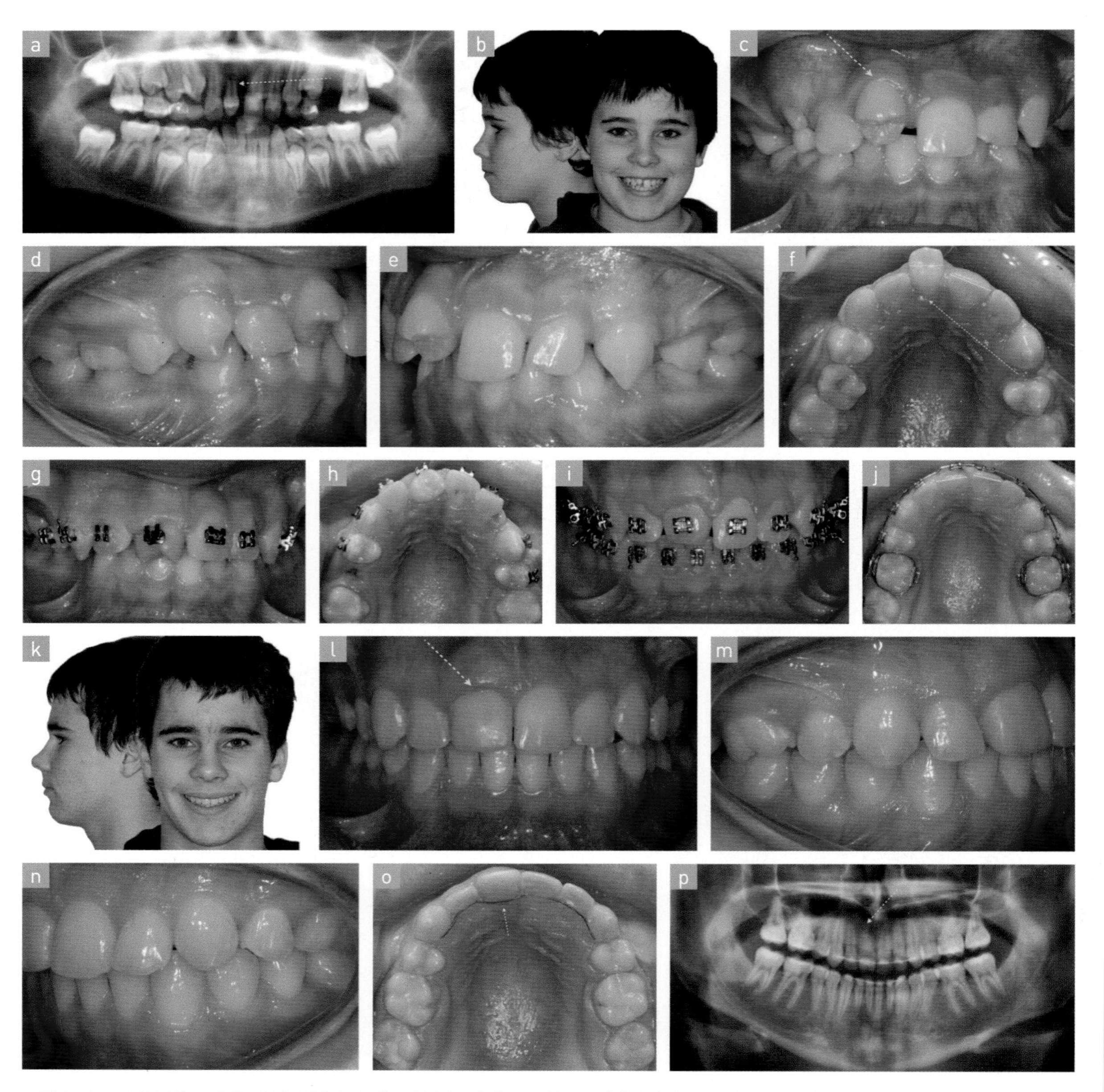

그림 8.53 11세 남아로 우측 상악 중절치가 탈구되었다. 치아는 30분 후 재식되었지만, 6개월 후 광범위한 염증성 치근 흡수가 발달하였다. 맹출하지 않은 상악 좌측 제2소구치의 치아 이식을 진행하였다(a, 화살표). 18개월 후 치료를 시작하였는데(b~e), 인접 중절치와 이식된 소구치(화살표)의 폭이 맞지 않았기 때문이다(f). 이식된 치아를 회전하여(g~h) 인접 중절치와의 폭을 맞추었다(i,j). 상악 우측 제2소구치를 발거하여 정상적인 견치 관계를 얻었다. 디본딩 후, 심미적인 미소를 얻었고, 환자의 안모는 정상화되었다(k). 교정 치료로 안정적인 교합과 정상적인 치아접촉을 얻을 수 있었다(l~o). 이식된 소구치는 레진 베니어를 이용하여 중절치의 형태로 재형성하였다(l, 화살표): 그러나 치은 수준에서 이식된 치아의 폭이 너무 넓어서 인접 중절치와 완벽한 조화를 이루기는 어려웠다. 병적 경조직은 치료 후 관찰되지 않았다(p).

할수록 – 예를 들면 치근흡수가 상당히 진행된 유구치 하방– 그리고 구강 전방쪽으로 위치할수록 제거에 소요되는 시간이 더 짧아진다. 예를 들어, 유구치가 강직되지 않거나 술전에 전치가 외상을 받았고 수여부 준비가 간단하다면, 수술 시간은 보통 90분을 초과하지 않는다. 특히 전치부에서의 과도한 골절단술은 환자를 더 힘들게 할 수 있고, 전신 마취가 필요할 수도 있다.

8.19 소구치에서 소구치로의 이식

수술은 공여부에서 공여 치아를 백악질과 Hertwig 상피근초(Hertwig's epithelial root sheath)의 손상 없이 치조골로부터 제거할 수 있는지에 대해 평가하면서 시작된다(1단계). 만약 유구치가 공여부에 존재한다면, 발거해야 한다. 공여부에서 첫 절개(열구내 절개)는 치은 경계를 따라 시행하고, 이어서 수직 절개를 시행하여, 인접 치아의 협측에서 판막을 거상한다. 공여 치아를 덮는 협측 피질골판에 식염수 주수하에 bur로 조심스럽게 경계를 표기한다. 공여 치아 주변의 뼈를 치근이 손상되지 않도록 발치기자(elevator)를 이용하여 부드럽게 제거해 본다(**그림 8.54a**). 만약 공여 치아의 조심스러운 제거가 가능하다고 판단된다면, 수여부의 준비를 시작한다(2단계). 수여부에 유구치가 있다면(강직되었다 해도) 치조골의 적절한 크기 및 형태, 각화치은의 두께를 유지하는데 도움이 된다. 그러므로 이 치아들은 수술때까지 유지해야 한다. 작은 크기 bur부터 치근의 형태와 유사한 마무리용 콘형 bur까지

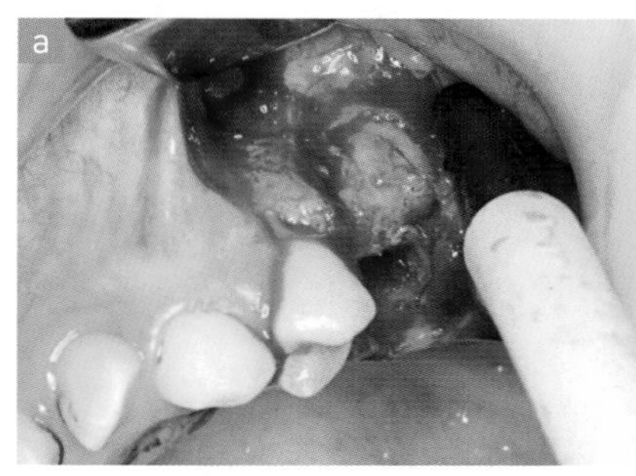

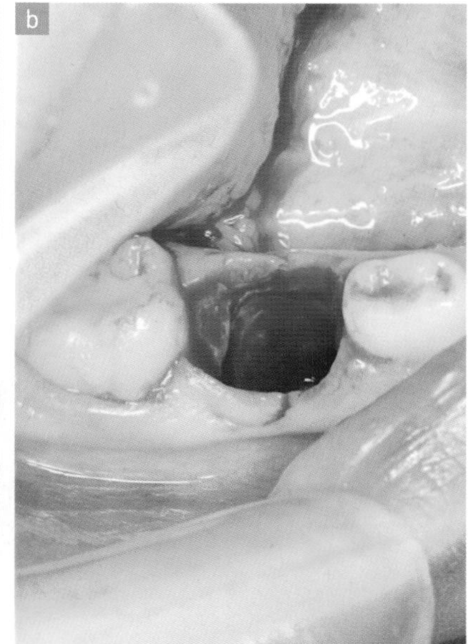

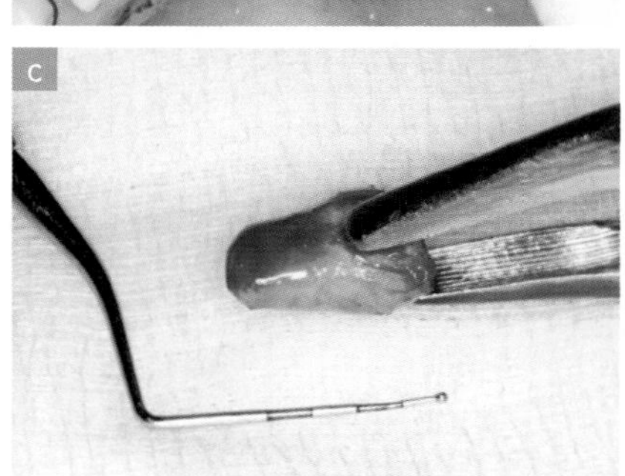

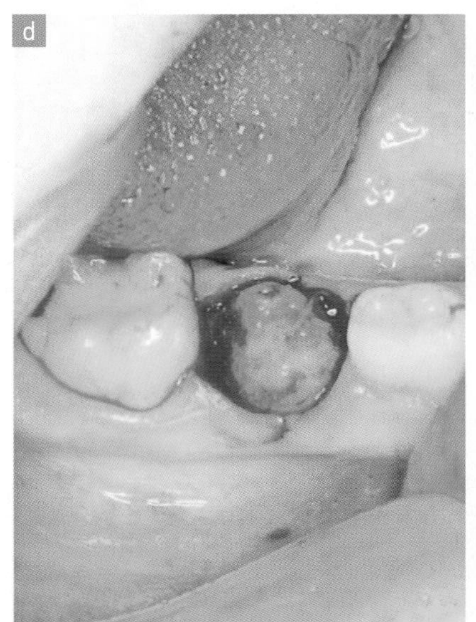

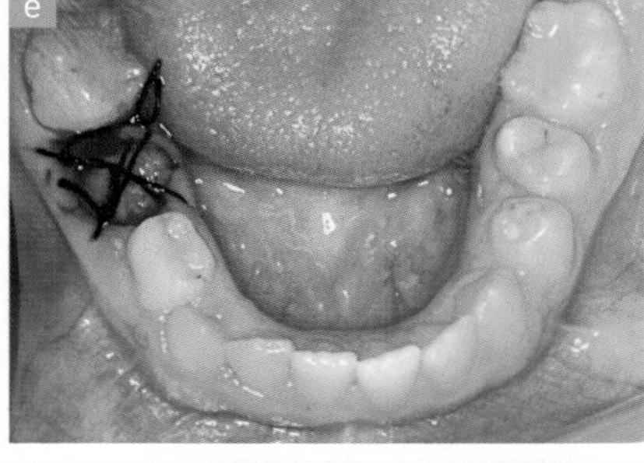

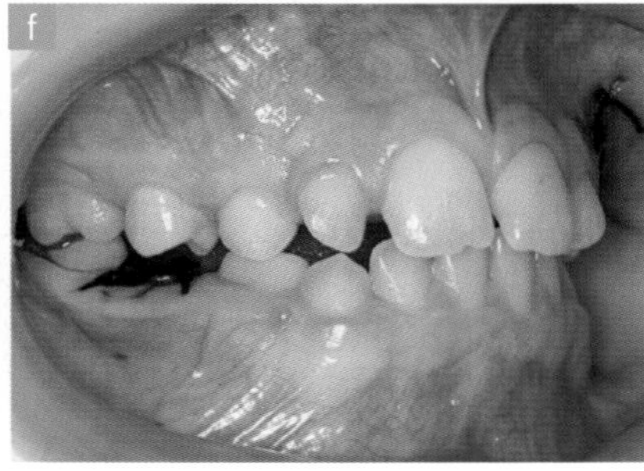

그림 8.54 선천적인 하악 제2소구치 결손을 가진 11세 여아로 수술 1단계(공여부)에서 점막골막성 판막을 거상하여, 맹출되지 않은 발달중인 상악 좌측 제2소구치의 협측 골판을 bur와 발치기자를 이용하여 치아를 노출시켰다(a). 2단계(수여부)에서, 하악 우측 제2유구치를 발거하고, 발치와는 공여 치아를 수용할 수 있도록 더 깊게 재형성하였다(b). 공여 치아를 부드럽게 발치기자로 탈구시키고 발치겸자를 이용하여 발거한 후(c), 즉시 하악에 준비된 인공 발치와로 이식하였다(3단계)(d). 교합면과 치낭을 가로지르게 봉합하여 치아를 인접 치은에 안정화하였다(e). 이식된 치아의 최종 위치는 교합 접촉을 피할 수 있는 치은 높이이다(f).

많은 surgical bur로 공여 치아를 수용할 수 있는 새로운 치조골와를 준비하는 데(**그림 8.54b**), 치근 주변에 1mm의 여유 공간을 부여한다. 수여부 준비 후, 공여 치아를 부착된 치낭을 포함하여 치조골로부터 부드럽게 제거한다(3단계)(**그림 8.54c**). 백악질의 손상은 치아이식 후 강직을 야기할 수 있기 때문에, 공여 치아의 치근에는 어떠한 접촉도 일어나서는 안된다. 공여 치아를 위치시키고, 준비한 인공 와(socket)에 정확하게 수용되는지 확인한다(**그림 8.54d**). 만약 수용부를 추가적으로 조정해야 한다면, 공여 치아를 식염수 안에 보관하여 건조되는 것을 방지하도록 한다. 봉합하여 치아를 고정하는데, 교합면을 X자로 가로질러서 치낭과 인접 치은을 덮도록 한다(**그림 8.54e**). 반강성(semi-rigid) 또는 강성(rigid) 고정은 필요하지 않다. 이식된 치아의 최종 수직적 위치는 보통 공여부에서의 초기 위치에 맞춘다. 가끔, 수여부에서 좀더 교합면 쪽으로 위치시키기도 하는데 교합을 확인하여 확실히 접촉이 없게 해야 한다(**그림 8.54f**).

8.20 상악 전치부로의 소구치 이식

상악 전치부에 외상을 입은 경우, 여러 가지 임상적 시나리오가 있다. 외상으로 인해 치조골의 제한된 발달을 동반한 강직뿐만 아니라 활성적 염증이 나타날 수 있다. 치아와 치조골 소실이 동반된 환자에서, 보통 수여부위에 확장된 골결손과 연조직 반흔이 존재한다(**그림 8.55a**). 결과적으로 치조골의 폭경과 높이가 공여 치아 수용에 적절하지 않을 수도 있다(**그림 8.55b**). 수술을 준비하는 동안 협측 골결손과 연조직 열개가 발생하면, 가끔 치조골와가 부분적으로 순측으로 노출될 수 있다(**그림 8.55c**). 이런 사례에서, 이식된 소구치 치근의 치근단 부분은 해면질골 내에 위치되나, 치근의 치관 부분(coronal part)은 치조골을 통해 순측으로 확장되고 재위치된 점막골막피판에 의해서만 덮이게 된다(**그림 8.55d**). 그러므로, 상악 전치부에 이식된 소구치는 인접치아와 가느다란 와이어와 레진으로 스플린팅하여 더 견고한 안정성을 부여할 수 있다. 이렇게 안정성을 향상시키고, 이식된 치아가 교합의 영향을 받지 않게 유지하는데 도움이 된다.

8.21 술후 주의사항

환자는 다음에 설명된 표준화된 술후 주의사항을 준수해야 한다: 적절한 항생제(보통 아목시실린(amoxicillin)-

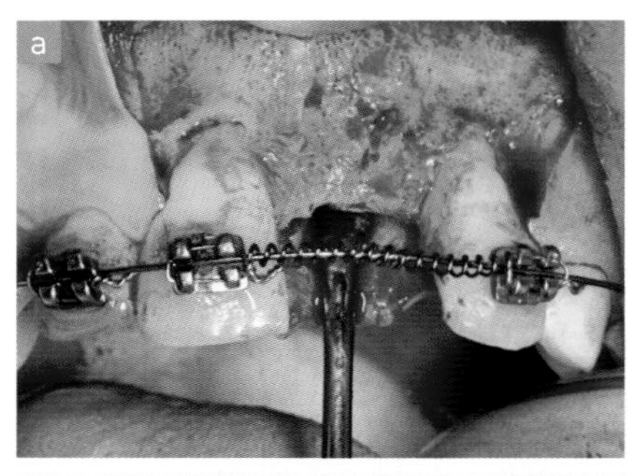
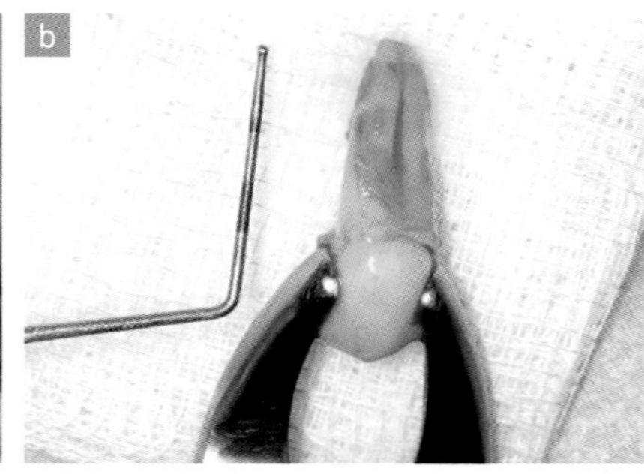
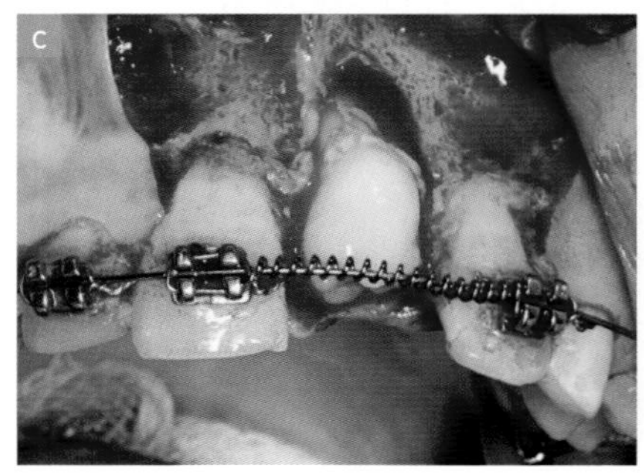
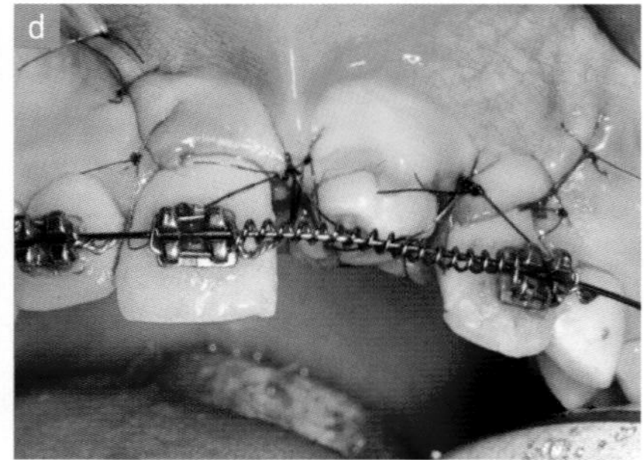

그림 8.55 10세 남아로, 과거에 상악 좌측 중절치의 탈구로 인한 상악 전치부에 외상성 결손이 있고 수여부에 순측 피질골 결손을 가지고 있다(a). 공여 치아를 비외상성 발거가 가능하도록 초기 노출시킨 후, 상악 전치부에서 수여부를 준비(수술 2단계)한다. 이것은 만약 공여 치아의 발치가 불가능하더라도, 수여부의 치조 돌기 흡수를 방지하는 데 도움을 준다. 조심스럽게 발치하여, 부분 맹출된 하악 제2소구치를 치은 수준으로 준비된 수여부로 이식한다(b). 협측골 열개는 초기 골결손과 인공 발치와의 수술 준비로 형성된 것이다(c). 판막을 재위치하여 이식된 소구치의 치근과 골열개는 덮고, 봉합하여 안정화시킨다(d).

500mg 하루 3번), 비스테로이드성 소염제, 얼음팩, 수술 부위에의 양치질 금지, 0.12~0.2% 클로르헥시딘으로 부드럽게 가글하기, 저작 금지 및 7일간 유동식 섭취하기. 모든 봉합사를 10~14일 후 제거한다.

8.22 주기적 검사(follow-up)

봉합사 제거 후, 주기적으로 1개월, 3개월, 6개월, 1년 후 임상 및 방사선적으로 검사하여 이식된 치아가 순조롭게 회복되고 있는지를 확인한다.

임상적 검사에는 치주낭 깊이, 임상적 부착 수준, 각화 치은의 폭경, 치태 축적의 평가, 염증 반응의 유무 포착 등의 치주 조직 평가가 포함된다. 또한 치아 동요도를 평가해야 하고 강직 여부를 판단하기 위해 타진 검사(고음, 금속성 소리)도 진행해야 한다. 이식된 치아의 전기 치수 검사(EPT)는 치수 회복을 감시하는데 도움이 되지만, 그 기록은 술후 일정기간 동안 감소되어 나타날 수 있다. 자연치인 대칭치아는 대조군의 역할을 하지만, 이용할 수 없다면 주변의 영향 받지 않는 치아를 참고할 수 있다. 발달 중인 치근을 가진 이식된 소구치와 대조군 사이에 유의성 있는 차이가 없다는 것이 같은 종류의 치아 이식 후 성공적인 치유를 확인한 문헌을 통해 보고되고 있다.

일반적으로, 치아 이식후 구내 방사선사진으로 경조직의 치유를 관찰하고, 간혹 초기에 과도한 골결손이 있거나 더 향상된 교정적인 조정을 필요로 하는 경우에 CBCT 검사를 통해 이식된 치아 주변의 치조골 형성을 확인한다.

발달 중인 치근을 가진 치아이식 후 성공적인 결과를 확인하기 위해 다음의 특징을 관찰해야 한다.

8.23 치수 회복

치근단공이 열린 상태의 치아를 이식한 경우, 수술 후 결체조직(connective tissue)으로부터 새롭게 형성된 혈관이 치근의 치근단쪽 부위를 통해 치수내로 성장하여 치수 재혈관화(revascularization)가 빠르게 시작된다[11]. 몇 달 후, 이식된 치아의 치수 조직의 세포 및 혈관이 감소되고, 뼈나 백악질(cementum)을 닮은 새로이 형성된 조직들이 기존 치수강의 대부분을 차지하게 된다. 방사선학적으로, 발생중인 치아의 이식 후 일반적으로 발견되는 점진적인 치수강 폐쇄를 보이고[2,4]**(그림 8.52p)**, 구내 방사선 사진에서 몇 개월 후 감지되어야 한다. 치수강 폐쇄 부족은 치수 괴사를 의미하는 것이고, 이는 치수 검사를 통해 확인될 수 있다. 만약 치아 이식후 치수 괴사가 발생한다면 근관치료가 필요하겠지만, 대조적으로 성숙 치아를 이식한 경우에는 항상 근관치료가 필요하다. 수술시 치근 길이가 최종 치근 길이의 1/2~3/4인 치아가 공여치아로 선호되고[3,12], 이런 경우 치수 괴사가 거의 나타나지 않는다**(그림 8.52, 8.53)**. 치근이 짧고 열린 치근단공을 가진 치아가 재혈관화되기 더 좋고, 수여부에서도 더 쉽게 수용될 수 있다.

8.24 치주 회복

만약 수술 동안 치근면에 손상을 가하지 않는다면, 정상적인 치주인대가 형성되고, 이식된 치아가 맹출하게 된다**(그림 8.52g~i)**[13]. 맹출 속도는 수술 당시 치근 발달 단계에 의해 결정되며, 보통 수술 후 2-6개월이 지나면 치아가 맹출하기 시작한다[14]. 치근 발달 초기 단계에 이식된 치아는 정상 발달과정에 따라 맹출하는 데 더 많은 시간이 필요하다[15]. 수술 후 맹출이 일어나지 않으면 강직의 가능성이 있고 이런 경우 나중에 교정력에 대한 반응의 부족할 것이다. 만약 강직이 발생했다면, 가끔은 다른 공여치아를 이용하여 두 번째 치아이식을 시도할 수도 있다. 첫 번째 치아이식이 성공적이지 못했다고 할지라도, 정상적인 회복을 기대될 수 있다. 만약 이용할 수 있는 다른 공여치아가 없다면, 강직된 이식치아를 관찰해야 한다. 이런 상황에서, 최종 결과는 각 환자의 치조돌기의 남아있는 성장과 치근 유착의 진행상황에 따라 달라지게 된다.

8.25 치근 성장

이식 후 추가적인 치근 성장이 기대되고, 이것은 초

기 치근 발달 단계에 따라 달라진다[16]. 보통 이 치아들은 대칭되는 치아와 비교했을 때 약간 더 짧은 치근을 갖게 되지만(**그림 8.52p, 8.53p**)[4,5], 임상적인 중요성은 없다. 이식된 치아는 보통 수술 후 2년 내에 최종 치근 길이에 도달하게 된다[17]. 때때로, 수술 당시 원래 치근길이의 절반 이하인 치근 형성 초기 단계에서 이식된 치아의 경우, 치아 이식 후 치근 성장이 지속되지 않는다.

8.26 전치부 형태의 재형성(reshaping)

외상 받은 전치 또는 결손된 상악 전치부를 대체하기 위해 소구치를 이식할 때, 소구치를 전치부 형태로 재형성해야 한다. 만약 수술 동안 인접 전치부와의 위치관계로 인해 공여 치아를 이상적인 위치로 이식할 수 없다면, 치아 이식 후 교정을 통해 만족스러운 재형성 가능성을 상당히 향상시킬 수 있다(**그림 8.53g~j**)[18]. 보통 임시 레진 수복은 약간의 법랑질면을 삭제할 수도 있고 치아이식 후 6개월 이후에 진행하게 된다. 치주조직 보호를 위해 수복물의 치은경계부(margin)가 과충전되지 않게 한다. 베니어는 전치부의 형태 및 최적의 색깔을 맞출 수 있어 재형성시 최적의 심미성을 나타내는데 최고의 선택으로 많이 선호된다(**그림 8.53l**). 포세린 베니어는 자연적인 법랑질과 양립할 수 있는 최고의 치주적 호환성을 가지고 있다. 베니어 치료는 약간의 법랑질 삭제가 필요하기 때문에, 치아 이식 후 최소 2년동안 연기되어야 한다.

일반적으로, 치아이식 후 합병증은 수술 후 1년내에 발견된다[3,16]. 치아 이식 후 조직이 회복되는 동안 이식된 치아의 교정적 이동은 연기하는 것이 중요하며, 필요하더라도 수술 후 최소 12개월이 지나야 한다.

참·고·문·헌

1 Thilander B, Ödman J, Lekholm, U. Orthodontic aspects of the use of oral implants in adolescents: a 10-year follow-up study. Eur J Orthod 2001;23(6):715–31.

2 Czochrowska EM, Stenvik A, Bjercke B, Zachrisson BU. Outcome of tooth transplantation: survival and success rates 17–41 years post treatment. Am J Orthod Dentofacial Orthop 2002;121(2):110–9.

3 Andreasen JO, Paulsen HU, Yu Z, et al. A long-term study of 370 autotransplanted premolars. Part II: Tooth survival and pulp healing subsequent to transplantation. Eur J Orthod 1991;12(1):14–24.

4 Czochrowska EM, Stenvik A, Album B, Zachrisson BU. Autotransplantation of premolars to replace maxillary incisors: a comparison with natural incisors. Am J Orthod Dentofacial Orthop 2000;118(6):592–600.

5 Plakwicz P, Wojtowicz A, Czochrowska EM. Survival and success rates of autotransplanted premolars: a prospective study of the protocol for developing teeth. Am J Orthod Dentofacial Orthop 2013;144(2):229–37.

6 Keightley AJ, Cross DL, McKerlie RA, Brocklebank L. Autotransplantation of an immature premolar, with the aid of cone beam CT and computer-aided prototyping: a case report. Dent Traumatol 2010;26(2):195–9.

7 `ZachrissonBU, Stenvik A, Haanæs HR.Management ofmissing maxillary anterior teeth with emphasis on autotransplantation. Am J Orthod Dentofacial Orthop 2004;126(3):284–8.

8 Bjerklin K, Al-Najjar M, Kårestedt H, Andrén A. Agenesis of mandibular second premolars with retained primary molars: a longitudinal radiographic study of 99 subjects from 12 years of age to adulthood. Eur J Orthod 2008;30(3):254–61.

9 Hvaring CL, Øgaard B, Stenvik A, Birkeland K. The prognosis of retained primary molars without successors: infraocclusion, root resorption and restorations in 111 patients. Eur J Orthod 2014;36(1):26–30.

10 Stenvik A, Zachrisson BU. Orthodontic closure and transplantation in the treatment of missing anterior teeth. An overview. Endod Dent Traumatol 1993;9(2):45–52.

11 Skoglund A, Tronstad L, Wallenius KA. A microangiographic study of vascular changes in replanted and autotransplanted teeth of young dogs. Oral Surg Oral Med Oral Pathol 1978;45(1):17–28.

12 Kristerson L. Autotransplantation of human premolars. A

clinical and radiographic study of 100 teeth. Int J Oral Surg 1985;14(2):200–13.

13 Paulsen HU, Andreasen JO. Eruption of premolars subsequent to autotransplantation. A longitudinal radiographic study. Eur J Orthod 1998;20(1):45–55.

14 Paulsen HU, Shi XQ, Welander U, et al. Eruption pattern of autotransplanted premolars visualized by radiographic color-coding. Am J Orthod Dentofacial Orthop 2001;119(4):338–45.

15 Plakwicz P, Czochrowska EM. The prospective study of autotransplanted severely impacted developing premolars: periodontal status and the long-term outcome. J Clin Periodontol 2014;41(5):489–96.

16 Andreasen JO, Paulsen HU, Yu Z, Bayer T. A long-term study of 370 autotransplanted premolars. Part IV: Root development subsequent to transplantation. Eur J Orthod 1991;12(1):38–50.

17 Myrlund S, Stermer EM, Album B, Stenvik, A. Root length in transplanted premolars. Acta Odontol Scand 2004;62(3):132–6.

18 Czochrowska EM, Stenvik A, Zachrisson BU. The esthetic outcome of autotransplanted premolars replacing maxillary incisors. Dent Traumatol 2002;18(5):237–45.

SECTION V: 혼합치열기 교정 메카닉

Section V: Mixed dentition orthodontic mechanics

Gerald S. Samson, DDS
Department of Orthodontics, Center of Advanced Dental Education, Saint Louis University, St. Louis, USA

"교정 치료가 효과(effective)있기를 바라기만 하는 것이 당신의 성공을 의미하지 않는다." HT Perry, Jr. DDS, PhD

일리노이주의 시카고에 위치한 노스웨스턴 치과대학 교정과에서 내 첫 수련의 과정을 보낸 해는 1979년이었다. 임상코스가 시작되고 나서, 신입 교정과 수련의들은 15명의 part-time 교수진을 만나게 되었다. 그리고 이내 역학의 혼돈을 경험하게 되었다. 월요일에 교수님은 헤드기어 튜브가 치은 높이에 위치한다고 했고, 화요일 다른 교수님은 교합면 (occlusal)에, 수요일에는 다시 치은 높이라고 하셨고, 목요일에는 수술 교정을 (헤드기어 튜브없이) 경험하였고, 금요일 교수님은 매우 설득력있는 목소리로 튜브 위치는 전혀 상관이 없다고 하였다. 첫 6개월이 지나기 전에, 나는 교정과의 과장인 Dr. Harold T. Perry에게 왜 우리가 edgewise 장치의 0.018 슬롯과 0.022 슬롯의 차이를 배워야 하는지 여쭤보았다. 나의 질문에 대해 Dr. Perry은 다음과 같이 대답하였다.

> Samson, 너는 내가 말하려고 하는 것을 이해하기에는 경험이 아직 부족하지만, 한번 설명해보지. 어떤 치료방법들은 효과적이고, 어떤 것들은 그렇지 않고, 또 어떤 것들은 잠시 동안만 효과 있다 효과가 없어지곤 하지. 환자를 치료하다 보면, 치료에 대한 다양한 반응들을 경험하게 되지. 치료에 대한 첫 번째나 두 번째 접근이 효과가 없을 수도 있고. 사실, 성공하려면 임상적인 교정 테크닉을 더 알 필요가 있어. 그리고 어떻게 그 테크닉들을 조합하여 적재적소에 맞추어 사용하고 독창적으로 생각하는지 이해할 필요가 있어. 너는 단지 교정 테크닉만 배우는 것이 아니야. 어떻게 생각하는지를 배워야 해.

그리고는 근엄히 나를 사무실에서 내보냈다: "모든 것이 작용한다면, 문제될 것은 없다." Lysle E Johnston, DDS, PhD.

스스로에게 이 질문을 해보길 바란다: 주어진 시간 동안 교정치료에 반응하지 않는 환자가 몇 명이면 너는 화가 날것 같은가? 이 질문에 대한 우리 모두의 대답은 같을 것이다: "한 명". 실제로 매시간시간 매일매일 완벽하기가 비현실적이라는 것을 알고는 있다. 하지만, 감정적 측면으로, 치료의 반응이 더디거나 나쁜, 실제의 "치료의 문제"에 직면하게 되면, 통계적인 현실로는 위안이 되지 않는다. 나는 이런 즐겁지 않은 임상 경험에 직면할 때면, 항상 같은 파문이 내 마음을 흔들었다 – 내가 교정 메카닉 적용에 대하여 더 완벽하게 이해하고 있었다면 이런 일은 덜 발생했었을텐데. 아무리 못해도, 이런 문제를 해결하는데 힘이 덜 들텐데.

Dr Harold T Perry, Jr의 정신에 따라, 이 섹션의 목표는 독자들의 신경세포접합(neurosynaptic junction)을 자극하고 아세틸콜린을 분비하게 하여 스스로 생각하게 만드는 것이다.

8.27 정의와 용어 [1–3]

저항중심(Center of resistance; CRes) **(그림 8.56)** – 물체의 한 지점에 힘을 가하였을 때 직선운동(translation)이 일어나면 그 점을 저항중심이라고 한다. 물체의 중심(Center of mass)과 유사하다.

치체이동(Translation) **(그림 8.56)** – 치아 전체의 이동으로, 치아의 모든 지점이 같은(동등한) 힘과 방향으로 이동하는 것을 의미한다. 예를 들어, 단일 치아(혹은 세

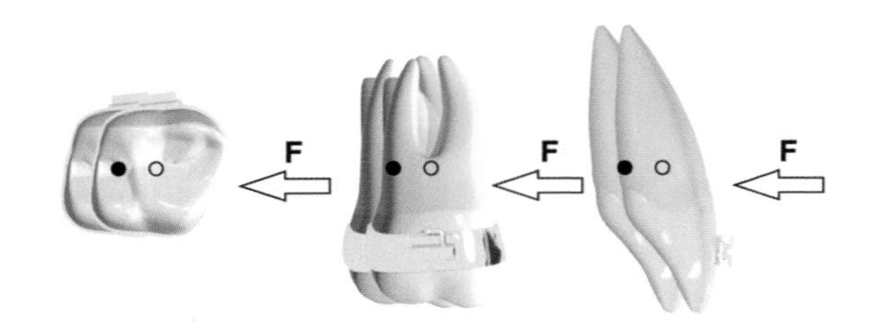

그림 8.56 저항중심을 지나는 힘은 치아의 모든 점에 대하여 같은 크기와 같은 방향으로 움직임을 일으킨다. 이를 치체이동(translation)이라고 한다. (크레딧: Dr. Robert Isaacson)

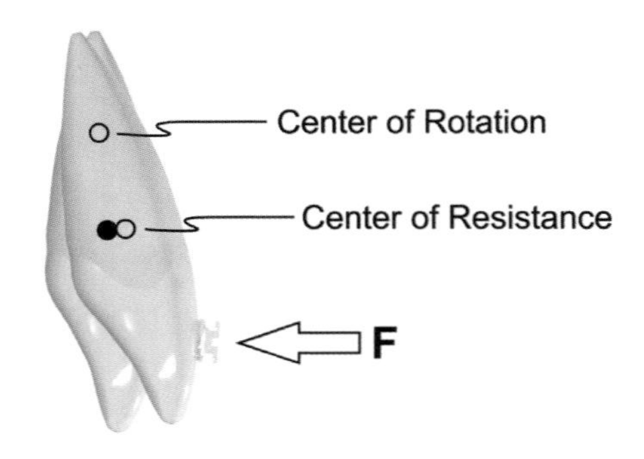

그림 8.57 운동학적 관점에서 치아의 회전(rotation)은 회전중심(center of rotation)을 중심으로 시점1에서 시점2로 회전이 일어나는 것으로 표현된다. 힘이 작용할 때 저항중심이 같은 방향으로 이동함을 주목하라. (크레딧: Dr. Robert Isaacson)

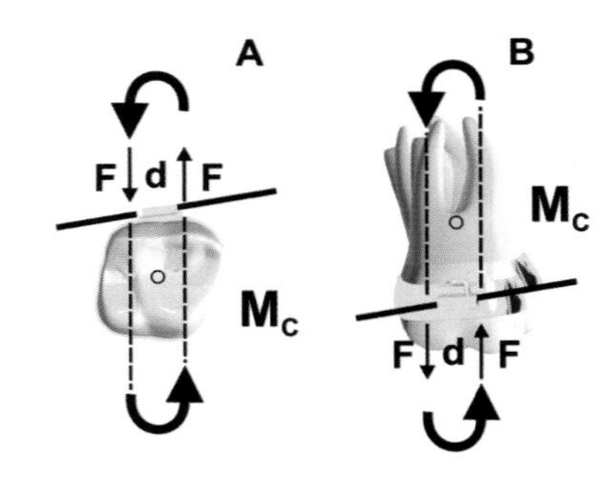

그림 8.59 짝힘의 모멘트(Mc)는 1차(A)와 2차(B) 회전을 야기한다. 각 브라켓에 작용하는 짝힘의 2개의 힘은 저항중심으로부터 같은 거리에 위치한다. 저항중심은 회전중심과 동일하다. Mc = F x d. (크레딧: Dr. Robert Isaacson)

트)의 장축 경사가 바뀌지 않고 이동하는 것이다. 치체이동을 제외한 다른 물체의 이동은 "회전(rotation)"이다.

회전중심(Center of rotation) (그림 8.57) – 비-치체(non-translational) 움직임 동안, 물체가 어떤 점을 중심으로 회전할 때 이 점을 회전 중심이라고 한다.

힘(Force) – 물체를 가속화 시키는 어떤 행동이나 영향. 힘은 방향과 크기를 가지고 있는 벡터다.

모멘트(Moment) – 한 점이나 축을 중심으로 물체의 회전을 일으키는 경향.

힘의 모멘트 (Moment of force) (그림 8.58) – MF는 한 선이나 점에 대해 힘이 가해졌을 때 회전을 일으키는 경향이다. 치아에 가해지는 힘이 저항중심을 지나지 않으면 치아는 회전 경향을 "느끼게" 되고 이를 "적용된 힘의 모멘트"라고 한다.

짝힘(Couple) – 크기는 같고 힘의 방향은 반대인 두 개의 힘. 동일선상(일직선상)에 존재하지 않는다.

짝힘의 모멘트(Moment of couple) (그림 8.59, 8.60) – MC는 짝힘에 의해 일어나는 회전 경향이다.

토크(Torque) (그림 8.60) – 치아의 장축을 따라 일어나는 힘의 "회전 모멘트"에 의한 변화이다. 예를 들어, "3차 짝힘(third-order couple)"은 와이어의 장축을 따라 와이어를 비틀었을 때 발생한다. 이는 치관을 한 방향으로 이동시키게 되고, 치근은 그 반대방향으로 이동하게 만든다.

개요 [1]

치아에 작용하는 모든 힘 체계는 단일 힘 및/혹은 짝힘으로 구성되어 있다. 치아의 저항중심에 힘이 가해지면 치아는 치체이동하게 된다. 저항중심 이외의 부위에 힘이 가해지면 치아는 경사이동(tipping) 및/혹은 회전이동이

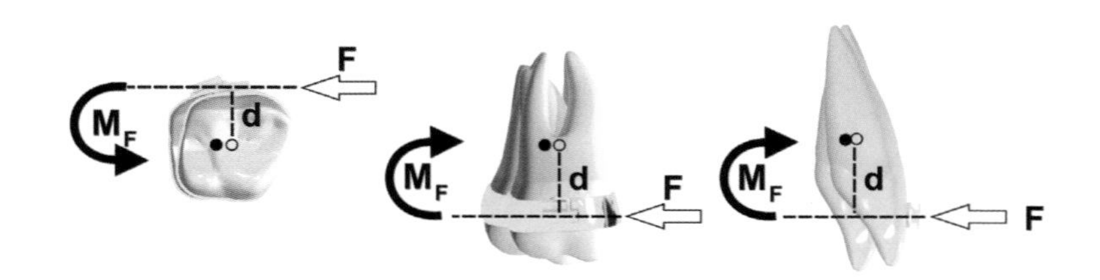

그림 8.58 저항중심(CRes)을 지나지 않는 힘은 모멘트나 치아를 회전시키는 경향을 발생시킨다. 이 모멘트의 크기는 힘의 크기와 저항중심과 힘의 작용선 사이의 수직거리의 곱으로 측정되고, 힘 x 거리, M_F=F x d 로 표현된다. 1차, 2차, 3차 회전을 보여준다. (크레딧: Dr. Robert Isaacson)

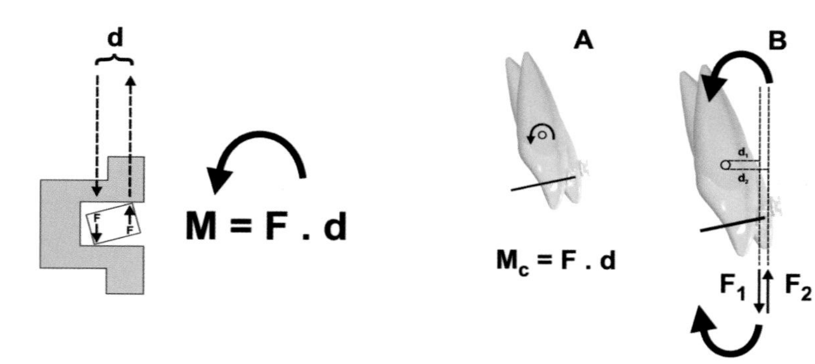

그림 8.60 짝힘의 모멘트(Mc)는 짝힘의 2개 힘이 저항중심으로부터 같은 거리에 위치하지 않을 때 3차 회전을 야기한다. 짝힘이 치아의 어디에 작용하든, 저항중심은 늘 회전중심과 일치한다. (크레딧: Dr. Robert Isaacson)

일어난다. 힘에 의해 치아의 회전이 일어나면 항상 동시에 치아의 저항중심이 힘이 가해지는 방향으로 움직이게 된다. 반대로 짝힘은 치아의 이동을 일으키기에는 부적절하다. 짝힘은 저항중심을 이동시킬 수 없으므로, 짝힘이 가해지면 저항중심과 회전중심이 항상 일치하게 된다. 모든 치아이동은 치아의 저항중심을 기준으로 일어나는 치체이동 및/혹은 회전이동이다.

치아의 이동을 조절하는 물리적인 원리는 잘 정립된 기본 개념을 이용하여 교정적 치아이동에 잘 적용될 수 있다.

8.27.1 물체의 중심과 저항 중심(그림 8.56, 8.57) [1-3]

치아가 아무 움직임이 없는 자유물체라고 상상해보라. 치아의 "물체의 중심"에 힘이 가해지면 전체 치아가 적용된 힘의 방향으로 이동할 것이다(그림 8.56). 물체의 중심을 지나는 힘은 치아의 모든 점에 같은 크기의 힘이 같은 방향으로 적용된 것처럼 치아를 이동시킨다. 이런 종류의 교정적 치아이동을 **치체이동**(translation or bodily movement)이라고 한다. 하지만, 실제 치아는 주변조직들로 인해 이동에 제한이 있으므로 자유물체가 아니다. 그러므로, 이동에 대한 모든 저항이 집중되는 점은 물체의 중심이 아니라 **저항중심**(center of resistance; CRes)이다(그림 8.56). 실제 치아이동에서 저항중심에 완벽하게 힘을 적용하기가 쉽지 않다. 따라서, 우리는 치아가 회전중심을 중심으로 경사이동 하거나 회전이동 하려는 경향을 다양하게 관찰하게 되고(그림 8.57), 저항중심은 힘이 작용하는 방향으로 이동할 것이다.

8.27.2 치아이동 정리와 교정용어 [1-3]

치아를 움직이기 위해 호선에 힘을 적용할 때, 치아는 치체이동, 회전이동, 또는 이 두 움직임의 조합으로 반응하게 된다. "회전이동"은 교정적인 적용에서 다음과 같이 더 세분화 할 수 있다.

1차 회전(First-order rotation) 또는 치아의 장축을 축으로 하는 회전. 교정학에서 단일 치아 또는 여러 개 치아의 회전을 의미한다(그림 8.59a).

2차 회전(Second-order rotation) 또는 치아의 협설축을 축으로 하는 회전. 교정학에서 경사(tip)를 의미한다(그림 8.59b).

3차 회전(Third-order rotation) 또는 전치의 근원심축을 축으로 하는 회전. 교정학에서 **토크**(torque)라고 한다. 기술적으로 토크는 물체의 장축을 따라 발생하는 변화이다. 교정학에서는 실제 호선에 "토크"를 부여하여 치아에 3차 경사를 유발하게 된다(그림 8.60).

8.27.3 힘의 체계 [1-3]

호선의 힘 체계는 기본적인 구성요소에 관하여 분석된다. 기본 구성요소는 **단일 힘**(single-point forces) 또는 크기는 같지만 단일선상에 존재하지 않는 반대 방향의 한쌍의 힘이다. 이 동일직선상에 있지 않은 힘을 짝힘(couples)이라고 부른다.

8.27.4 단일힘과 힘의 모멘트

치아에 가해지는 단일힘은 크기와 방향을 가지고 있다. 단일힘이 정확히 CRes(저항중심)을 지나면, 치아는 치체이동하려는 경향이 생기게 된다(그림 8.56). 오직 힘에 의해서만 치아의 저항중심을 움직일 수 있다. 실제 치아에서 단일힘이 CRes을 지나가는 것은 어렵다. 힘이 CRes을 통과하지 않으면 치아는 회전하게 된다**(그림 8.57)**. 회전하려는 경향 또는 모멘트는 저항중심을 통과하지 않는 힘에 의해 발생하며 이를 **힘의 모멘트**(Moment of force, M_F)라고 한다**(그림 8.57)**. M_F의 크기는 힘(F)의 크기와 저항중심에서 힘의 작용선까지의 수직거리(d)를 곱한 값으로 측정된다(M_F=F × d). 교정학에서 M_F의 단위는 g·mm로 나타낸다. 실제로 모멘트를 나타내는 g·mm 단위는 교정학에서 많이 사용된다. 그램(gram)은 질량의 단위로 힘을 나타내는 데는 부적절하다. 힘은 뉴턴(newton)으로 표현하는 것이 바람직하다. 전환 공식은 다음과 같다: 1g=0.00981N 또는 1 N=101.937g.

8.27.5 부가 및 공제되는 짝힘 (그림 8.59, 8.60) [1-3]

호선은 한쌍의 같은 크기의 반대 방향 힘에 의해 치아이동이 일어날 때 주변 치주조직에도 신호를 보낼 수 있다. 이 힘 체계를 "짝힘"이라고 한다. 짝힘이 물체에 가해지면 물체는 경사이동 또는 회전이동을 하게 되는데 이를 "짝힘의 모멘트" 또는 "짝힘에 의한 모멘트"라고 부른다**(그림 8.59, 8.60)**. 짝힘은 2개의 힘이 같고 방향은 반대인 단일힘들의 힘 체계의 합이다. 짝힘의 각 힘은 단일힘에 대한 힘의 방향으로 저항중심을 각각 움직일 수 있다. 왜냐하면 2개의 힘은 크기가 같고 방향이 반대이므로, 각각의 힘이 저항중심을 같은 크기의 반대방향으로 이동시키려 한다. 그러므로, 실제로 짝힘이 치아의 어떤 부위에 가해진다 해도, 짝힘으로 인해 치아의 저항중심은 이동하지 않는다. 짝힘 2개의 힘의 작용선이 저항중심으로부터 같은 거리에 위치해 있다면 짝힘은 치아를 저항중심을 중심으로 같은 방향으로 회전시킨다. 이를 "부가적인 힘(additive force)"이라고 한다**(그림 8.59)**. 짝힘 2개의 힘의 작용선이 저항중심으로부터 동일한 거리에 있지 않아도, 여전히 치아 회전 경향이 일어난다.

그림 8.60b를 보면, 3차 짝힘이 브라켓에 위치하고 짝힘의 작용선이 저항중심으로부터의 거리가 다르다. 저항중심과 가장 가까운 힘은 더 작은 모멘트를 일으키거나 시계방향 회전을 야기하는데, 이것은 힘이 저항중심에 대한 더 적은 수직적 거리에 의해 배가되기 때문이다. 저항중심에서 멀리 위치한 힘은 더 큰 모멘트를 일으키거나 반시계방향의 회전을 일으키는데, 힘이 저항중심에 대한 더 큰 수직적 거리에 의해 배가되기 때문이다. 반시계방향 회전의 모멘트에서 시계방향 회전의 모멘트를 빼면, 반시계방향 모멘트가 남는다. 그림 8.60에서와 같이 저항중심으로부터 같은 거리에 있는 2개의 힘이 위치된 것과 같은 반응이다. 힘을 빼고 난 후 남은 힘은 거리가 더 먼 쪽의 힘과 같은 방향으로 작용한다. 그러므로, 짝힘이 브라켓에 적용될 때, 형성되는 치아 회전의 유형은 치아 브라켓의 위치나 브라켓에 적용된 토크에 의해 영향받지 않는다. 말하자면, 치아는 오직 저항중심 주위로 회전하는 짝힘에만 반응할 수 있다.

짝힘에 의해 생성되는 회전 경향은 모멘트에서 언급했듯이, **짝힘의 모멘트**(moment of couple, Mc)라고 한다**(그림 8.59, 8.60)**. Mc의 크기는 짝힘을 이루는 2개의 단일힘의 모멘트의 합이다. 즉, Mc의 크기는 짝힘의 단일힘의 크기와 짝힘을 이루는 2개의 힘간의 거리의 곱으로 표현될 수 있다. edgewise 장치의 독특성은 3개의 평면에서 짝힘을 발생시키는 능력에 있다. 치아에 부착되는 브라켓의 위치에 상관없이, 짝힘이 그 브라켓에 적용되면 치아는 저항중심을 축으로 회전하려는 경향을 보이게 된다. 짝힘 단독으로는 저항중심을 어느 방향으로도 움직일 수 없으며, 저항중심과 회전중심이 항상 일치할 것이다.

8.27.6 평형과 치아이동 - 뉴턴의 제3법칙 [1-3]

뉴턴의 제3법칙은 모든 작용에는 그와 크기가 동일하고 방향이 반대인 반작용이 있다는 것이다. 주어진 호선이 동일한 호선에 대하여 압력을 받을 때 2개의 와이어는 동일한 크기와 반대방향으로 휘어지게 된다. 호선이 동일하지 않은 저항을 가지고 있으면, 약한 호선은 더 변형되지만, 두 호선 모두 동일한 크기와 반대방향으로 서로 눌러지고 있을 것이다. **평형은 어떤 평면에서도 작용하는 힘의 합이 0이 될 때 일어난다.** 평형은 균형이 맞아야 하고 모든 평면에서의 모멘트의 합도 0이어야 한다. 호선이 브라켓에 삽입되어 짝힘이 일어날 때, 치아는 저항중심을 중심으로 회전하려는 경향을 나타낸다. 브라켓에 작용하는 짝힘은 브라켓과 호선의 다음 부착부 사이에서 호선이 구부려지거나 꼬임으로써 활성화된다. 이는 호선을 압박하여 호선이 다시 비활성이 될때까지 브라켓이나 호선의 다른 끝부분을 이동시키게 된다.

비록 브라켓에 작용하는 짝힘은 한방향으로 모멘트를 발생시키지만, 활성화된 호선의 끝에 작용하는 힘은 또 다른 짝힘을 나타내어 반대방향으로의 모멘트가 발생한다. 브라켓에 발생하는 짝힘의 모멘트는, 호선의 끝 부착부에 연관된 평형력에 의해 발생하는 힘으로 형성되는 모멘트와 크기는 동일하고 방향은 반대이다. 이것이 평형이다. 평형동안 발생하는 전체 힘 체계는 시각화하기 어렵고 직관적이지 않으므로, 구성요소들이 간과될 수 있고 예상밖의 임상적 치아이동이 일어날 수 있다.

8.27.7 힘 체계와 치아이동 [1]

호선의 구부림은 얼마나 복잡하던지 간에 치아에 단일힘 또는 짝힘의 형태로 메시지를 보내게 된다. 치아는 치체이동 및/혹은 회전이동의 조합으로 반응할 수 있다. 단독의 힘을 저항중심을 지나가게 적용할 수 있다면 치아는 회전 없이 치체이동이 일어날 것이다(**그림 8.56**).

회전이동은 짝힘이 브라켓에 적용되고 치아가 짝힘의 모멘트(Mc)를 일으킬 때 일어난다(**그림 8.59, 8.60**). 그림 8.61의 전형적인 임상적 예에서 단일힘이 치아에 연속적으로 부착된 브라켓에 가해지고 있다. 이 힘은 힘의 모멘트(M_F)를 일으켜 저항중심을 힘의 방향으로 이동시키려는 경향과 저항중심 주변으로 회전시키려는 경향을 일으킨다. 치아가 시계방향으로 경사(tip)되는 경향에 대응하기 위해, edgewise 브라켓은 2차 짝힘에 의해 치아가 반대방향인 반시계방향으로 회전하도록 고안되었다. M_F가 시계방향으로 회전시키려는 경향과 Mc가 반시계방향으로 회전시키려는 경향간의 완벽한 균형으로 치아가 치체이동하게 된다. 교정적인 용어로, 이러한 관계는 Mc와 M_F를 일으키는 F간의 비율 혹은 모멘트–힘 비율, M/F 로 표현된다. 예를 들어, 그림 8.61에서 견치의 치체이동을 위해 100g의 힘이 저항중심에서 10mm 치관(coronal) 부위에 적용되었다. 이는 저항중심을 힘의 방향으로 이동시킬 것이다. 왜냐하면 힘이 저항중심을 통하지 않으므로, 치관이 경사(tip)되려는 경향 혹은 M_F가 형성되어 치관이 힘이 작용하는 방향으로 기울어질 것이다. 이 모멘트 혹은 회전하려는 경향의 크기는 100g × 10mm = 1000g·mm 이다. edgewise 브라켓에 의해 유도되는 짝힘이 치아에 회전을 일으킨다. 치아가 짝힘에 의해 충분히 경사이동되면, 브라켓의 2차 짝힘에 의해 발생하는 Mc에 의한 반대힘에 의해 치아는 단일힘의 반대방향으로 회전하려는 경향이 나타난다. 만약 브라켓이 4mm 길이이고, 브라켓의 양단에 가해지는 힘이 250g이면 Mc가 1000g·mm이 되어 반대 방향으로 회전 경향이 일어난다. 이 경우 모든 회전 경향은 상쇄된다. 힘의 모멘트와 짝힘의 모멘트의 조합보다, 최종결과와 순수한 치아이동(경사와 치아직립(uprighting)의 조합)은 적용된 힘 방향으로의 치체이동으로 나타날 수 있다.

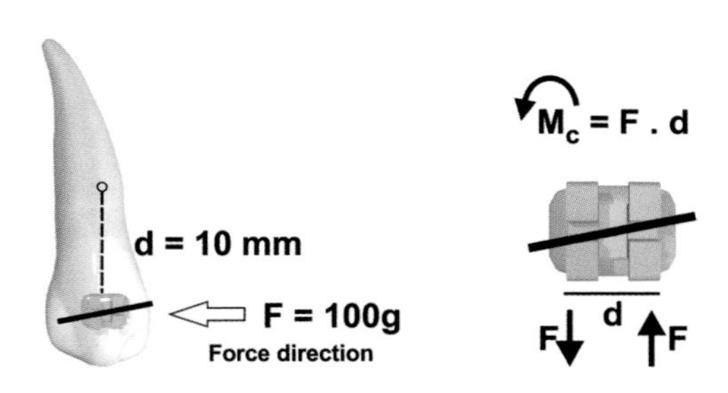

그림 8.61 견치의 견인을 위해 100g의 힘이 저항중심의 치관 방향으로 10mm 떨어진 부위에 작용할 때 1000g · mm의 모멘트가 발생한다. edgewise 장치는 2차 짝힘으로 −1000g · mm의 모멘트를 발생시켜 치관의 원심 경사를 방지한다. (크레딧: Dr. Robert Isaacson)

8.27.8 단일 튜브(브라켓)와 단일 짝힘 시스템: 혼합치열기 예제 (그림 8.62–8.65)

0.018 슬롯에 하악전치부에는 16 × 16 SS 호선이 세그먼트로 삽입되어 있고, 0.016 SS intrusion arch가 0.010 SS 결찰(ligature) 호선으로 정중선에 묶여있다.

구강 내의 한쪽 악궁만 고려해보자. 짝힘을 포함하는 교정적 힘 체계의 가장 간단한 배치는 하나의 브라켓에 하나의 짝힘만 발생시키는 것이다. 단일 브라켓 시스템(대구치 튜브)에서 호선의 한쪽 끝은 벤드가 활성화되어(activation bend) 튜브에 삽입되어있다. 그림 8.62 환자 1의 시점1에 보이는 것처럼, 활성화된 벤드는 하악 제2유구치를 "치관부 tip-back" 시키는 벤드이다. 호선의 반대쪽 끝은 하악 중절치에 SS 결찰 호선으로 묶여있다. 오버

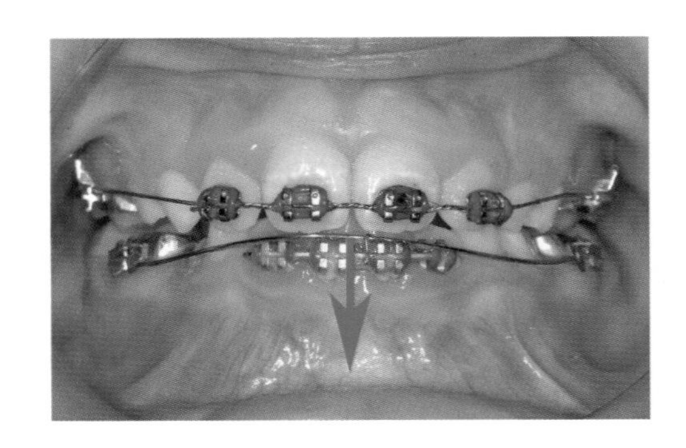

그림 8.62 환자1, 시점1

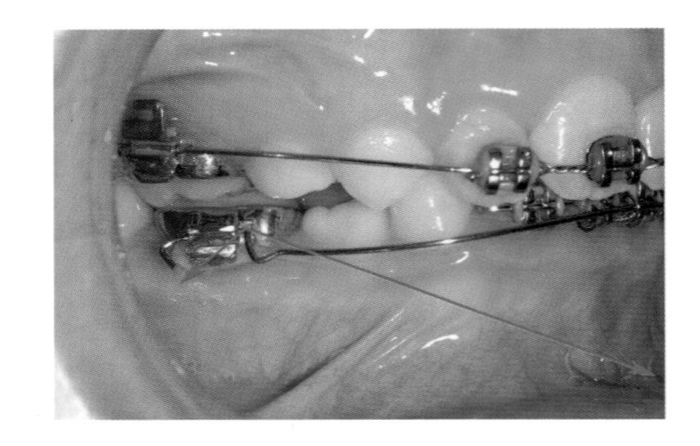

그림 8.63 환자1, 시점2

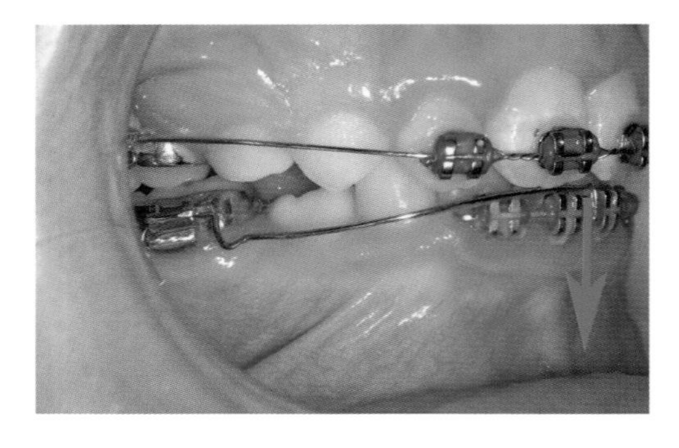

그림 8.64 환자2, 시점1

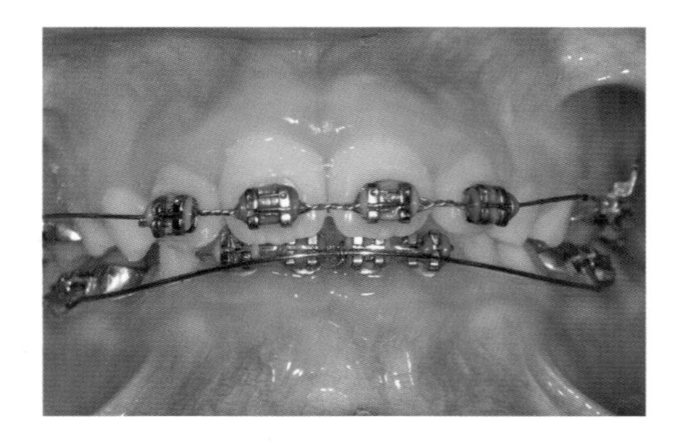

그림 8.65 환자2, 시점2

레이 호선이 중절치 사이의 중심선에만 묶여있는 것이다. 활성화된 호선이 한 점으로 접촉될 때 중절치와 대구치 튜브에 삽입된 호선 사이에는 크기가 같고 방향이 반대인 짝힘이 형성된다. 하나의 힘은 튜브의 전방에서 발생하고, 같은 크기의 반대 방향인 힘은 튜브의 뒤쪽에서 발생한다. 이 짝힘은 Mc 혹은 CRes 중심으로 대구치를 회전시키려는 경향을 발생시킨다. 짝힘이 single tube에서 Mc를 발생시킬 때, 평형을 위한 힘의 방향을 알기 위해 튜브에 일어나는 모멘트의 방향을 아는 것이 중요하다. 단일 튜브와 단일 짝힘 시스템에서 짝힘에 의해 발생되는 모멘트의 방향의 예측은 호선의 끝을 튜브에 삽입하지 않고 위에 놓아 보면 알 수 있다. 호선의 다른 끝부분을 한 점으로 묶을 곳(중절치 사이)에 두자. 대구치에서 호선이 튜브를 가로지를 때(**그림 8.62, 환자1 시점1**), 튜브는 호선에 대해 회전된 것처럼 보일 수 있고 이것이 발생되는 모멘트의 방향이다. 모멘트의 방향을 아는 것은 평형을 위한 힘의 방향을 결정할 수 있다. 단일 짝힘 시스템에서 힘과 모멘트의 크기는 호선을 전방부에 묶었을 때 나타나는 변형에 필요한 힘을 측정함으로써 임상적인 예측이 가능하다. 이 힘을 브라켓과 호선의 묶여진 점간의 거리와 곱하면 모멘트와 같아지고, 브라켓의 Mc와 동일한 크기에 방향은 반대가 된다. 튜브에서 짝힘의 크기를 예측하기 위해서는 이 모멘트를 튜브의 길이로 나누면 된다.

치관 tip-back을 통한 대구치의 반응은 그림 8.63 환자1의 시점2에서 볼 수 있고, 전치의 함입을 관찰 할 수 있다.

8.27.9 혼합치열기: 상악 전치부 치근 수렴(convergence)

혼합치열기와 영구치열기 교정치료에서, 상악 영구 견치가 맹출하기 전, 상악 측절치의 치근은 필수적으로 벌어져(diverge) 있기 보다는 수렴(converge)되어 있어야 한다. 이것은 상악 좌측 측절치의 브라켓을 우측 측절치에 붙이고, 우측 측절치의 브라켓을 좌측 측절치에 붙이는 측절치 브라켓 "전환(switching)"을 통해 쉽게 달성할 수 있다(**그림 8.66~8.71**).

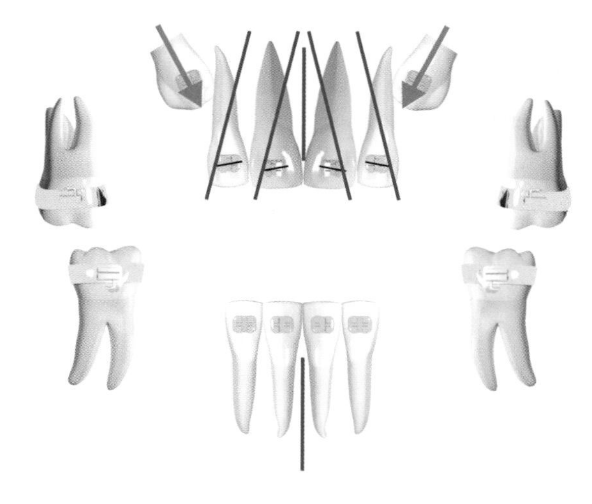

그림 8.66 혼합치열기 치근 수렴. 상악 영구 절치의 슬롯의 경사를 근심을 치은 쪽으로 조정하여 얻을 수 있다.

8.27.10 치근첨이 개방된 치아의 교정치료

Fenn[4]은 개방치근첨을 보이는 상악 중절치에 대한 교정치료를 분석하였다. 평균 7.9세의 30명의 소아환자를 33명의 치료받지 않은 대조군과 비교하였다. Paired t-test를 통해 비교한 결과 상악 중절치와 측절치의 치근길이에 유의성 있는 차이가 없었다.

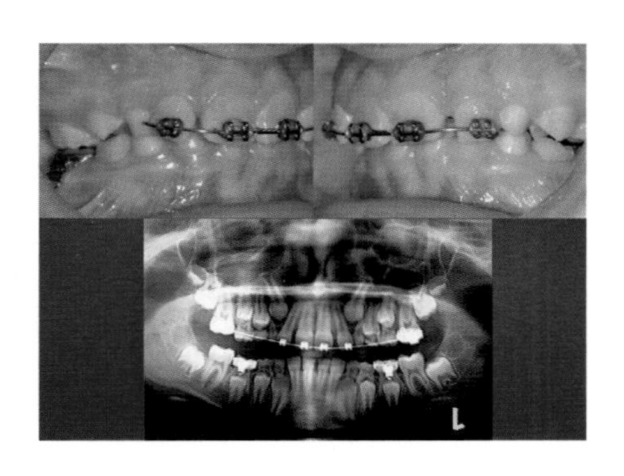

그림 8.67 혼합치열기 치근 수렴. 상악 중절치가 경사도 "0"을 나타낸다. 상악 측절치에서 좌 · 우측의 브라켓을 "전환(switching)"하여, 치근의 수렴도를 중심선을 향하게 하였다.

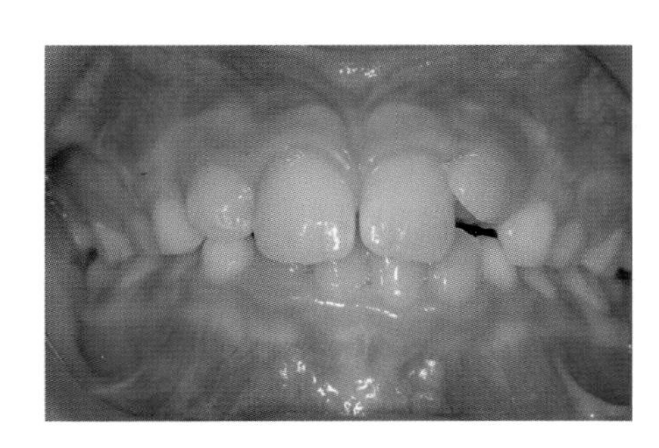

그림 8.68 시점1. 혼합치열기 전치부 배열.

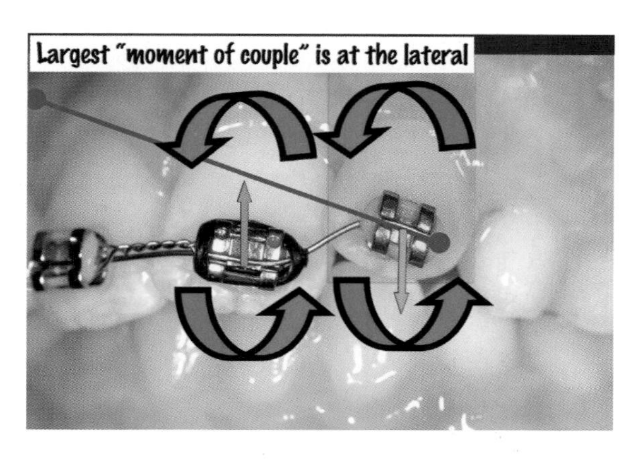

그림 8.69 시점2. 혼합치열기 전치부 배열을 위해 0.012 nitinol 호선을 분절로 이용하였다. 짝힘의 부가적인 모멘트와 그로 인해 발생하는 수직력을 주목하라.

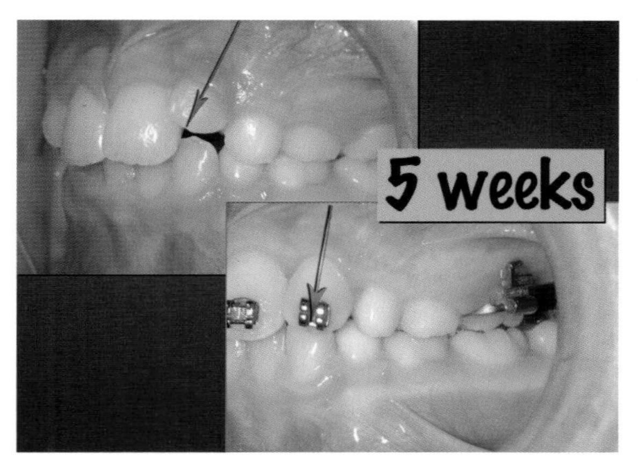

그림 8.70 시점1과 시점2의 혼합치열기 전치부 배열. 0.012 nitinol 호선을 분절로 5주간 이용하였다.

8.27.11 2개의 브라켓 - 2개의 동일하고 반대방향을 보이는 짝힘들 (그림 8.72) [1–3]

2개의 연속된 브라켓에서 Mc의 크기가 같고 방향이 반대일 때, 각 브라켓에 작용하는 평형력 또한 크기가 같고 반대방향이며 서로 자연스럽게 상쇄가 일어난다(**그림 8.67**). 이것은 때때로 대칭성 V-bend라고 불리고, 2개의 동일 선상의 브라켓 사이에 같은 거리에서 발생하는 것으로 추측된다. 대칭성 V-bend를 사용하는 경우는, 같은 크

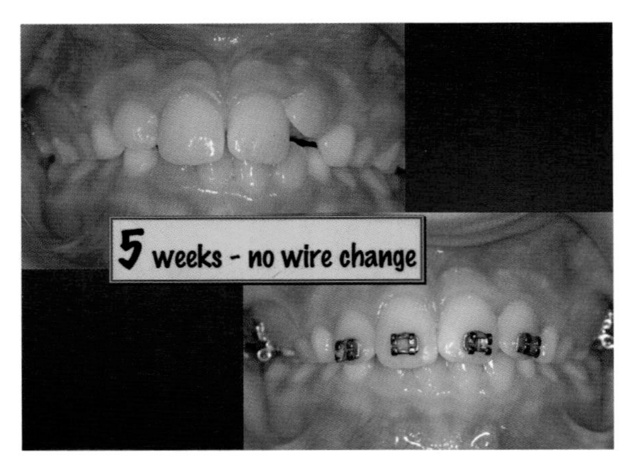

그림 8.71 시점1과 시점2의 혼합치열기 전치부 배열. 0.012 nitinol 호선을 분절로 이용하였다.

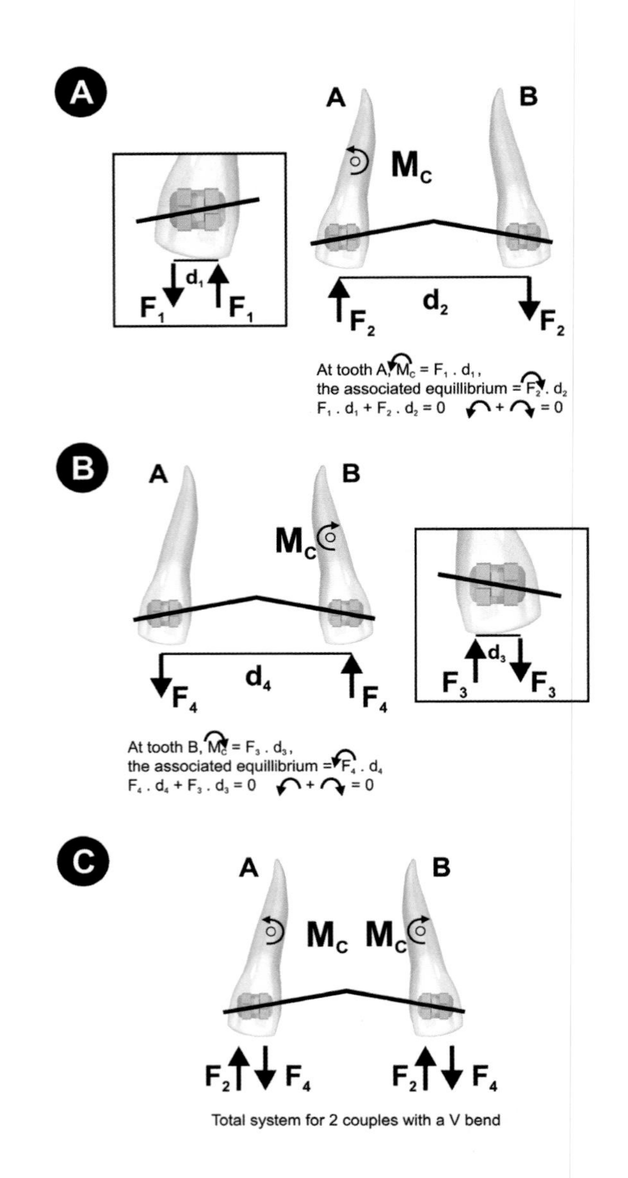

그림 8.72 2개의 브라켓, 2개의 짝힘 시스템에서 나타나는 힘과 모멘트. (A) 치아 A에 호선을 삽입한 결과 Mc, F1 x d1는 F2 x d2와 평형을 이루었다. (B) 치아 B에 호선을 삽입하여, 같은 크기와 반대 방향의 Mc, F3 x d3는 F4 x d4와 평형을 이루었다. (C) 2개의 치아에 작용하는 총 시스템은 A와 B에 각각 나타나는 효과의 합이다. (크레딧: Dr. Robert Isaacson)

기와 반대방향의 모멘트가 2개의 연속된 치아에서 일어나면서 각 모멘트와 연관된 평형력을 원하지 않을 때이다. 크기가 같고 방향이 반대인 짝힘을 발생시키는 대칭성 V-bend를 위해서, 브라켓은 슬롯과 함께 동일 선상에 있어야 한다. 부정교합에서는 브라켓이 비대칭적으로 위치되어 있거나 동일 선상에 위치하지 않은 경우가 많으므로, 2개의 연속 브라켓에서 발생하는 같은 크기와 반대방향의 모멘트는 2개의 브라켓 사이의 같은 거리에 위치한 V-bend로 발생하지 않는 경우가 많다. V-bend의 위치가 중요한 것이 아니다. 오히려, 중요한 것은 두개의 연속적인 브라켓에서 같은 크기와 반대 방향의 모멘트를 발생시키는 것이다. 이처럼 같은 크기와 반대방향을 보이는 모멘트는 호선을 브라켓에 삽입하기 전에 브라켓 슬롯 상에 올려 놓고 같은 크기와 반대 방향이 확인될 때까지 호선의 삽입각도를 조정함으로써 얻을 수 있다**(그림 8.73~8.75)**.

8.27.12 2개의 브라켓 - 2개의 동일하지 않고 반대방향을 보이는 짝힘들 (그림 8.76)[1-3]

임상적인 목적에 있어, 2개의 연속된 브라켓에서 크기다 다르고 반대방향을 보이는 짝힘(subtractive)들은 2개의 단일 브라켓 시스템의 대수적인 합으로 생각할 수 있다. 2개의 연속된 치아의 모멘트의 상대적인 크기는 호선을 수동적으로 브라켓 슬롯 위에 올려놓았을 때 예측할 수 있다. 브라켓의 삽입각이 클수록, Mc가 크고, Mc가 작은 쪽보다 더 큰 회전 경향을 나타낼 것이다. 2개의 연속된 브라켓의 Mc의 크기가 다르고 방향이 반대라면(subtractive), 2개의 모멘트 중 큰 모멘트가 평형력의 방향을 결정할 것이다. 각각의 치아에서, 더욱 큰 Mc와 연관된

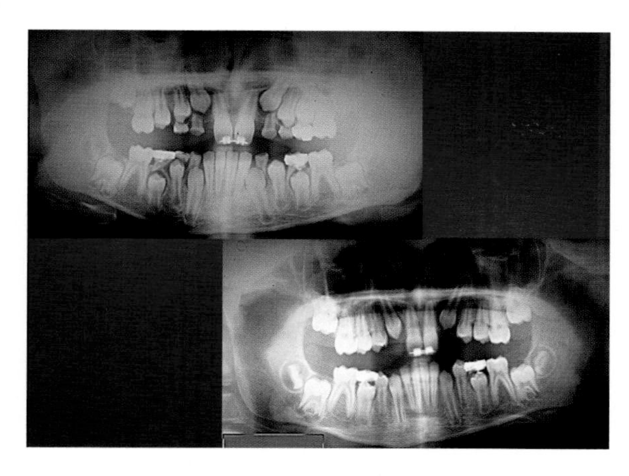

그림 8.73 선천적으로 상악 측절치가 결손된 증례: 중절치의 치근을 피해 영구 견치를 맹출시키기위해 centered gable bend 분절을 이용하였다. 6주 간격으로 조절한 파노라마 사진이다.

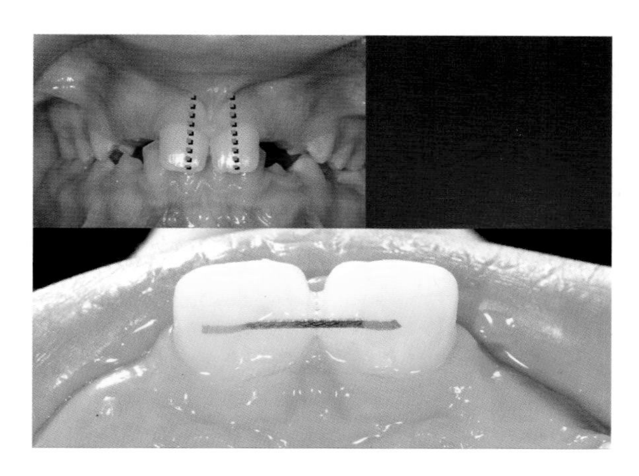

그림 8.75 중절치의 과교정된 위치와 고정형 설측 유지장치. 상악 우측 영구 견치 부위가 불룩하게 나와있다.

평형력의 크기는 더욱 작은 Mc와 연관된 평형력(subtractive)에 의해 바뀔 것이다. 각각의 브라켓은 결과적 차이(net difference)를 느낄 것이다(**그림 8.76**). 이러한 호선의 형태는 비대칭성 V-bend 또는 off-center bend로 불리워진다. 하지만 V-bend의 위치는 중요한 문제가 아니다. 가장 중요한 요소는 각 브라켓 슬롯에 대한 호선의 최종 방향이다. 이러한 호선의 삽입각이 큰 모멘트 생성을 결정하고 평형력의 방향을 결정한다.

8.27.13 2개의 브라켓 - 증가된 전치의 치근 토크를 포함하는, 2개의 "같은 방향, 더해지는" 짝힘

그림 8.77은 정출 호선과 토킹 아치(torqueing arch)를 동시에 사용한 모식도이다. 2개의 연속된 브라켓의 Mc가 같은 방향일 때, 그 평형력도 역시 같은 방향이다. 각 치

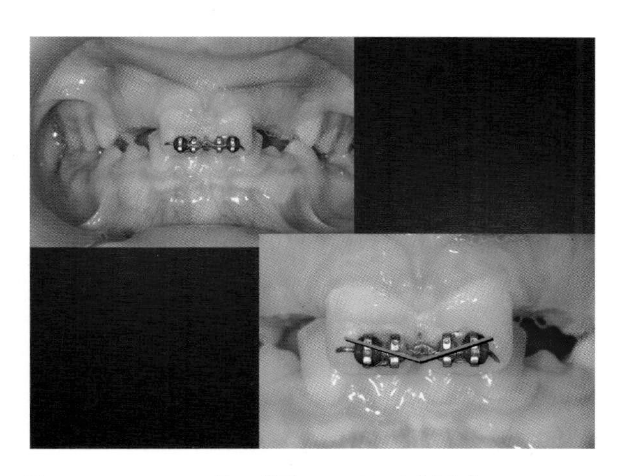

그림 8.74 helical loop를 포함한 16 × 22 SS 분절에 centered gable bend를 부여하여 사용하였다. 영구 견치 맹출로부터 중절치의 치근을 수렴시키기 위해 사용하였고, helical loop은 호선의 작용범위(range)를 증가시킨다. 파란색 선은 중절치 슬롯에 삽입되는 삽입각도를 나타낸다. SS 결찰로 중절치 브라켓을 함께 묶었다. 치관이 서로 분리되면서, SS 결찰이 새로운 힘으로 작용하여 치근을 직립시키고 각 중절치의 저항중심도 중심선쪽으로 이동하게 된다.

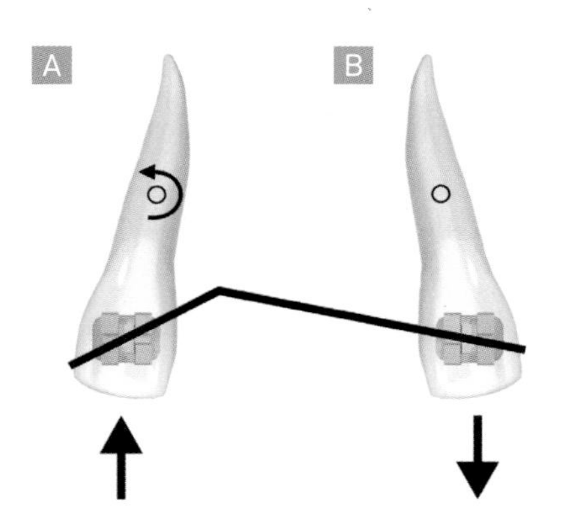

그림 8.76 2개의 브라켓과 2개의 짝힘 시스템으로 이루어진 비대칭성 V-bend. 삽입각이 치아 A에서 더 크므로 더 큰 짝힘의 모멘트를 나타낸다. 더 큰 모멘트가 A와 B의 평형력의 방향을 결정한다. 치아 B에 작용하는 반대방향의 모멘트는 작은 평형력을 발생시키고 이는 A에 작용하는 평형력을 감소시키는 방향으로 작용한다(subtractive forces). 그러므로, 전체적인 반응을 보면, B의 정출, A의 함입, A 치근의 큰 원심 회전, B 치근의 적은 원심 회전이 일어난다. (크레딧: Dr. Robert Isaacson)

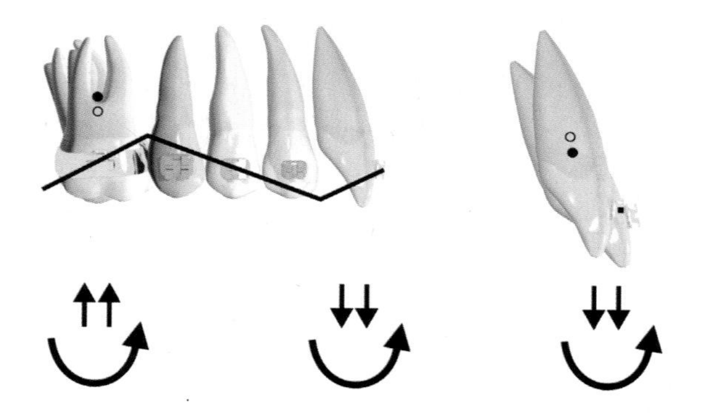

그림 8.77 더해지는 힘의 step-bend가 수반되는, 2개의 브라켓과 2개의 짝힘 시스템. 전치부와 구치부의 짝힘 모두 같은 방향(additive)으로 작용한다. 이를 "더해지는 짝힘(additive couple)"이라고 한다. 이 짝힘은 같은 수직적 방향으로 더해지게 작용하는 평형력을 형성한다. (크레딧: Dr. Robert Isaacson)

아는 존재하는 힘의 총합을 받게 된다. 이런 와이어의 형태는 step-bend이며 기본적으로 2개의 V-bend가 이루는 짝힘, 모멘트와 그로 인해 발생하는 힘의 합이다(additive forces). 중절치의 치관 순측, 치근 설측 이동을 위한 3차 짝힘이 모든 절치 브라켓에 적용될 때, 치관의 순측 이동은 치근의 설측 이동보다 더 빨리 나타난다. 왜냐하면 중절치 치관 절단부가 치근첨보다 저항중심에서 멀리 위치하기 때문이며, 회전 각도가 주어지면 절치 절단부가 치근첨보다 더 많이 선상 이동할 것이다. 저항중심 주변의 회전에 의한 절치 치관의 빠른 순측 이동 속도로 볼 때 토킹 아치(torquing arch)는 전치부 반대교합 치료에 있어 좋은 도구가 될 수 있다.

8.27.14 임상적용 - 혼합치열기 개방교합, 증가된 전치의 치근 토크를 포함하는, 2개의 "같은 방향, 더해지는" 짝힘

그림 8.78은 혼합 치열기 동안의 임상 적용을 나타낸다. 하악 제2유구치를 밴딩하여, 치관의 근심이동과 치근의 원심 회전이 예상된다. 구치 회전을 감소시키고 절치

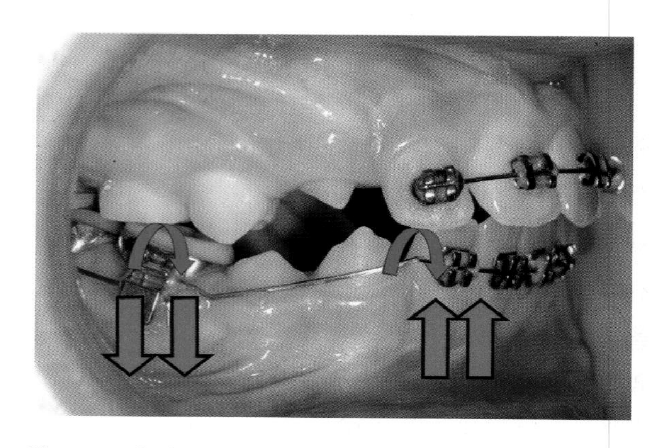

그림 8.79 이 시스템에서 나타나는 더해지는 시스템 역학과 대략적 도식적인 벡터. 유구치의 회전을 감소시키고 절치 정출을 향상시키기 위해 16 x 22 SS를 "분절 저항호선"으로 제2유구치(E)와 제1대구치에 삽입하였다. 이는 하악 우측 제2유구치에서 긍정적인 저항효과를 나타내었다. 추가로, 절치의 정출로 감하는 힘(subtractive force)(치관 설측 회전)이 하악 절치에 나타났다.

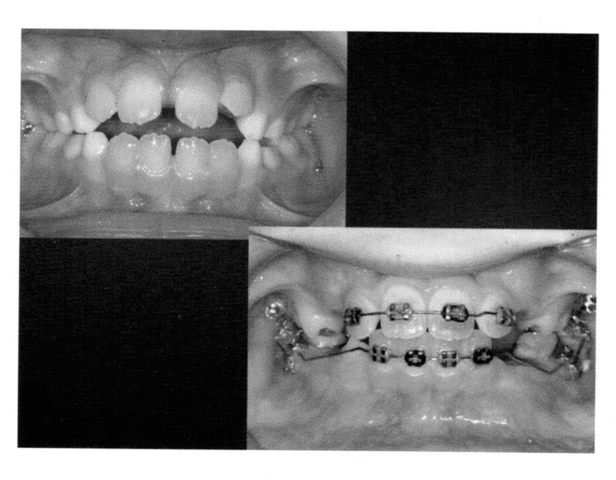

그림 8.78 혼합치열기 하악 전치에 "더해지는 힘"으로 16 x 22 SS 정출용 유틸리티 아치 사용. 제2유구치(E)의 치관 근심 회전(tipping)을 줄이기 위해서, 분절 저항호선을 삽입하여 제1대구치와 연결하였다. 하악 좌우측 제2유구치의 회전 반응 차이를 보아라.

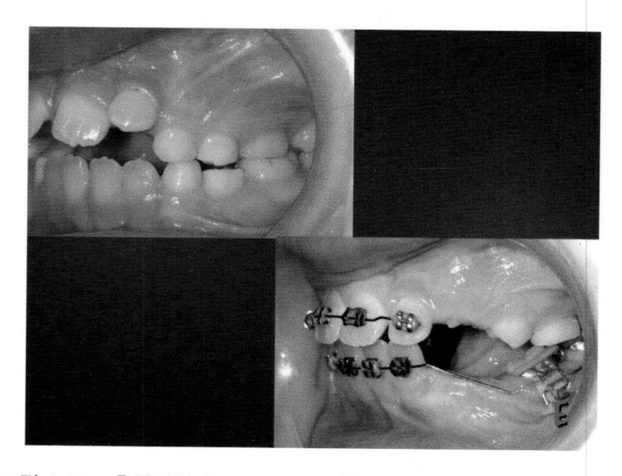

그림 8.80 혼합치열기 16 x 22 SS 이용한 하악 절치 정출. 하악 좌측 제2유구치(E)는 치관 근심, 치근 원심 회전을 보인다. 이것은 하악 제2소구치의 발현과 이에 따른 제2유구치의 치근 흡수에 기인한다(그림 8.81 참조).

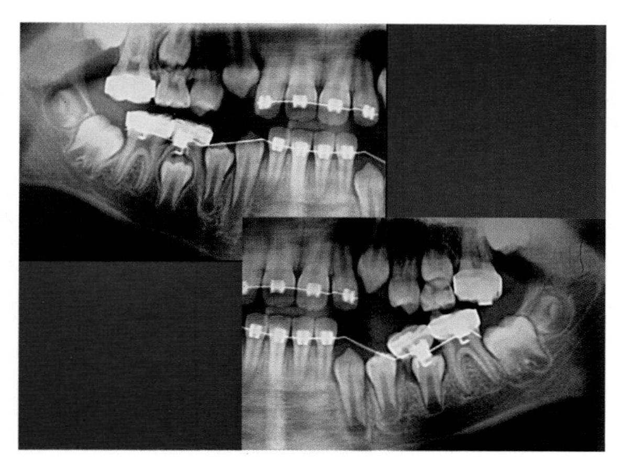

그림 8.81 하악 좌측 제2소구치의 발현과 이에 따른 제2유구치의 치근 흡수는 좌측에서 치관 근심회전을 더 많이 야기시켰다. 하악 좌측 제2소구치의 수직적 맹출 경로에는 영향을 주지 않는 것으로 보인다.

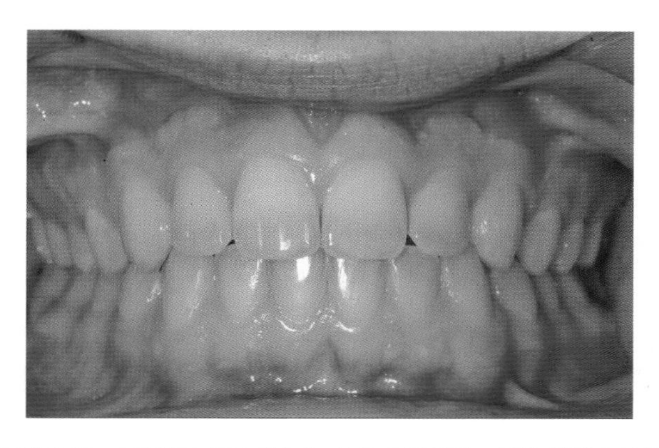

그림 8.83 교정치료 종료 2년 후. 상악과 하악에 고정성 장치를 사용하였고, 2차 교정 치료의 마무리가 이루어졌다. 이 사진은 교정치료 종료 2년 후의 사진이다. 환자는 가철성 투명 유지장치(vaccum formed retainer; VFR)를 1주일에 2~3회씩 잘때만 착용하고 있다. 고정성 설측 유지장치는 사용하지 않았다.

의 정출을 향상시키기 위해 16 × 22 SS "저항용 분절" 호선을 제2유구치에서 제1대구치까지 삽입하였다. 호선/튜브 사이에 발생하는 "play"는 하악 우측 제2유구치에서 약간의 긍정적인 저항효과를 나타낸다(**그림 8.79**). 그림 8.80을 보면, 하악 좌측 제2유구치는 치관의 근심 회전과 치근의 원심 회전을 나타낸다. 이것은 하악 좌측 제2소구치의 출현과 유치의 치근 흡수에 기인한다. 그림 8.81에서 하악 좌측 제2소구치의 수직적 맹출 경로에는 분명하게 영향

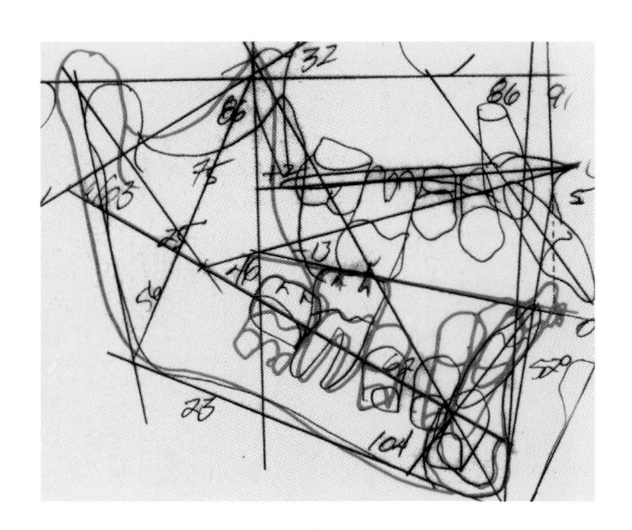

그림 8.82 PM point에서 하악체 중첩(Rickett's method) 결과, 하악 절치의 정출이 나타난다. 임상가의 기대대로, 더해지는 힘의 정출성 유틸리티 아치는 치근설측/치관순측 회전(토크)의 양을 조절할 수 있다.

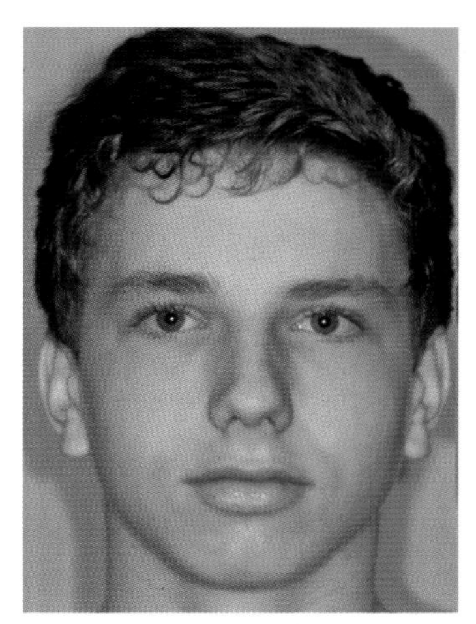

그림 8.84 2단계 교정치료 종료 2년 후 치성 및 안모의 균형. 미소선이 정상범위에 있다.

을 주지 않음을 알 수 있다. 그림 8.82, 8.83은 두부방사선 사진과 치아치조성 변화를 나타낸다. 그림 8.84는 2년 후의 2차 치료 시점의 얼굴 균형을 보여준다.

저자는 훌륭한 자료의 사용과 수정을 허락해준 Dr. Robert Isaacson에게 감사함을 전하고 싶다.

참·고·문·헌

1 Isaacson, RJ. Seminars in Orthodontics Journal, Vol 1, No 1: Elsevier Publications, USA, March 1995.

2 Mulligan, TF. Common Sense Mechanics in Everyday Orthodontics II, Phoenix, Arizona, USA, CSM Publishing, 2009.

3 Marcotte, MR. Biomechanics in Orthodontics, BC Decker, Philadelphia, USA, 1990.

4 Fenn, KM. The effect of fixed orthodontic treatment on developing maxillary incisor root apices. Am J Orthod 1998; 114(5):A1.

Index

ㄴ

ㄷ

ㅇ

ㅈ

A

B

C

D